COMPUTEREN NA 50

PASCAL VYNCKE

COMPUTEREN NA 50

HET COMPLETE BASISBOEK VOOR WINDOWS 7

WWW.LANNOO.COM
Registreer u op onze website en we sturen u regelmatig een nieuwsbrief met informatie over nieuwe boeken en met interessante, exclusieve aanbiedingen.

OMSLAGFOTO Shutterstock
OMSLAGONTWERP Jef Boes

D/2010/45/254 – ISBN 978 90 209 8934 2 – NUR 748

BEKNOPTE INHOUD

INHOUD

1 •• WAT KUN JE DOEN MET EEN COMPUTER?

Een computer is iets anders dan alle andere elektrische toestellen die je kunt kopen. Een broodrooster of een haardroger kan maar één taak aan, een computer daarentegen kan 'gevraagd' worden om een hele reeks verschillende taken uit te voeren.

Een computer is een fantastisch iets. Hij is gigantisch snel, kan enorm veel en is toch zo eenvoudig voor de gewone gebruiker.

Van een computer moet je niet verwachten dat hij meehelpt in het huishouden. Het toestel zal niet stofzuigen of afwassen. Je bent ook aan het verkeerde adres indien je liefde van je computer verwacht. Je kunt het ding wel een keer goed vastpakken, maar hij zal geen blijk van genot tonen en de computerkast zal maar koud aanvoelen. Je computer heeft geen slaap nodig en kan indien nodig 24 uur per dag en 7 dagen per week voor je aan het werk zijn, en dat zonder te klagen of erover te denken om te gaan staken.

Het internet

Een van de belangrijkste redenen om een computer te kopen, is tegenwoordig het internet. Je hebt bijna onbeperkt veel mogelijkheden en iedereen vindt wel iets dat hij of zij leuk vindt, ook jij!

Blijf in contact (e-mail)

Het internet opent een hele wereld om met je vrienden en familie te communiceren. Je kunt met elkaar contact houden via een elektronische vorm van de brief (e-mail genoemd). De voordelen van e-mail zijn dat het volledig gratis is en dat het vele malen sneller werkt dan een brief die je met de post verstuurt. In enkele seconden is zo'n bericht namelijk al op zijn bestemming, waar ook ter wereld.

Met e-mail kun je bovendien ook gemakkelijk foto's, geluid, muziek, video's en documenten opsturen.

Conversaties (chatten)

Als je direct iemand wilt spreken, dan vind je op het internet heel wat mogelijkheden. De bekendste vorm wordt chatten genoemd. Op deze manier kun je met twee of meer mensen tegelijk converseren via het toetsenbord. Alles wat je wilt zeggen, typ je in. Vrijwel onmiddellijk ziet je gesprekspartner jouw bericht, waarop hij of zij kan antwoorden. Zo kun je niet alleen met je vrienden of familie contact houden, je kunt ook heel snel nieuwe vrienden maken!

Reizen en reis voorbereiden

Zoek voor je reis informatie op het internet. Miljoenen pagina's vertellen je van alles over zowat elk plaatsje op deze aardbol. Zo kun je de best mogelijke locatie vinden die aan jouw eisen (en budget) voldoet. Er is zelfs zo veel informatie te vinden dat je je reis goed kunt plannen en niet voor verrassingen komt te staan. Dankzij de vele websites met interessante aanbiedingen kun je zo nog veel geld besparen ook!

Interessant is ook de informatie over bijvoorbeeld musea, hotels, restaurants en natuurparken, met openingsuren en prijzen. Bovendien kun je vaak onmiddellijk je plaatsje of ticket reserveren.

Antwoorden krijgen en discussiëren (forum)

Doordat er wereldwijd zo'n miljard mensen het internet gebruiken, kun je eenvoudig een antwoord krijgen op eender welke vraag. Zeer handig hiervoor is een 'forum', waar je vragen kunt stellen over de meest diverse onderwerpen. Andere gebruikers van het 'forum' geven je dan een antwoord. Vragen over de computer, de tuin, reizen, dieren, koken, fietsen, planten, muziek, film, auto's… alles is mogelijk.

Informatie opzoeken

Het internet is de grootste bibliotheek ter wereld. Er staan miljarden pagina's met informatie op, over zowat alle onderwerpen waar een mens ooit informatie over zou willen opzoeken. Als iemand het op deze wereld ooit heeft geweten, dan heb je veel kans dat je het terugvindt op het internet. Deze gigantische encyclopedie is bovendien dag en nacht, zeven dagen per week te bereiken en is zo goed als altijd gratis.

Kinderen kunnen bovendien van de enorme informatiebibliotheek gebruikmaken bij het maken van hun huiswerk.

Actualiteit en nieuws volgen

Via het internet kun je het nieuws lezen, veel sneller dan via de televisie, krant of tijdschrift. Als ergens op de wereld ook maar iets gebeurt, kun je het (meestal) in het Nederlands lezen op een van de talloze nieuwswebsites. Die zijn vaak gratis toegankelijk. Samen met bijvoorbeeld extra foto's, videobeelden en extra informatie, zorgt het internet er zo voor dat je steeds weet wat er rondom jou in de wereld gebeurt.

Ontspanning

Even relaxen en ontspannen is zeer belangrijk, zeker als je een druk leven leidt. Gewoon in je luie stoel gaan zitten en televisiekijken is niet altijd de oplossing. Even achter je computer gaan zitten en op het internet gaan, kan zeer ontspannend zijn. Je kunt er gratis duizenden spelletjes vinden en deze spelen tegen andere mensen, waar ook ter wereld.

Kopen

Op het internet kun je enorm veel informatie zoeken over een product dat je zou willen kopen. In plaats van informatie vragen aan een verkoper in een gewone winkel (die je vaak toch maar dat aanpraat waar hij of zij het meeste op verdient), kun je op het internet duidelijke en uitgebreide informatie vinden zodat je kunt beslissen welk product écht bij je past.

Als je graag boeken leest, films bekijkt of naar muziek luistert, zal het internet ook de perfecte plaats voor je zijn. De internetwinkels hebben een veel groter aanbod dan je huidige winkel ooit kan bieden. Je kunt op het internet kiezen uit miljoenen boeken, cd's en dvd's. Bovendien zijn aankopen meestal goedkoper omdat de internetwinkel kosten uitspaart. Een internetwinkel moet immers geen pand huren en spaart de kosten voor salarissen, elektriciteit, enzovoort uit.

Verkopen

Je kunt via het internet ook zelf verkoper worden. Heb je iets thuis staan dat je niet meer nodig hebt, dan kun je dit aanbieden op het internet. Ruim een keer je zolder of kelder op en je bent in één klap heel wat geld rijker. Een extra voordeel is dat je vele miljoenen mensen kunt bereiken. Daardoor heb je meer kans dat je de juiste koper vindt, die een goede prijs voor jouw artikel overheeft.

Leren

Het internet is de perfecte plaats om nieuwe dingen te leren. Duizenden cursussen maken het mogelijk dat je vrijwel alles wat je interesseert, kunt leren. Dit is niet alleen interessant voor jou, het kan ook zeer interessant zijn voor je (klein)kinderen.

Bankieren

Via internet kun je op een heel eenvoudige manier bankieren. Je hoeft niet meer door weer en wind naar de bank voor een overschrijving. Je kunt alles regelen via internet, vanuit je luie stoel op het moment dat het jou het beste past. Bovendien is het sneller en je hebt ook nog eens extra controle over je financiën.

Laat van je horen!

Je kunt ook zelf informatie plaatsen op het internet. Schrijf bijvoorbeeld iets over je hobby, over je leven, je werk. Laat zo de hele wereld weten wat jij weet.

Op het internet is iedereen journalist. Schrijf zelf over de actualiteit, deel jouw mening mee aan de rest van de wereld!

Niet moeilijk!
Veel mensen hebben het idee dat je goed moet weten hoe een computer technisch werkt om ermee te kunnen werken. Dit klopt echter niet.

Je weet toch ook niet hoe een auto werkt, hoe je televisie in elkaar steekt, hoe al die chips in een dvd-speler werken, hoe een magnetron of fototoestel precies functioneert? Het is altijd leuk als je het weet, maar het is zeker niet nodig.

Een computer is een apparaat dat vele keren minder moeite vraagt dan leren autorijden. Denk eraan dat computers speciaal ontworpen zijn om zo gebruiksvriendelijk mogelijk te werken en níét om jou te pesten!

Wereldwijd
Op het internet maakt het niet uit waar iemand woont. Of je nu praat met iemand die in Nieuw-Zeeland, in Amerika of enkele huizen verderop woont, het maakt geen enkel verschil, ook niet voor de prijs. De hele wereld wordt zo onmiddellijk toegankelijk. Even een vraagje sturen naar Amerika, een afspraakje maken met je vriendin en daarna nog vlug een briefje schrijven naar je werkgever… het gaat even snel en eenvoudig als een kop koffie zetten.

En buiten het internet?

Er is meer dan het internet alleen, veel meer. De computer kan ook allerlei werkjes voor je opknappen.

Foto's

Je kunt met een zogenaamd 'digitaal' fototoestel foto's nemen die je op de computer kunt zetten. Deze foto's kun je vervolgens bewerken en er echte kunstwerkjes van maken. Met een 'printer' die op je computer aangesloten is, kun je ze daarna afdrukken op papier. Je kunt zo ook zelfgemaakte verjaardagskaarten, kerstkaarten en andere wenskaarten maken om je vrienden en familie mee te verrassen!

Een extra voordeel van het werken met foto's op de computer is de prijs: het kost je niets! Geen kosten voor de ontwikkeling van je film en geen prijs per foto! Je kunt zoveel foto's nemen als je zelf wilt zonder dat je er extra voor betaalt.

▸▸ *Oude foto's*

Heb je geen digitaal fototoestel of heb je nog talloze foto's die reeds afgedrukt zijn op papier, dan kun je met een zogenaamde 'scanner' deze foto's op je computer zetten en hier ook weer mee aan de slag gaan. Rode ogen camoufleren, collages maken, de foto verwerken in een verjaardagskaartje...

▸▸ *Foto's bekijken op je televisie*

Als je een dvd-speler in huis hebt, kun je met je computer een zogenaamde 'foto-cd' maken. Daarmee kun je op je televisie naar je foto's kijken. Het is heel gezellig om met je partner en/of kinderen naar de foto's te kijken van een feestje, een reis, een uitstapje... Bovendien zie je de beelden vele keren groter dan op papier, want ze staan op je grote televisie.

Brieven schrijven

Met de computer geschreven documenten en brieven zien er veel professioneler uit dan een met de hand of met een klassieke typemachine geschreven brief. Bovendien is het veel eenvoudiger en kun je schrijf- of tikfouten gemakkelijk verbeteren.

Met de computer kun je ook je documenten opfleuren met kleurtjes, zelfgemaakte foto's, enzovoort. In plaats van een brief dubbel te schrijven of te laten kopiëren, kun je die zoveel keren afdrukken op papier als je zelf maar wilt, zonder extra moeite.

Adreslijsten en mailings

Houd de adresgegevens van je vrienden en kennissen op je computer bij. Zo heb je niet meer het probleem dat je het laatste nieuwe adres of telefoonnummer niet weet omdat iemand nog maar net verhuisd is.

Bovendien is het mogelijk etiketten af te drukken zodat je een brief naar meerdere mensen kunt sturen zonder extra moeite. Je kunt de brief zelfs automatisch laten 'personaliseren' zodat elke brief het adres reeds bevat. Je hoeft hem alleen nog maar in de enveloppe te steken!

Rekenen en financiën

Vele mensen houden hun financiën bij op hun computer. Kijk wat je maandelijkse inkomsten zijn, trek daar de vaste kosten af en werk vervolgens verder totdat je budget op is. Zo kun je efficiënt sparen en verstandige financiële beslissingen nemen.

Ook voor ander rekenwerk kun je de computer gebruiken. Als je wiskundige berekeningen wilt maken, is de computer je vriend!

Naamkaartjes maken

Geen gekrabbel meer op een bierviltje! Maak je eigen naamkaartjes om zo aan iedereen die het wenst je naam, adres, telefoonnummer en misschien binnenkort je internetadres bekend te maken!

Presentaties maken

Het is heel leuk om presentaties te maken. Dit kan voor talloze doeleinden. Je kunt ze gebruiken voor je werk om bijvoorbeeld een project of een product voor te stellen. Ook voor kinderen zijn ze handig: denk maar aan een spreekbeurt of voorstelling op school. Je kunt ook een presentatie maken met foto's en andere tekeningen om door te geven aan je vrienden!

Ontwerp je eigen huis of tuin

Je kunt met de computer zelf je eigen tuin ontwerpen en er zelfs in rondlopen nog voor je ook maar één korreltje zand hebt aangeraakt. Optimaliseer je tuin om zo het hele jaar door bloemen te krijgen, de juiste planten op de juiste plaats te zetten, enzovoort.

Ook het ontwerpen van je nieuwe droomhuis of het organiseren van je verbouwings- of renovatiewerkzaamheden zijn met de computer een stuk eenvoudiger te plannen.

Informatie, leren en ontspannen

Er zijn honderden programma's op de markt waarmee je via de computer kunt leren, alsof een leerkracht of professor je het zou uitleggen. Je kunt jezelf een nieuwe hobby aanleren, maar je kunt bijvoorbeeld ook je kinderen extra lessen op de computer laten volgen. Zo kunnen ze extra oefeningen maken en op school beter meekomen.

Ook bestaan er programma's met de beste wandelroutes, fietsroutes, enzovoort. Daardoor kun je nog meer genieten in je vrije tijd. Of misschien ben je als sporter wel geïnteresseerd in nieuwe sportoefeningen?

Spelletjes

Af en toe ontspannen is belangrijk. Er zijn ontelbaar veel spelletjes in alle genres te koop in de winkel. Bovendien krijg je er meestal al enkele gratis geleverd bij aanschaf van een computer. De keuze is enorm: kaartspelletjes en denkspelletjes, actiespelletjes en educatieve spelletjes. Voor elk wat wils dus.

Muziek

Maak met je computer zelf muziek, componeer je eigen liedje. Neem je stem op of bijvoorbeeld die van je (klein)kind. Je kunt de klanken bewerken en op een cd zetten zodat je het geluid op een cd-speler overal kunt beluisteren, bijvoorbeeld in je auto.

En verder…

Denk je dat dit alles is wat je met een computer kunt doen? Absoluut niet! Je computer biedt je nog onbeperkt veel andere mogelijkheden. Wat dacht je van programma's waarmee jonge kinderen spelenderwijs enorm veel bijleren? Veel beter dan sommige nutteloze televisieprogramma's, nietwaar?

Maar ook het aanleggen van hele databanken, kijken hoe je moet rijden met de auto om eender waar in Europa te geraken met een routeplanner, een filmpje maken waarin je kleinkind de hoofdrol speelt, een eigen muziek-cd samenstellen, tekeningen maken, enzovoort. De lijst is bijna oneindig lang!

Ondernemingen & zelfstandigen

Als zelfstandige of als onderneming kun je nog talloze andere dingen doen met de computer. Benader zeer eenvoudig een gedeelte van of al je klanten en krijg een overzicht van je beste afnemers. Zorg voor de facturatie, mooie naamkaartjes, organiseer de bestellingen, houd overzicht op het personeelsbestand, maak professioneel briefpapier, foldertjes, een nieuwsbrief, enzovoort. Een computer biedt talloze mogelijkheden, bespaart tijd en geld en zorgt voor een betere klantvriendelijkheid en service.

Computer voor iedereen!

Meer dan een miljard mensen zijn je al voorgegaan. De computer is voor iedereen! Er zijn computers voor mensen met veel geld, maar evengoed voor mensen met een laag inkomen. Computers zijn toegankelijk voor zowel kinderen als ouderen, van 0 tot 100 jaar. Ook mensen die mindervalide zijn, mensen die niet goed kunnen zien, niet (goed) kunnen horen of een ander probleem hebben, kunnen gebruikmaken van de computer. Niemand blijft aan de kant staan: jong of oud, rijk of arm, gezond of ziek: de computer is er voor iedereen!

2 •• EEN COMPUTER KOPEN

Het kopen van een computer is zeer goed te vergelijken met het kopen van een auto. Je koopt immers ook niet zomaar de eerste de beste wagen!

Je hoeft absoluut niet te weten hoe een computer exact werkt, maar je moet wel met enkele zaken vertrouwd zijn, net zoals bij de auto. Als je een auto koopt, houd je bijvoorbeeld rekening met de milieuvriendelijkheid, het verbruik, hoe krachtig de motor moet zijn, extra opties zoals airconditioning, het uitzicht, de kleur, enzovoort. Ook bij computers bestaan er talloze extra opties, en daarom is het handig dat je, voor je een computer koopt, weet wat de mogelijkheden precies zijn. Zo kun je de computer kiezen die het beste bij je past.

Vele mensen denken dat ze de duurste computer moeten kopen, maar dat is onzin. Je koopt toch ook niet de duurste auto uit de toonzaal?

Ik leg in dit hoofdstuk de belangrijkste dingen uit die je moet weten voordat je echt een computer gaat kopen.

De basis

Wat is nu een computer?

Ten eerste: wat is nu in hemelsnaam een computer? Een computer is een metalen of plastic doos, meestal rechthoekig. De grootte ervan kan variëren van een doos cornflakes tot de omvang van een kleine televisie. Intern zit allerlei elektronisch materiaal dat zorgt voor de werking.

De motor

De drijvende kracht in je computer wordt de 'CPU', of ook wel de 'processor' of de 'centrale verwerkingseenheid' genoemd. Dit is het onderdeel dat alle berekeningen uitvoert en alles wat je later zult vragen aan de computer zal verwerken. Je hoeft niet te weten hoe de motor van je computer werkt – je weet toch ook niet hoe een dieselmotor precies functioneert – maar je moet wel weten hoe de snelheid wordt opgegeven.

De snelheid van de motor wordt in MHz of GHz aangeduid. De M staat voor mega, de G staat voor giga. Zo wordt MHz als 'megahertz' en GHz als 'gigahertz' uitgesproken. Giga is 1000 keer meer dan mega. Zo staat 3000 megahertz bijvoorbeeld gelijk aan 3 gigahertz. Laat je dus niet wijsmaken dat 2000 megahertz meer is dan 3 gigahertz (want 3 gigahertz is gelijk aan 3000 megahertz). Grosso modo: hoe hoger dit getal, hoe sneller de computer.

Om een idee te vormen van de snelheid van een computer: *giga* komt overeen met 1 miljard, *mega* met 1 miljoen. De snelheid van een 3,4 GHz-computer staat dus gelijk aan 3,4 miljard bewerkingen per seconde! Dit is bijna niet te geloven, maar toch is het zo! Tegenwoordig zie je ook steeds meer computers met twee processoren op één chip, de zogenoemde 'dual core-processoren'. Dat houdt in dat je inderdaad twee processoren in je computer hebt zitten. Je kunt je voorstellen dat die twee processoren keurig alle werkzaamheden verdelen en dat je computer hierdoor dus veel sneller wordt. Er zijn zelfs computers te koop met zogenoemde 'quad core-processoren', dus met vier processoren op één chip. Deze computers zijn echter nog duur in tegenstelling tot de dual core-processoren.

Kortetermijngeheugen

Bij een auto heb je niet echt een geheugenoptie, daar moet je zelf als chauffeur voor het geheugen spelen en bepaalde zaken onthouden. Een computer heeft een kortetermijngeheugen nodig, in technische termen 'RAM-geheugen' genoemd. In reclamefolders wordt het kortetermijngeheugen soms ook wel aangeduid als 'werkgeheugen'.

Alles waarmee we op een bepaald ogenblik bezig zullen zijn op de computer (zoals surfen op het internet of een document schrijven) moet onthouden worden. Dat doet het werkgeheugen of RAM-geheugen.

Het geheugen van een computer wordt uitgedrukt in 'bytes', waarbij een byte overeenkomt met het onthouden van 1 letter. Voor een tekst van 100 letters komt dat dus neer op 100 bytes. Als je een computer gaat kopen, wordt het RAM-geheugen uitgedrukt met 'megabyte' (afgekort MB) of 'gigabyte' (afgekort GB). 1 megabyte is gelijk aan 1 miljoen bytes, en 1 gigabyte is gelijk aan 1 miljard bytes.

Hoe groter het kortetermijngeheugen van je computer, hoe sneller en efficiënter deze zal werken. Een computer met een werkgeheugen van 128 MB (128 megabyte) is dus minder goed dan een met 1 GB (1 gigabyte ofwel 1000 megabyte) werkgeheugen. Houd er rekening mee dat Windows 7 erg veel werkgeheugen nodig heeft. Een minimale hoeveelheid is toch wel 1 GB, en liefst meer. Let er ook op dat Windows 7 in een 32-bits- en in een 64-bitsuitvoering wordt geleverd. De 64-bitsuitvoering heeft meer geheugen nodig om tot z'n recht te komen. Houd rekening met minimaal 4 GB geheugen voor deze versie.

In de winkel wordt het kortetermijngeheugen vrijwel altijd als RAM aangeduid. Er zijn verschillende soorten RAM, zo is er DDR2 en DDR3 RAM geheugen. Hoe hoger het cijfer, hoe beter en vooral sneller het geheugen. Zo is DDR3 wel tienmaal zo snel als DDR2. Dit kan je keuze in de winkel dus mogelijk ook beïnvloeden.

Langetermijngeheugen

Net zoals onze hersenen heeft de computer ook een langetermijngeheugen. Het kortetermijngeheugen is – zoals de naam het al zegt – geschikt om dingen eventjes te onthouden. Het langetermijngeheugen kan zaken lang onthouden en bewaren. In computertermen spreken we in dit geval over de 'harde schijf' (of 'hard disk' in het Engels), omdat in werkelijkheid de informatie op een echte harde (magnetische) schijf wordt bewaard.

Hoe dat langetermijngeheugen werkt, doet ook weer niet ter zake. Wel is het belangrijk dat je weet waarom je het nodig hebt. We gebruiken het langetermijngeheugen om bijvoorbeeld al onze documenten, foto's, video's en muziek te bewaren.

Als je een computer in de winkel koopt, moet je meestal niet echt letten op het langetermijngeheugen. Voor een 'gewone' gebruiker is de grootte van de harde schijf die standaard voorzien wordt immers meestal ruim voldoende.

Net zoals het RAM-geheugen (het kortetermijngeheugen) wordt ook het langetermijngeheugen uitgedrukt in bytes. Bij het langetermijngeheugen spreken we echter vrijwel altijd over gigabytes (afgekort GB). Een computer met een harde schijf van 180 GB kan dus veel minder informatie bewaren dan een computer met 300 GB.

Bij het langetermijngeheugen is niet alleen de hoeveelheid gigabytes belangrijk. Een harde schijf draait immers rond. Hoe sneller deze ronddraait, hoe sneller je computer zal zijn. De snelheid wordt uitgedrukt in toeren per minuut, afgekort 'rpm' (komende van 'rounds per minute') of soms 'tpm' (komende van 'toeren per minuut'). Kies voor een hoog toerenaantal. De huidige goede norm is 7200 toeren per minuut. Kies zeker niet voor de tragere 5400. Er zijn ook snellere schijven te koop (10.000 toeren per minuut), maar die zijn vrij duur en alleen nuttig voor wie echt het beste uit zijn computer wil persen.

Scherm

Een computerscherm is eigenlijk een soort van televisie waarop je alle informatie kunt zien die de computer aan je wil tonen. Dit is dus een zeer belangrijk onderdeel! Zonder een scherm ben je namelijk niets met een computer: je kunt niet zien wat de computer kan en je kunt het resultaat van je vraag aan de computer niet bekijken. Vergelijk het met de voorruit van je auto: als die dicht zou zijn en niet doorzichtig, dan zou je moeilijk met je wagen kunnen rijden.

Als je een computer koopt, moet je erop letten dat een computerscherm bij de prijs is inbegrepen. Sommige winkels of fabrikanten laten dit uit de totaalprijs, om zo hun product veel goedkoper te doen lijken. Trap hier dus niet in!

Er zijn historisch gezien twee soorten computerschermen: CRT of TFT (ook wel LCD genoemd). CRT zijn de schermen die we kennen van de oude tv: zeer grote, zware en diepe bakken met gebold glas. Deze zijn vrijwel niet meer te koop, behalve tweedehands. Als je vandaag een computerscherm koopt, dan is het een TFT- of LCD-scherm: een plat scherm, ook wel 'flatscreen' genoemd. Deze zijn beter voor je ogen, nemen minder plaats in beslag en hebben een beter energieverbruik.

Een keuze die je moet maken, is net zoals bij het kopen van een televisie: hoe groot wil ik het scherm? Hoe groter je computerscherm, hoe aangenamer het zal zijn om ermee te werken en hoe minder vermoeiend het zal zijn voor je ogen.

De grootte van een scherm wordt opgegeven in 'inch', dit is een Amerikaanse eenheid die overeenkomt met 2,54 cm. Een inch wordt ook wel aangeduid met ´, bijvoorbeeld 17´ is 17 inch.

Let echter op! Bij het vergelijken van de prijs van een goedkoper CRT-scherm met een duurder TFT-scherm moet je er rekening mee houden dat je bij de opgegeven eenheid van een TFT-scherm 2 inch mag bijtellen!

Om dit te verduidelijken: een TFT-scherm van 17 inch komt in werkelijkheid overeen met een CRT-scherm van 19 inch.

Waarom? Kijk maar eens naar je televisie of naar zo'n CRT-scherm in de winkel. De CRT-schermen hebben langs de rand een zwarte strook waar geen beeld op komt. Bij een TFT-scherm is dit niet het geval, zo win je 2 inch!

Een goed scherm is belangrijk voor iedereen die lang aan de computer wil gaan werken, voor wie minder goede ogen heeft, voor wie veel met spelletjes, grafische toepassingen, films of video gaat werken. Het absolute minimum is 15 inch. Meer gebruikelijk is 17' of 19' voor laptops, zelfs groter voor een vaste PC op je bureau.

Bij de platte schermen, de flatscreens, wordt in de reclamefolders ook geregeld gesproken over de responstijd, meestal aangeduid in 'ms', ofwel milliseconden (duizendsten van een seconde). Hiernaar hoef je niet echt te kijken, het is alleen belangrijk indien je met je computer veel en vooral geavanceerde spelletjes gaat spelen. Anders: niets van aantrekken!

Toetsenbord

Nog een verplichte optie voor je computer is het toetsenbord. Dit is, zoals bij de typemachine, een rechthoekig vlak waarop tientallen toetsen te vinden zijn met het hele alfabet en de cijfers op. Je kunt het toetsenbord vergelijken met de knopjes in je auto om informatie aan je auto te geven: richtingaanwijzers, lichten, radio, enzovoort. Je hebt ze nodig om informatie uit te wisselen met het toestel.

Je hebt meestal verschillende keuzes: sommige toetsenborden hebben méér toetsen dan andere. Die extra toetsen kunnen het werken eenvoudiger maken indien je ze gewend bent, maar moeilijker indien je dit niet gewend bent!

Er zijn twee verschillende soorten toetsenborden: één met draad en één zonder draad.

Het kiezen van een toetsenbord zonder draad heeft als voordeel dat je een draad minder zichtbaar hebt op de tafel waar de computer zal komen te staan en dat het dus 'mooier' is. Het nadeel is echter dat een draadloos toetsenbord op batterijen werkt. Je moet dus geregeld nieuwe kopen (wat geld kost). Bovendien durven draadloze toetsenborden nog weleens te haperen omdat het signaal niet goed doorgegeven wordt, wat tot heel wat frustraties kan leiden (en teksten waarin hier en daar een letter ontbreekt). Dus kiezen tussen comfort of design.

Muis

Ook een muis is noodzakelijk. Die zal waarschijnlijk samen met het toetsenbord geleverd worden. De muis zul je gebruiken om iets op het scherm aan te wijzen. Trek je hier nog niet te veel van aan, we komen hier nog op terug. Belangrijk om te weten, is dat de muis goed in de hand moet liggen, omdat je er heel veel mee zult werken.

Net zoals bij het toetsenbord kunnen je kiezen tussen een muis met draad en een muis zonder draad. De draadloze muis werkt net zoals een draadloos toetsenbord op batterijen, durft soms weleens te haperen en kost wat meer, maar is esthetischer in je huis omdat er een draad minder nodig is.

De opties

Tot nu toe hebben we de basisonderdelen van je computer al besproken, nu komen de opties. Net zoals bij een auto zijn er opties die je móét hebben om goed te kunnen werken (en die al standaard meegeleverd zijn). Andere opties zijn extraatjes die je niet altijd nodig hebt: denk dus goed na wat je precies met je computer wilt gaan doen en beslis dan of de extra opties hun geld waard zijn of niet.

Dvd en cd

Als je vandaag een nieuwe computer koopt, dan moet er een dvd-speler in zitten. Als je een dvd-speler hebt, kan deze automatisch ook een cd aan. Het verschil tussen dvd en cd is dat de dvd gebruikmaakt van een nieuwere technologie waardoor meer informatie kan worden opgeslagen, wel ruim dertien keer zoveel! Muziek en sommige computerprogramma's staan op cd, terwijl films, spelletjes en nieuwere computerprogramma's op dvd worden verkocht.

Een dvd-speler is niet per definitie een dvd-schrijver of cd-schrijver, cd-r of dvd-r moet er specifiek bij staan (zie hieronder).

Dvd-r, dvd-rw, dvd+r, dvd+rw

Met een dvd-r station kun je niet alleen een cd inlezen op je computer, je kunt er ook zelf zo'n schijfje mee beschrijven! Zo maak je een eigen muziek-cd of een cd vol foto's die je dan met behulp van een dvd-speler op je televisie kunt bekijken of kunt doorgeven aan vrienden of familie. Dvd-r en dvd+r staan voor 'writable' of 'beschrijfbaar'. Met zo'n station kun je cd-schijfjes eenmalig beschrijven. Dvd-rw en dvd+rw staan voor 'rewritable' ofwel 'herbeschrijfbaar' en dat betekent dat je de dvd meerdere keren kunt beschrijven en er zelfs dingen van wissen.

Deze optie in je computer hebben is geen noodzaak, maar kan leuk zijn. Zeker als je veel met video's gaat werken, is een dvd-schrijver een must.

Het verschil tussen de plus en de min in dvd-r en dvd+r, is het verschil in technologie. Die is bijna hetzelfde, maar net iets anders. Beide zijn even goed. Let er wel op indien je computer de dvd+r-technologie heeft, dat je dan in de toekomst dvd's moet kopen die dvd+r zijn, en dus de min moet laten liggen. Het omgekeerde geldt indien je de dvd-r koopt. Tegenwoordig kunnen de meeste computers echter beide aan, soms ook aangeduid met de term 'dual format' in de reclamefolders.

Een 'dual layer'-schrijver (dus níét 'dual format') kan speciale dvd's branden. Het voordeel is dat je dubbel zoveel kunt zetten op zo'n dvd omdat hij een dubbele laag heeft. Dit is echter het geld niet waard omdat zo'n speciaal schijfje bijna onbetaalbaar is.

Blu-ray

De laatste ontwikkeling is een schijfje waar nóg meer gegevens op kunnen worden gezet; de zogenoemde Blu-ray. Het is nog steeds een schijf van 12 cm doorsnee, maar er kan ongeveer zes keer zoveel op dan op een dvd. Zoals de naam al zegt, wordt hier met een blauwe laser de schijf afgetast in plaats van met en rode bij de cd en de dvd. Onder andere hierdoor kunnen er veel meer gegevens op het schijfje worden geplaatst. Blu-ray is oorspronkelijk bedoeld voor HDTV (High Definition TV). Om de Blu-rayfilms in goede kwaliteit te zien is ook een HDTV nodig. Om deze films op volle kwaliteit via een computer weer te geven, moet het beeldscherm een resolutie hebben van minimaal 1900x1080.

Blu-ray is enkele jaren in gevecht geweest met een andere standaard HD-DVD. Het gevecht tussen Blu-ray en HD-DVD leek enigszins op het gevecht in de jaren 80 tussen Betamax en VHS. Het lijkt erop dat Blu-ray het gevecht gaat winnen, voornamelijk omdat alle grote filmproducenten voor Blu-ray hebben gekozen.

Of Blu-ray interessant voor je is, hangt af van de rest van je apparatuur. Heb je een trage pc of een klein scherm, dan is Blu-ray nog niet van toepassing en voldoet de dvd nog prima. De verspreiding van Blu-rayfilms begint toe te nemen, maar is nog niets in vergelijking met dvd-films. De toekomst is echter Blu-ray.

Verschil cd/dvd/Blu-ray
Er zijn cd's, dvd's en er is Blu-ray, ze zien er echter hetzelfde uit: glimmende schijfjes met een doorsnee van 12 cm. Het verschil zit hem in de technologie. Op een dvd kan 6,5 tot 13 keer meer informatie dan op een cd en op een Blu-rayschijf kan weer 6 keer zoveel als op een dvd. De reden hiervoor is dat de cd gebruikmaakt van een oudere technologie dan de dvd, en de dvd weer van de Blu-ray. Door deze nieuwere technieken kan er steeds meer informatie op. Meestal kun je aan het schijfje zelf niet zien of het een cd of dvd of een Blu-rayschijf is, het staat er echter wel steeds op door middel van een logo. Je kunt de verschillende logo's hieronder zien. Het eerste is voor de cd, het tweede voor de dvd en het derde voor Blu-ray.

Als je een dvd-speler hebt in je computer, kan die ook altijd een gewone klassieke cd aan en een Blu-rayspeler kan zowel dvd als cd afspelen.

Floppy of diskette

De diskette, ook wel floppy genoemd, is de voorloper van de cd. Je kunt hier echter vrijwel niets op bewaren, ze zijn zeer fragiel, de informatie gaat na verloop van tijd verloren, enzovoort. Als er een diskettestation in je computer zit, goed dan. Als er geen in zit, is dit absoluut geen probleem. Diskettes worden vrijwel niet meer gebruik. Een diskettestation is daarom zeker geen meerprijs waard. In de meeste nieuwe computers zit trouwens geen diskettestation meer.

Geluid

In elke computer zit standaard een geluidskaart. Deze 'kaart' zorgt ervoor dat je computer geluid kan overbrengen naar de luidsprekers. Zo kun je met de computer muziek beluisteren, een film bekijken, maar ook de geluiden horen van bijvoorbeeld spelletjes. De standaard meegeleverde geluidskaart is voor bijna iedereen voldoende. Alleen indien je echt wilt gaan werken met veel geluid, met *surround* geluid vooral, dan kun je investeren in een betere (en bijgevolg duurdere) geluidskaart.

Let erop dat je bij het kopen van de computer ook luidspreker(tje)s geleverd krijgt. Je kunt die ook achteraf kopen, maar dan zijn ze meestal veel duurder. Zonder luidsprekertjes kun je met je geluidskaart niets doen: er is dan niets te horen... Soms echter bevat je computerscherm luidsprekertjes. Deze zijn meestal minder van kwaliteit, maar het voordeel is dat je niet twee extra boxen naast je scherm hoeft te zetten.

Videokaart

Een ander onderdeel van je computer is de videokaart (ook VGA-kaart genoemd). Die zorgt ervoor dat je computer signalen kan laten zien op het computerscherm. Hij vormt alle signalen die jouw computer gaat produceren om tot iets wat het scherm kan weergeven. Een videokaart zit altijd standaard in je computer omdat je niet zonder kunt. Je kunt overwegen hierin extra te investeren indien je veel gaat werken met grafische toepassingen, foto's, video's of geavanceerde driedimensionale spelletjes. De beste videokaarten zijn echter vrij duur. Ze kunnen zelfs net zoveel kosten als de hele computer! Voor de gewone gebruiker is de standaard (goedkoopste) videokaart voldoende. Windows 7 heeft een speciale manier om alles op het beeldscherm weer te geven, de zogenoemde 'Aero-weergave'. Dit houdt in dat de randen van vensters transparant worden weergegeven. Aero eist wel veel van de videokaart in je computer. Bezuinig niet teveel hierop want als de videokaart niet geschikt is voor de Aero-weergave, dan schakelt Windows 7 Aero gewoon uit. Een moderne videokaart heeft zelf ook een ingebouwd kortetermijngeheugen. De duurdere kaarten hebben zelfs 1024 MB of meer ingebouwd. Des te meer geheugen op een videokaart, des te sneller wordt alles op je scherm weergegeven. De Aero-weergave kan uiteraard worden ingeschakeld en uitgeschakeld.

Aero ingeschakeld

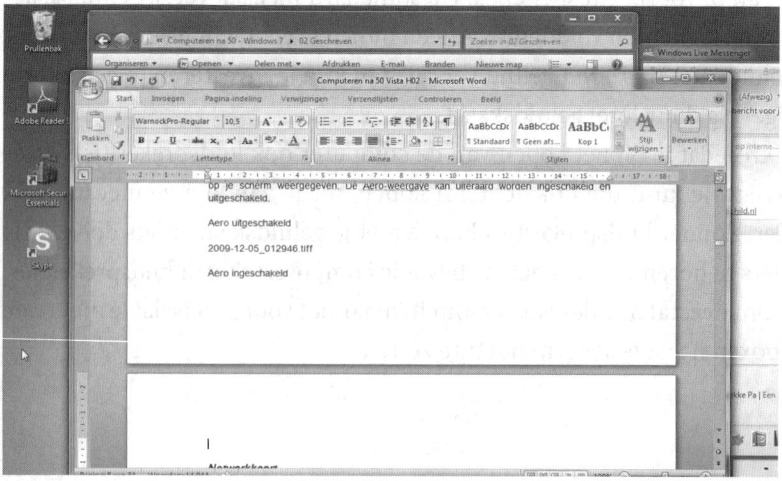

Aero uitgeschakeld

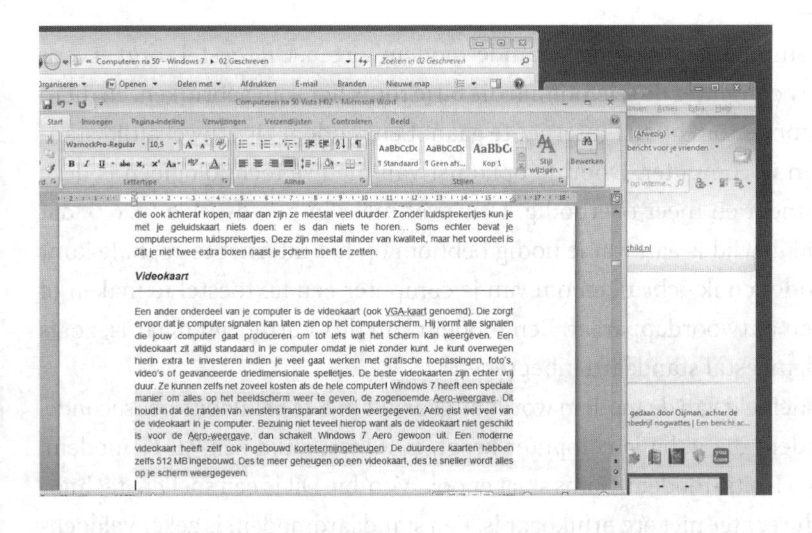

Netwerkkaart

Elke computer is tegenwoordig wel uitgevoerd met een zogenaamde 'netwerkkaart'. Hiermee kan je computer met andere computers communiceren. Zo kun je meerdere (thuis)computers aan elkaar hangen en bijvoorbeeld samen één printer gebruiken. Een netwerkkaart is ook nodig indien je voor internet later een kabelaansluiting neemt (Telenet). Soms wordt ook ADSL aangesloten op deze kaart, maar meestal gebeurt dit via USB (zie verder). Een netwerkkaart wordt meestal aangeduid met '10 Mbps' of '100 Mbps'. Deze cijfers staan voor de snelheid. Hoe hoger dit cijfer, hoe sneller. 'Mbps' staat voor 'megabits per seconde'. 1 Mbps betekent dus '1 miljoen bits per seconde'.

Veel netwerkkaarten zijn 100 Mbps-kaarten. De kaarten die alleen maar 10 Mbps kunnen verwerken, worden niet meer verkocht. Meer en meer zie je dat de computers nu al standaard worden voorzien van een zogenaamde 'gigabit'-kaart.

Dit is eigenlijk 1000 Mbps, dus nog eens tien keer sneller dan de 100 Mbps die ik reeds heb vermeld. Deze extra snelheid is echter voor de meeste mensen niet nodig en dus meestal geen meerprijs waard. Alleen indien je van plan bent met meerdere computers onderling zeer veel gegevens uit te wisselen, kun je dit overwegen. In andere gevallen is 100 Mbps goed genoeg.

Modem

In de computer kan een zogenaamde 'modem' zitten. Dit toestel zorgt ervoor dat jouw computer de telefoonlijn die bij je thuis ligt, kan gebruiken, en dit in het bijzonder om op het internet te gaan. Een modem zit vrijwel altijd standaard in je computer. Door de opkomst van nieuwe technologieën is deze echter meer en meer overbodig. Daarover meer in hoofdstuk 2 (p. 64), dat speciaal gewijd is aan wat je nodig hebt om op het internet te gaan. Je kunt een modem ook gebruiken om van je computer een faxtoestel te maken of zelfs een antwoordapparaat. Een modem kan dus nuttig zijn maar is, zoals gezegd, meestal standaard inbegrepen.

De snelheid van de modem wordt uitgedrukt in bits of kilobits per seconde. De modem die je bij je computer krijgt, is vrijwel altijd een '56 K'-modem, ofwel '56 Kbits'-modem. Soms staat er ook 'V90' bij. Dit is een snellere technologie, die echter niet erg bruikbaar is. Een standaardmodem is zeker voldoende, zelfs al wil je fax en antwoordapparaat gaan gebruiken met je computer.

Speciale aansluitingen

Op je computer zitten altijd heel wat extra aansluitingen, ook wel 'poorten' genoemd. Dit zijn plaatsen waar je een draad of kabel in kunt steken om zo extra dingen aan te sluiten op je computer. Je zult via zo'n speciale aansluiting onder meer het computerscherm aansluiten, het toetsenbord en de muis. Eigenlijk is de basisregel: hoe meer poorten, hoe beter. Indien je later te weinig aansluitingen hebt, dan kan het duur zijn om deze uit te breiden, en oogt het resultaat niet altijd even elegant.

Bij de aansluitingen spreken we als belangrijkste over 'USB'. Dit is een methode waarop duizend-en-een toestellen kunnen worden aangesloten, zoals je muis en je toetsenbord, maar bijvoorbeeld ook een digitaal fototoestel. Probeer indien mogelijk een 'USB 2.0'-poort(en) te hebben. Dit is de opvolger van USB 1.1 en vele malen sneller. De nieuwst technologie die stilaan opkomt is USB 3.0, nog eens veel sneller. Je gaat er absoluut plezier van hebben. Hoe meer USB-poorten je op je computer hebt, hoe beter. Twee is het absolute minimum, zes is een mooi aantal.

Nog een veelvoorkomende aansluiting is de 'Firewire', ook wel 'IEEE 1394' of 'iLink' genoemd, afhankelijk van de fabrikant van de computer. Die is interessant om later een digitale videocamera op aan te sluiten of een ander speciaal toestel. Meestal is dit een standaardonderdeel van de computer. Indien dit niet het geval is, kun je overwegen er een bij te kopen. Het is vooral belangrijk voor wie met video gaat werken.

Verder zijn er nog de namen 'parallelle poort' en 'seriële poort'. Dit zijn echter verouderde poorten die nog maar weinig worden gebruikt. Ze zijn nuttig indien je nog oude randapparatuur hebt om te gebruiken op je computer.

Extra aansluitingen voor video worden tegenwoordig ook meer en meer standaard bijgeleverd. Ze zijn alleen nuttig als je televisie wilt kijken op je computer of als je amateurfilmer bent en met videobeelden werkt.

Sommige computers hebben nog meer poorten. Meer is beter, maar ze zijn niet altijd het geld waard omdat je ze mogelijk nooit zult gebruiken. Als de hiervoor genoemde poorten reeds op je computer zitten, hoef je niet nog een investering te doen voor meer extra's.

Kaartlezer

Een 'kaartlezer' in je computer kan bijzonder handig zijn. Indien je van plan bent een digitale camera te kopen (of je hebt er reeds een), dan kun je dankzij zo'n kaartlezer de foto's van je camera eenvoudig op je computer zetten. Als je dit interessant vindt, maar er geen kaartlezer in je computer zit, kun je er voor een betaalbare prijs een als extra toestel bijkopen om hetzelfde resultaat te bereiken. Een kaartlezer kan vaak verschillende geheugenkaartjes aan: SD, micro SD, MemoryStick, Compact Flash, XD... Als je een fototoestel bezit, kijk dan zeker of de kaartlezer de kaartjes van je toestel aankan.

eID-kaartlezer

De eID-lezer zul je nodig hebben om de mogelijkheden van de elektronische identiteitskaart die elke Belg heeft, in de toekomst volop te benutten. In vele computers is deze lezer reeds standaard geïnstalleerd, zodat je de elektronische identiteitskaart kunt gebruiken op internet of met je computer.

Indien de eID-lezer niet standaard in je computer zit, dan kun je zo'n eID-lezer steeds apart kopen tegen een kleine prijs; ze zijn niet zo duur. De functies en mogelijkheden van de eID groeien nog elke dag. Je kunt met deze kaart officiële documenten aanvragen, officiële formulieren met de computer invullen, contracten afsluiten via de computer, je handtekening zetten met de computer, enz.

Verwar de eID-lezer niét met de kaartlezer. De benaming 'kaartlezer' slaat meestal op de lezer die de inhoud van de geheugenkaartjes van je digitale fotocamera (zoals MemoryStick, CompactFlash, SD...) kan inlezen op je computer. De eID-lezer is dus iets helemaal anders: die leest je elektronische identiteitskaart.

Draadloos netwerk

Door middel van een draadloos netwerk kan je computer met andere computers communiceren zonder dat er een draad nodig is. Voor een gewone thuiscomputer kan dit handig zijn als je niet door het hele huis kabels wilt gaan trekken (wat tijd kost en niet altijd mooi is). Het kan ook handig zijn om je computer aan te sluiten op het internet, zonder er kabels voor te trekken. Je kunt de signalen dan ook draadloos doorsturen.

Een draadloos netwerk heet in de reclamefolders ook wel een 'wireless LAN' of '802.11'-netwerk, 'wireless netwerk' of kortweg 'WLAN'.

Infrarood/bluetooth

De technologieën infrarood en bluetooth staan voor communicatie, net zoals bij de netwerkkaart. Deze technologieën zijn echter alleen nuttig indien je wilt communiceren tussen je computer en je gsm of met een pda (handcomputer). Soms kun je er ook mee afdrukken op een printer, maar dit heeft weinig nut, aangezien je je printer normaal gezien gewoon gaat koppelen aan je computer. Bluetooth kan handig zijn, infrarood meestal niet. Sommige computermuizen en toetsenborden gebruiken Bluetooth, zodat je USB-poorten kan uitsparen op je computer.

Pc of Mac?
Er zijn twee soorten computers: de pc en de Macintosh (ook wel 'Mac' genoemd).

Je kunt dit vergelijken met auto's: je hebt benzinemotoren, dieselmotoren en lpg. Ze doen uiteindelijk hetzelfde: rijden. Wat onder de motorkap zit, is echter net iets anders.

De pc en de Macintosh zijn al jaren concurrent van elkaar, met dat verschil dat de Macintosh maar door één bedrijf wordt gemaakt en de pc door talloze bedrijven.
Voordelen van de Macintosh zijn dat ze makkelijker zeer zware grafische toepassingen aankunnen. Je zult ze bijvoorbeeld vaak bij drukkerijen of fotografen vinden.

Dat een Macintosh gebruiksvriendelijker of eenvoudiger is dan een pc is een fabel. Beide zijn ongeveer even gemakkelijk in gebruik, met als minpunt voor de Macintosh dat er minder handleidingen en informatie over te vinden is.

Een Mac moet je bovendien in de meeste gevallen via speciale winkels kopen. Je hebt dan ook minder keuze en kunt niet profiteren van de grote prijzenslag onder pc-fabrikanten, die hetzelfde toestel produceren en dus serieus met elkaar concurreren.

Bekend merk?
Anders dan bij het kopen van een auto doet het merk van de computer er niet zoveel toe. De meeste onderdelen die in de computer zitten, worden door dezelfde fabrikanten gemaakt, alleen de montage wordt gedaan door verschillende bedrijven. Ook een merkloze computer die gemonteerd is door de computerwinkel zelf is niet slecht. Indien je de computerwinkel vertrouwt, kun je zonder problemen een merkloze computer kopen. Belangrijk is vooral naar de prijs te kijken en wat je ervoor krijgt, niet zozeer of het nu merk X of merk Y is.

Houd wel goed de garantievoorwaarden in het oog, die zijn wél belangrijk!

Computer op maat

Je weet nu wat zoal de onderdelen zijn van de computer en wat meer en minder belangrijk is. Het allerbelangrijkste is dat je een computer kiest die bij je past. Je koopt toch ook niet het goedkoopste autowrak of de duurste Ferrari. Je kiest iets ertussenin met juist dié zaken die jij belangrijk vindt. In dit hoofdstuk ga je per toepassing leren waar je vooral op moet letten bij het kopen van een computer.

De kleine gebruiker

Als je de computer gaat gebruiken om rustig te surfen op het internet, een e-mail te versturen, een document te typen, er misschien een encyclopedie op te zetten en mogelijk eens een werkstuk op te maken, dan is de allergoedkoopste computer goed genoeg. Je hoeft eigenlijk nergens op te letten. De huidige nieuwe computers zijn hiervoor voldoende geschikt.

Familiecomputer

Als de computer gebruikt gaat worden door de hele familie, dan zal de computer aan een aantal extra eisen moeten voldoen. De computer moet behalve het surfen op het internet en het sturen van een e-mail ook foto's kunnen bewerken en een muziekje kunnen afspelen. Je moet er spelletjes op kunnen spelen, kantoorprogramma's op kunnen gebruiken, presentaties op kunnen maken, enzovoort.

Doordat iedereen zijn eigen programma's zal willen gebruiken, heb je voldoende ruimte nodig op de harde schijf. Voor een familiecomputer is tegenwoordig 160 GB het minimum, maar ik raad 250 GB aan. Kies voor de snelheid van de computer (CPU) niet de goedkoopste, maar ook niet de duurste. Zorg voor voldoende aansluitingen (poorten).

Kies voor het RAM-geheugen minimaal 1 GB of 1024 MB. Als je de investering kunt bekostigen van 2 of 3 GB, aarzel dan niet. Het zal de hele familie ten goede komen.

Spelcomputer

Ben je van plan om zeer veel spelletjes ('games' genoemd) te spelen op de computer, in het bijzonder driedimensionale geavanceerde spelletjes? Dan zul je een iets duurdere computer nodig hebben. Kies voor de beste videokaart die je kunt bekostigen, een zo snel mogelijke processor (CPU), een zo groot mogelijk RAM-geheugen en een zeer goede geluidskaart. Extra aansluitingen (poorten) zijn iets minder belangrijk. Dat geldt ook voor de ruimte op de harde schijf. Zorg wel voor een goede muis en een toetsenbord dat je prettig vindt.

De filmer

Indien je graag met de videocamera filmt en deze beelden op de computer wilt gaan bewerken om zo echte filmpjes te maken, let dan vooral op de opslagruimte van je computer. De harde schijf moet zo groot mogelijk zijn. 500 GB is een goed richtgetal, al is meer beter (1 TB, is 1000 GB, bijvoorbeeld). Videobeelden nemen immers gigantisch veel plaats in op je computer: 1 GB biedt plaats aan circa vier minuten video van maximumkwaliteit. 250 GB is dus goed voor iets meer dan zestien uur, wat eigenlijk maar ongeveer zestien cassettes zijn van je videocamera… niet écht veel!

Als je de videobeelden uiteindelijk wilt gaan bewerken, is ook een supersnelle processor (CPU) broodnodig om niet onnodig lang te hoeven wachten.

Een groot RAM-geheugen bevordert de snelheid. Kies voor videobewerking een RAM-geheugen van minimaal 3 GB.

De fotograaf

Indien je zeer veel met foto's bezig bent en deze wilt bewerken, dan moet je hiervoor een aangepaste computer kiezen. De programma's die je vrijwel onbeperkte mogelijkheden bieden om foto's te bewerken, vragen veel van je computer. Zorg daarom voor een snelle processor (CPU). Een middelgrote harde schijf is voldoende om foto's op te slaan. Als je fototoestel foto's maakt van een gemiddelde grootte van ongeveer 2 MB, dan kun je op een harde schijf van 250 GB meer dan 120.000 foto's bewaren. 500 GB is echter meer aan te raden.

Probeer ook te investeren in het RAM-geheugen van de computer. Foto's vragen nu eenmaal veel van je computer en het RAM-geheugen speelt daarbij een belangrijke rol. Een RAM-geheugen van ongeveer 3 GB is aan te raden, 2 GB is eigenlijk al te weinig (al gaat het ook).

De ondernemer

Als je de computer voor professionele doeleinden gaat gebruiken, dan moet deze ook zo goed aangepast zijn aan je eisen. Indien je beroep grafische toepassingen vraagt, dan heb je eenzelfde computer nodig als waar fotografen mee werken. Indien de computer alleen kantoorprogramma's aan moet kunnen en bijvoorbeeld de boekhouding, dan is een middelmatige computer voldoende. Kies niet het allergoedkoopste model, maar het duurste is zeker niet nodig.

Zorg voor een RAM-geheugen van ongeveer 2 GB, een harde schijf van minstens 160 GB en een degelijke processor (CPU).

Samengevat

In een van de vorige situaties zul je die van jezelf wel herkennen. Aan de hand van deze beschrijvingen en goede raad en samen met het vorige hoofdstuk kun je zo de voor jou perfecte computer vinden. Spaar liever een maand langer om de écht perfecte computer te kopen dan bij je aankoop al serieus te besparen. Koop echter ook geen te dure computer met allerlei spullen en mogelijkheden die je toch niet gebruikt. Geld weggooien kun je ook op andere (leukere) manieren.

Goed voor je portemonnee

Een goede tip: vraag niet aan je zestienjarige neefje of kleinkind om voor jou de computer te kiezen. Je loopt namelijk het risico dat hij je de computer van *zijn* dromen gaat aanraden, en niet de computer die *jij* nodig hebt. Je geeft dan veel te veel geld uit aan dingen die je toch niet nodig hebt.

Wat voor processor (CPU)?

Als we uiteindelijk een computer gaan kopen, dan hebben we de keuze uit twee merken processors: Intel en AMD. In principe zijn de Intel-processors duurder dan die van AMD, maar in de meeste gevallen zijn de Intel-processors ook beter. Al is 'beter' moeilijk te zeggen: de twee bedrijven zijn elkaars aartsrivalen en proberen steeds het beste te leveren.

Uit talloze testen blijkt echter dat Intel voor de meeste gebruikers de beste keuze is, terwijl AMD-processors kwalitatief minder goed zijn maar wel minder geld kosten.

Als je kunt kiezen tussen de Intel Pentium en de Intel Celeron, dan is de laatste de goedkoopste maar ook de 'traagste'. Indien je bij AMD kunt kiezen tussen de Semprom en de Athlon, weet dan dat de laatste de snelste is.

De laatste jaren zie je meer en meer dat in één processorchip twee processorkernen zijn gebouwd. Je hebt dan twee onafhankelijke processoren ter beschikking. Voorbeelden hiervan zijn de Intel Core2 Duo en de AMD X2. Ook zie je al dat er vier en zes processorkernen in een enkele chip worden gebouwd, maar deze zijn nog niet algemeen in gebruik door hun (voorlopig) hoge prijs.

Vergelijk!
Denk eerst goed na wat je wilt doen met je computer en ga vervolgens naar een winkel waar computers worden verkocht. Zo kun je goed uitleggen aan de verkoper wat jij nu echt wilt. Breng een bezoekje aan meerdere winkels om zo goed te kunnen vergelijken. Let niet enkel op de prijs maar hou ook rekening met de service die je kunt verwachten.

Loop niet snel naar de winkel om de eerste de beste computer aan te schaffen, maar neem rustig de tijd en vergelijk. Het loont de moeite!

De extra's voor je computer (randapparatuur)

Er bestaat nog een heel gamma aan extra computeraccessoires. Het voordeel is dat je deze achteraf nog kunt bijkopen. Ook nu weer kunnen we de vergelijking maken met een auto: kies eerst het model en de motor en vervolgens de gewenste opties. Achteraf kun je altijd nog iets extra in je auto installeren, bijvoorbeeld een handsfree gsm-kit, een ventilatortje of gps-navigatie. Ook bij de computer is dit het geval.

Investeer eerst in de basisonderdelen van je computer, kijk daarna of je nog accessoires kunt en wilt kopen.

Printer

De printer is een toestel dat op je computer kan worden aangesloten. Een printer gaat informatie op papier drukken. Zo kun je documenten, foto's, tekeningen, informatie, enzovoort allemaal vanaf je computer afdrukken op papier.

Een printer is niet verplicht, maar ik raad je zeer sterk aan er een aan te schaffen.

Je hebt twee soorten printers: inkjetprinters en laserprinters. De laserprinter is eigenlijk een klein fotokopieertoestel. Hij werkt volgens hetzelfde principe, dient op te warmen voor hij kan werken en durft de typische 'kopieermachinegeur' te verspreiden. Het voordeel van dit toestel is dat het snel werkt en voor zwart-witteksten haarscherp contrast kan geven. Nadeel is echter dat de toestellen duurder zijn in aankoop en meer energie verbruiken. De prijs per pagina (de kosten van de inkt dus) is meestal echter lager.

De inkjetprinter 'spuit' als het ware de inkt op het papier. Voordelen van deze printers zijn dat ze goedkoop zijn, dat ze ook in kleuren kunnen afdrukken, hoge kwaliteit leveren en niet hoeven op te warmen. Nadelen zijn dat ze meestal meer lawaai maken, dat de kosten per afgedrukte pagina hoger zijn (door dure inkt) en dat het afdrukken iets trager gaat. Houd er ook rekening mee dat de afgedrukte pagina enkele seconden moet drogen, want de inkt moet in het papier dringen.

Voor de normale thuisgebruiker is een inkjetprinter aan te raden, een laserprinter is beter geschikt voor professionele doeleinden of voor als je zeer veel zwart-witbrieven wilt afdrukken.

Merk op dat je kleuren met een inkjetprinter kunt afdrukken, terwijl dit met een laserprinter niet zo is. Die print alleen zwart-wit. Er bestaan wel kleurenlaserprinters, maar die zijn duur en kunnen meestal niet tippen aan de gigantische kwaliteit van de inkjetprinter voor kleuren. De voordelen van de kleurenlaserprinter blijven hetzelfde: sneller en meestal per pagina goedkoper dan de inkjetprinter.

De kwaliteit van de printer wordt aangeduid door de resolutie, met andere woorden: de nauwkeurigheid. Wat hier wordt opgegeven, is het aantal puntjes dat de printer kan afdrukken op je papier. Hoe hoger dit cijfer, hoe hoger de kwaliteit en hoe beter de afdruk van de foto's is.

De resolutie wordt uitgedrukt in 'dpi', ofwel 'dots per inch', met andere woorden: het aantal puntjes dat wordt afgedrukt op een vierkante inch.

Wat die eenheid 'dpi' betekent, is niet zo belangrijk. Onthoud: hoe hoger dit aantal, hoe beter je printer. Een kwaliteit van 1200 dpi is dus twee keer zo goed als een printer met een resolutie van 600 dpi. De aanduiding '4800 × 1200 dpi' wil zeggen dat de printer horizontaal 4800 puntjes kan zetten, en verticaal 1200 puntjes. Als die onderverdeling niet vermeld wordt, wil dit zeggen dat de resolutie horizontaal en verticaal even hoog is.

Iets wat reclameteksten ook weleens vermelden, is de snelheid van je printer: het aantal pagina's per minuut. Normaal is dit niet zo belangrijk. Alleen als je een ongeduldig iemand bent, houd je hiermee rekening. Voor mij is de kwaliteit die de printer levert belangrijker dan de snelheid.

Tot slot nog dit: de meeste printers kunnen ook randloos afdrukken, wat wil zeggen dat ze tot helemaal aan de zijkant van het blad printen. Vooral vroeger, maar ook nu komt het nog wel voor, konden veel printers niet op heel het blad afdrukken. Er bleef bijvoorbeeld aan alle kanten een centimeter over. Dat is voor teksten niet belangrijk, maar als je graag foto's wilt afdrukken, zul je waarschijnlijk graag hebben dat je hele fotopapier is bedrukt, en niet dat je telkens randen moet afknippen.

Inkt

Als je een inkjetprinter koopt, kun je overwegen er een te kiezen die per kleur een apart inktpatroon heeft, in reclamefolders ook wel aangeduid als 'single inktsysteem'. De meeste goedkopere printers hebben één inktpatroon waarin alle kleuren samen zitten. Indien één kleur op is, moet je heel de inktpatroon weggooien en een dure nieuwe kopen. Met aparte inktpatronen kun je enkel die ene kleur vervangen en de rest verder blijven gebruiken. Dit komt op langere termijn goedkoper uit.

Vergelijk!
Let bij het kopen van een printer niet alleen op de kostprijs van het toestel zelf, maar ook op de kostprijs van de inktpatronen. De truc is namelijk dat de printer tegen een belachelijk lage prijs wordt verkocht, maar dat de inktpatronen dubbel zo duur zijn. Als je een jaartje zo'n zogezegde 'goedkope' printer hebt gebruikt, heb je vele tientallen of zelfs honderden euro's méér uitgegeven dan met die iets duurdere printer die met goedkopere inktpatronen werkt!

Scanner

Een scanner maakt het mogelijk dat je een document of foto op het glas legt van dit toestel en vervolgens juist hetzelfde krijgt op je computer, waarna je het bijvoorbeeld kunt bewerken. Zo kun je documenten die je op papier hebt, op je computer krijgen en vervolgens via het internet supersnel versturen. Je kunt ook foto's van vroeger op je computer zetten en er vervolgens bijvoorbeeld kaartjes mee maken. Beschouw een scanner als een extraatje dat absoluut niet noodzakelijk is. Het is een leuk en handig toestel, maar zonder kun je ook zeer veel plezier hebben van de computer!

Ook bij scanners horen allerlei technische gegevens die verkopers je graag rond je oren slingeren. Het belangrijkste is de 'resolutie', het aantal puntjes (pixels) die het apparaat kan scannen, of met andere woorden: de nauwkeurigheid van het toestel. We spreken hier, net zoals bij printers, over 'dpi': 'dots per inch', ofwel 'puntjes per inch'. Hoe hoger dit cijfer, hoe beter de kwaliteit van je scanner. Een scanner van 2400 dpi is dus vier keer zo goed als een scanner van 600 dpi. Als er bij je scanner een onderverdeling wordt gemaakt tussen een cijfer dat 'optisch' aanduidt en een ander cijfer, 'digitaal' of iets dergelijks, kijk dan alleen naar het cijfer voor 'optisch'. Dat is de échte kwaliteit. Dat andere cijfer is eigenlijk bedrog.

Webcam

De webcam is een kleine camera die je kunt aansluiten op je computer. Dankzij dit kleine en relatief goedkope cameraatje kun je met anderen communiceren via het internet en hen intussen niet alleen horen, maar ook zien! Met een webcam kun je ook eenvoudige foto's maken en kleine videoboodschappen opnemen. In draagbare computers is de webcam vaak al ingebouwd. Als je van plan bent deze te gebruiken, is dat véél handiger en aan te raden.

Microfoon

Als je geluid wilt opnemen met de computer is een microfoon een goede aankoop. Je kunt de microfoon bijvoorbeeld gebruiken om via het internet te bellen. Dit is gratis en dus goedkoper dan bellen met de gewone telefoon. Met de microfoon kun je ook je stem opnemen, bijvoorbeeld om hem te verwerken in een muziekje en door te sturen per e-mail. In een draagbare computer is de microfoon meestal ingebouwd.

Digitale fotocamera

Met een digitale fotocamera kun je zoveel foto's nemen als je maar wilt en ze vervolgens op je computer plaatsen. Het voordeel is dat het zo goed als niets kost om deze foto's af te drukken en dat alles direct gebeurt: je hoeft dus niet dagenlang te wachten totdat je ze kunt afhalen in de fotowinkel. Zeer veel mensen kopen een digitale fotocamera omdat hij bijna onbeperkte mogelijkheden biedt en relatief weinig geld kost. Ook voor dit extraatje geldt echter: zonder kan ook! Koop dus eerst de computer en overweeg later de aankoop van een digitale fotocamera. Als je een fotocamera hebt, raad ik je mijn boek 'Digitaal fotograferen na 50' aan. Daarin leer je zeer duidelijk stap voor stap te werken met je fototoestel en er het beste uit te halen, ook in combinatie met je computer.

Videocamera

Met een videocamera kun je opnames maken die je vervolgens op je computer kunt bewerken om zo een heus filmpje tevoorschijn te toveren met eigen achtergrondmuziek, tekstjes, weggeknipte stukken, speciale beeldovergangen, enzovoort. Om een videocamera aan te sluiten op je computer moet deze echter een Firewire-aansluiting hebben (ook wel 'IEEE 1394' of 'iLink' genoemd). Bovendien zul je een (duur) kabeltje nodig hebben om je camera met je computer te verbinden. Soms is ook een USB 2.0 aansluiting genoeg.

Als je graag de bewerkte film terugstuurt naar je videocamera om die te bewaren op de videocassette, vraag dan bij de verkoper na of dit kan. De meeste videocamera's hebben namelijk wegens licentiekosten alleen een signaal van de camera naar de computer en niet omgekeerd!

USB-stick

Een USB-stick is een klein toestelletje ongeveer even groot als een sleutelhanger, waarop je heel veel informatie kunt opslaan. Op zo'n 'stick' (letterlijk vertaald 'stokje' of 'staafje') kun je eenvoudig gegevens van je computer zetten om vervolgens bijvoorbeeld naar een vriend te gaan en die USB-stick in zijn computer te steken om zo de informatie door te geven. Het is veel sneller en eenvoudiger dan het branden van een cd of het leggen van een netwerk tussen de pc's. Bovendien kun je een USB-stick een onbeperkt aantal keren gebruiken, terwijl je een cd maar een keer kunt beschrijven (tenzij je voor duurdere herschrijfbare cd's kiest). Voor wie vertrouwd is met de diskette van vroeger: de USB-stick is een soort moderne versie ervan. Je kunt er snel en eenvoudig informatie op opslaan, je kunt ze doorgeven aan andere computers, enzovoort. Zeer handig en niet zo duur, soms kan je ze zelfs aan de sleutelhanger meenemen!

Touchscreen of aanraakscherm

Je kunt ook een computer kiezen waarin alles verwerkt is. Zowel het scherm als de computer zit in één toestel, dat dan bovendien is uitgerust met een aanraakscherm of touchscreen. Het voordeel is dat je op je bureau enkel een televisiescherm hebt staan en verder niets. Hiermee kun je dan handig werken. Je hebt er ook een toetsenbord en muis bij, maar je kan ook alles doen op de computer door gewoon het scherm aan te raken. In plaats van met je muis te klikken druk je gewoon met je vinger op de plaats. Zeker en vast handig, maar (voorlopig) zijn het nog wat duurdere computers. Indien het aanraakscherm je echter interessant lijkt, dan kan het de investering zeker waard zijn!

En verder...

Er zijn nog talloze andere nuttige en minder nuttige computeraccessoires. Hele winkels zijn ermee te vullen. Als je iets mist aan je computer, stap dan eens een computerwinkel binnen en kijk rond: zeer veel kans dat iemand het ooit al bedacht heeft!

> **Koop bij de vakman**
> Koop niet per definitie je digitale fototoestel of videocamera op de plaats waar je de computer hebt gekocht. Er zijn vele winkels die gespecialiseerd zijn in fototoestellen en videocamera's. Daar kunnen ze je beter uitleg geven en soms zelfs goedkopere prijzen. Kijk en vergelijk, is de boodschap!

De computerprogramma's

Een laatste maar toch belangrijk onderdeel van onze computer zijn de computerprogramma's. Onze computer is maar 'gewoon' een toestel, dat eigenlijk verder niets kan en alleen instructies uitvoert. Wij kunnen deze computer alleen maar instructies geven via speciale programma's. Zo'n programma zorgt ervoor dat je écht iets met de computer kunt doen.

In technische termen heten de computerprogramma's de 'software'. De computer zelf met alles eromheen (zoals toetsenbord en scherm) wordt 'hardware' genoemd. Hardware bestaat dus uit de 'harde' dingen die je echt kunt vastpakken, met 'software' bedoelen we de zachte dingen die je niet echt kunt vastpakken omdat ze in onze computer zitten.

Het besturingssysteem

Het eerste en belangrijkste programma heet het 'besturingssysteem'. Dit is een programma dat je gehele computer bestuurt. Zo zal het ervoor zorgen dat je computer daadwerkelijk iets doet, dat hij iets op het scherm toont en reageert op de toetsen die je indrukt op je toetsenbord.

Programma's via internet

Via het internet kun je nog vele honderdduizenden programma's vinden voor je computer. Deze programma's zijn bovendien vaak goedkoper. De 'internetwinkelier' moet immers geen personeelskosten en dergelijke betalen, en ook de transportkosten spaart hij uit.

▸▸ *Shareware (betalend)*

Iets leuks aan programma's via internet is dat je er zogenaamde 'shareware'-versies van kunt verkrijgen. Het komt erop neer dat je voor een beperkte periode het programma gratis mag uitproberen. Zo kun je bijvoorbeeld het programma veertien, dertig of negentig dagen lang zonder kosten uitproberen. Ben je echt tevreden over het programma, dan kun je het kopen. Als je in de winkel een programma wilt kopen, dan koop je eigenlijk een 'kat in een zak': je kunt het niet uitproberen. Dat is dus wel mogelijk met zo'n programma via internet, waarvan je dus een 'shareware'-versie verkrijgt.

▸▸ *Freeware (gratis)*

Nog leuker zijn de talloze programma's die je op het internet gratis kunt krijgen. Wereldwijd zijn er talloze mensen die graag met de computer werken en programma's maken om de computer een extra kunstje te leren. Deze mensen doen dit uit enthousiasme en geven ze daarom gratis weg aan iedereen die ze wil. Dergelijke programma's worden 'freeware' genoemd, kortweg 'gratis' dus. Ook al zijn ze gratis, deze programma's kunnen soms bijna net zoveel als de betaalde programma's en sommige zijn enorm populair.

Programma's kopen

Bij het kopen van een nieuwe computer krijg je dus standaard al een aantal programma's meegeleverd, zodat je computer al heel wat opdrachten kan uitvoeren voor jou.

Als je andere programma's wilt bijkopen, hoeft dat niet onmiddellijk bij de aankoop van je computer te gebeuren. Kijk achteraf eens rustig rond in de computerwinkel om te zien welke programma's voor jou nuttig kunnen zijn. Als je later op het internet kunt surfen, kun je daar zoeken naar (gratis) programma's die net die opdrachten kunnen uitvoeren die je wilde hebben!

En verder...

Er zijn nog talloze andere nuttige en minder nuttige computeraccessoires. Hele winkels zijn ermee te vullen. Als je iets mist aan je computer, stap dan eens een computerwinkel binnen en kijk rond: zeer veel kans dat iemand het ooit al bedacht heeft!

> **Koop bij de vakman**
> Koop niet per definitie je digitale fototoestel of videocamera op de plaats waar je de computer hebt gekocht. Er zijn vele winkels die gespecialiseerd zijn in fototoestellen en videocamera's. Daar kunnen ze je beter uitleg geven en soms zelfs goedkopere prijzen. Kijk en vergelijk, is de boodschap!

De computerprogramma's

Een laatste maar toch belangrijk onderdeel van onze computer zijn de computerprogramma's. Onze computer is maar 'gewoon' een toestel, dat eigenlijk verder niets kan en alleen instructies uitvoert. Wij kunnen deze computer alleen maar instructies geven via speciale programma's. Zo'n programma zorgt ervoor dat je écht iets met de computer kunt doen.

In technische termen heten de computerprogramma's de 'software'. De computer zelf met alles eromheen (zoals toetsenbord en scherm) wordt 'hardware' genoemd. Hardware bestaat dus uit de 'harde' dingen die je echt kunt vastpakken, met 'software' bedoelen we de zachte dingen die je niet echt kunt vastpakken omdat ze in onze computer zitten.

Het besturingssysteem

Het eerste en belangrijkste programma heet het 'besturingssysteem'. Dit is een programma dat je gehele computer bestuurt. Zo zal het ervoor zorgen dat je computer daadwerkelijk iets doet, dat hij iets op het scherm toont en reageert op de toetsen die je indrukt op je toetsenbord.

Wereldwijd het meest gebruikte besturingssysteem voor de computer heet 'Windows', van het bedrijf Microsoft. Dit is een betaald programma dat echter vrijwel zeker al standaard op je splinternieuwe computer staat! Het is dus geen extra optie. Vrijwel elke computerfabrikant zet het Windows-systeem op zijn computers, zodat je ten minste iets met je computer kunt doen. Zonder een besturingssysteem ben je niets met een computer.

Het besturingssysteem dat nu modern is, heet 'Windows 7'. Heel soms zie je nog nieuwe computers aangeboden waar Windows Vista of Windows XP opstaat, maar kies niet voor een ander besturingssysteem zoals 'Windows 95', 'Windows 98' of 'Windows Me'. Dit zijn oude versies, in computertermen: stokoud en 'antiek'. Alleen als je een tweedehandscomputer koopt, heb je kans zo'n oud besturingssysteem te hebben. Nagenoeg alle nieuw gekochte computers hebben automatisch al Windows 7.

Voor wie een Macintosh koopt, is het besturingssysteem niet Windows 7, maar dat van het bedrijf Apple, OS X. Ook op de Macintosh zal dit reeds standaard meegeleverd zijn zonder dat je keuze hebt.

Basisprogramma's

We hebben dus nu al het eerste programma voor onze computer. We moeten echter nog andere dingen kunnen doen met onze computer. Al deze andere programma's kun je extra kopen in de winkel om zo je computer nieuwe dingen te leren.

Een nieuw kunstje kan bijvoorbeeld zijn dat je computer overweg kan met teksten, zodat je brieven kunt typen, etiketten kunt afdrukken, enzovoort. Zo'n nieuw kunstje heet ook wel een programma. De meeste computers hebben reeds een programma waarmee je teksten kunt verwerken. Het heet Microsoft Works of Microsoft Office. De eerste versie, Microsoft Works, is de goedkoopste met minder mogelijkheden. Microsoft Office is echter een programma dat alle mogelijkheden aan boord heeft. Je kunt met dit pakket databanken aanleggen, presentaties maken, berekeningen maken, grafieken tekenen, enzovoort.

Standaard zijn mogelijk op je computer nog enkele andere programma's meegeleverd. Heb je een dvd-speler in je nieuwe computer, dan zal er waarschijnlijk ook een programma bij zitten om je computer een dvd te laten lezen en bijvoorbeeld een film op je computer te laten zien.

Andere programma's zijn ook mogelijk, zoals een virusscanner om je te beschermen tegen computervirussen.

Extra's

Naast deze standaardprogramma's die op vrijwel elke computer reeds zonder extra kosten meegeleverd zijn, kunnen we onze computer nog bijna oneindig veel andere kunstjes laten uitvoeren. De computerwinkels liggen vol met vele honderden programma's. Leer je computer bijvoorbeeld alle Engelse en Franse woorden door een woordenboek voor de computer te kopen. Zo kun je op je computer supersnel een woord opzoeken, vele keren sneller en handiger dan in een echt woordenboek. Leer je computer de gehele encyclopedie door daar een programma voor te kopen. Vervolgens kun je massa's informatie, films, foto's en talloze andere zaken verkrijgen over eender welk onderwerp.

Spelletjes

Je kunt je computer ook een spelletje aanleren door een computerspelletje te kopen, ook wel een 'game' genoemd. Met zulke spelletjes kan jong en oud zich urenlang amuseren.

Educatief

Laat je computer foto's bewerken of monteer met je computer videobeelden door simpelweg een extra computerprogramma te kopen. Je kunt ook een cursus kopen die je vervolgens op de computer kunt leren. Zo kun je leren typen, koken, enzovoort. Ook voor kinderen zijn er bijna ontelbaar veel educatieve programma's, zodat ze al spelende leren op de computer.

Talloze andere kunstjes zijn er mogelijk: vrijwel alles wat je jezelf maar kunt inbeelden, kun je met je computer doen.

Programma's via internet

Via het internet kun je nog vele honderdduizenden programma's vinden voor je computer. Deze programma's zijn bovendien vaak goedkoper. De 'internetwinkelier' moet immers geen personeelskosten en dergelijke betalen, en ook de transportkosten spaart hij uit.

▸▸ *Shareware (betalend)*

Iets leuks aan programma's via internet is dat je er zogenaamde 'shareware'-versies van kunt verkrijgen. Het komt erop neer dat je voor een beperkte periode het programma gratis mag uitproberen. Zo kun je bijvoorbeeld het programma veertien, dertig of negentig dagen lang zonder kosten uitproberen. Ben je echt tevreden over het programma, dan kun je het kopen. Als je in de winkel een programma wilt kopen, dan koop je eigenlijk een 'kat in een zak': je kunt het niet uitproberen. Dat is dus wel mogelijk met zo'n programma via internet, waarvan je dus een 'shareware'-versie verkrijgt.

▸▸ *Freeware (gratis)*

Nog leuker zijn de talloze programma's die je op het internet gratis kunt krijgen. Wereldwijd zijn er talloze mensen die graag met de computer werken en programma's maken om de computer een extra kunstje te leren. Deze mensen doen dit uit enthousiasme en geven ze daarom gratis weg aan iedereen die ze wil. Dergelijke programma's worden 'freeware' genoemd, kortweg 'gratis' dus. Ook al zijn ze gratis, deze programma's kunnen soms bijna net zoveel als de betaalde programma's en sommige zijn enorm populair.

Programma's kopen

Bij het kopen van een nieuwe computer krijg je dus standaard al een aantal programma's meegeleverd, zodat je computer al heel wat opdrachten kan uitvoeren voor jou.

Als je andere programma's wilt bijkopen, hoeft dat niet onmiddellijk bij de aankoop van je computer te gebeuren. Kijk achteraf eens rustig rond in de computerwinkel om te zien welke programma's voor jou nuttig kunnen zijn. Als je later op het internet kunt surfen, kun je daar zoeken naar (gratis) programma's die net die opdrachten kunnen uitvoeren die je wilde hebben!

Een nieuw computerprogramma gebruiken

Om een nieuw computerprogramma dat je hebt gekocht of (gratis) van het internet hebt gehaald ook daadwerkelijk op je computer te zetten, zodat hij die extra kunstjes kan uitvoeren, dien je het te 'installeren'.

Als je een programma hebt gekocht, dan heb je dit gekregen op een schijfje: een cd of dvd. Je steekt deze in je computer. Vervolgens hoef je alleen maar de instructies te volgen die automatisch op je scherm verschijnen.

Heb je een programma van het internet gehaald, dan kun je het openen door er met je linkermuisknop op te dubbelklikken. Volg daarna gewoon de instructies die je te zien krijgt op je scherm.

Licentie

Als je een computerprogramma koopt, is dit in vrijwel alle gevallen maar voor één computer. Dit wil zeggen dat je het maar op één computer mag gebruiken. Vind je het programma niet goed, dan kun je het verwijderen van je computer en het bijvoorbeeld doorgeven aan een vriend.

Wat echter niet mag, is het programma op jouw computer zetten en vervolgens doorgeven aan je vrienden of familie die het op hun beurt ook allemaal op hun computer zetten. Dit is uiteraard veel goedkoper dan het elk apart te kopen, maar zo worden de mensen die het programma juist speciaal voor jou hebben gemaakt zeer benadeeld. Bovendien is dit tegen de wet en kun je hiervoor gestraft worden. Als veel mensen dergelijke programma's illegaal gaan doorgeven aan bijvoorbeeld vrienden of familie, dan krijgt het bedrijf dat het interessante programma maakte te weinig inkomsten en kan het failliet gaan. In dat geval zul je dus ook nooit dat programma nog kunnen kopen (en zo gaan we achteruit in plaats van vooruit in de 'vooruitgang').

Linux
Naast Windows en Macintosh bestaat er nog een derde besturingssysteem voor je computer: Linux. Linux is eigenlijk een verzamelnaam voor een hele groep van besturingssystemen, die in de meeste gevallen zelfs gratis te verkrijgen zijn. Voordelen van een dergelijk Linux-programma als besturingssysteem voor jouw computer is dus de goedkope prijs. Fans beweren ook dat Linux 'stabieler' is en voor minder problemen zorgt. Blijf als beginnende computergebruiker echter af van Linux. Deze programma's zijn vrijwel nooit gebruiksvriendelijk, zijn niet altijd in het Nederlands beschikbaar en hebben veel minder functies. Bovendien werken de meeste programma's die je in de winkel kunt kopen NIET op Linux, zijn er vrijwel geen deftige boeken voor beschikbaar, worden er vrijwel geen cursussen over gegeven, zijn er weinig kenners van dit besturingssysteem zodat je nergens terechtkunt voor problemen, zijn de meeste hulplijnen van bedrijven (bijvoorbeeld de internetprovider) niet voor Linux-gebruikers bestemd, enzovoort, enzovoort.

Niet terugbrengen
Een computerprogramma dat je koopt in een winkel kun je normaal gezien nooit terugbrengen naar de winkel. De reden hiervoor is dat het te eenvoudig is om het programma gewoon op je computer te plaatsen. Je zou het programma daarna kunnen terugbrengen en zo je geld terugkrijgen. Je zou het programma dan gratis gebruiken. Winkels zouden geen programma's meer verkopen en talloze computerbedrijven zouden failliet gaan. Daarom is het terugbrengen van computerprogramma's niet mogelijk. Houd hiermee rekening bij het kopen van een nieuw programma: zorg dat je echt zeker weet dat dit het programma is dat je wilt. Terugbrengen gaat niet!

De draagbare computer

Je hebt twee soorten computers: grote en kleine. De grote worden 'desktop'-computers genoemd, de andere zijn 'draagbare' computers, ook wel 'portable', 'notebook' of 'laptop' genoemd.

De desktopcomputers zijn eigenlijk de gewone computers. Het zijn vrij grote bakken die je op de tafel of op de grond zet, met een apart scherm, toetsenbord en muis. Een draagbare computer is maar zo groot als een doos cornflakes, inclusief het computerscherm, het toetsenbord en de muis!

Als het belangrijk is voor jou dat de computer weinig plaats inneemt, kies dan voor een draagbare computer. Ook als je de computer op meerdere plaatsen wilt gebruiken of meenemen (bijvoorbeeld op de trein of op reis), is zo'n 'laptop' heel handig.

Altijd en overal

De draagbare computer kun je dus 'dragen'. En als we zeggen draagbaar, dan is dit ook letterlijk zo: in de auto, op de bank, in de tuin, bij de buren, op het werk, in het station, in het restaurant... Draagbaarheid heeft wel een nadeel: het risico op vallen is reëel en een val kan je computer fataal worden. Ook hoge temperaturen kunnen je laptop beschadigen. Laat het toestel dus nooit in de zomer in een auto achter glas liggen: de temperatuur kan dan zodanig hoog oplopen dat de computer stukgaat. Bovendien bestaat de kans dat je laptop gestolen wordt, net omdat je het ding meeneemt en misschien zichtbaar gebruikt op publieke plaatsen.

Als je besluit een draagbare computer te kopen in plaats van een gewone desktop, koop dan ook een speciaal hiervoor bestemde tas die bij het transporteren de meeste schokken tegenhoudt.

Klein

De draagbare computer is klein, maar dit heeft geen of weinig gevolgen voor zijn werking. Een laptop is volledig volwassen en heeft een superkracht en kan daarom evenveel als een grote desktopcomputer, alleen heeft hij er veel minder plaats voor nodig.

Dit heeft grote voordelen. Je hoeft voor je laptop geen vaste, speciale plaats te voorzien in huis. Je kunt hem gewoon even op tafel leggen tijdens het werken en na het werken (of 'spelen') gemakkelijk in een kast opbergen.

Prijzig?

De draagbare computer biedt dus vele voordelen op het vlak van draagbaarheid, ruimte en gebruiksgemak. Maar wat is de prijs die je hiervoor betaald?

Spijtig genoeg zijn laptops duurder. De tijden veranderen echter. Je kunt tegenwoordig een draagbare computer kopen voor bijna dezelfde prijs als een gewone klassieke desktopcomputer. Alleen zal de draagbare computer net iets minder aan boord hebben dan de desktopcomputer. Of om het met andere woorden te zeggen: het kleine beestje is minder snel en minder krachtig. Het verschil in prijs wordt echter met de dag kleiner. Algemeen genomen kopen mensen meer een laptop dan de klassieke desktop omdat de voordelen opwegen tegen de nadelen.

Geen elektriciteit

De draagbare computer heeft zelf batterijen aan boord waardoor je, zelfs indien je geen stopcontact in de buurt hebt, rustig kunt werken met je computer. Heel handig, maar uiteraard hebben die batterijen geen onbeperkte levensduur. Ze houden het maar enkele uren uit, afhankelijk van het type. Daarna zullen ze opgeladen moeten worden, en heb je dus toch een stopcontact nodig.

Gebruiksvriendelijkheid

Wat zijn nu de nadelen van een draagbare computer? Een laptop is niet altijd even handig en gebruiksvriendelijk. Zo zijn er het speciale geïntegreerde toetsenbord en muis. Het toetsenbord is zeer sterk bij elkaar gedrukt en nogal wat mensen vinden dit onhandig om mee te werken. De knopjes staan zeer dicht tegen elkaar en je kunt je dus gemakkelijk vergissen. Ook de muis vinden veel mensen niet erg praktisch; ze raken er niet aan gewend.

Gelukkig kun je wel een apart toetsenbord en een aparte muis aansluiten op de draagbare computer, maar daarmee maak je hem natuurlijk weer iets minder draagbaar. Even in de auto een apart toetsenbord en muis aansluiten, is niet zo handig. Als je echter vooral thuis met je laptop werkt en het toestel op een tafel zet, kun je zo al een belangrijk nadeel uitschakelen.

Aan jou de keuze of je een kleine, handige, draagbare computer wenst of een grote goedkopere desktop. Sommige mensen hebben beide, waardoor ze de problemen oplossen. Ze gebruiken dan de grote desktop om meestal aan te werken en de iets zwaardere taken uit te voeren, maar kunnen met hun draagbare computer in de zomer in de tuin gaan zitten, 's avonds met het gezin bij de televisie zitten of overdag het ding meenemen naar het werk. We merkten al op dat je minder 'draagbare computer' krijgt voor hetzelfde geld ten opzichte van de klassieke desktop. Bovendien bestaat de laatste nieuwe technologie niet altijd in het klein, waardoor draagbare computers steeds iets achterlopen op de vooruitgang in de technologie.

Als je kiest voor een laptop, zul je het moeten doen met iets minder RAM-geheugen, minder hardeschijfruimte en een minder snelle motor (CPU). Overdrijf dit nadeel echter niet: voor de doorsneegebruiker is een laptop goed genoeg!

Waarop letten?

Houd er bij het kopen van een draagbare computer rekening mee dat de computer waarschijnlijk altijd zal blijven zoals hij op dat moment is. Een klassieke desktop kun je later nog uitbreiden door extra 'kaarten' te kopen en zo je computer extra functies of bijvoorbeeld extra geheugen te geven. Bij een draagbare computer is dit in vele gevallen onmogelijk of enorm duur. Stel dus in één keer een computer samen die perfect bij je past.

Houd bij het kopen van de computer ook rekening met de batterij. Een draagbare computer die maar een half uurtje zonder stroom kan, is absoluut niet handig: dan moet je toch nog in de buurt van een stopcontact zitten en kun je de tuin wel vergeten! Als je batterij twee of zelfs vier uur meegaat, zit je tenminste comfortabel.

De levensduur van je batterij is echter een punt waar de meeste advertenties in reclamebladen angstvallig over zwijgen, net omdat die goedkopere computer op dit punt meestal bijzonder slecht presteert. Vraag dit dus zeker na!

Zorg ook voor een goede schokbestendige tas om de computer in te transporteren. Je nieuwe, kleine computer moet er goed in passen. Je computer mag zeker niet te los zitten (dan worden de schokken namelijk niet goed opgevangen).

Veiligheid
Doordat de draagbare computer een stuk kleiner is en gemakkelijk draagbaar, zijn dieven er vaak op gebrand. Houd je laptop goed in de gaten. Er bestaan in de handel speciale sloten om de computer (tijdelijk) vast te leggen op bijvoorbeeld je bureau op je werk. Ga je op reis en neem je de computer mee, houd hem dan bij je. Geef hem niet mee met de rest van de bagage, maar houd hem bij je als handbagage. Blijf steeds op je computer letten, dieven kunnen bijzonder onopvallend naderen om de computer plots te grijpen en te verdwijnen in de massa. Het kan handig zijn een ketting (bijvoorbeeld een metalen hondenlijn) aan je computer vast te maken en het andere eind om je hand vast te houden. Zo kun je de computer naast je op de grond zetten, wat aangenamer is bij het wachten op de luchthaven, trein of bus, en houd je hem toch vast. Zo kan een dief er niet achter je rug om plots mee gaan lopen. Het kost amper iets en is zeer effectief!

Reservekopie
Ook al ben je altijd voorzichtig met je laptop, het kan toch gebeuren dat je het toestel laat vallen of dat je (klein)kind hem per ongeluk van de tafel stoot. Maak daarom regelmatig een reservekopie (ook wel een 'back-up' genoemd) van alle belangrijke gegevens op je draagbare computer. Zo'n kopie kun je op een andere computer zetten, op een zogenaamde 'USB-stick', op een cd of dvd. Zo verlies je niet al die gegevens waar je bloed, zweet en tranen in hebt gestoken. Je tovert ze gewoon terug!

Bij de aankoop van je draagbare computer dien je hiermee rekening te houden: heeft de computer een cd- of dvd-schrijver (cd-r, dvd-r), zodat je je gegevens makkelijk op een schijfje kunt zetten? Of ga je een USB-stick kopen? Ook externe harde schrijven worden meer en meer gebruikt als back-upmedium voor een computer. Je sluit ze aan op een USB- of op een Fire Wirepoort. Vaak hebben de externe harde schijven een eigen voeding die je apart moet aansluiten, maar de kleinere back-upschijfjes worden ook wel gevoed via de USB-poort van de computer.

Indien je de gegevens op een bestaande computer wilt kopiëren, zorg dan zeker voor een netwerkkaart in je nieuwe computer, zodat ze met elkaar kunnen 'praten'!

Via diensten als SkyDrive van Windows Live kun je ook back-ups maken die je op internet opslaat. Het voordeel is ook nog eens dat gegevens die op deze manier opgeslagen worden, overal weer te lezen zijn, als je maar een computer en een internetverbinding hebt.

Netbook of minilaptop

Recent wordt een nieuwe generatie van laptops aangeboden, de zogenaamde netbooks of ook wel minilaptop genoemd. Het zijn eigenlijk gewoon draagbare computers, maar dan met andere eigenschappen. Ze zijn vooral gemaakt om echt draagbaar te zijn. Ze hebben een veel kleiner scherm, wegen minder en hun batterij gaat veel langer mee dan van een traditionele laptop. Ze zijn daarom vooral interessant voor zakenlui die in de trein, op de vergadertafel of in het vliegtuig ook hun apparatuur bij zich willen hebben. Maar ook voor mensen zoals jij en ik kunnen deze netbooks handig zijn. Door hun afmetingen en gewicht zijn ze echt heel draagbaar.

Nadelen zijn echter het kleine scherm. Foto's worden kleiner getoond, surfen op het internet is lastiger en voor wie een bril nodig heeft, kan het ook al eens lastig zijn om alles te lezen op het scherm. Bovendien zijn deze toestellen veel minder krachtig. De motor (CPU) is vele malen trager dan bij een gewone draagbare computer. De tekstverwerker zal trager zijn, spelletjes mag je daarom in de meeste gevallen zelfs vergeten.

Tot slot zitten in de netbooks ook geen cd- of dvd-speler. Dat vraagt teveel plaats waardoor de installatie van programma's een heel stuk moeilijker verloopt en ook het bekijken van films of beluisteren van muziek een probleem vormt. Je kunt eventueel wel een externe dvd-speler bijkopen, maar zo verlies je natuurlijk de draagbaarheid van je minilaptop.

Een minilaptop wordt daarom meestal niet als enige computer gekocht. Mensen die een desktop of al een draagbare computer hebben, kopen dit toestel er extra bij. Zo willen zij genieten van de extreme draagbaarheid, maar kunnen ze het 'echte' werk aan je snelle desktop of laptop voortzetten.

De tweedehandscomputer

Net zoals bij een auto kun je ook een tweedehandscomputer kopen. Dit kun je doen bij een bedrijf dat hierin is gespecialiseerd, gewoon bij een vriend of via een zoekertje.

We bekijken hier bondig wat de voor- en nadelen zijn.

Verouderd

Als je vandaag een nieuwe computer koopt, dan is deze binnen een jaar al verouderd. Als je een tweedehandscomputer koopt, is deze per definitie reeds 'heel oud'. Bij een auto vermindert de waarde ook per jaar, bij een computer gaat dit nog vele keren sneller.

Goedkoop

Aan de andere kant zijn deze computers vaak goedkoper. Toch worden goede tweedehandscomputers vaak nog veel te duur verkocht. Echt oude computers kun je voor een prikje kopen, maar zoals gezegd: ze zijn écht oud!

Je kunt het kopen van een tweedehandscomputer vergelijken met het kopen van een tweedehandstijdschrift. Een tijdschrift van gisteren is nog zijn geld waard, maar als het enkele maanden oud is, dan wordt de waarde al minder. Een tijdschrift dat jaren geleden is uitgegeven, is alleen nog goed genoeg voor het oud papier.

Instapmodel

Als je een tweedehandscomputer wilt kopen om voor het eerst kennis te maken met de computerwereld is een instapmodel misschien wel een geniaal idee. Je betaalt minder en je kunt toch eens proeven van het werken met een computer. Als de computer echter wat ouder is, krijg je een fout beeld. De hele computerindustrie werkt elke dag enorm hard om alles nog gebruiksvriendelijker, mooier, toegankelijker, sneller, beter, kleiner, energiezuiniger, stiller en plezieriger te maken. Als je dus een toestel van meerdere jaren terug in huis haalt om van de computerwereld te proeven, proef je eigenlijk een maaltijd die al enkele jaren in de koelkast staat. Dat kan gevaarlijk zijn: kies een verkeerde tweedehandscomputer uit en je gooit niet alleen je geld weg, maar je krijgt ook een totaal verkeerd beeld van de computer met mogelijk gevolg dat je deze totaal onterecht laat staan!

De opties

Zorg er bij het aankopen van een tweedehandscomputer voor dat je een aantal basiszaken hebt. Vergelijk het geheugen en de snelheid van de computer die je wilt gaan kopen, met wat hierboven is aangeraden en met nieuwe modellen in de winkel. Zo heb je een beeld van hoe 'oud' de tweedehandscomputer is. Koop geen computer zonder USB-poorten of zonder cd-romstation waardoor je geen cd's kunt lezen. Zo'n computer is echt niets meer waard en je kunt er niets meer mee aanvangen!

Traag

Nieuwere programma's die op een tweedehandscomputer worden gezet, zullen mogelijk niet werken of alleen zeer traag. In totaliteit kan dit tijdsverlies best oplopen. Een oude computer kan gemakkelijk tien keer trager zijn dan een nieuwe. Als ik met mijn computer dus in een half uurtje klaar ben, ben jij maar liefst vijf uur bezig!

Zeker als je de computer wilt kopen omdat je kinderen of kleinkinderen erom zeuren, is dit van belang. Ze zullen zich snel vervelen en het vervelend vinden om zo lang te moeten wachten, zeker als ze een snellere computer als referentie hebben (bij een vriendje, op school...).

Nog nadelen?

Dat een tweedehandscomputer kopen een geniaal idee is, heb ik al uitgebreid ontkracht. Er zijn echter nog talloze andere nadelen aan verbonden. Zo kun je meestal geen nieuwe programma's meer kopen voor je computer. De fabrikanten van de nieuwe programma's veronderstellen namelijk dat je met een moderne computer werkt en niet met een 'wrak'. Je moet bij de autogarage ook geen aangepaste gsm-kit gaan zoeken voor een oldtimer!

Bovendien ondersteunen de meeste fabrikanten oude computers niet meer. Dit wil zeggen dat ze geen garantie meer bieden en niet altijd meer voldoende vervangonderdelen in voorraad hebben. Als een oud programma niet goed werkt, hoef je van het bedrijf geen hulp meer te verwachten. De mensen die op een helpdesk werken (waar je met vragen over je computer terechtkunt) zijn meestal alleen opgeleid voor de laatste nieuwe programma's en niet meer voor de oude.

Let ook op met oudere onderdelen. Doordat je geen garantie meer hebt, is het best mogelijk dat je nieuw aangekochte tweedehandscomputer na een week kapot is. In tegenstelling tot de auto die regelmatig gekeurd moet worden, is er voor de computer geen keuring.

Is het dat allemaal waard?

Tja, dat moet je zelf weten! Indien je een zeer beperkt budget hebt, dan heb je mogelijk geen andere keuze. Als je toch een tweedehandscomputer wilt kopen, neem er dan de tijd voor. Zeker als je via zoekertjes een computer gaat kopen, is het de moeite uitgebreid te vergelijken: vaak vind je iemand die tegen dezelfde prijs een nog nét iets betere computer wil verkopen.

Extra accessoires

Bij het kopen van een oudere computer heb je mogelijk het probleem dat je er weinig of geen extra toestellen aan kunt hangen. De fabrikant van een splinternieuwe digitale camera zal het bijvoorbeeld niet de moeite waard vinden om voor die paar klanten die nog met een oude computer werken grote investeringen te doen (er moeten immers andere zogenaamde 'drivers' worden gemaakt voor oudere versies van computers).

Ook een nieuwe printer, scanner of videocamera kan problemen geven.

Licenties
Het lijkt een detail, maar het is niet onbelangrijk. Bij het kopen van een tweedehandscomputer moet je erop letten dat je van alle programma's die erop staan ook de originele cd of diskette meekrijgt. Bij elk programma hoort namelijk een licentie en jij hebt die licentie alleen als je die schijfjes hebt. Indien de verkoper ze je niet kan geven, dan heb je geen licenties en ben je wettelijk in overtreding. Niet alleen werk je dus illegaal, maar als ooit je computer opnieuw geïnstalleerd en klaargemaakt zou moeten worden, heb je de originele bestanden niet meer en kun je dit niet doen. De enige oplossing is dan al die licenties aan te kopen, wat duur kan zijn en soms voor oudere versies niet meer mogelijk is. Of je moet je computer weggooien...

Wat heb je nodig voor internet?

Om gebruik te kunnen maken van het internet en zijn oneindig veel mogelijkheden heb je nog enkele extra zaken nodig. Een computer alleen is namelijk niet voldoende. Je moet bovendien nog enkele dingen weten voordat je van start kunt gaat.

Het principe

Het 'internet' is eigenlijk een gigantisch spinnenweb waar miljoenen en miljoenen computers op aangesloten zijn, min of meer kriskras door elkaar, die zo met elkaar communiceren. Om met al die computers te kunnen communiceren, moet je jouw computer aansluiten op dat spinnenweb. Daarna kun je via de draden van het spinnenweb informatie opvragen of bijvoorbeeld een elektronisch bericht sturen.

Het internetabonnement

Om op dat gigantische internet te kunnen aansluiten, hebben we een groot bedrijf nodig, ook wel 'internetprovider' genoemd (afgekort ISP).

Je kunt het vergelijken met de telefoon. Wereldwijd liggen er talloze kilometers telefoondraad, maar je moet jezelf aansluiten bij een telefoonbedrijf om ook daadwerkelijk gebruik te kunnen maken van dit telefoonnetwerk en zo te kunnen bellen naar je vrienden of familie.

Bij internet moet je je dus aansluiten bij zo'n 'internetprovider', die over de nodige infrastructuur beschikt om de computers van de (betalende) klanten op het internet aan te sluiten.

De modem

Als je eenmaal een internetabonnement bij een internetprovider hebt, moet je de computer nog daadwerkelijk aansluiten op het netwerk. Bovendien moet je computer alles begrijpen wat hij doorgestuurd krijgt. Het toestelletje dat dit doet, wordt een 'modem' genoemd (afgeleid van *mo*dulator/*demo*dulator). Een modem zet de signalen die van je provider komen via een kabel om in verstaanbare elektronische signalen voor je computer. Zo kan je computer bijvoorbeeld een foto op het scherm toveren.

Drie soorten

Behalve een computer hebben we dus een abonnement bij een internetprovider en een speciaal toestelletje (de modem) nodig om op het internet te gaan.

Om het nog iets ingewikkelder te maken: er bestaan eigenlijk drie manieren om onszelf aan te sluiten op het internet.

We hebben ADSL, kabel en via de mobiele telefoon. Theoretisch gezien kan het ook nog via de gewone telefoonlijn, maar dit is totaal verouderd, duur en vooral extreem traag.

Deze drie technieken verschillen in prijs en snelheid. Het is zeer belangrijk dat je de techniek kiest die het beste bij jou past.

▸▸ *ADSL*

Je kunt je computer met behulp van een speciale soort modem, die dan ADSL-modem wordt genoemd, iets anders leren. Je computer gaat dan de gewone telefoonlijn gebruiken, maar in plaats van rustig te keuvelen, gaat hij zijn gesprekken voeren met ultrahoge geluiden. Het voordeel is dat de tonen hoger zijn dan de mens kan horen. Het resultaat is dat je tegelijk én kunt bellen én op het internet kunt. Je telefoonlijn blijft dus vrij, ook als iemand van de familie bezig is op het internet.

Deze techniek, die we ADSL noemen, heeft nog meer voordelen. Doordat onze computer een heel hoge stem krijgt, kan hij veel meer informatie versturen en ontvangen.

Een leuke eigenschap is dat je internetverbinding altijd kan blijven openstaan, 24 uur per dag. Je betaalt immers niet per minuut, maar wel een vast bedrag per maand, hoe veel of weinig je het ook gebruikt. Dit kan een enorm voordeel zijn voor wie het prachtige internet geregeld gaat gebruiken, maar is tegelijk een nadeel voor wie het zelden of nooit gebruikt. Als je bijvoorbeeld geregeld meerdere weken of maanden niet thuis bent, moet je toch blijven betalen.

Om ADSL te installeren bij je thuis koop je gewoon een pakket in de winkel. Je kunt er thuis mee aan de slag. Bij problemen kun je een beroep doen op specialisten, die het desnoods (tegen betaling) bij je thuis komen installeren.

Als je een ADSL-abonnement bij een internetprovider neemt, krijg je meestal een hele reeks voordelen, zoals extra e-mailadressen voor je partner, kinderen, enzovoort. Ook krijg je meestal ruimte voor je eigen persoonlijke website.

Let op de aanbiedingen voor een gratis modem, gratis installatie of een korting op het abonnement. In internetland heerst namelijk al jarenlang een concurrentiestrijd, wat de gebruiker alleen maar prijsvoordelen oplevert.

▸▸ *Kabel*

Een tweede trucje dat je je computer kunt leren, is het gebruiken van de televisiekabel met een zogenaamde kabelmodem. Je computer kan via die kabel, ook wel een 'coaxkabel' genoemd, communiceren met het internet. In de praktijk wordt een aantal televisiezenders op de kabel niet gebruikt en op die 'plaatsen' (frequenties) kan je computer dan informatie versturen. Het voordeel is dat technisch gezien de kabel sneller en dus efficiënter is dan ADSL. Toch is dit in de praktijk niet altijd zo, vanwege technische redenen en limieten opgelegd door de internetprovider zelf.

Het gebruik van de televisiekabel heeft dezelfde voordelen als ADSL: het is supersnel, staat 24 uur per dag aan en werkt met een vast bedrag per maand.

Je krijgt ook vrijwel altijd extra voordelen, zoals meerdere eigen e-mailadressen en ruimte voor je persoonlijke website. Een nadeel van deze techniek is dat het klaarmaken van je computer en het aankoppelen op je televisiekabel wat werk vraagt. Meestal is een erkende installateur nodig. Dit kan geld kosten, maar let ook op reclameaanbiedingen: geregeld worden grote kortingen gegeven of zelfs een volledig gratis installatie, zodat ook die drempel wegvalt en de weg helemaal openstaat.

▸▸ *Internet via mobiele telefoon*

Internet kun je ook via het GSM-netwerk verkrijgen. Zo hoef je niet altijd bij je thuis te zijn maar kun je overal in het land met je laptop het internet op. Het internet wordt namelijk via de draadloze signalen van je mobiele telefoon verstuurd. Nadelen zijn de duurdere prijs en de mogelijk lagere snelheid. Je hebt (bijna) overal wel ontvangst met je mobiele telefoon, maar die is niet overal even goed. Vraag daarom aan de provider naar de dekking van het snelle, zogenaamde 3G-netwerk. Indien dit snellere netwerk niet in je buurt aanwezig is, kun je er nog steeds van gebruikmaken, maar zal het surfen extreem traag verlopen wegens de oudere technologieën.

Vaak nemen mensen dit abonnement extra naast hun gewone internet. Zo zijn ze niet alleen in staat om thuis snel te internetten (met kabel of ADSL), maar kunnen ze ook overal in het land snel op het internet, bijvoorbeeld op een vergadering, in het park of de tuin, bij de kinderen, op de luchthaven, in de bus of op de trein.

In sommige laptops zit een speciale gsm-modem al ingebouwd, maar dit is (voorlopig) nog zeldzaam. In praktijk koop je een gsm-modem die je gewoon in een USB-poort steekt.

Wat kiezen?

De vraag is nu natuurlijk wat je gaat kiezen: ADSL, kabel, klassieke modem of via mobiele telefoon?

De klassieke modem (via analoge telefoonlijn) raad ik af. Hij is traag, verouderd en te duur.

Indien je denkt weinig op het internet te zullen doorbrengen of weinig financiële middelen hebt, overweeg dan om een goedkope ADSL of kabelpakket te nemen, vaak een' light'-pakket met een laag maandelijks tarief.

Internet zal dan relatief traag functioneren en met de nodige beperkingen, maar beter dat dan geen internet!

Dan sta je nog voor de keuze: ADSL of kabel?

Mensen die technisch wat beter onderlegd zijn, kunnen ervoor kiezen alles zelf thuis te installeren. Zowel bij ADSL als bij kabel is dat mogelijk, al is dit bij kabel niet altijd aan te raden. Het bespaart je geld, maar het kost meer moeite. Je kunt de installatie ook laten doen. Let dan op de acties: geregeld krijg je grote kortingen of is het helemaal gratis.

Heb je geen vaste telefoon (gebruik je enkel nog je mobiele telefoon), dan kies je het best voor het surfen via de kabel. Bij ADSL ben je immers altijd verplicht om een vaste telefoonlijn te huren, zelfs al gebruik je geen vaste telefoon meer.

Niet iedereen kan echter ADSL of kabel krijgen. Op sommige zeldzame plaatsen is het om technische redenen niet mogelijk. Vraag altijd voor je iets tekent of bestelt na of het wel mogelijk is. Vooral voor ADSL is dit zeer belangrijk, omdat je gewoon het installatiepakket in de winkel kunt kopen, zonder dat iemand dit voor jou controleert (en dan kom je thuis en werkt het niet!). Bij de kabel heb je dit probleem niet. Je kunt de benodigdheden voor de kabelmethode namelijk niet zomaar in de winkel kopen. Je moet ze bestellen of telefonisch aanvragen en dan worden de mogelijkheden meteen voor je nagekeken.

In praktijk ligt de keuze tussen ADSL en kabel bij jou. Theoretische snelheden zijn bij kabel meestal hoger dan bij ADSL. Maar de prijs, een speciale actie of bepaalde limieten kunnen je doen beslissen bij de concurrentie te gaan. Indien je graag altijd en overal internet hebt, neem dan internet via de mobiele telefoon. Het is relatief duurder dan gewoon internet en trager, maar de mobiliteit is maximaal. Eventueel kun je dit bovenop een ADSL- of kabel-abonnement nemen.

Ga je soms naar het buitenland?

Als je af en toe in het buitenland zit, kan het handig zijn dat je internetaansluiting de functie 'roaming' ondersteunt. Hierdoor kun je via een gewone klassieke modem in heel wat landen tegen gewoon lokaal tarief op het internet surfen, en zo ook je e-mail nakijken.

Roaming wordt niet altijd ondersteund en is ook niet altijd gratis (soms is het zelfs heel duur!). Als je weet naar welke landen je mogelijk af en toe gaat, vraag dan specifiek of voor die landen roaming kan worden voorzien. De internetprovider moet in zo'n land namelijk tegen lokaal tarief kunnen bellen met het internet (anders is het internationaal tarief, wat onbetaalbaar is).

Meer en meer zie je ook dat hotels en campings gratis of tegen een bescheiden meerprijs WiFi aanbieden. Hiermee kunt je draadloos verbinding maken met internet. Je computer moet dan natuurlijk ook wel een WiFi-mogelijkheid hebben.

Tussenoplossingen
Er zijn ook tussenoplossingen mogelijk. Zo kun je kiezen voor snel internet (ADSL of kabel), terwijl je toch betaalt per minuut. Ook kun je voor een goedkopere prijs snel internet krijgen, maar dan met minder voordelen.

Let echter goed op met deze formules. Meestal zijn er extra aansluitingskosten, zijn de opgegeven limieten onmogelijk laag en is de 'snelle' verbinding toch niet zo snel. Bovendien profiteren de aanbieders enorm van je indien je de opgestelde grenzen overschrijdt: je gaat je dan bijna blauw betalen.

Verder met het internet
Meer informatie over het internet, over hoe je je moet aansluiten en hoe je internet kunt leren gebruiken (met aandacht voor de echt leuke dingen van het internet) kun je vinden in het boek *Internet na 50*, ook geschreven door de auteur van dit boek.

De computer-shoplijst

Als je een nieuwe computer koopt, kun je het beste een lijstje opstellen van wat je uiteindelijk exact van het toestel verwacht. Wees zeer specifiek.

Schrijf bijvoorbeeld op: 'e-mail versturen', 'foto's versturen naar vrienden' of 'verjaardagskaarten maken'. Dit lijstje kun je vervolgens laten zien aan de verkoper in de winkel, die zo de beste computer voor je kan uitzoeken. Je kunt het natuurlijk ook andersom doen: je kiest eerst een computer uit en vraagt dan nog even de mening van de verkoper om erachter te komen of het echt de computer is die je nodig hebt.

Een kort overzicht van verplichte computeronderdelen:

- Computerscherm
- Toetsenbord
- Muis
- Dvd/cd-speler
- Geluidskaart
- Videokaart
- Luidsprekers

Verder heb je extra componenten nodig indien je iets extra wilt doen met je computer.

- Internet
  Modem
  Internetabonnement
- Foto's
  Digitale camera
  Beelden inscannen
- Scanner

Verder heb je nog een heleboel extra's die je kunt kopen:

- Cd-r/cd-rw- of dvd-r/dvd-rw-schrijver
- Printer
- Televisiekaart om televisie te kunnen kijken op je computer

Een heel belangrijke tip: ga op onderzoek uit!
Koop niet onmiddellijk een computer, maar doe een beetje onderzoek. Houd de advertenties, kranten en reclamebladen enkele dagen of weken in het oog voor aanbiedingen. Ga ook eens naar enkele winkels om de prijzen te vergelijken. Zo kun je vaak heel wat geld besparen door op een goede aanbieding te stuiten!

Bestel via internet

Indien je reeds over een internetverbinding beschikt, of via een vriend of familielid op internet kunt komen, dan kun je ook via deze weg je computer bestellen en samenstellen. Het internet geeft je ook een goed idee van de prijzen van aparte onderdelen. Je hoeft niet noodzakelijk via internet te bestellen, maar zo weet je alweer wat meer als je in de winkel staat.

Voor Dell-computers kan dit op: http://www.dell.be.

Voor Macintosh: http://www.apple.com/belgiumflstore.

Voor HP: http://www.hp.be.

In de voorbije hoofdstukken heb je alle termen en onderdelen geleerd die nuttig zijn als je een computer gaat kopen. Je weet waarop je moet letten en je weet nu perfect hoe je een computer kunt kiezen.

Als je nu de reclamefoldertjes van verschillende winkels leest, zul je ongetwijfeld heel wat verschillende afkortingen en termen tegenkomen. De meeste termen werden reeds besproken. Termen die je nog niet begrijpt, kun je opzoeken in het computerwoordenboek achter in dit boek. Daar staan alle gangbare termen duidelijk en toegankelijk uitgelegd. Zo weet je echt wat je koopt. Laat je niet in de luren leggen!

3 •• OPTIMALE PLAATSING VAN DE COMPUTER

Wat is RSI? (Repetitive Strain Injury)

RSI staat voor 'Repetitive Strain Injury' en is geen ziekte maar een verzamelnaam voor een reeks klachten en aandoeningen, vooral gerelateerd aan computergebruik.

RSI is een gezondheidsprobleem. Om veilig aan de computer te werken, dien je er dan ook voor te zorgen dat je geen last krijgt van RSI. Met andere woorden: je moet erop letten dat je geen gezondheidsklachten krijgt.

Laat RSI je echter niet tegenhouden om een computer aan te schaffen. RSI is immers zeer eenvoudig te voorkomen door er vanaf het begin rekening mee te houden. Het kopen van je computer is hier van belang, maar ook de uiteindelijke plaatsing in huis. Kies nadat je een computer gekocht hebt dan ook meteen een goede plaats voor het apparaat.

RSI kan ontstaan als je zeer vaak dezelfde bewegingen maakt. Zo kun je bijvoorbeeld pijn krijgen aan de handen door uren aan een stuk op internet te surfen. Ons lichaam is niet gemaakt om aan een computer te werken. Daar dienen we rekening mee te houden.

Om jezelf te beschermen tegen RSI, moet je in de eerste plaats het begin ervan goed kunnen herkennen. RSI komt in eerste instantie alleen voor als je 'overdrijft' met de computer en wanneer je computer slecht geplaatst is.

Je kunt een vreemd 'zwaar' gevoel krijgen in de hand of arm, pijnscheuten en/of tintelingen in de vingers bij het typen of bij het gebruik van de computermuis. Ook kun je in een later stadium last krijgen van concentratieverlies, spierverslapping, pijn in de nek, slechte reflexen en een slechte nachtrust krijgen.

Het gevaar bestaat dat weefsels letsels oplopen. Bij zeer zware en chronische klachten is er een zeer hoge kans op zenuwbeschadiging en zelfs op een handicap!

Als je merkt dat werken aan de computer je last bezorgt, dan is de beste oplossing: rust. Zorg voor afwisseling: gebruik eens het toetsenbord, probeer dan even de muis te gebruiken, dan weer even het toetsenbord, enzovoort. Raadpleeg bij ernstige klachten een arts.

Mensen die beroepshalve met de computer moeten werken, lopen het meeste risico. Toch kun je ook thuis last krijgen van RSI.

Ook kinderen zijn niet immuun. Zij spelen soms urenlang onafgebroken aan de computer (of PlayStation, Xbox, Wii, enzovoort). Leer je kinderen de volgende regels en zie toe op de naleving ervan. Het is belangrijk dat je kind dit vanaf het begin weet, voor zijn gezondheid nu en in de rest van zijn leven!

Hoe voorkom je RSI?

Houd rekening met volgende aandachtspunten bij de aankoop van je computer en de inrichting van de plaats waar je het apparaat zult plaatsen:

- Zorg voor een goede zithouding. Zit met een rechte rug, houd het hoofd recht met de kruin recht naar het plafond. Hou je schouders omlaag. Gebruik een goede stoel om op te zitten.
- Zorg voor een goede kijkafstand en lettergrootte. Zorg ervoor dat je niet moet turen om de letters te zien. Dit belast je ogen en zorgt meestal voor een verschrikkelijk slechte zithouding. Een goede kijkafstand is 50 tot 95 cm van het beeldscherm. Het computerscherm moet voldoende groot zijn.
- Plaats het beeldscherm recht voor je. Zo voorkom je dat je langdurig opzij moet kijken. Plaats het dus niet schuin vanwege plaatsgebrek, denk aan je gezondheid!
- Zorg voor voldoende plaats. Ook de muis en het toetsenbord moeten voldoende plaats hebben op de tafel of het bureau. Als je een computer hebt die niet draadloos is, moet de draad voldoende lang zijn, zodat je comfortabel kunt werken.
- Zorg ervoor dat je benen niet geklemd zitten onder het bureau.
- Stel de armsteunen goed in. Zorg ervoor dat de bovenzijde van de armsteun gelijkstaat met de bovenzijde van je bureaublad.
- Stel je computer goed in. Vrijwel alle programma's beschikken over hele hoop functies die het je gemakkelijker maken. Kijk ook naar instellingen om de gebruiksvriendelijkheid te verhogen.
- Zorg voor een goede inrichting. Vermijd sterke reflectie op je beeldscherm.

- Gebruik een voetensteun als de grond je voeten niet goed ondersteunt. Je knieën moeten een hoek vormen van ongeveer 90°.
- Gebruik een handige muis. Zoek de muis die het beste bij je hand past. Koop daarom niet altijd de goedkoopste. Je gezondheid gaat voor! Kies bij voorkeur een 'optische' muis in plaats van de klassieke muis met bal. Een optische muis hapert minder, wat het gebruiksgemak verhoogt.
- Vermijd dat de zon recht of schuin in je ogen schijnt.
- Schaf een goede bureaustoel aan. Zit vooral niet hele dagen op een slechte en goedkope stoel. Dit is spelen met je gezondheid en zorgt vooral voor rug- en nekklachten, die in het ergste geval blijvend zijn.

Wanneer je de computer eenmaal gaat gebruiken, hou dan rekening met de volgende aandachtspunten.

- Laat je armen rusten als je de muis niet gebruikt. Deze eenvoudige regel zorgt ervoor dat de doorbloeding weer op gang komt.
- Zorg voor afwisseling. Probeer dingen te combineren. Lees tussendoor een mailtje, of zoek even iets op het internet, speel een kort spelletje, maak je computer even schoon, begin aan een andere taak, enzovoort.
- Pijn = stoppen. Voel je pijn, stop dan onmiddellijk. Het lichaam geeft immers een signaal dat het problemen heeft.
- Gebruik zo weinig mogelijk de muis. Leer sneltoetsen te gebruiken. Klachten ontstaan vaak door veelvuldig gebruik van de muis, zeker als er onvoldoende plaats is.
- Zorg voor beweging. Blijf niet te lang achter elkaar zitten aan de computer. Sta af en toe eens op. Zet de printer wat verder van de computer, zet boeken, documentatiemappen en dergelijke iets verder weg, zodat je even moet bewegen.
- Zorg voor rustmomenten. Neem regelmatig een pauze. Probeer regelmatig gewoon enkele seconden weg te kijken van het scherm, je handen op je schoot te leggen of even rechtop te staan. Om het uur, ten minste om de twee uur, pauzeer je gedurende tien minuten volledig. Aangeraden wordt niet meer dan zes uur per dag achter het scherm te zitten. Gebruikers van een draagbare computer (laptop), wordt aangeraden er maximaal twee uur per dag mee te werken, tenzij die gekoppeld is aan een 'dockingstation' of een aparte muis en een apart toetsenbord heeft (de reden hiervoor is dat de

plaatsing van je handen en je armen, de kijkrichting, enzovoort zeer ongezond zijn bij een draagbare computer, vanwege zijn zeer compacte vorm).

- Drink voldoende op een dag. 2 liter water per dag is het minimum. Bij warm weer moet dit meer zijn. Als je te weinig drinkt, word je sneller moe, krijg je last van concentratiestoornissen en neemt je reactievermogen af. Bovendien zorgt dit voor kans op onderkoeling van de spieren, verkramping, dikker bloed, enzovoort.
- Maak een haperende computermuis schoon.
- Leer typen. Het gebruik van een juiste houding en op een goede manier typen, voorkomen vele gevallen van RSI.

Als je deze basisregels vanaf het begin in acht neemt, kom je al een heel eind. Zo zorg je ervoor dat je altijd gezond en fijn aan de computer kunt werken zonder problemen!

4 •• BASISKENNIS

Basiskennis computer

Net zoals je moet weten dat een auto vier wielen, een stuur en deuren heeft, of dat een televisie een beeldbuis heeft en meestal een afstandsbediening, zo zijn er ook enkele dingen die je moet weten over een computer. Veel mensen zijn bang om iets verkeerd te doen met de computer, en daarom zijn ze erg onzeker of durven ze zelfs helemaal niet met de computer te werken. Die angst is echter helemaal niet nodig. Je bent toch ook niet bang om een verkeerde toets in te drukken op de afstandsbediening van je televisie? Of wel?

We hebben al gezien wat er zoal in een computer zit (het geheugen, de geluidskaart) en wat er zoal aan een computer kan hangen (een toetsenbord en een scherm bijvoorbeeld). Nu kijken we verder naar de computer zelf.

Een computer is een zeer gevoelig toestel. Daarmee bedoel ik niet dat je de computer een kus moet geven, maar wel dat het een elektrisch toestel is waar je beter niet je hele huis mee gaat rondlopen, dat je beter niet laat vallen en moet beschermen tegen overspanning (blikseminslag). Ook wordt een computer liever niet gedoopt door een kop koffie of een glas frisdrank. Je mag er wel tegen roepen en je mag hem gerust uitschelden, dat is geen probleemò

Bij een computer horen altijd heel wat draden. Vijf of meer draden is geen uitzondering. Zorg er steeds voor dat ze niet beschadigd kunnen raken en dat je er niet over kunt vallen. Dit laatste is niet alleen vervelend voor de persoon die erover struikelt, maar ook voor de computer zelf.

De draden dienen voor verschillende zaken. Enerzijds hebben de computer en alle randapparatuur elektriciteit nodig om te werken, anderzijds moet er tussen de verschillende apparaten informatie worden uitgewisseld. Die informatie wordt verstuurd via draden. Afhankelijk van het toestel is zo'n draad heel dun, of juist heel dik. Vergelijk de draden met de bloedvaten en zenuwbanen in ons lichaam: ze zorgen voor de energievoorziening en transporteren de informatie van de ene naar de andere kant.

Het belangrijkste programma van je computer is het besturingssysteem.

Laten we de computer even vergelijken met een land zonder mensen, een onbewoond eiland bijvoorbeeld. Het is er, maar doet op zich niets. Het besturingssysteem kunnen we dan vergelijken met de overheid. De overheid controleert het land, maakt de wetten en bestuurt het land. Het besturingssysteem zorgt ervoor dat alles van de computer onder controle is en goed samenwerkt. Het zorgt ervoor dat het scherm, het toetsenbord, de muis alsook het geheugen allemaal goed samenwerken zodat ze een werkend geheel vormen. Verder maakt het besturingssysteem de wetten. Indien het zegt dat de computer uit moet gaan, dan zal dit ook gebeuren. Als het besturingssysteem aangeeft dat je scherm uit moet, dan zal dit ook gebeuren.

Het besturingssysteem op zich is ook weer een levenloos iets. Denk dus niet dat je computer opeens zal uitvallen of dat het scherm opeens gaat flikkeren. Je computer zal ook niet plots wetten stellen of in staking gaan. Het besturingssysteem doet wat jij vraagt. Het bestuurt de computer om te doen wat jij hem opdraagt. En dit is het interessante.

Wanneer je je computer aanzet, wordt het besturingssysteem opgestart. Vervolgens kun je opdrachten geven aan het besturingssysteem, dat ervoor zorgt dat deze ook worden uitgevoerd.

De bekendste besturingssystemen zijn Windows, Mac OS en Linux. Het verschil tussen deze besturingssystemen is dat ze door andere bedrijven worden gemaakt, andere voordelen en mogelijkheden hebben en dat sommige alleen op een speciaal soort computers werken. Het bekendste en meest gebruikte besturingssysteem is Windows. We gaan dan ook dit besturingssysteem verder gebruiken in dit boek.

Het besturingssysteem is de basis. We hebben een overheid voor onze computer, maar zonder inwoners en harde werkers zijn we nog niets. Daarom is er de gewone 'software'. De software is een programma. Op je wasmachine heb je bijvoorbeeld ook verschillende programma's: elk voert bepaalde zaken uit en geeft je bepaalde mogelijkheden. Op je computer geeft software je heel wat mogelijkheden zodat je op een eenvoudige wijze de computer kunt bedienen.

Een van de talloze programma's die bestaan is Internet Explorer, een programma waarmee je op het internet kunt surfen. Andere bekende programma's zijn bijvoorbeeld Microsoft Word, PowerPoint, Excel, Photoshop en WinZip.

Als een computer correct aangesloten is en wordt aangezet, dan maakt het toestel (een beetje) lawaai. Wat je meestal hoort, is de koeling. Een computer kan namelijk vele miljarden (!) bewerkingen per seconde maken. Dit produceert echter warmte, net zoals een automotor warm wordt en een koelkast of gloeilamp warmte produceert.

Als de onderdelen warm worden, gaat de computer echter minder goed presteren. Bij te hoge temperaturen kan hij uiteindelijk zelfs stukgaan of kortsluiting of brand veroorzaken. Daarom wordt de computer altijd heel stevig gekoeld. Soms zijn er zelfs twee ingebouwde ventilatoren die zorgen voor een goede luchtcirculatie. Ze pompen continu 'koele' lucht de computer in en blazen de warme lucht eruit. Dit, samen met een speciale constructie van de computer, zorgt ervoor dat de computer 'koel' blijft. Een doorsneecomputer heeft vanbinnen een temperatuur die rond de 40 °C ligt, al kan die ook stijgen (vooral bij warm weer) tot 60 °C. Dat is heel normaal. Als de computer niet met een koelingssysteem zou zijn uitgerust, dan zou de temperatuur gemakkelijk kunnen oplopen tot meer dan 100 °C, met alle gevolgen van dien.

De toets om je computer aan te zetten, bevindt zich meestal vooraan op het apparaat. Het is een ronde toets die zeer prominent aanwezig is, aangezien je daarmee het toestel moet aan- en uitzetten. Net zoals je dus je televisie of waterkoker aan en uit kunt zetten. Je beeldscherm aanzetten gaat net op dezelfde manier: de knop indrukken voor aan en uit te zetten.

Tot slot nog dit: als je computer aanstaat, beweeg hem dan niet. Leg hem tijdens het werken dus niet op zijn kant, schud er niet mee en laat het toestel zeker niet vallen. Dit kan namelijk beschadiging veroorzaken en zelfs het einde van je computer betekenen. Als je dus je computer moet verplaatsen, zet deze dan eerst af!

Eerst het scherm en dan de computer?
Het maakt niet echt uit of je eerst het computerscherm aanzet, of eerst de computer. Als je niets wilt missen van wat op je computer komt, zet dan eerst het computerscherm aan en dan pas de computer. Maar het maakt dus niets uit.

Het scherm uitzetten als de pc aanstaat?
Het is geen enkel probleem om het computerscherm uit te zetten terwijl de computer aanstaat. Als je lange tijd de computer niet gebruikt, is het verstandig de computer gewoon uit te schakelen. Als er echter een reden voor is dat je computer lange tijd blijft aanstaan zonder dat je ermee bezig bent, dan kun je het beeldscherm uitschakelen. Zo bespaar je energie. Dit kan nuttig zijn als je de computer een taak geeft waarmee hij enkele uren zoet is (bijvoorbeeld foutcontrole van het geheugen, zie p. 461). Een andere mogelijkheid om energie te besparen is de zogenoemde slaapstand of de sluimerstand van Windows.

De slaapstand:	**De sluimerstand:**
Hiermee wordt al het werk opgeslagen waar je mee bezig was en wordt de computer in een energiebesparende stand gezet, net genoeg om alles in het kortetermijngeheugen vast te houden, maar zonder dat het scherm aanstaat, zonder dat de harde schijf draait enzovoort. Wanneer je de computer weer met de normale knop aanzet, kun je binnen enkele seconden verder werken, alles staat nog precies zoals toen je de computer in de slaapstand zette.	Deze stand bespaart nog meer energie, want hij maakt een soort 'afdruk' van alles waar je mee bezig was, slaat die afdruk op de harde schijf op en zet de computer helemaal uit. Bij het weer aanzetten van de computer wordt die afdruk weer geladen en kun je weer verder werken, precies zoals alles stond voor het inschakelen van die sluimerstand. De starttijd van de computer bij gebruik van de sluimerstand is langer dan bij de slaapstand, maar je bespaart wel meer energie.

Basiskennis Windows 7

Je moet enkele dingen weten over je computer voor je echt verder kunt met de rest van dit boek. Indien je al een beetje ervaring hebt met de computer, kun je mogelijk dit hoofdstuk overslaan, of het vluchtig lezen. Indien je weinig of totaal geen computerervaring hebt, is dit hoofdstuk bijzonder belangrijk voor je.

De basis van je computer is het besturingssysteem Windows 7.

Dit is een programma dat alles van je computer controleert en ervoor zorgt dat je als gewone gebruiker met een computer kunt werken. Je hoeft niet te weten wat er allemaal in de computer zit om alles te laten samenwerken. Daar zijn andere mensen voor. Houd er rekening mee dat alles gemaakt is om het je zo eenvoudig mogelijk te maken en niet om je te pesten.

Eerst en vooral moet je computer goed aangesloten zijn. Dat wil zeggen dat je computer voorzien moet zijn van stroom en dat de benodigde apparaten, zoals het toetsenbord, de muis en het beeldscherm, ingeschakeld moeten zijn. Net zoals je televisie of dvd-recorder, moet je alles van stroom voorzien en goed aansluiten. Hoe je dat doet, staat uitgelegd in de handleiding van je computer.

Als je de computer aanzet, zul je allerlei dingen zien verschijnen op je scherm. Je computer aanzetten, doe je door de knop voor op het apparaat in te duwen. Hoogstwaarschijnlijk komt het merk van je computer in beeld en later ook een scherm met het logo van Windows 7 erop en de mededeling dat de computer bezig is met opstarten. Komt er niets in beeld, controleer dan of je beeldscherm is ingeschakeld (je beeldscherm opzetten doe je door de aan-uitknop in te drukken, deze staat meestal midden onderaan je beeldscherm).

Als de computer eenmaal is opgestart, zul je iets zien dat lijkt op de volgende figuur:

Ik zeg inderdaad 'lijkt op': elke computer is immers anders. Dat geldt zeker als je al met je computer hebt gewerkt. Indien de computer rechtstreeks van de winkel komt, zul je het waarschijnlijk zien zoals hierboven.

Wat je ziet, is je 'bureaublad'. Dit is de plaats waar je altijd zult beginnen. Je moet je computer zien als een bureau met heel veel lades. Hoe je zo'n lade opent, zullen we zo dadelijk zien. Onderin het scherm zie je de zogenoemde 'Taakbalk'. Links staat de knop 'Starten'. Hiermee open je het 'Startmenu'. Rechts daarnaast staan sommige knoppen om programma's te starten zoals Internet Explorer, Windows Verkenner en Media Player.

Knop starten

Daar rechts van staan alle geopende programma's (in de afbeelding Windows Live Messenger en Microsoft Word). Helemaal rechts zie je (van rechts naar links) de klok en datum, de instelling voor het luidsprekervolume, informatie over de draadloze verbinding, de status van de batterij (laptop) en berichten van het 'Onderhoudscentrum'. Het kleine driehoekje links daarvan geeft verborgen pictogrammen weer.

Als je daarop klikt, zie je deze pictogrammen in een klein venster. Door op die pictogrammen te klikken, kun je de programma's starten of instellingen wijzigen die aan die pictogrammen zijn gekoppeld.

Als je computer klaar is en je het bureaublad ziet, zit je dus eigenlijk achter een bureau dat netjes opgeruimd is.

De computermuis

Je zult in het midden van het scherm een wit pijltje zien, zoals op de foto.

Hiermee gaan we heel veel werken. We zullen ervoor zorgen dat dit pijltje op de juiste positie op het scherm komt om zo opdrachten te geven aan de computer. We kunnen dit pijltje laten bewegen dankzij de muis. Daarom gaan we het ook de 'muisaanwijzer' noemen. De muis is het toestelletje ter grootte van een handpalm dat naast het toetsenbord zou moeten liggen. Als je rechtshandig bent, leg je de muis aan de rechterkant van je toetsenbord. Ben je linkshandig, dan leg je hem links van je toetsenbord.

Leg je hand op de muis, zodanig dat je wijsvinger op de linkertoets komt te liggen en je middelvinger op de rechtertoets. Het zal het gemakkelijkst zijn als je je duim tegen de zijkant van de muis legt. Zorg ervoor dat je hand prettig ligt, want deze houding zul je vaak moeten aannemen.

Als je rechtshandig bent, pak je de muis met je rechterhand vast. Ben je linkshandig, dan kun je je rechter- of linkerhand gebruiken.

▸▸ *De computermuis bewegen*

De muis moet altijd op de tafel blijven. De muis opheffen in de lucht mag op zich wel, maar heeft totaal geen nut en we gaan het dan ook niet doen. Je zult zien dat indien je de muis naar rechts schuift (dus laten liggen op tafel en ermee schuiven) ook de muisaanwijzer (het pijltje) op het scherm naar rechts verschuift. Het bewegen van de muis naar boven, naar links en naar onderen zal hetzelfde effect hebben op het scherm. Probeer maar.

Als het pijltje aan de zijkant van het scherm gekomen is en van het scherm verdwijnt, kun je de muis in de tegenovergestelde richting bewegen om het pijltje weer zichtbaar te maken.

Als je muis tot helemaal aan je toetsenbord is gekomen, of bijna van de tafel valt en je toch niet helemaal aan de zijkant van je scherm bent gekomen, dan mag je de muis wél opheffen. Pak hem op en leg hem op een andere plaats weer neer. Je zult zien dat op het scherm de positie van het pijltje niet is veranderd. Nu kun je (doordat de muis weer kan bewegen) verder bewegen tot je aan de zijkant bent gekomen van het scherm.

Oefen hier wat mee zodat je het onder de knie krijgt. Ga naar de verschillende hoeken van het scherm, probeer enkele figuren te 'tekenen'.

Probeer ook schuin te bewegen en oefen jezelf om de muisaanwijzer naar een bepaalde plaats te krijgen.

In het begin zal het wat vreemd overkomen om te werken met een computermuis, maar dit zal snel wennen. Nu moet je er nog over nadenken, maar later niet meer. Het is zoals fietsen: eerst moet je het leren, maar als je het eenmaal kunt, denk je er niet meer bij na en verleer je het niet meer.

De muis gebruik je dus om met je hand iets uit te leggen aan je computer. Zoals je met je hand een papier van je bureau pakt, zo helpt de muis je op de computer, met hetzelfde resultaat. Oefen even met de muis om het vreemde ding wat beter te leren kennen. Het echt onder de knie krijgen, leer je spelenderwijs in de volgende pagina's en hoofdstukken.

▸▸ *De muisknoppen*

Nu je weet hoe je de muis moet bewegen, kun je de knoppen gebruiken die ik reeds heb genoemd. Er staan namelijk twee of drie knoppen boven op je muis: linksbovenaan, rechtsbovenaan en mogelijk ook nog in het midden.

Het pijltje bewegen is één ding, maar we moeten ook aangeven dat we iets willen doen. Hiervoor hebben de knoppen, de 'muistoetsen', nodig.

We hebben de linkerknop, die we de 'linkermuistoets' zullen noemen, en we hebben de rechtertoets, de 'rechtermuistoets'.

De linkermuistoets zullen we het meeste gebruiken, de rechtermuistoets veel minder vaak. Tegenwoordig is op de meeste muizen nog een derde (middelste) knop te vinden of een rolletje in het midden. Hier gaan we nu niet verder op in. Dat komt later wel, maar voorlopig is deze toets minder belangrijk.

Tip

Veel mensen verwarren de linker- en rechtermuisknop weleens. Voor de ene opdracht heb je de linkerknop nodig, voor een andere de rechter. Dat je deze twee dan door elkaar gaat halen, is heel begrijpelijk. Zeker bij beginners komt dat vaak voor. Het is dus niet iets om je voor te schamen.

Toch zit er systeem in, ik vertel het geheim.

Je gebruikt standaard de linkermuisknop. Je kunt hier bijna alles mee doen: dingen selecteren, verslepen, knoppen indrukken, klikken op links op het internet, een map openen, een programma starten, enzovoort. Altijd die linkermuisknop gebruiken dus.

De andere knop, de rechtermuisknop, gebruik je veel minder. Deze toets is gereserveerd voor speciale zaken, zoals het openen van een extra menu met mogelijkheden. Deze knop is dus je trukendoos.

Nog een handig weetje: als je ergens op moet dubbelklikken, is dat altijd met de linkermuisknop. Daarvoor gebruik je NOOIT de rechtermuisknop.

We gaan nu oefenen om de muistoetsen te gebruiken. We noemen het gebruiken van die knoppen het 'klikken' met de muis. Je gaat zo meteen op de linkermuisknop klikken (drukken) of op de rechtermuisknop.

Ga met je muisaanwijzer (dus het pijltje op je scherm) naar linksonder en klik op de ronde knop 'Starten' met de linkermuistoets. Dus: beweeg de pijl totdat die precies op de knop 'Starten' staat, stop dan met bewegen, houd je hand rustig op de muis en klik met je linkerwijsvinger op de linkermuisknop. Deze hele handeling gaan we later gewoon aanduiden als 'klik op Starten met de linkermuisknop'.

Je krijgt nu een scherm zoals hieronder:

Dit is het openen van een lade. Je hebt de lade 'start' geopend van ons bureau, bij wijze van spreken. In deze lade zit een massa mogelijkheden.

Klik nu weer ergens op de foto (je bureaublad dus), bijvoorbeeld rechtsboven. Wat daarjuist verscheen door op Starten te drukken, verdwijnt weer. We sluiten als het ware de lade. We krijgen nu weer het scherm te zien dat we ervoor hadden.

Je hebt nu voor de eerste keer geklikt op een knop. Klikken doe je dus door met de muisaanwijzer (het pijltje) naar de knop te gaan en dan met de linkermuistoets te klikken. Zo geef je een opdracht aan de computer, in dit geval het 'startmenu' openen.

Je kent nu dus al je bureaublad. Dat is eigenlijk je startscherm, datgene wat je ziet nadat je computer is opgestart. Je kunt nu ook al min of meer werken met de muis: het pijltje bewegen en zelfs al klikken.

Wat we daarjuist geopend hebben, door erop te klikken, is het 'startmenu'. Zoals de naam al zegt, is dat de plaats waar je steeds start. Klik nog maar eens links onderaan op de knop 'start' met je linkermuisknop. Je krijgt nu weer het startmenu te zien.

Je kunt nu opnieuw op de foto klikken, waardoor het startmenu weer verdwijnt. Door het voorgaande te oefenen, leer je werken met de muis. Beweeg hem over het scherm en klik iets aan.

Als er ergens dus staat 'klik op X', dan wil dit zeggen dat je met het pijltje van je computermuis boven op X moet gaan staan en vervolgens moet klikken (drukken op de knop). Als er niet staat of het om de linker- of rechtermuisknop gaat, dan wordt de linkermuisknop bedoeld. Omdat je het nog moet leren, houd ik het in dit boek graag duidelijk. Ik zal dan ook steeds 'linkermuisknop' of 'rechtermuisknop' zeggen, zodat je niet in de war raakt.

Oefen het klikken met je muis en open het startmenu maar enkele keren. Zo maak je het je eigen.

Er bestaat nog een computerterm: het 'dubbelklikken'. Dit wil zeggen dat je snel achter elkaar twee keer klikt met je linkermuisknop op exact dezelfde plaats. Dit ga je later gebruiken om vooral bepaalde dingen te openen. Probeer het op je bureaublad maar enkele keren uit. Met snel achter elkaar klikken, bedoel ik ook echt snel: zeker binnen een seconde moet je twee keer hebben geklikt. Let er vooral op dat je tussen de twee klikken niet met je muis beweegt. Oefen het enkele keren.

Krijg je na het dubbelklikken een menu (lijstje) te zien?
Als je na het dubbelklikken een menu te zien krijgt, heb je niet goed gedubbelklikt. Het wil zeggen dat je tijdens de twee klikken de computermuis hebt verschoven. Om het menu weg te krijgen, klik je met je linkermuisknop eenmaal naast dat menu. Het zal dan verdwijnen.

Probeer beter te dubbelklikken, zonder de muis te bewegen. Lukt dit niet, klik dan één keer met de linkermuisknop en druk vervolgens de entertoets in op je toetsenbord. Dit heeft hetzelfde effect als dubbelklikken. De entertoets kun je rechts onderaan van je toetsenbord vinden.

Als je klaar bent met oefenen, klik je weer met je linkermuisknop onderaan op 'start' om die lade te openen.

Wat je nu allemaal te zien krijgt, zijn de verschillende mogelijkheden van je computer. We bekijken ze later in detail, eerst gaan we nog wat oefenen met onze computer.

We zien in het startmenu (de lade) links onderaan 'Alle programma's' staan. Dit zal het belangrijkste zijn wat we in de toekomst gaan gebruiken.

Ga er met je muisaanwijzer bovenop staan en er zal een nieuw schermpje verschijnen. Merk op dat je niet hoeft te klikken.

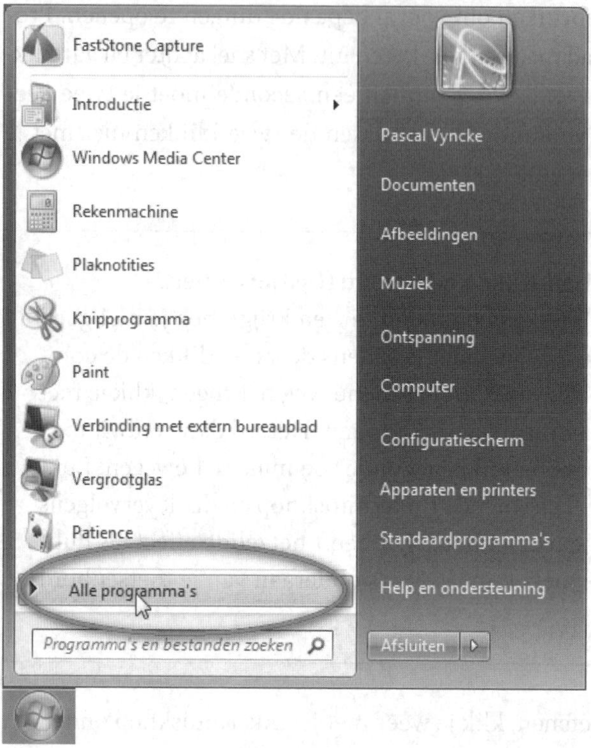

Je hebt opnieuw kennisgemaakt met een nieuw element van de computer. Eerst heb je onderaan op 'start' geklikt om die lade open te krijgen. In computertaal noemen we de lade meestal een 'menu', waaruit we dingen kunnen kiezen.

In het menu dat extra verscheen nadat je op 'Alle programma's' bent gaan staan, zie je alle computerprogramma's die op je computer staan. Het klikken op zo'n programma zal dit programma openen. Vervolgens kun je met dat programma werken.

Naast de programma's zie je ook mapsymbolen met namen ernaast staan.

In deze mappen zitten een of meerdere programma's. Het nut van de mappen hier is van huishoudelijke aard. Op deze manier gerangschikt, is alles netjes op onderwerp bij elkaar gezet.

We gaan het eens proberen. Ga met het pijltje van je muis boven op de naam 'Onderhoud' staan, waarvoor zo'n mapsymbool staat. Klik op de naam of op de map en jawel, er gaat opnieuw een extra menuutje open.

Je kunt dit hele systeem vergelijken met je bureau. Het startmenu is een lade. Daarin liggen dossiers en in elk dossier zitten nog eens aparte mapjes met extra informatie. Zo werkt het dus ook bij je computer, maar dan voor de verdeling van de verschillende functies van de computer.

We hebben nu 'Onderhoud' geopend, je scherm moet eruitzien zoals op de foto.

We gaan nog iets uitproberen. Ga met je muisaanwijzer nu een regel naar onderen en ga op 'Ontspanning' staan. Ook daar staat zo'n mapsymbooltje naast en dus zal er een nieuw menuutje verschijnen als je er met de muisaanwijzer op klikt. Merk op dat het menu van 'Onderhoud' niet verdwijnt. Beide menu's zijn zichtbaar.

We gaan nu weer met onze muisaanwijzer boven op 'Bureau-accessoires' staan en klikken daarop. Ga boven op 'Kladblok' staan. Merk op dat de muisaanwijzer verandert van vorm. Toen je de muisaanwijzer boven de mappen had staan, was het een pijltje. Nu je de muisaanwijzer boven een programma hebt staan, is het een handje met een uitstoken wijsvinger geworden. Klik nu met je linkermuisknop.

Proficiat! Je hebt voor het eerst een computerprogramma gestart! Je hebt namelijk via het startmenu het programma 'Kladblok' geopend. Dit programma kan goed overweg met teksten. We gaan gebruikmaken van ons toetsenbord en verder wat oefenen met de muis, om zo alles onder de knie te krijgen. We gaan het dus echt gebruiken zoals de naam van het programma:

als kladblok om wat te gaan 'kladden', te oefenen dus. Het scherm dat je te zien krijgt, ziet eruit zoals de foto hieronder.

Het starten van een computerprogramma gaat vrijwel altijd op dezelfde manier: via 'start' links onderaan op je scherm, vervolgens 'Alle programma's' en daar dan met je linkermuisknop het programma dat je wilt starten aanklikken.

De drie delen van een computerprogramma of venster

We hebben nu een klassiek aanzicht van een computerprogramma voor ons. Het scherm bestaat uit drie delen. Deze staan aangeduid in de foto.

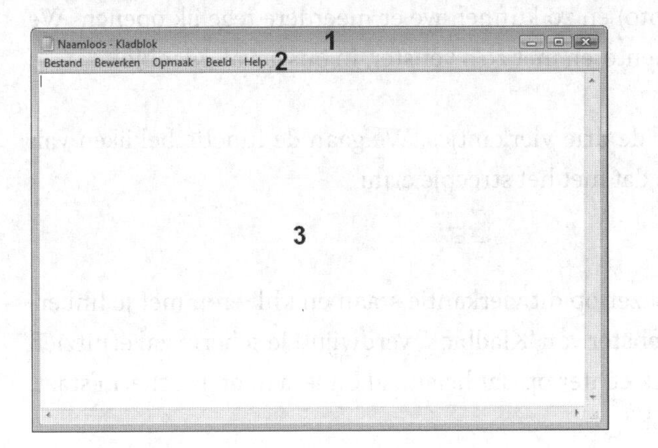

Deel 1 is de balk waar je 'Naamloos – Kladblok' in ziet staan en achteraan een X:

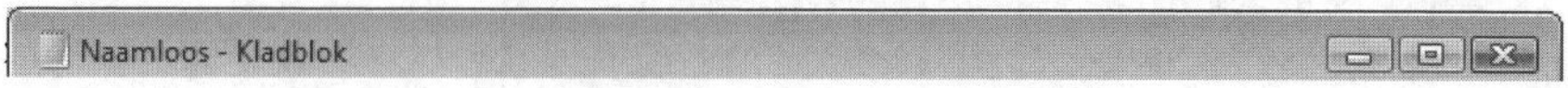

Deze balk is altijd aanwezig bij elk programma. Hierin staat altijd de naam van het programma, zoals je hier 'Kladblok' ziet staan. We zien ook nog 'Naamloos' staan, dat is de naam van het document waarmee we op dat moment bezig zijn. Het kladblok kun je zien als allerlei lege bladen, waarbij we elk blad een naam kunnen geven. Zolang we dat niet hebben gedaan, is dat blad dus nog 'naamloos'. Daarom staat dit dus in de balk. Indien we later een naam geven aan ons blad, dan zal die naam daar komen te staan.

Rechts van de balk zie je drie blokjes: een streepje, een vierkantje en een kruisje in een rood vakje.

Dit gaan we vaak gebruiken en staat bij elk programma op die plaats: rechtsboven.

We hebben het programma 'Kladblok' dus opgestart. Het scherm dat je ziet, wordt ook wel een 'venster' genoemd. In het Engels vertaald is dat een 'window', vandaar ook de naam van ons besturingssysteem: 'Windows'. We werken steeds met vensters. Elk venster is dus een apart programma (of een apart document of foto) en zo kunnen we er meerdere tegelijk openen. We gaan nu wat experimenteren met zo'n venster, in ons geval 'Kladblok'.

We keren terug naar de drie vierkantjes. We gaan de functie bekijken van het eerste vierkantje, dat met het streepje erin:

Ga met je muisaanwijzer op dit vierkantje staan en klik erop met je linkermuisknop. Enò het venster van 'Kladblok' verdwijnt! Je scherm zal eruitzien zoals op de foto. Merk echter op dat helemaal onderaan op je scherm staat: 'Naamloos – Kladblok'!

Let op: de weergave op de foto is met Aero uitgeschakeld. Als Aero is ingeschakeld, zie je het volgende scherm.

Het pictogram van het geopende programma is veel groter en geeft verkleind de actuele situatie en weergave van het programma weer. Met Aero uitgeschakeld zie je alleen de naam van het geopende bestand.

Die balk onderaan is de 'taakbalk'.

Hier komt alles op te staan waarmee je computer bezig is. We hadden het programma Kladblok geopend en daarom is je computer ermee bezig. Door op het vierkantje met een streepje erin te klikken, hebben we gevraagd om het programma even onzichtbaar te maken. Zo wordt ons scherm leeg, maar het programma blijft wel actief en niets gaat verloren. Je kunt het vergelijken met een dossier dat je aan het verwerken bent en even op je bureau opzijlegt zodat je plaats hebt voor andere dingen. Dat dossier is uiteraard niet weg. Op die taakbalk, de horizontale grijze balk naast 'start', staan dus alle programma's die actief zijn. We hebben ons programma gewoon even onzichtbaar willen maken, even opzijgelegd. Nu willen we het echter weer openen. Dit doe je eenvoudig door onder op de taakbalk op het programma te klikken of door de muis gewoon boven het programma te houden. Je ziet dan erboven welke bestanden je allemaal hebt geopend. Ga dus met je muisaanwijzer op het pictogram van kladblok in de taakbalk staan, klik erop of wacht tot je ziet welke geopende kladblokbestanden er allemaal zijn. In dit geval is het er een: 'Naamloos – Kladblok'. Beweeg de muis boven die naam en klik erop met je linkermuisknop.

En jawel, ons programma verschijnt weer! Wat we nu dus hebben gedaan, zul je in de toekomst geregeld kunnen gebruiken. Ben je ergens mee bezig maar wil je om de een of andere reden even weer wat plaats op je computerscherm krijgen, dan kun je het verkleinen (we noemen dit verkleinen ook wel 'minimaliseren'). Wil je er weer aan verder werken, dan kun je opnieuw onderaan op het scherm op de 'taakbalk' klikken.

We bekijken nu de tweede knop: het vierkantje met een vierkantje erin.

Klik er maar eens op. Ga dus met je muisaanwijzer boven op dat vierkantje staan en druk vervolgens met je linkermuisknop.

Plots wordt ons hele scherm bedekt. Wat we nu hebben gedaan, is het programma maximaal gemaakt voor ons scherm. We hebben alle ruimte van ons scherm nu gebruikt voor dit programma. Dit heet dan ook 'maximaliseren'. Het is heel handig. Aangezien je computerscherm maar een beperkte grootte heeft, is het meestal prettig om de maximale plaats ervan in gebruik te hebben. Zo kun je zo veel mogelijk zien en past er zo veel mogelijk op je scherm, zodat je alle ruimte hebt om te werken. Vergelijk het met werken aan je bureau: je hebt het liefst zo veel mogelijk ruimte om aan dat ene dossier te werken, in plaats van in een klein hoekje gedrukt te zitten.

Kijk ook nog eens helemaal rechtsboven naar onze drie knoppen. De middelste knop is veranderd. Eerst was het een vierkant in een vierkant. Nu zie je een dubbel vierkantje in een vierkant:

Wat we nu hebben gedaan, is ons programma, het venster dus, helemaal vergroot. Om dat ongedaan te maken en het opnieuw te verkleinen, druk je op die gewijzigde knop. Klik dus op dat dubbele vierkantje in een vierkant. Hiermee geef je aan dat je het venster niet meer maximaal wenst, maar het weer wenst te verkleinen.
Ons venster wordt weer zo klein als het oorspronkelijk was. En zo heb je weer iets bijgeleerd. Als je later met je computer werkt en het scherm wilt vergroten, verkleinen of zelfs even onzichtbaar wilt maken, kun je dat dus doen met die knoppen rechtsboven.

Er rest ons nog een derde en laatste knop: het witte kruisje in het rode vlak.

Dit gaan we gebruiken om het programma af te sluiten. Een programma afsluiten is niet gelijk aan het minimaliseren. Het minimaliseren laat het programma alleen even verdwijnen, maar verder blijft alles bewaard. Het kruisje laat het programma stoppen en laat eventuele gegevens verloren gaan als we die niet hebben bewaard (opgeslagen). We gaan het kruisje nu nog niet gebruiken voor het kladblok, dat doen we later nog.

We gaan nu nog een trucje leren met onze muis, namelijk het veranderen van de plaats van ons venster op ons scherm. We hebben Kladblok, ons venster, ergens op ons scherm staan. We willen dit nu gaan verplaatsen. Kijk naar de volgende twee foto's om te zien wat we willen bereiken:

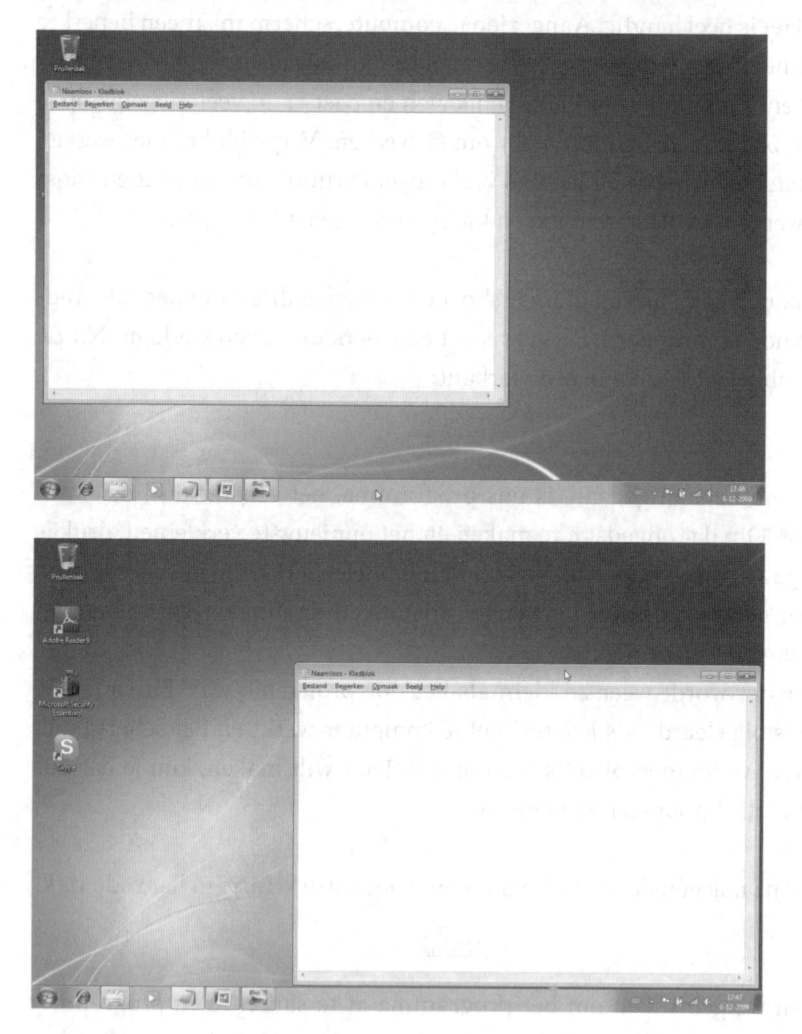

We doen dit door het venster te 'verslepen'. Ga daarvoor met je muisaanwijzer ergens op de blauwe balk staan en druk vervolgens je linkermuisknop in. Laat hem niet los, maar houd hem ingedrukt. Verschuif nu je muis. Je zult zien dat je het venster hebt vastgepakt: het zal mee verschuiven over je scherm. Laat de knop los als je het venster wilt loslaten en op zijn plaats wilt laten staan.

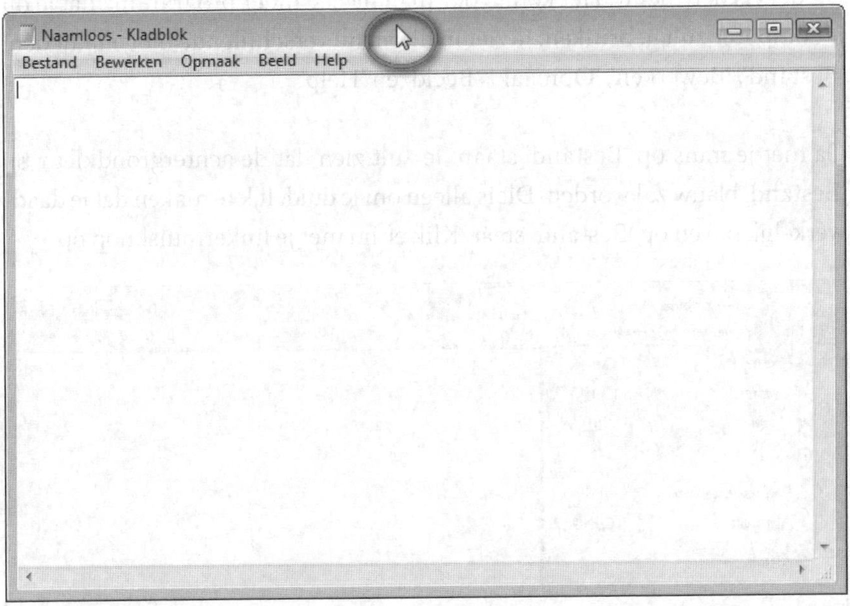

Nu heb je het principe van het verslepen gezien. Je kunt dit altijd doen, zolang het venster kleiner is dan je scherm. Als het de volledige ruimte van je scherm inneemt, heb je immers geen plaats om het te verschuiven. Probeer het gerust nog een keer: pak het venster vast door op de blauwe balk bovenaan in dat venster te klikken, houd de knop ingedrukt en versleep het.

Wat we tot nu toe hebben gezien is misschien allemaal een beetje theoretisch, maar we moeten even door deze zure appel heen bijten. Daarna kan het leuke deel beginnen. Je moet bij de auto ook eerst even leren waar het stuur zit, hoe dat stuur werkt, hoe de versnellingsbak werkt en hoe je de auto op slot doet. Pas daarna kun je echt leren rijden en het plezier van het rijden beleven.

We gaan nu deel 2 van het scherm bespreken. Deel 2 is het deel waar je onder meer 'Bestand', 'Bewerken' en 'Opmaak' ziet staan, het deel dus dat vlak onder de vorige balk staat.

Bestand Bewerken Opmaak Beeld Help

Dit deel is het 'menu'. Het komt voor in bijna elk ander programma dat je op je computer zult gebruiken. Je ziet in dit menu verschillende mogelijkheden: 'Bestand', 'Bewerken', 'Opmaak', 'Beeld' en 'Help'.

Ga met je muis op 'Bestand' staan. Je zult zien dat de achtergrondkleur bij 'Bestand' blauw zal worden. Dit is alleen om je duidelijk te maken dat je daadwerkelijk boven op 'Bestand' staat. Klik er nu met je linkermuisknop op.

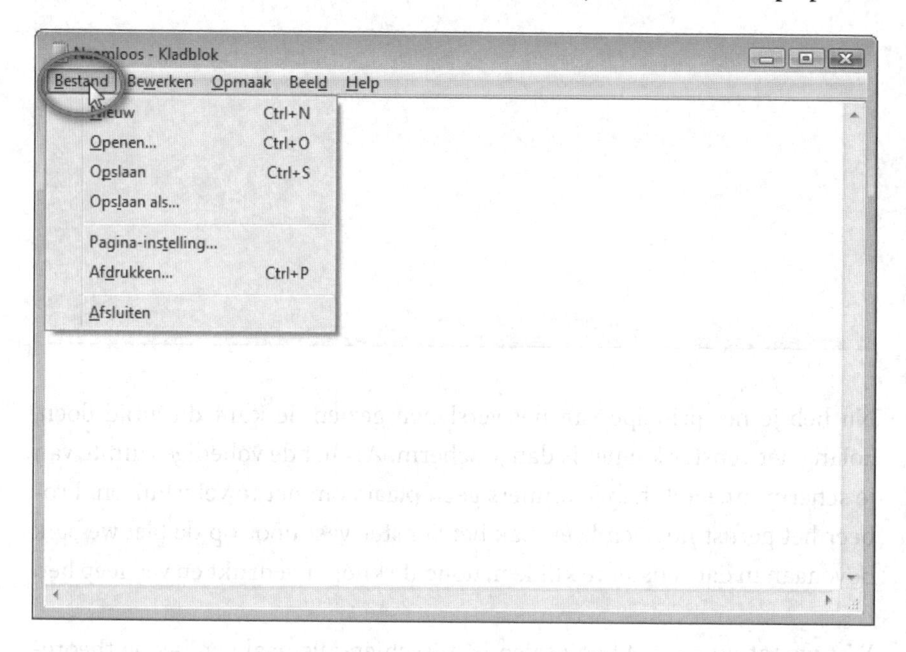

Je ziet een extra menu verschijnen. Ook dat is een belangrijk gevolg dat we leren. Als je op 'Bestand' klikt, verschijnen er weer extra mogelijkheden. Vergelijk het weer met de lade die we opendoen waarin allerlei extra mogelijkheden liggen. Je ziet in dit menu van 'Bestand' allerlei extra mogelijkheden, zoals Nieuw, Openen, Opslaan en Afdrukken.

Probeer ook eens te klikken op 'Bewerken' er juist naast. We gaan dit in de toekomst benoemen als 'klik op het menu Bewerken'. Je gaat dus met je muisaanwijzer boven op 'Bewerken' staan en klikt er vervolgens met je linkermuisknop op.

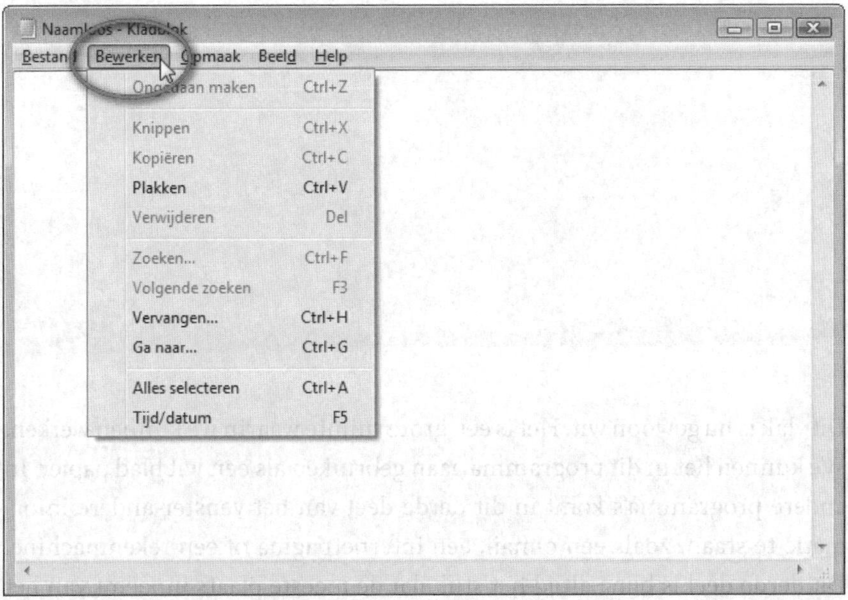

Je krijgt nu allerlei andere mogelijkheden te zien: Ongedaan maken, Knippen, Kopiëren, Plakken, Verwijderen, Zoeken, enzovoort. Hetzelfde kun je doen voor de menu's 'Opmaak', 'Beeld' en 'Help'. Probeer het maar eens, zo oefen je het principe van die menu's. Om een menu te sluiten, klik je gewoon ergens anders op je scherm, bijvoorbeeld in het grote witte tekstvak. Het menu zal weer verdwijnen.

Deel 3 van ons venster is het grote witte vlak met rechts ervan in het grijs twee pijltjes.

Dit vlak is nu gewoon wit. Het is één grote ruimte waarin we kunnen werken. We kunnen het in dit programma gaan gebruiken als een wit blad papier. In andere programma's komt in dit derde deel van het venster andere informatie te staan, zoals een e-mail, een internetpagina of een rekenmachine. Dit derde deel is bijna altijd het stuk dat de meeste plaats inneemt van het venster. Het draait ook allemaal om dat stuk, dat van programma tot programma verschilt, afhankelijk van wat het voor je kan doen.

Het toetsenbord

Zo, we hebben nu al zeer veel geleerd, zoals het werken met de computermuis. Je hebt geleerd de muis te verplaatsen, iets aan te klikken, een programma te openen, een menu te openen, een venster te minimaliseren of juist te maximaliseren en hoe je een venster van plaats kunt veranderen.

We gaan nu over naar het tweede toestel dat voor je ligt: het toetsenbord. Dit is rechthoekig en heeft vele knoppen, waaronder het hele alfabet, de cijfers 0 tot en met 9 en nog allerlei andere tekens en toetsen. Het toetsenbord wordt soms ook wel 'klavier' of 'keyboard' genoemd.

Er zijn meerdere soorten toetsenborden in omloop: eentje dat hoofdzakelijk in Vlaanderen (en Wallonië) wordt gebruikt, en eentje dat hoofdzakelijk in Nederland wordt gebruikt.

Om duidelijk uit te leggen wat je moet doen met je toetsenbord, zal ik in dit boek telkens een onderscheid maken tussen de twee types toetsenborden. Zo kun je altijd de duidelijke uitleg volgen van het toetsenbord dat JIJ hebt.

Maar welke soort heb je nu? Dat is eenvoudig te achterhalen.

Kijk naar de eerste rij van letters op je toetsenbord (dus onder de cijfertoetsen).

Indien hier de letterreeks 'a z e r t y u i o p' staat, dan heb je een zogenaamd 'Azerty'-toetsenbord. Je hoeft dit niet te onthouden: Azerty zijn namelijk de eerste zes letters van je toetsenbord, te beginnen links bovenaan!

Indien de eerste letterreeks op je toetsenbord 'q w e r t y u i o p' is, dan heb je een zogenaamd 'Qwerty'-toetsenbord. Ook dit hoef je niet vanbuiten te leren: Qwerty zijn eveneens de eerste 6 letters van je toetsenbord bovenaan links te beginnen.

In de tekst zal ik dus steeds het onderscheid maken indien er verschillen zijn. Ik doe dit telkens in twee kolommen met erboven de titel 'Azerty' of 'Qwerty', indien nodig met een foto erbij van een voorbeeld-toetsenbord. Het Azerty-toetsenbord is een foto van een WIT toetsenbord, het Qwerty-toetsenbord is een foto van een ZWART toetsenbord zodat het in een oogopslag te zien is.

AZERTY	QWERTY

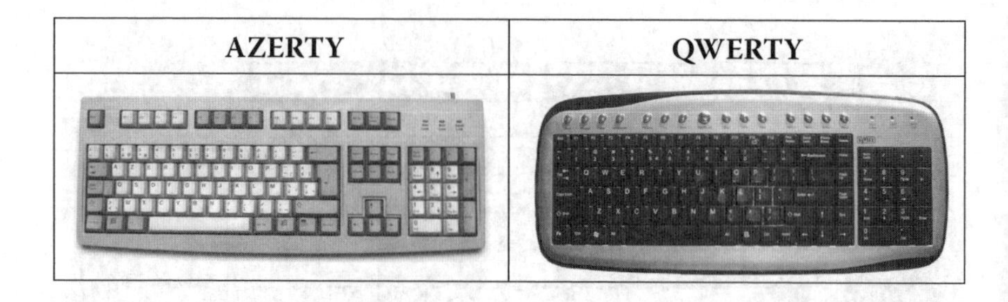

Laptop? Draagbare computer? Design computer?
Indien je een draagbare computer (ook laptop of portable genoemd) hebt, of je hebt een design computer, dan is het mogelijk dat toetsen op je toetsenbord op een andere plaats staan. Men doet dit voor het uitzicht of omdat men bij de draagbare computer zoveel mogelijk op zo'n klein mogelijk plaats wil bij elkaar krijgen.

Het is dus mogelijk dat de beschrijving van de plaats van de toetsen in dit boek niet helemaal overeenkomt met je draagbare computer of design toetsenbord. De toetsen staan er wél allemaal op, je zult enkel iets langer moeten zoeken voor het terugvinden van de betreffende toets.

We gaan nu het toetsenbord echt ontdekken. Klik eerst nog even voor de zekerheid met je muisaanwijzer in het witte tekstvak van Kladblok. Dit doen we om de computer mee te delen dat alles wat we dadelijk gaan doen met ons toetsenbord, in dat witte vlak moet verschijnen.

Als eerste valt op dat de letters van het alfabet allemaal door elkaar staan op het toetsenbord: 'a z e r t y u i o p' of 'q w e r t y u i o p' is waarschijnlijk de eerste reeks van letters op je toetsenbord.

AZERTY	QWERTY

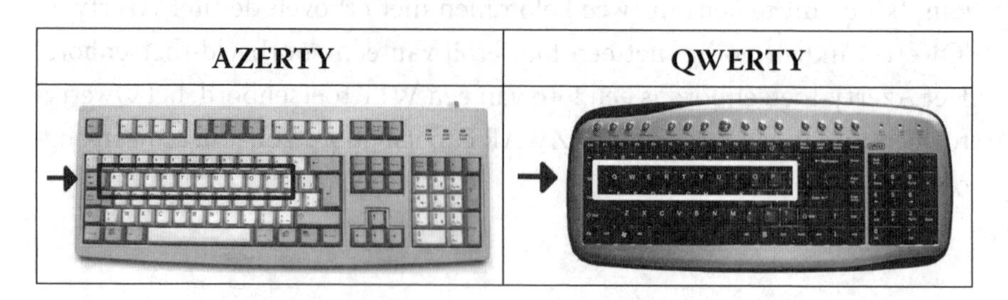

Druk eens op zo'n toets. Je zult zien dat de overeenkomstige letter op je computerscherm verschijnt. Houd je de toets kort ingedrukt, dan verschijnt er één letter. Houd je hem lang ingedrukt dan wordt dezelfde letter herhaald:

Experimenteer hiermee wat op je computer. Druk wat toetsen met letters in en kijk wat er op het beeldscherm verschijnt. Leer ook hoe snel je computer reageert voordat je meerdere keren dezelfde letter intypt. Probeer wat uit, je kunt helemaal niets verkeerd doen!

We gaan nu eens kijken naar de rechterkant van je toetsenbord. Hier staan de verschillende cijfers bij elkaar. Indien je met een draagbare computer (ook wel 'portable', 'notebook' of 'laptop' genoemd) werkt, dan heb je dit echter niet altijd.

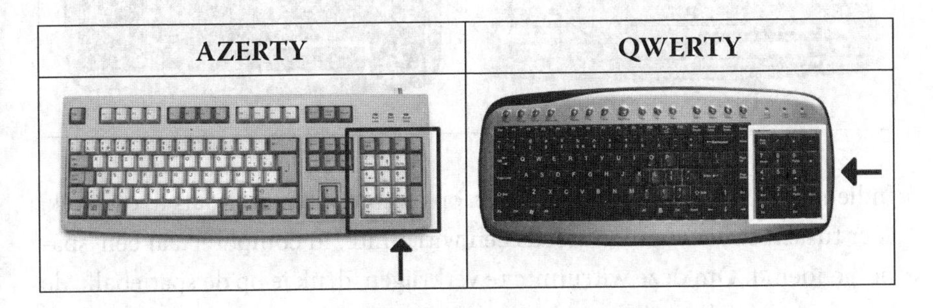

Je ziet hier de cijfers staan, tellende van links onderaan naar rechts onderaan van 0 tot en met 9. Druk maar eens op deze toetsen. Je zult het overeenkomstige cijfer zien verschijnen op je computer.

Krijg je de cijfers niet te zien op je scherm?
Druk dan één keer op de toets boven de '7' waar 'Num Lock' of 'Num' op staat. Nu moeten je cijfertoetsen wél werken.

AZERTY	QWERTY

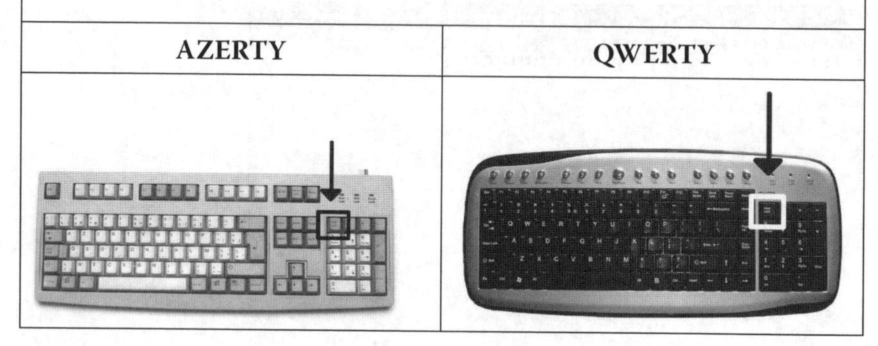

Laten we nog eens naar de linkerkant van ons toetsenbord kijken, waar de verschillende letters van het alfabet zich bevinden (dit kun je dus ook weer doen indien je een draagbare computer hebt).

Je ziet onderaan een lange balk, de 'spatiebalk' genoemd. Dit is waarschijnlijk de enige toets op je toetenbord waar geen letters of tekens opstaan. Dat is niet voor niets zo. Deze staat namelijk voor de witruimte, de spatie.

AZERTY	QWERTY

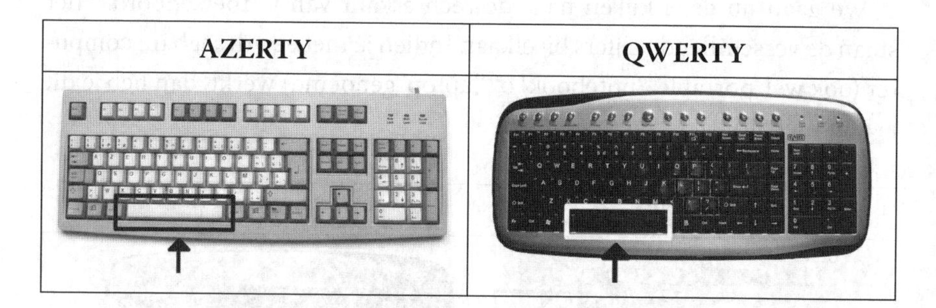

Indien we woorden schrijven of typen op de computer, net zoals in dit boek, is er tussen twee woorden steeds een witruimte, in computertaal een 'spatie' genoemd. Om deze witruimte te verkrijgen, druk je op de spatiebalk: de lange, smalle balk onderaan op je toetsenbord. Zo typ je dus een lege plaats in. Druk erna maar eens een andere lettertoets in en je zult zien dat er een plaats is tussen de vorige letter en deze die je juist hebt ingedrukt. Je begrijpt meteen dat als we later teksten gaan typen, we deze toets heel vaak nodig zullen hebben. We geven de scheiding tussen twee woorden of twee zinnen ermee aan.

Links onderaan zie je een toets met daarop een pijltje omhoog. Deze wordt de 'Caps'-toets genoemd, ook wel de 'hoofdlettertoets' of de 'Shift'-toets. Hiermee kun je hoofdletters intypen op je toetsenbord.

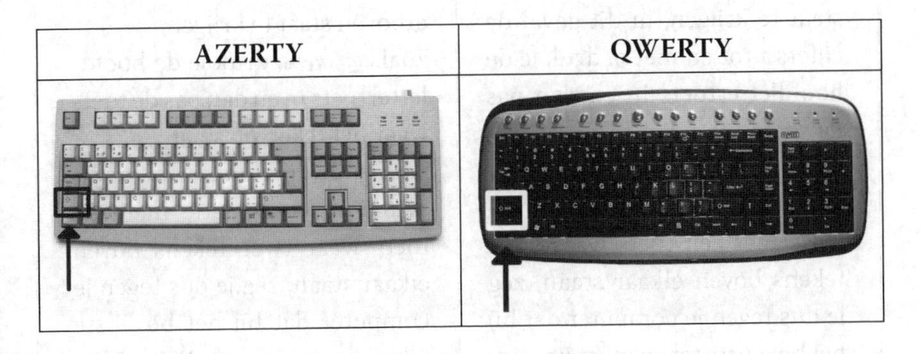

Het werkt als volgt. Als je gewoon op de toets van een letter drukt, krijg je de 'a' te zien. Indien je echter de hoofdletter 'A' wilt hebben, druk je eerst met je vinger op de hoofdlettertoets (de toets met het pijltje omhoog dat op je toetsenbord links onderaan zit), je houdt de toets ingedrukt en drukt vervolgens kort op de toets met de letter 'a'. Je laat de 'a' dus los en daarna laat je pas de hoofdlettertoets los. Op je scherm zal de hoofdletter 'A' verschenen zijn.

Dit systeem kun je voor alle andere letters van het alfabet ook gebruiken. Denk er dus aan dat je eerst de hoofdlettertoets indrukt, hem ingedrukt houdt, dan de gewenste letter intypt en daarna pas de hoofdlettertoets weer loslaat.

Indien je enkele hoofdletters achter elkaar wilt intypen, kun je de hoofdlettertoets ingedrukt houden, de verschillende letters intypen en daarna pas de hoofdlettertoets loslaten. Het principe is hetzelfde als bij de typemachine van vroeger. Daarmee verkreeg je op dezelfde manier hoofdletters.

Nu kunnen we nog verder kijken op ons toetsenbord. Vlak boven de letters, dus vlak boven de 'e', 'r', enzovoort zie je de cijfers en ook nog allerlei tekens als &, # en @. Ook deze kunnen we gaan gebruiken op onze computer. Anders dan bij de letters het geval is, kunnen er op één toets twee of zelfs drie tekens staan.

De onderste rij bestaat uit tekens die je onmiddellijk zonder iets speciaals te doen kunt indrukken.

AZERTY	QWERTY
De tekens &, é, enzovoort kun je dus gewoon krijgen door op de overeenkomstige knop te drukken. Om het teken dat erboven staat te krijgen, in dit geval de cijfers 1 tot en met 9, druk je de hoofdlettertoets in en dan pas de toets waar het teken en het cijfer op staan. Als je de hoofdlettertoets gebruikt in combinatie met een toets waar twee tekens boven elkaar staan, zeg je dus tegen je computer dat hij het bovenste teken moet nemen. Wil je het teken dat onderaan staat, dan hoef je niets speciaals te doen. Je kunt dit ook doen voor de toetsen naast de letters, de toetsen met %, $ en * erop bijvoorbeeld, om zo die tekens op je scherm te krijgen. Ook de leestekens die op de onderste rij staan, kun je zo op je scherm krijgen: , ? ; . / : + =	De cijfers 1, 2, 3, enzovoort kun je dus gewoon krijgen door op de overeenkomstige knop te drukken. Om het teken dat erboven staat te krijgen, zoals @, #, %, druk je de hoofdlettertoets in en dan pas de toets waar het teken op staat. Als je de hoofdlettertoets gebruikt in combinatie met een toets waar twee tekens boven elkaar staan, zeg je dus tegen je computer dat hij het bovenste teken moet nemen. Wil je het teken dat onderaan staat, dan hoef je niets speciaals te doen. Je kunt dit ook doen voor de toetsen naast de letters, de toetsen met {, }, [,] bijvoorbeeld, om zo die tekens op je scherm te krijgen. Ook de leestekens die op de onderste rij staan, kun je zo op je scherm krijgen: , . ? < > en /.
Kleine twee en kleine drie Mensen vergissen zich nog wel eens doordat helemaal links van de cijfertoetsen ook nog een toets staat met nog een kleine 2 en een kleine 3. Dit zijn echter niet de gewone 2 en 3. Ze zijn voor het kwadraat (bijvoor-	

beeld 4^2) en de derde macht (bijvoorbeeld 8^3). Je kunt deze dus gebruiken in combinatie met andere cijfers. Om 4^2 te krijgen, druk je dus de gewone '4' in en dan de toets helemaal links met het kleine tweetje.

De volgende toets die we leren, bevindt zich vlak boven de hoofdlettertoets. Er staat 'Caps Lock' op of 'Shift Lock', of het is een toets met een hangslotje en een pijltje omhoog. Dit is net zoals bij een typemachine een toets om aan te geven dat je in hoofdletters wilt blijven schrijven, zonder dat je de hoofdlettertoets moet blijven indrukken. Hij zet de hoofdlettertoets als het ware vast.

AZERTY	QWERTY

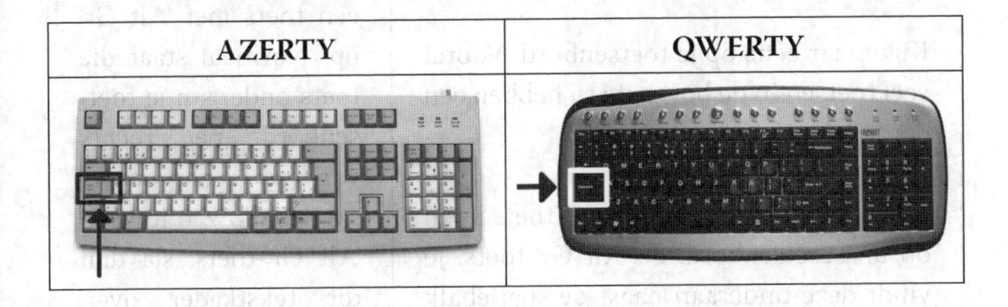

Druk deze knop maar eens in en laat hem vervolgens weer los. De volgende letters die je indrukt, zullen allemaal hoofdletters zijn of, indien je een toets van de bovenste rij neemt, de tekens die bovenaan staan op de knoppen.

Druk je weer de 'Caps Lock'-toets in, dan ga je terug naar de gewone stand en schrijf je alles weer in kleine letters.

Merk trouwens ook op dat op je toetsenbord een lichtje gaat branden als je 'Caps Lock' aanzet (meestal staan de lichtjes rechtsboven, maar het kan ook midden of zelfs onderaan op je toetsenbord staan).

Meestal is het een lampje bij een A in een vierkantje of een A in een hangslotje. Dit is een verkliklampje om aan te geven dat je 'Caps lock' hebt aangezet. Het gaat uit zodra je opnieuw op 'Caps Lock' drukt en deze dus weer uitzet.

Tip
Indien je een tekst aan het typen bent en de hoofdletters en kleine letters zijn omgekeerd, bijvoorbeeld: iK WIL NAAR gUIDO GAAN, dan wil dit zeggen dat 'Caps Lock' nog per ongeluk aanstaat. Druk op de 'Caps Lock'-toets om weer gewoon te kunnen typen zoals je gewend bent.

AZERTY	QWERTY
We zien op ons toetsenbord soms knoppen met 3 tekens op, terwijl we tot nu toe enkel nog maar gezien hebben om er 2 tevoorschijn te halen (de bovenste en onderste) en dus nog niet het derde teken. Kijk maar eens op je toetsenbord. Vooral veel toetsen in de bovenste rij hebben een derde teken. We gaan hiervoor een nieuwe toets leren op ons toetsenbord: de 'Alt Gr'-toets. Je vindt deze onderaan naast de spatiebalk (de lange, smalle balk).	Indien je Qwerty hebt, beschik je wellicht niet over een 'Alt Gr'-toets. Kijk even op je toetsenbord en zoek naar een toets met 'Alt Gr' op. Normaal staat die toets onderaan je toetsenbord, net rechts van de rechthoekige spatiebalk. Zie je geen 'Alt Gr'-toets, sla dan dit tekstkader over. Beschik je wel over deze toets, lees dan verder! Niet elk Qwerty-toetsenbord heeft namelijk deze toets.

Om dat derde teken tevoorschijn te halen, doen we eigenlijk hetzelfde als met de hoofdlettertoets. Druk de 'Alt Gr'-toets in, houd deze toets ingedrukt en druk nu op een toets met een derde teken, bijvoorbeeld de toets waarop je de @ als derde teken ziet staan. Vervolgens laat je de 'Alt Gr'-toets los. Op je scherm is een @-teken verschenen. Hetzelfde kun je doen voor de andere tekens die op deze derde plaats staan: #, {, },], ~, enzovoort. Merk ook op dat op de lettertoets van de 'e' het euroteken € staat. Dit teken kun je tevoorschijn halen op je scherm door 'Alt Gr' in te drukken, ingedrukt te houden, dan de 'e'-toets in te drukken en daarna alles los te laten.	Op je toetsenbord heb je niet zoveel toetsen die je rechtstreeks kunt gebruiken met je 'Alt Gr'-toets. Vooral mensen met een Azerty-toetsenbord kunnen ervan profiteren. Maar het euro-teken € tevoorschijn halen, dat moet wel lukken! Houd de 'Alt Gr'-toets en de toets waarop het €-teken staat tegelijkertijd ingedrukt. De toets met het €-teken vind je waarschijnlijk bij de toets met het cijfer 5. Laat vervolgens alle toetsen los en heb het €-teken staat op je scherm. In sommige programma's kunnen nog meer tekens worden tevoorschijn gehaald via het gebruik van de 'Alt Gr'-toets. Probeer maar een keer in een tekstdocument bijvoorbeeld ¡ ² ³ ¼ ½ β of andere tekens te verkrijgen.

We leren nu nog een heel belangrijke toets: de 'Enter'-toets. Dit is de toets die rechts van je letters staat. Het is een grote toets op het toetsenbord en er staat een pijltje op naar links met een streepje naar boven en mogelijk ook nog 'Enter' erop. Het is de toets die langs de rechterkant te vinden is, rechts op de lijn waar je ook de letters 'j', 'k' en 'l' hebt staan.

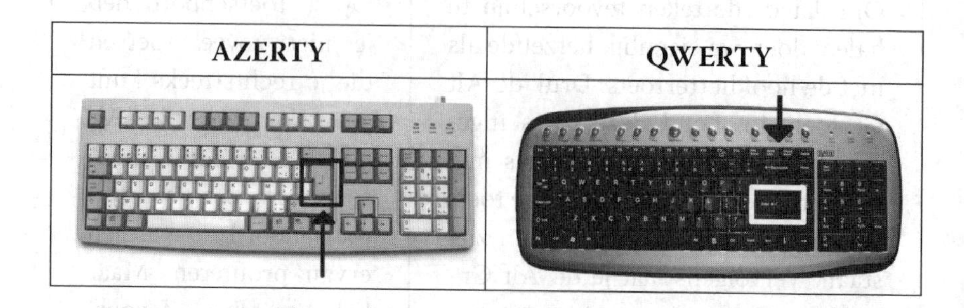

Deze toets zorgt ervoor dat we naar een nieuwe regel gaan, net zoals op een klassieke typemachine dus. Als je aan het typen bent op de computer en je wilt beginnen op een nieuwe regel, dan druk je die entertoets in. Probeer maar eens. Typ daarna nog enkele letters en je zult zien dat deze op de volgende regel beginnen. Je kunt ook meerdere keren op de entertoets drukken. Zo laat je nog meer witruimte tussen de regels, bijvoorbeeld om onderscheid te maken tussen paragrafen in je tekst.

Een andere heel belangrijke toets is een rechthoekige toets met een pijltje naar links erop (en is boven de Enter-toets te vinden); soms staat er ook het volgende symbool op: een open vlaggetje dat naar links wijst met daarin een kruisje.

Dit is de 'Backspace'-toets. Deze zorgt ervoor dat het laatste teken/letter/cijfer dat je hebt ingetypt weer verdwijnt. Probeer maar eens.

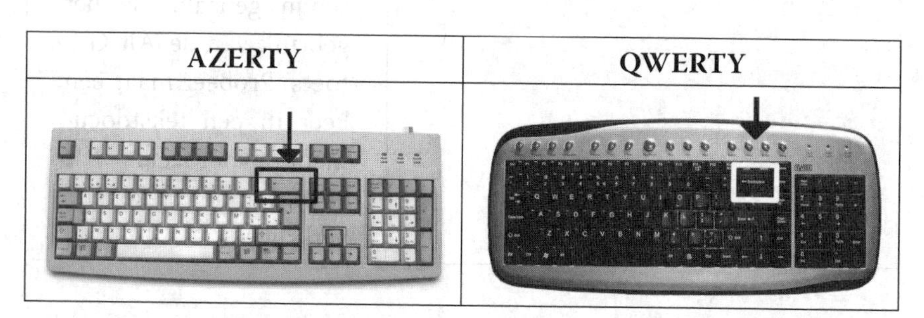

Dus: typ bijvoorbeeld de letter 'a', druk op de 'Backspace'-toets en je merkt dat de 'a' weer weg is. Zo kun je een tikfout verbeteren!

Door meerdere keren de 'Backspace'-toets in te drukken, kun je meerdere tekens verwijderen. Zo kun je hele woorden en zelfs hele teksten wissen.

Je hebt nu de belangrijkste toetsen van je toetsenbord geleerd. Er zitten er nog veel meer op, maar die zien we later. Laat ons eerst even oefenen.

Typ een kort tekstje op je computer. Typ bijvoorbeeld een halve bladzijde uit dit boek over op je computer. Houd rekening met de hoofdletters, probeer geen fouten te typen (en als je toch een fout typt, kun je die gemakkelijk verbeteren met de Backspace-toets). Houd ook rekening met het gaan naar een nieuwe regel en de verdeling van de verschillende paragrafen (de enter-toets). Zo krijg je het gebruik van je toetsenbord wat beter onder de knie en heb je het een keer echt in praktijk gebracht.

Als je vindt dat je genoeg geoefend hebt met je toetsenbord, gaan we nog een nieuwe toets leren: de 'Home'-toets.

Deze toets kun je gebruiken om snel helemaal naar het begin van de regel te gaan die je aan het typen bent. Als je dus in Kladblok aan het typen bent en je wilt om de een of andere reden naar het begin van de regel gaan, dan druk je gewoon op de 'Home'-toets.

Het omgekeerde effect kun je bereiken met de 'End'-toets. Deze knop brengt je helemaal naar het einde van de regel waarop je op dat ogenblik staat.

We zien nog vier andere toetsen: de vier pijltjes die op je toetsenbord staan. Een pijltje voor richting: links, rechts, boven en onder.

AZERTY	QWERTY
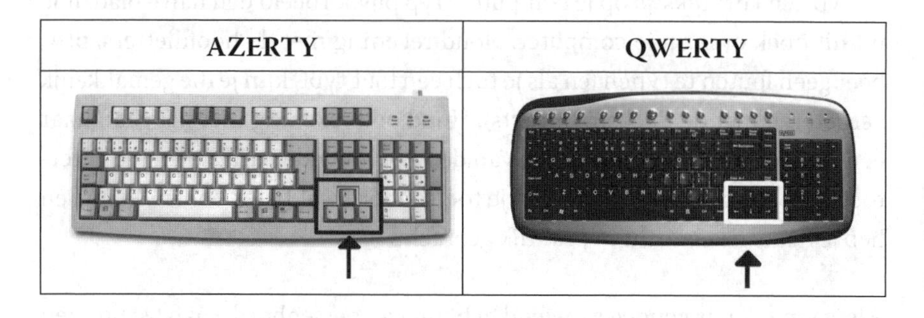	

Deze pijltjes kun je gebruiken om op een andere plaats in je tekst te gaan staan. Als je aan het typen was, zul je misschien reeds hebben opgemerkt dat op de plaats waar je letters verschenen, een verticale streep stond te flikkeren. Dit doet de computer om je te laten zien waar de letter of het teken zal verschijnen als je iets indrukt op je toetsenbord.

Het is bij een computer echter perfect mogelijk om een reeds geschreven woord of tekst achteraf aan te passen. Daarvoor kunnen we de pijltjes gebruiken!

Druk bijvoorbeeld eens op het pijltje omhoog. Je zult zien dat het verticale streepje | dat aan het flikkeren is, een regel omhooggaat. Typ nu een letter in en je zult zien dat die een regel hoger verschijnt, juist op de plaats van het flikkerende streepje.

Zo kun je ook de andere pijltjes gebruiken om door je tekst te gaan: omhoog, omlaag, naar links en naar rechts.

Probeer het maar eens uit: ga naar verschillende woorden in je tekst en typ er iets bij.

Je kunt trouwens hetzelfde doen met je muis! Het pijltje van je muis kun je namelijk ook gebruiken om op een bepaalde plaats te gaan staan. Als je vervolgens klikt, zal het knipperende verticale streepje daar komen te staan waar je geklikt hebt. Op die plaats kun je dan je tekst wijzigen.

We kijken verder op ons toetsenbord en zien nog een knop die we niet bekeken hebben maar die zeker nuttig zal zijn: de 'Tab'-toets. Deze toets, die ook op een klassieke typemachine zit, kun je herkennen doordat er 'Tab' op staat en/of twee pijlen. Daarvan wijst de bovenste naar links en de onderste naar rechts. Deze knop zit vlak boven de 'Caps Lock'-toets en onder de toets met de ² (kwadraat) en ³.

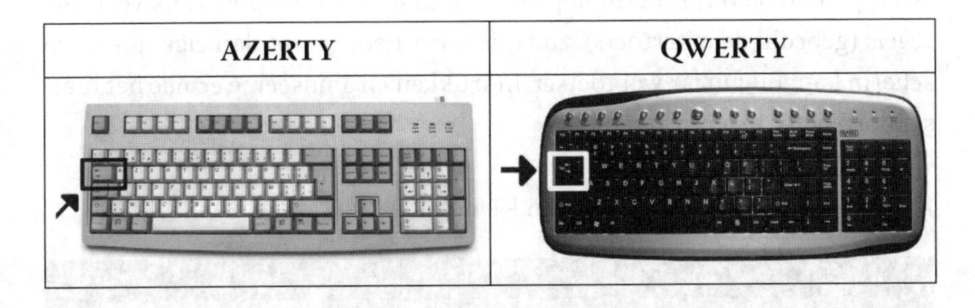

Druk deze maar eens in, je zult zien dat je zo een grote witruimte krijgt op je scherm. Je kunt de toets gebruiken in teksten om een overzichtelijke tabel te maken, omdat je zo steeds begint op dezelfde plaats. Een voorbeeld zie je op de foto.

```
Naamloos - Kladblok
Bestand  Bewerken  Opmaak  Beeld  Help
Onderstaande tekst is als voorbeeld bedoeld wat je allemaal met witruimtes
en ook tabtoetsen kunt doen.
Met gewone spaties kan ik bijvoorbeeld een rijtje schuin onder elkaar
maken:
1          1
  2          2
    3  3
      4
    5  5
  6          6
7            7

of ik kan een keurig lijstje maken van getallen of datums onder elkaar met
de tabtoets:

        Datum           Bedrag
        05-05-09        € 35,11
        06-05-09        € 77,12
        07-05-09        € 24,56
        08-05-09        € 15,99
```

De middelste knop

De middelste knop van je computermuis is een rolletje. Met dit rolletje kun je eenvoudig en snel 'scrollen'. In plaats van naar de rechterkant van je scherm te gaan en via de pijltjestoetsen naar beneden of boven te bewegen in een document, in een lijst of op een webpagina, kun je dit met het rondje op je computermuis doen. Dit bespaart tijd en moeite en maakt het werken met de computer handig.

Dit is dus vooral bruikbaar als je in een tekstdocument aan het lezen bent, of als je bijvoorbeeld in een map met vele bestanden verder wilt gaan.

Schuiven (scrollen)

We typen nu op ons scherm nog heel wat andere tekst, vooral ook veel witregels (gebruik de entertoets), zodat je meer hebt getypt dan eigenlijk op je scherm kan. Blijf maar wat toetsen indrukken en amuseer je ermee het toetsenbord beter te leren kennen.

Je krijgt rechts van het venster van Kladblok iets extra's te zien:

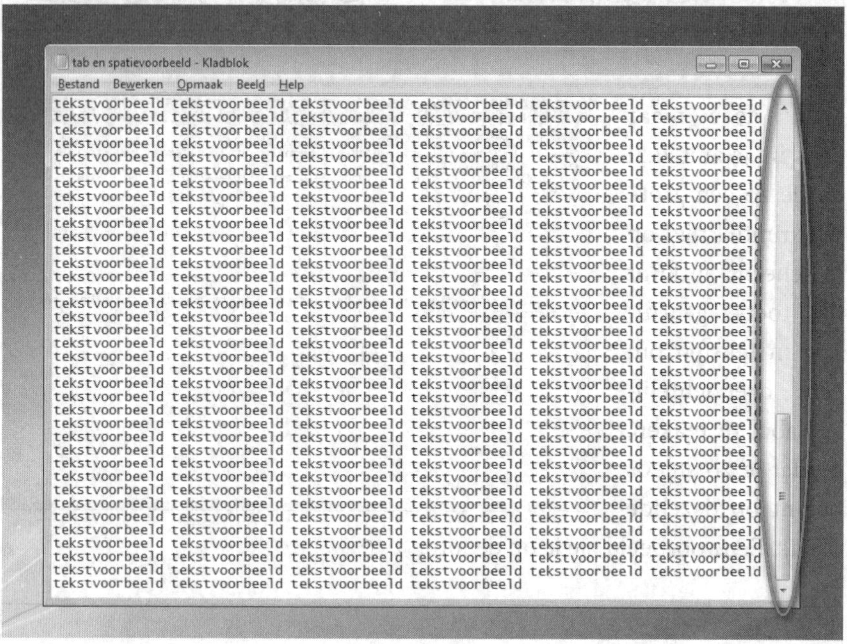

Dit is de schuifbalk, in het Engels ook wel 'scroll'-balk genoemd. Dit handigheidje is gemaakt om met meer tekst te kunnen werken dan we op ons scherm (venster) kunnen krijgen. Een document van bijvoorbeeld vijf bladzijden past niet op je computerscherm, zo groot is je scherm niet. Met het principe van het venster – het vak van Kladblok is zo'n venster – kijken we naar het document, of naar een stukje ervan. Je kunt het vergelijken met het oprollen van een document. In dat geval kun je ook maar een stukje bekijken. De rest van het document, alles wat erboven zit en alles wat eronder zit, is opgerold en kun je dus niet zien. Zo gaat het ook op je computer.

Je kunt de weergave verschuiven om zo andere stukken van het document te bekijken op je scherm. Dat doe je met de schuifbalk.

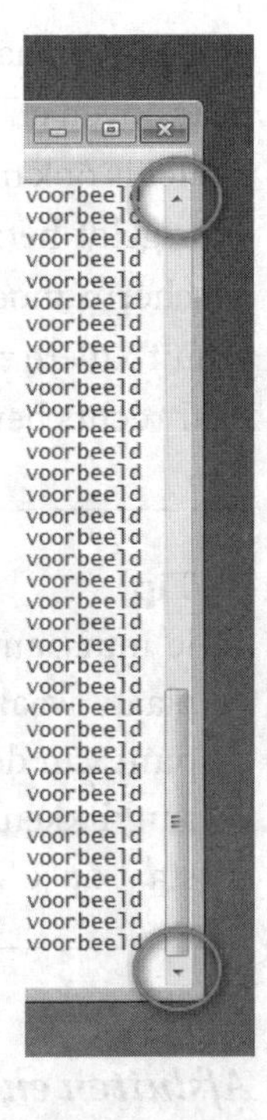

De schuifbalk, de verticale balk die op de voorgaande foto is aangeduid, bestaat uit een aantal delen. Helemaal bovenaan zie je een pijltje naar boven. Onderaan zie je een pijltje naar beneden.

Verder zie je in die lichtgrijze balk ook een iets donkerder grijze, kleinere balk.

Deze grijze balk geeft de positie aan in het document. Op de foto links zie je dat deze balk helemaal onderaan staat. Dat wil zeggen dat we naar het onderste stuk van het document aan het kijken zijn.

We kunnen door het verschuiven van de pijltjes in het document de weergave veranderen. Klik op het pijltje naar boven en je zult de tekst zien die ervoor kwam. Je ziet ook dat de grijze balk iets naar boven verschuift.

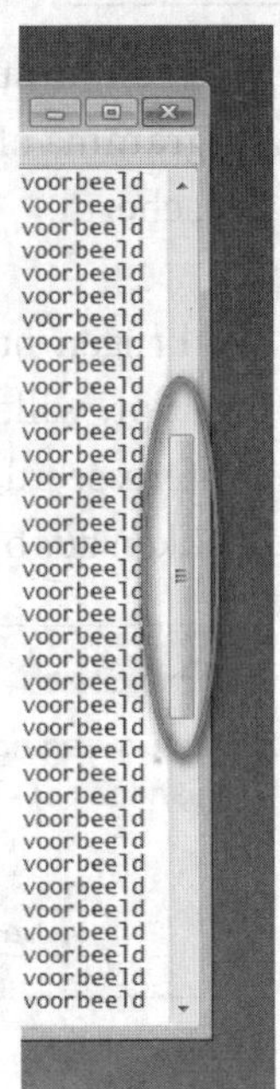

Je kunt de balk ook sneller verschuiven. Klik op de balk zelf en houd de linkermuisknop ingedrukt. Je ziet dat de grijze balk een kleur krijgt. Hieraan zie je dat je goed hebt geklikt. Beweeg de muis nu naar boven of naar beneden, met nog steeds de linkermuisknop ingedrukt. Je ziet dat je de balk naar boven en naar beneden kunt bewegen én dat de tekst meebeweegt.
Zo kun je dus in het document naar boven en naar beneden gaan. Je kunt zo met meer tekst bezig zijn dan eigenlijk op je scherm past. Ditzelfde principe wordt ook veelvuldig gebruikt in andere programma's op je computer. Wie lange lijsten of veel informatie op het scherm wil krijgen terwijl het

er niet allemaal op past, zal rechts zo'n balk te zien krijgen. Daarmee kun je naar boven en naar beneden gaan. Dit heet 'scrollen'.

Het is ook mogelijk dat je horizontaal zo'n zelfde balk te zien krijgt. Daarvoor geldt hetzelfde principe. Indien er in de breedte meer informatie op je scherm moet komen dan erop kan, zul je onderaan in het venster zo'n schuifbalk te zien krijgen. Met de pijltjes kun je ook hier weer naar links en naar rechts bewegen ('scrollen').

Tip
Je muisaanwijzer verschijnt op je scherm meestal als een pijltje. De plaats waar de daadwerkelijke klik effect heeft, is helemaal aan de punt van de pijl. Houd hier rekening mee als je iets nauwkeurig wilt aanklikken. De rest van het pijltje is om duidelijk te maken waar het staat op je scherm. Zo kun je het eenvoudig terugvinden.

Afsluiten en (fout)meldingen

We gaan nu stoppen met het programma Kladblok. Daarom sluiten we het programma af. Dat doen we door te klikken op het kruisje rechts boven op het scherm.

We krijgen nu van de computer de vraag of we de tekst die we hebben ingetypt, willen onthouden (opslaan). We zijn hier op dit ogenblik niet in ge'nteresseerd, aangezien we niet echt nuttige tekst hebben ingetypt. We drukken dus op 'Nee' met onze linkermuisknop bij de vraag van de computer.

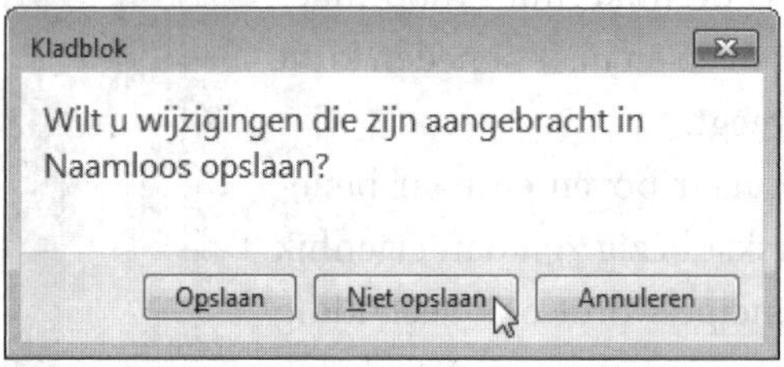

Kladblok

Wilt u wijzigingen die zijn aangebracht in Naamloos opslaan?

Opslaan | Niet opslaan | Annuleren

Je hebt nu voor het eerst gezien hoe een computer met je kan communiceren. Via berichten die op het scherm verschijnen en waarbij je een keuze hebt: 'Ja', 'Nee' of 'Annuleren'. 'Ja' en 'Nee' zijn duidelijk. Het wil zeggen dat je de vraag die in het vakje staat positief of negatief beantwoordt. 'Annuleren' staat voor het ongedaan maken van iets. Stel: je hebt op dat kruisje rechtsboven geklikt om het programma te sluiten, maar je hebt dat per ongeluk gedaan of jezelf bedacht. Dan zou je op 'Annuleren' kunnen klikken bij deze vraag. Je komt dan weer in het programma terecht en kunt gewoon verder gaan. Soms staat er alleen maar 'OK'. De computer wil dan alleen maar dat je het bericht gelezen hebt en vraagt verder geen actie van je zoals het antwoorden met 'Ja' of 'Nee'.

Je weet nu hoe de computer meldingen kan geven. Het is vergelijkbaar met het geven van een opdracht aan iemand, die dan plots een vraag heeft voor je om verder te kunnen werken. Het is dus heel normaal. Je hoeft dan ook niet bang te zijn als de computer iets vraagt.

We hebben op dit moment al heel veel geleerd over onze computer. We kunnen niet alleen met onze computermuis werken, maar nu ook met het toetsenbord. We kunnen teksten typen, we kunnen speciale tekens tevoorschijn halen, we kunnen cijfers intypen, we kunnen naar de volgende regel gaan, we kunnen hoofdletters intypen en zelfs functies gebruiken zoals het wissen van een teken en het navigeren in een document met behulp van de pijltjes.

Dat is voorlopig voldoende 'saaie' basiskennis om aan de slag te gaan met je muis en toetsenbord. In de volgende hoofdstukken gaan we nog interessante zaken leren om met je muis en toetsenbord te doen.

Mappen en bestanden

We maken eerst even tijd voor een korte inleiding in plaats van in het wilde weg verder te gaan.

Onze computer heeft een geheugen en kan dus dingen onthouden. Het geheugen van een computer is echter niet te vergelijken met ons menselijk geheugen. Wij vergeten nog weleens iets en hoeven in onze hersenen niet echt een bepaalde structuur aan te leggen om iets te onthouden. Het geheugen van een computer kun je beter vergelijken met een kamer waarin verscheidene dossierkasten staan. In elke dossierkast zitten verschillende dossiers. Mogelijk zitten in elk dossier nog verscheidene mapjes. Dit is ook bij de computer het geval: alle informatie wordt zeer gestructureerd opgeslagen. Het geheugen van een computer is dus zeer goed georganiseerd.

Bij de aankoop van je computer heb je al de term 'harde schijf' horen vallen. Dit is het stuk apparatuur in je computer waar alle informatie op wordt bewaard.

Om de inhoud van het geheugen van je computer te zien, doen we het volgende: klik met je linkermuisknop op de knop 'Starten' links onderaan op je scherm.

We zien nu in dat menu 'Computer' staan. Dit gaan we gebruiken om de inhoud van onze computer te bekijken. Klik dus met je linkermuisknop op 'Computer'.

We krijgen nu een nieuw scherm te zien, dat lijkt op de foto hieronder.

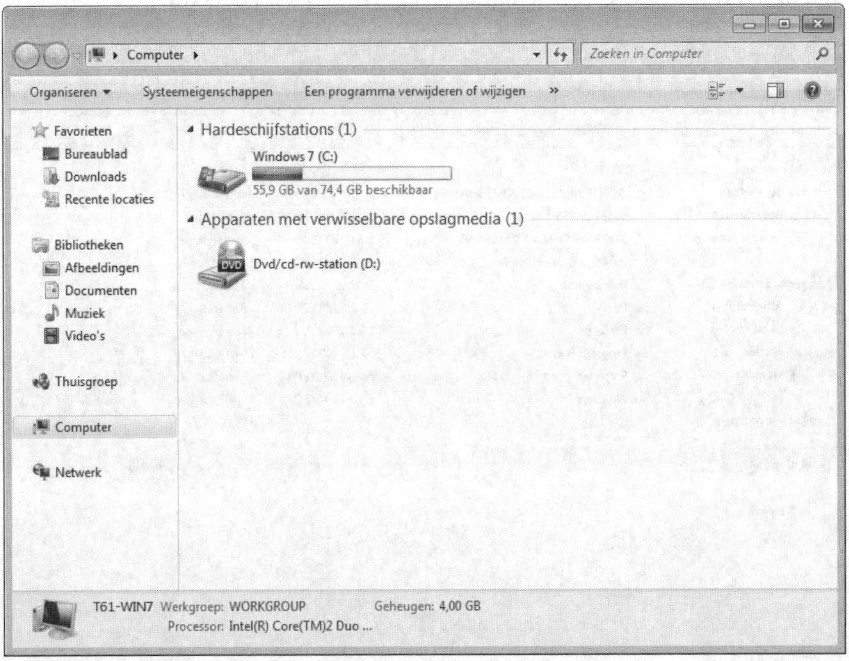

Dit is het overzicht van wat in onze computer zit. Je ziet vaak 'Lokaal station (C:)' of zoals in dit geval 'Windows 7 (C:)' staan. Dat is de harde schijf in je computer. Je ziet ook nog een 'cd-romstation' of misschien wel een 'dvd-rw-station', wat de cd- of dvd-drive is van je computer, en mogelijk nog andere zaken zoals een diskettestation. Ook kan het zijn dat je meerdere harde schijven in je computer hebt zitten. Deze zie je dan als (D:) of (E:) enzovoort.

We zijn nu vooral geïnteresseerd in onze harde schijf, het vaste geheugen in onze computer. Dit wordt in de foto aangeduid als 'Windows 7 (C:)'.

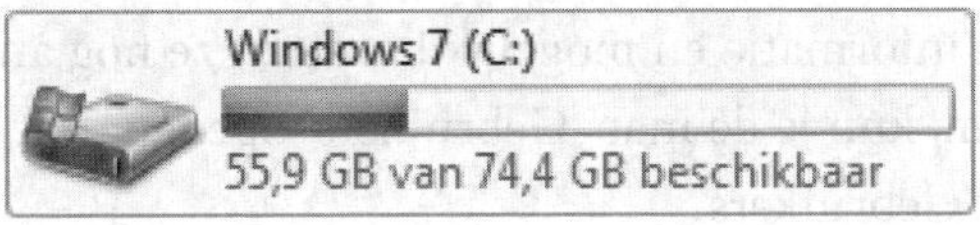

We gaan nu eens kijken naar de inhoud van het geheugen van onze computer. Beeld je in dat je de kamer met dossierkasten binnenstapt.

Het bekijken van de inhoud van je harde schijf doe je door te dubbelklikken op 'Windows 7 (C:)'. Je krijgt een scherm te zien zoals dit:

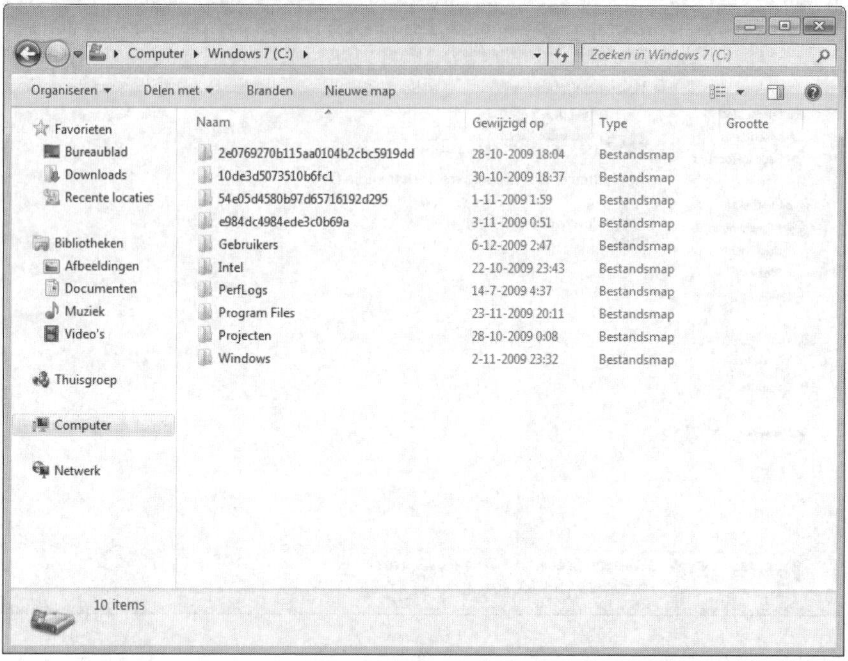

Computer ▸ Windows 7 (C:) ▸ Zoeken in Windows 7 (C:)

Organiseren ▾ Delen met ▾ Branden Nieuwe map

Favorieten
Bureaublad
Downloads
Recente locaties
Bibliotheken
Afbeeldingen
Documenten
Muziek
Video's
Thuisgroep
Computer
Netwerk

Naam	Gewijzigd op	Type	Grootte
2e0769270b115aa0104b2cbc5919dd	28-10-2009 18:04	Bestandsmap	
10de3d5073510b6fc1	30-10-2009 18:37	Bestandsmap	
54e05d4580b97d65716192d295	1-11-2009 1:59	Bestandsmap	
e984dc4984ede3c0b69a	3-11-2009 0:51	Bestandsmap	
Gebruikers	6-12-2009 2:47	Bestandsmap	
Intel	22-10-2009 23:43	Bestandsmap	
PerfLogs	14-7-2009 4:37	Bestandsmap	
Program Files	23-11-2009 20:11	Bestandsmap	
Projecten	28-10-2009 0:08	Bestandsmap	
Windows	2-11-2009 23:32	Bestandsmap	

10 items

Wat je te zien krijgt op je computer kan licht afwijken van de foto, omdat elke computer anders is. Elke fabrikant kan namelijk meer of minder op de computer hebben gezet. In dat geval heb je meestal meer op je scherm dan op de foto.

Wat je ziet zijn gele mappen met de naam van de mappen er rechts naast. Dit is te vergelijken met dossiers in een dossierkast. Zo zie je een map 'Windows' en bijvoorbeeld ook nog een map 'Program Files'. Je ziet ook een map 'Gebruikers'.

In elke map zit informatie en mogelijk bevatten ze nog andere mappen. Om dat te bekijken, kun je de map 'Gebruikers' openen. Dat doe je door te dubbelklikken op 'Gebruikers'.

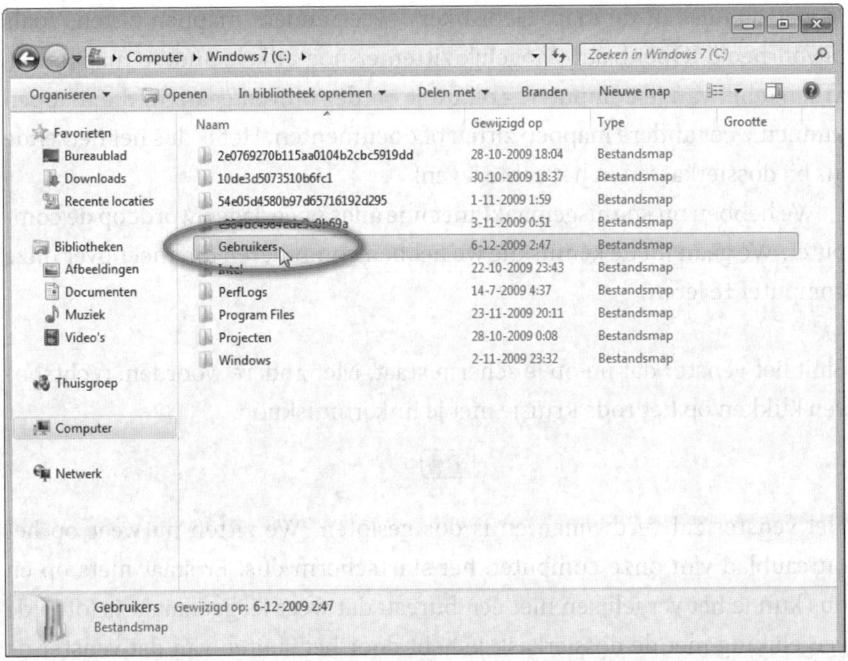

Computer ▸ Windows 7 (C:) ▸
Zoeken in Windows 7 (C:)
Organiseren ▾ Openen In bibliotheek opnemen ▾ Delen met ▾ Branden Nieuwe map

Favorieten
Bureaublad
Downloads
Recente locaties
Bibliotheken
Afbeeldingen
Documenten
Muziek
Video's
Thuisgroep
Computer
Netwerk

Naam	Gewijzigd op	Type	Grootte
2e0769270b115aa0104b2cbc5919dd	28-10-2009 18:04	Bestandsmap	
10de3d5073510b6fc1	30-10-2009 18:37	Bestandsmap	
54e05d4580b97d65716192d295	1-11-2009 1:59	Bestandsmap	
e964dc4964ede3c3b69a	3-11-2009 0:51	Bestandsmap	
Gebruikers	6-12-2009 2:47	Bestandsmap	
Intel	22-10-2009 23:43	Bestandsmap	
PerfLogs	14-7-2009 4:37	Bestandsmap	
Program Files	23-11-2009 20:11	Bestandsmap	
Projecten	28-10-2009 0:08	Bestandsmap	
Windows	2-11-2009 23:32	Bestandsmap	

Gebruikers Gewijzigd op: 6-12-2009 2:47
Bestandsmap

Je krijgt een scherm te zien dat lijkt op de volgende foto.

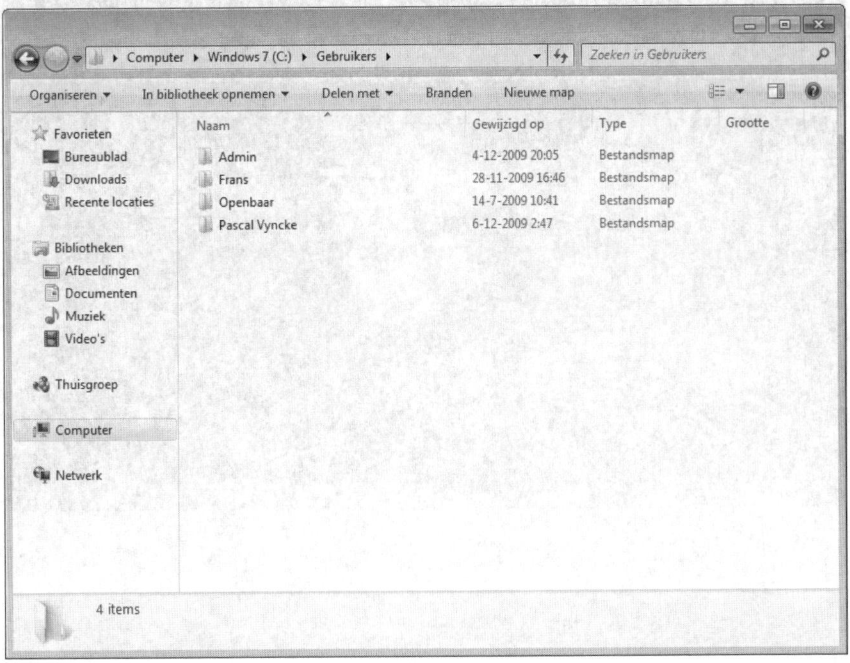

Computer ▸ Windows 7 (C:) ▸ Gebruikers ▸
Zoeken in Gebruikers
Organiseren ▾ In bibliotheek opnemen ▾ Delen met ▾ Branden Nieuwe map

Favorieten
Bureaublad
Downloads
Recente locaties
Bibliotheken
Afbeeldingen
Documenten
Muziek
Video's
Thuisgroep
Computer
Netwerk

Naam	Gewijzigd op	Type	Grootte
Admin	4-12-2009 20:05	Bestandsmap	
Frans	28-11-2009 16:46	Bestandsmap	
Openbaar	14-7-2009 10:41	Bestandsmap	
Pascal Vyncke	6-12-2009 2:47	Bestandsmap	

4 items

Je ziet dus dat in de map 'Gebruikers' weer andere mappen zitten, zoals bijvoorbeeld 'Openbaar'. Mogelijk zitten er nog enkele andere mappen in, afhankelijk van je computer. Zo kun je verder blijven gaan: in die mappen kunnen weer andere mappen zitten of documenten. Het is dus net hetzelfde als bij dossierkasten in het echte leven!

We hebben nu kennisgemaakt met hoe alles opgeslagen wordt op de computer. We gaan nu de kennis die we hebben combineren om meer over onze computer te leren.

Sluit het venster dat nu op je scherm staat. Met andere woorden: rechtsboven klikken op het rode kruisje met je linkermuisknop.

Het venster zal verdwijnen en is dus gesloten. We zitten nu weer op het bureaublad van onze computer, het startscherm dus. Er staat niets op en dus kun je het vergelijken met een bureau dat weer leeggemaakt is (of in de vergelijking met de dossierkast: je hebt door het sluiten van dat venster de dossierkast opnieuw gesloten).

Document aanmaken, typen en opslaan

We starten opnieuw het programma Kladblok op. Weet je nog hoe het moet? Het is niet moeilijk. Redeneer even mee.

We willen iets starten, dus je drukt met je linkermuisknop op de knop 'Starten' onderaan op je scherm.

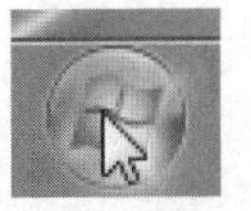

In het menu dat we nu te zien krijgen, kiezen we 'Alle programma's'. We willen immers een programma starten. Ga er dus bovenop staan met je linkermuisknop, wacht tot het menu opent, of klik op 'Alle programma's' om het menu meteen te openen.

Nu krijg je de lijst van alle programma's te zien. Kladblok hoort bij de 'Bureau-accessoires'. Dit is iets dat je niet te weten kunt komen door logisch te redeneren, het is nu eenmaal zo. Maar wees gerust, na een tijdje weet je wel welke programma's waar thuishoren. Ga dus boven op 'Bureau-accessoires' staan en klik erop.

We krijgen nu een lijstje van alle programma's die bij de 'Bureau-accessoires' horen. We wilden Kladblok opstarten, dus we gaan boven op 'Kladblok' staan en klikken dan met onze linkermuisknop, want zo starten we het programma.

Nu start het programma Kladblok dus op. Op een gelijkaardige wijze kun je in de toekomst ook andere programma's opstarten!

We gaan in Kladblok – je kunt het vergelijken met een wit blad papier – wat intypen. Laten we het eenvoudig houden en het volgende tekstje intypen. Let er vooral op dat je de hoofdletters gebruikt, de leestekens kunt vinden, enzovoort.

Dit is de eerste tekst die ik op een computer heb ingetypt.

Het gaat al heel goed, kijk maar!
Het is nog wel even wennen, maar het lukt.

Computer, wij twee gaan nog goede vrienden worden!

AZERTY	QWERTY
Denk er dus aan dat je een hoofdletter kunt typen door het indrukken van de Shift-toets (de toets met het pijltje omhoog) tegelijk met de letter die je in hoofdletter wenst. Denk er ook aan dat je dit kunt gebruiken om het punt in te drukken die op de toets met de puntkomma (;) staat. Naar een nieuwe regel gaan, doe je door op de entertoets te drukken, de grote toets rechts van de letters.	Denk er dus aan dat je een hoofdletter kunt typen door de Shift-toets (de toets met het pijltje omhoog) tegelijk in te drukken met de letter die je in hoofdletter wenst. Denk er ook aan dat je deze techniek kunt gebruiken om bijvoorbeeld het dubbelepunt (:) in te typen, door de toets in te drukken waar het puntkomma staat. Om naar een nieuwe regel te gaan, druk je op de entertoets, de grote toets rechts van de letters.

Naamloos - Kladblok
Bestand Bewerken Opmaak Beeld Help

```
Dit is de eerste tekst die ik op een computer heb ingetypt.

Het gaat al heel goed, kijk maar!
Het is nog wel even wennen, maar het lukt.

Computer, wij twee gaan nog goede vrienden worden!
```

We hebben nu een tekstje ingetypt. Als je later echt met de computer gaat werken, ga je uiteraard nuttige teksten intypen. Voorlopig echter oefenen we alleen een beetje. We willen nu dit tekstje laten onthouden door onze computer. Iets laten onthouden door de computer wordt 'opslaan' of 'bewaren' genoemd, in het Engels ook wel 'save'.

Het opslaan van je tekst doe je als volgt. Elk document, en later ook foto's en dergelijke, wordt in computertermen een 'bestand' genoemd. Het is dus een soort van object (en dit kan van alles zijn: foto, document, video, geluid, website, enzovoort).

De redenering is: deze tekst is een 'bestand' en ik wil er iets mee doen, namelijk opslaan. Klik dus met je linkermuisknop op het menu 'Bestand'.

We willen het bestand onthouden, met andere woorden: opslaan. Druk dus in het menu dat verschijnt op 'Opslaan'.

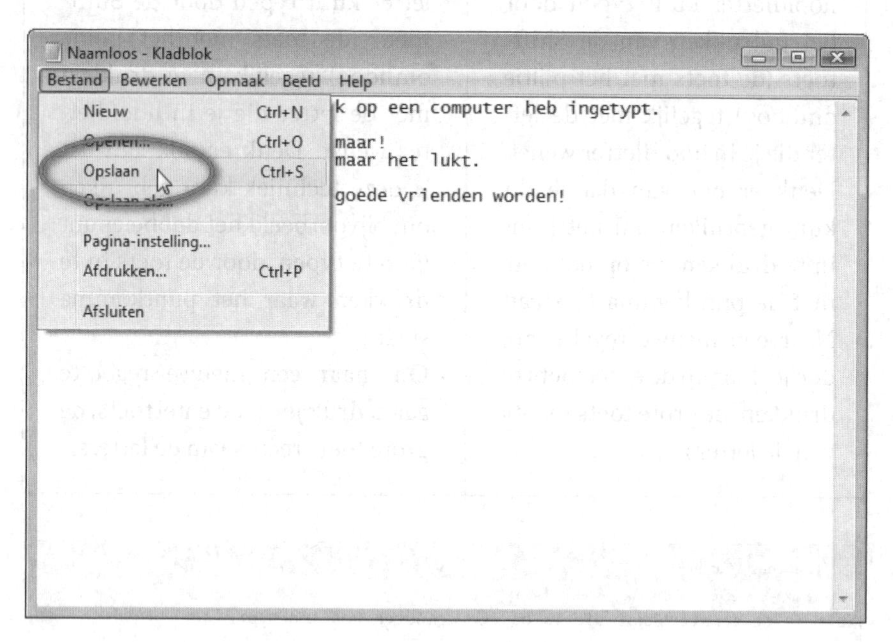

We krijgen nu een nieuw scherm. Dat zal eruitzien zoals op de volgende foto.

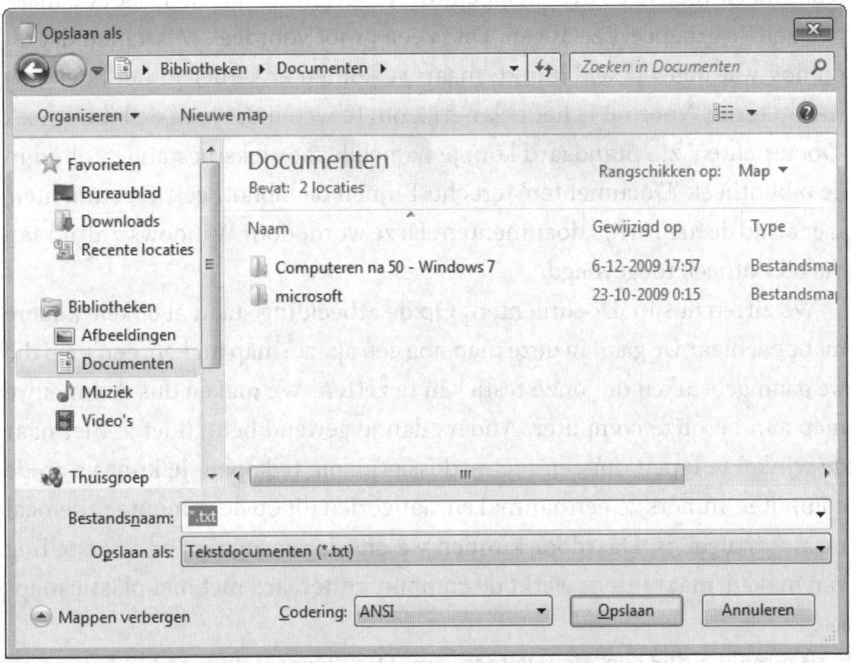

Dit scherm is een hulpje om te kiezen waar we onze tekst gaan bewaren op de computer. Merk op dat je in 'Documenten' zit. Dit is de plaats die de computer al voorzien heeft om documenten op te slaan. Die bevindt zich op een speciaal plaatsje op je harde schijf.

Het is verstandig om al de gegevens die je wilt bewaren op je computer een beetje te organiseren. In een opgeruimd bureau kun je sneller iets terugvinden dan in één grote rommel.

Eerst iets over de manier waarop Windows 7 met mappen omgaat. In Windows 7 wordt niet alleen met mappen maar ook met bibliotheken gewerkt zoals je ziet in de afbeelding. Een bibliotheek is niets anders dan een verzameling mappen die je kunt groeperen onder één bibliotheek. Hoe werkt dat? Stel, je bent op vakantie geweest. Je hebt foto's gemaakt, misschien ook een film. Daarnaast heb je een reisboek. Je hebt dus fotobestanden, een filmbestand en diverse tekstbestanden. Voor een goed overzicht heb je een aparte map met die fotobestanden, een aparte map met dat filmbestand en een aparte map met tekstbestanden van die vakantie.

Je kunt nu een bibliotheek maken die je 'vakantie 2010' noemt. Binnen die bibliotheek voeg je de drie mappen toe. Je verandert dus niets aan de mappen zelf, je groepeert ze alleen. Dit is een groot voordeel. Misschien dat dit nu nog wat ingewikkeld klinkt, maar we komen er verder in het boek nog wel op terug. Voor nu is het belangrijk om te weten dat je in de bibliotheek 'Documenten' zit. Standaard kom je namelijk voor tekstbestanden altijd in de bibliotheek 'Documenten' terecht. Binnen de bibliotheek 'Documenten' is er altijd de map 'Mijn documenten'. Deze wordt door Windows 7 altijd aan die bibliotheek toegevoegd.

We zitten dus in 'Documenten'. Op de afbeelding staan al enkele andere mappen, maar we gaan in deze map nog een aparte map maken, een map die we gaan gebruiken om onze testjes in te zetten. We maken dus een nieuwe map aan op onze computer. Anders dan je gewend bent, hoef je niet naar de winkel te lopen om een nieuw dossiermapje te kopen. Je kunt er op de computer immers zo een aanmaken, aangezien dit op de computer allemaal maar 'virtueel' is. Daardoor kunnen we ons er eenvoudig een voorstelling van maken, maar intern werkt de computer uiteraard niet met plastic mapjes.

We maken dus een nieuwe map aan. Dat doen we door te klikken op de knop 'Nieuwe map'. Klik erop met je linkermuisknop.

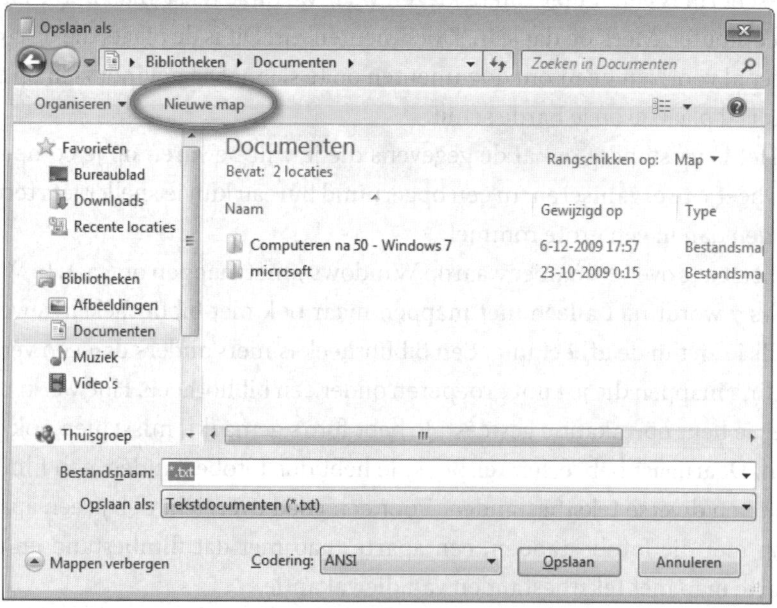

Je ziet nu op je scherm een nieuwe map verschijnen met erachter 'Nieuwe map'.

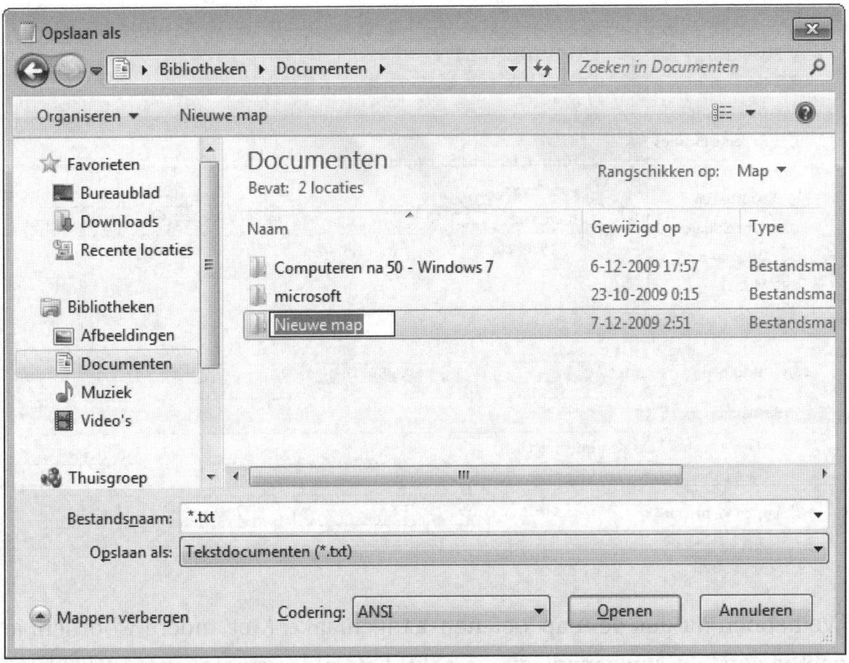

Typ nu een naam in voor deze map, bijvoorbeeld de map 'oefenen', omdat we deze kunnen gebruiken om te oefenen voor onze computer. Als je dit hebt ingetypt, druk je op de entertoets van je toetsenbord (die we eerder gebruikten om naar een nieuwe regel te gaan). De entertoets heeft namelijk nog een tweede functie op de computer: iets bevestigen. Doordat je zojuist de naam hebt ingetypt en daarna op de entertoets drukte, zeg je tegen de computer dat je klaar bent met de naam en dat je die bevestigt.

Opslaan als
Bibliotheken ▸ Documenten ▸
Zoeken in Documenten
Organiseren ▾ Nieuwe map
Favorieten
Bureaublad
Downloads
Recente locaties
Bibliotheken
Afbeeldingen
Documenten
Muziek
Video's
Thuisgroep
Documenten
Bevat: 2 locaties
Rangschikken op: Map ▾

Naam	Gewijzigd op	Type
Computeren na 50 - Windows 7	6-12-2009 17:57	Bestandsma
microsoft	23-10-2009 0:15	Bestandsma
oefenen	7-12-2009 2:51	Bestandsma

Bestandsnaam: *.txt
Opslaan als: Tekstdocumenten (*.txt)
Mappen verbergen
Codering: ANSI
Openen
Annuleren

We hebben nu dus de map 'oefenen' aangemaakt. Met andere woorden: je hebt je eerste nieuwe map aangemaakt. Ditzelfde principe kun je dus later gebruiken om nog talloze andere mappen aan te maken. Zo kun je alles goed organiseren op je computer.

We willen de tekst die we ingetypt hebben nu gaan bewaren ín deze map. Dit doen we door de map te openen: dubbelklik erop met je linkermuisknop.

De computer opent nu de map 'oefenen'. Je ziet een groot wit vlak, omdat er niets in die map staat. Als er later meer bestanden in de map staan, zul je die zien verschijnen. Je ziet ook nog de bevestiging dat je in de map 'oefenen' bent: je ziet dit bovenaan in de zogenoemde adresbalk staan.

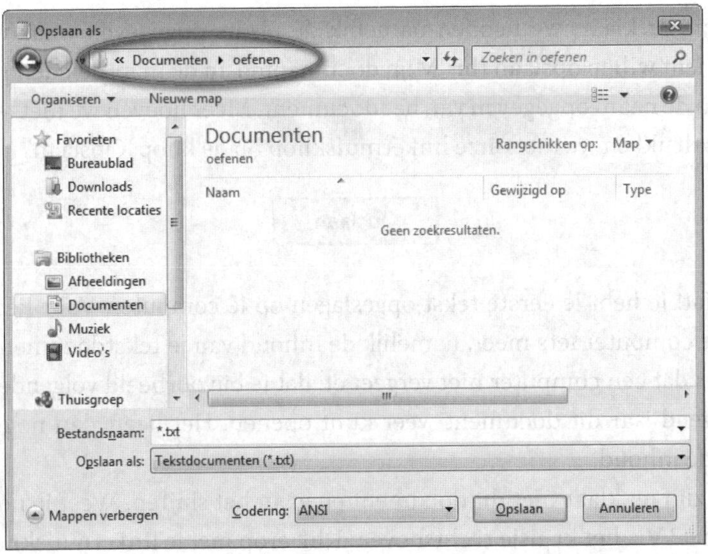

We zitten nu goed, in de juiste map. Documenten kunnen we echter niet zomaar in deze map stoppen, we moeten elk document een naam geven. Dat is vereist. Zo kunnen we de documenten achteraf snel en eenvoudig terugvinden. Klik daarom met je linkermuisknop in het vakje achter 'Bestandsnaam' en typ een naam in, bijvoorbeeld 'mijn eerste document'.

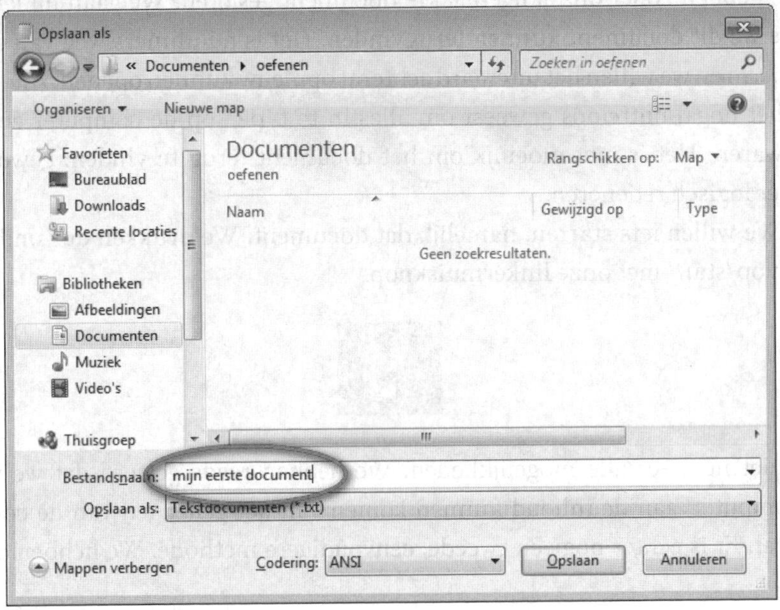

We zijn nu klaar: we hebben namelijk de plaats opgegeven waar we het document willen opslaan (bij 'Mijn documenten' in de map 'oefenen') en we hebben de naam opgegeven van het document. Meer hoeven we niet te doen en dus drukken we met onze linkermuisknop op de knop 'Opslaan'.

Proficiat! Je hebt je eerste tekst opgeslagen op je computer. Voor het eerst weet je computer iets meer, namelijk de inhoud van je tekstdocument. Het leuke is dat een computer niet vergeet en dat je bijvoorbeeld volgende week of volgend jaar dit document weer kunt openen. Het heeft dan nog exact dezelfde inhoud.

We zijn nu klaar met dit document en gaan het sluiten. Weet je nog hoe dat moet? Via het kruisje rechtsboven. Klik erop met je linkermuisknop.

Document openen

We hebben zonet ons aangemaakte document gesloten. We gaan nu leren hoe we dit document kunnen terugvinden. Het is nu immers weg van ons scherm en we willen het uiteraard achteraf opnieuw kunnen openen. Anders is het nogal nutteloos geweest om alles in te typen op de computer en te bewaren. Het is niet moeilijk om het document terug te vinden: gewoon weer logisch redeneren.

We willen iets starten, namelijk dat document. We drukken dus onderaan op 'start' met onze linkermuisknop.

Je ziet nu weer alle mogelijkheden. We hebben reeds geleerd dat we via 'Computer' aan de inhoud kunnen komen van het geheugen van de computer. Er is echter nog een tweede, eenvoudigere methode. We hebben ons document namelijk opgeslagen in de map 'Documenten'. Als je goed kijkt, zie je die óók in het lijstje staan!

Het starten van 'Documenten' gaat dus logischerwijs als volgt: klik op 'Documenten' in het startmenu. Doe dit met je linkermuisknop.

We hebben nu de bibliotheek (en de map) 'Documenten' geopend. Je zult een scherm te zien krijgen zoals op de volgende foto. Het geeft de inhoud weer van alles wat in 'Documenten' staat in het geheugen van je computer.

We hadden ons document opgeslagen in de map 'oefenen'. Je ziet die map nu ook op je scherm, want die zit in de map 'Documenten', die we zonet hebben geopend. Dus om de inhoud van de map 'oefenen' te zien, openen we deze door erop te dubbelklikken met je linkermuisknop.

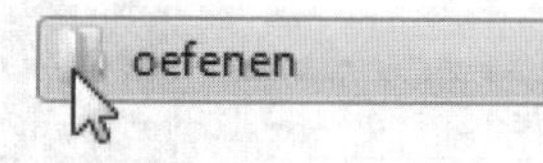

Je krijgt nu de inhoud van de map te zien. We hebben er nog maar één ding in gestoken en we zien dus ook maar één ding: ons document dat 'mijn eerste document' heet.

Merk op dat we hiervoor alleen nog maar mappen zagen, die telkens met een figuur aangeduid waren: een gele figuur van een map. Nu hebben we een tekstbestand voor ons en zien we een figuur die lijkt op een kladblok. Die maakt ons extra duidelijk dat het gaat om een document en niet om een map. Om de inhoud van ons document nu te openen, dubbelklik je op de naam van het document met je linkermuisknop.

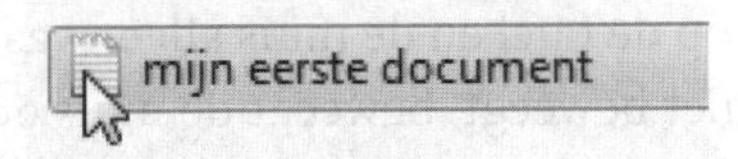

Nu wordt het tekstbestand voor ons geopend, in exact dezelfde staat als waarin we het daarstraks hebben bewaard op de computer!

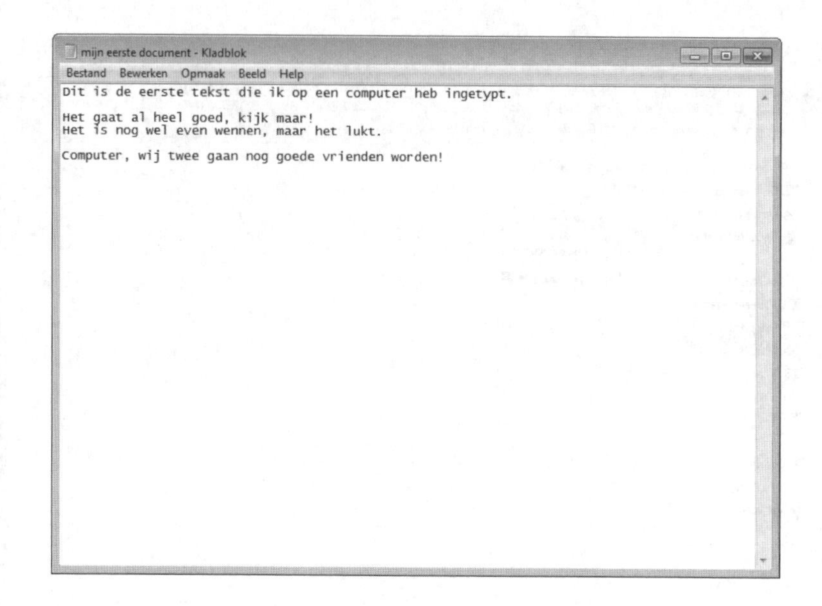

Tip

Dubbelklikken met de muis is voor velen een probleem. Soms lukt het en soms helemaal niet, maar waarom? De eerste regel is dat je snel genoeg achter elkaar moet klikken, maar deze snelheid is laag genoeg zodat iedereen dit kan doen.

Wat echter dikwijls het probleem is, is dat je tijdens het dubbelklikken je muis verschuift (beweegt), ongewild. Dit gebeurt meestal doordat je je muis fout vasthoudt.

Het is niet de bedoeling dat je hand steunt op de muis, wel dat je met je arm steunt op de tafel en de muis alleen vasthebt met je hand. Als je dus je arm niet beweegt, beweegt de muis ook niet. Je kunt dit eenvoudig oefenen zonder de muis. Ga aan een tafel zitten, leg je arm op de tafel, zoals je anders de muis zou vasthouden (dus niet met de platte hand, maar met de hand gebold). Laat je vingers de tafel raken.

Nu kun je je wijsvinger van de tafel brengen en zo tikken op de tafel. Dit is absoluut niet moeilijk. Leg nu een muis onder je hand. Je hoeft nu alleen maar precies hetzelfde te doen, maar dan met de computermuis: tikken op de linkermuisknop. Tijdens het dubbelklikken mag je muis dus niet bewegen (de reden hiervoor is dat de computer anders denkt dat de eerste klik bedoeld was om te slepen en hem dus niet ziet als een klik voor een dubbele klik).

De grootte en positie van een venster aanpassen

Het kan soms handig zijn om de grootte van een venster aan te passen of de positie op je scherm te wijzigen, zodat het voor jou op dat ogenblik prettiger werken is. Als je je venster helemaal rechtsboven hebt staan, heb je het misschien liever wat meer in het midden. Je kunt dan op een natuurlijkere manier werken aan je computer.

▸▸ *DE GROOTTE EN VORM AANPASSEN*

De grootte van een venster aanpassen, kan alleen als het venster niet gemaximaliseerd is. Je kunt eenvoudig zien of dat het geval is. Rechtsboven moet het volgende staan (let op de middelste knop).

Indien dit niet zo is, dan is het venster gemaximaliseerd en hebben we juist gevraagd aan onze computer om het over het hele scherm uit te smeren. Als we de grootte willen aanpassen, moeten we het weer verkleinen. Dat doe je door met je linkermuisknop te klikken op de middelste knop, zoals op de volgende foto.

We kunnen nu de grootte van het venster aanpassen door rechts onderaan in het hoekje te klikken met onze linkermuisknop en die ingedrukt te houden. Als je erop gaat staan, moet je muisaanwijzer er als volgt uit gaan zien.

Als je dus met je linkermuisknop erop hebt geklikt, verschuif je de muis. Je zult zien dat de vorm en grootte van het venster nu worden aangepast. Beweeg je muis tot de grootte en vorm die jij wenst. Laat dan de linkermuisknop weer los. Op de volgende foto's zie je een voorbeeld waarbij ik het venster van vorm heb gewijzigd.

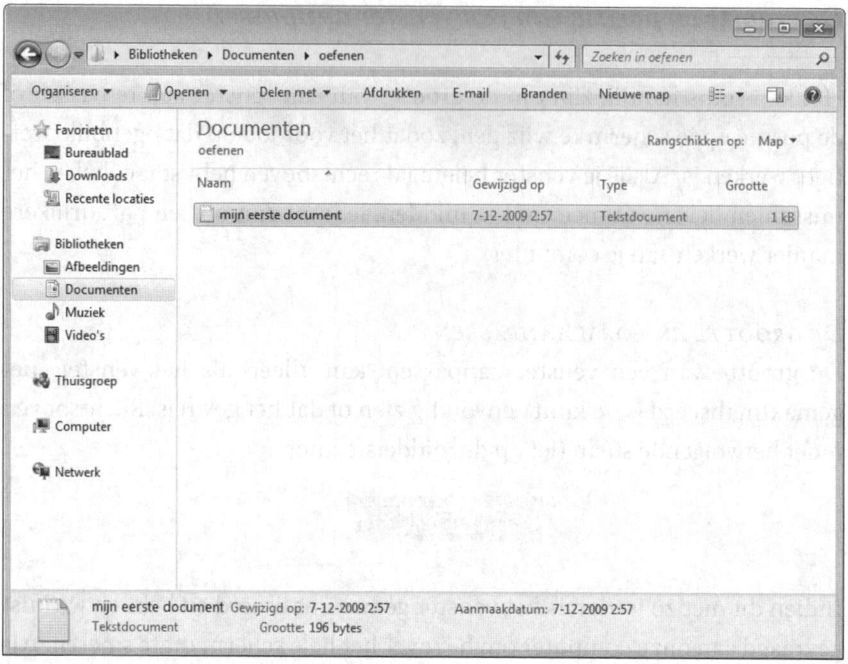

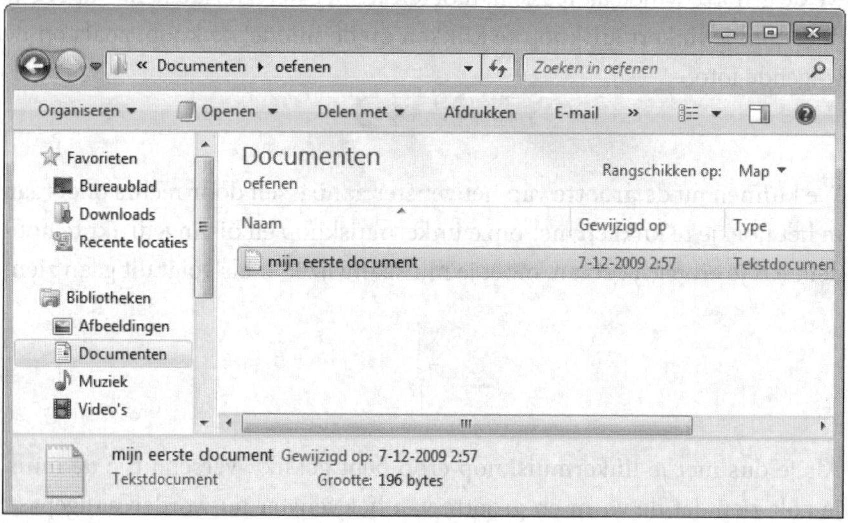

Bibliotheken ▸ Documenten ▸ oefenen
Zoeken in oefenen
Organiseren ▾ Openen ▾ Delen met ▾ Afdrukken E-mail Branden Nieuwe map
Favorieten
Bureaublad
Downloads
Recente locaties
Bibliotheken
Afbeeldingen
Documenten
Muziek
Video's
Thuisgroep
Computer
Netwerk
Documenten
oefenen
Rangschikken op: Map ▾
Naam Gewijzigd op Type Grootte
mijn eerste document 7-12-2009 2:57 Tekstdocument 1 kB
mijn eerste document Gewijzigd op: 7-12-2009 2:57 Aanmaakdatum: 7-12-2009 2:57
Tekstdocument Grootte: 196 bytes

« Documenten ▸ oefenen
Zoeken in oefenen
Organiseren ▾ Openen ▾ Delen met ▾ Afdrukken E-mail »
Favorieten
Bureaublad
Downloads
Recente locaties
Bibliotheken
Afbeeldingen
Documenten
Muziek
Video's
Documenten
oefenen
Rangschikken op: Map ▾
Naam Gewijzigd op Type
mijn eerste document 7-12-2009 2:57 Tekstdocumen
mijn eerste document Gewijzigd op: 7-12-2009 2:57
Tekstdocument Grootte: 196 bytes

▸▸ *De positie wijzigen*

Om de positie van het venster op ons scherm aan te passen, moet je er ook op letten dat het venster niet gemaximaliseerd is. Je kunt dat dus zien aan de knoppen rechtsboven. Als die er als volgt uitzien (let op de middelste), dan is je venster gemaximaliseerd.

Klik in dat geval op de middelste knop met je linkermuisknop.

Als het venster nu niet meer gemaximaliseerd is, klik je gewoon met je linkermuisknop op de blauwe balk bovenaan. Houd je muisknop ingedrukt.

mijn eerste document - Kladblok
Bestand Bewerken Opmaak Beeld Help

```
Dit is de eerste tekst die ik op een computer heb ingetypt.

Het gaat al heel goed, kijk maar!
Het is nog wel even wennen, maar het lukt.

Computer, wij twee gaan nog goede vrienden worden!
```

We hebben nu het venster vastgepakt met onze muis. Als je je muis beweegt, zul je merken dat het venster dat je vast hebt mee zal verschuiven over het scherm. Verplaats het naar de gewenste positie en laat dan de linkermuisknop los. Zo deel je aan je computer mee dat je daar het venster wilt neerzetten.

Document sluiten

We sluiten het bestand weer, want we zijn klaar met deze oefening. Sluiten doe je inderdaad, via het kruisje rechtsboven.

Wat we nu hebben geleerd, kun je ook gebruiken in allerlei andere omstandigheden. Als je later andere tekstbestanden hebt opgeslagen, kun je ze op dezelfde manier openen op je computer.

Taakbalk

De taakbalk is de blauwe balk die steeds onderaan op je scherm zichtbaar is. Hierop staan alle programma's die op je computer op dat ogenblik actief zijn. Door erop te klikken, zul je het betreffende programma weer zichtbaar maken op je computer.

Je kunt ook op het bewuste programma op de taakbalk klikken met de rechtermuisknop en van daar uit enkele commando's doorgeven aan je computer: het programma sluiten, vergroten, minimaliseren, enzovoort.

▸▸ *IK ZIE DE TAAKBALK NIET! IK ZIE DE KNOP 'STARTEN' NIET!*

Er zijn twee mogelijke oorzaken waardoor je de taakbalk niet op je computer ziet staan. Het kan dat je taakbalk verschoven is en deze in plaats van onderaan op je scherm, links, rechts of bovenaan op je scherm staat. Als dit niet het geval is, dan heb je per ongeluk de taakbalk helemaal verkleind en tot één streep teruggebracht. Je kunt dit ongedaan maken door met je muisaanwijzer helemaal onderaan op je scherm te gaan staan totdat je een kleine zwarte pijl omhoog te zien krijgt. Klik vervolgens je linkermuisknop in, houd deze ingedrukt en schuif nu de computermuis omhoog. De taakbalk komt weer tevoorschijn!

Indien ook dat niet lukt, dan heb je per ongeluk én de taakbalk naar links/rechts/boven verschoven én verkleind tot één streep. Maak dit ongedaan door én helemaal links én helemaal rechts én bovenaan op je scherm je muisaanwijzer te zetten, te klikken en dan te verschuiven.

De taakbalk is vol?

Als je op je computer enkele programma's opent, lijkt de taakbalk al vol te zijn na drie of vier programma's. Geen paniek! De computer past namelijk de breedte aan, waardoor er in een extreem geval tientallen op de taakbalk kunnen staan! Je kunt dus naar hartenlust programma's openen. Als de takenbalk toch vol raakt, zullen er rechtsonder pijltjes verschijnen om de rest te tonen. Door er op te klikken, ga je naar een ander programma.

De taakbalk verdwijnt automatisch!

Het is mogelijk dat de taakbalk verdwijnt als je de computermuis ervan afhaalt. Indien je dit niet graag hebt, dan kun je dit veranderen zodat de computer de taakbalk voortaan altijd laat zien. Ga met je muisaanwijzer boven op de taakbalk staan en klik erop met de rechtermuisknop.

Klik in het lijstje dat je te zien krijgt met je linkermuisknop op 'Eigenschappen'. We willen immers de eigenschappen van de taakbalk wijzigen. Klik nu met je linkermuisknop op het vierkantje dat staat voor 'Taakbalk automatisch verbergen' om het zo leeg te maken. Bevestig je keuze door onderaan op 'OK' te klikken. De computer weet nu dat hij de taakbalk niet meer mag laten verdwijnen.

Groeperen

Windows 7 zorgt ervoor dat de computer vensters gaat groeperen. Als je meerdere tekstbestanden open hebt staan of meerdere afbeeldingen bekijkt in Windows Photo Viewer of ook meerdere webpagina's in Internet Explorer, worden die bestanden gegroepeerd op het programma waarmee ze worden geopend. Een bepaald venster openen doe je dan door er op de taakbalk op te klikken met de linkermuisknop. Selecteer in het lijstje dat nu verschijnt het gewenste document.

Het vraagt dus één klik meer dan anders. De computer zorgt er zo echter voor, ook als je veel open hebt staan, dat je toch eenvoudig en overzichtelijk overal aan kunt via de taakbalk.

Tip
Je kunt op twee manieren meerdere programma's tegelijk sluiten via de taakbalk.

Indien een aantal vensters gegroepeerd is op je taakbalk, klik je met je rechtermuisknop op de groep die je wilt sluiten. Klik vervolgens op 'Alle vensters sluiten' met je linkermuisknop.

Met hoeveel programma's kun je tegelijk werken?

Je kunt met zoveel programma's tegelijk werken als je wilt, als je computer het aankan natuurlijk. Je kunt dus drie, vier of zelfs tien programma's tegelijk open hebben staan. Probeer er echter voor te zorgen dat je een programma dat je niet meer onmiddellijk nodig hebt, weer sluit. Elke computer kan een hoop programma's tegelijk aan, maar als je nooit iets afsluit, zul je uiteindelijk toch aan de persoonlijke limiet van je computer komen. De meeste mensen hebben echter nooit last van die limiet, omdat deze, zeker bij modernere computers, zeer hoog ligt.

Computer uitzetten

Nog iets wat bijzonder belangrijk is, is hoe je de computer kunt uitzetten. Het is namelijk NIET zo dat je gewoon de stekker uit het stopcontact mag trekken zoals bij een strijkijzer. Nee, je moet meedelen aan de computer dat je hem wilt uitzetten. Deze gaat vervolgens zichzelf afsluiten.

Hoe doen we dit? We gebruiken weer dezelfde redenering. We willen iets starten, namelijk het afsluiten van de computer. Er had misschien beter 'stop' kunnen staan, maar dat is nu eenmaal niet zo. We willen 'het uitschakelen starten'. Klik dus met je linkermuisknop op de knop 'Starten'.

In het Startmenu staan rechts onderaan enkele knoppen. Klik eerst op de knop met het pijltje naar rechts, of plaats de muis op die knop zonder te klikken en na enkele ogenblikken wordt een extra menu zichtbaar.

In dit menu staan enkele keuzemogelijkheden. Je hebt de keuze uit 'Andere gebruiker', 'Afmelden', 'Vergrendelen', 'Opnieuw opstarten', 'Slaapstand' en 'Sluimerstand'.

Indien je daadwerkelijk wilt stoppen met werken met je computer, heb je het menu niet nodig, maar klik je op de knop 'Afsluiten' links naast het pijltje. Je hoeft dat uiteraard nu niet te doen indien je nog verder wilt werken vandaag.

Wanneer je kiest voor afsluiten, zal de computer zichzelf automatisch uitschakelen. Indien deze dat niet doet (dit is vooral bij oudere computers het geval), dien je zelf daarna nog de spanning af te zetten.

We zeiden het eerder al: zet dus niet zomaar de spanning af. Als je het een keer vergeet, is dat niet erg, maar probeer het te voorkomen. Het is namelijk zo dat dit een van de weinige dingen is waarmee je een computer stuk kunt krijgen. Correct afsluiten dus! Je kunt bijna niets verkeerds doen met je computer, behalve gewoon de stroom afzetten zoals bij je strijkijzer. Sluit dus altijd via 'start' de computer correct af.

Waarom mag je niet zomaar de spanning afzetten? De reden is dat je computer met heel veel dingen tegelijk bezig is en ook veel in het geheugen heeft staan. Bij het afsluiten wordt het geheugen leeggemaakt en wordt een aantal taken uitgevoerd om alle interne onderdelen te beschermen. Als je de stroom gewoon uitschakelt, sla je dit allemaal over en dat kan, als je pech hebt, nare gevolgen hebben.

Je kunt het vergelijken met mensen. Als we willen gaan slapen, dan bereiden we ons daar ook op voor: we kleden ons om, we poetsen onze tanden en we gaan rustig in bed liggen alvorens in slaap te vallen. Botweg de stroom van je computer uitschakelen, zou dan te vergelijken zijn met in slaap vallen doordat iemand ons een klap op ons hoofd geeft en we buiten westen zijn. Eén keertje is misschien niet zo erg, maar als we dagelijks zo zouden slapen, kan dit gezondheidsproblemen geven. Zo ook voor onze computer! Goed afsluiten is dus de boodschap.

Naast 'Afsluiten', heb je in het menu nog meer keuzes. Die zijn voor andere doeleinden. De 'Slaapstand' (of 'Stand-by'), zorgt ervoor dat je de computer even kunt uitschakelen om energie te besparen. Als je later de computer weer gaat opstarten, zal deze hebben onthouden waar je gebleven was.

Slaapstand

Indien je dus documenten had openstaan en bezig was met allerlei programma's, zal de computer alles weergeven zoals het was op het moment dat je deze in 'Slaapstand' of 'Stand-by' zette. Dit is niet hetzelfde als 'Afsluiten'. Bij het uitschakelen ga je namelijk de computer volledig afsluiten en als je later de computer weer aanzet, zal er geen enkel programma openstaan en begin je met een schone lei.

Een tussenvorm is de 'Sluimerstand', waarbij de computer alles waar je mee bezig bent in één groot bestand opslaat op de harde schijf en erna zichzelf uitschakelt. Ook hier heb je het voordeel dat wanneer je de computer weer start, je meteen weer kunt doorwerken met waar je gebleven was.

Sluimerstand

Je ziet ook nog 'Opnieuw opstarten' staan.

Opnieuw opstarten

We zullen hierop klikken als we onze computer willen uitzetten en daarna opnieuw willen aanzetten. Dit lijkt wat nutteloos (want waarom laat je hem dan niet gewoon aanstaan?), maar we zullen zien dat dit soms nuttig kan zijn. Als we nieuwe programma's op onze computer hebben gezet bijvoorbeeld, zullen we soms gevraagd worden om onze computer opnieuw op te starten. Zo kan het nieuwe programma, dat nieuwe functies toevoegt aan je computer, zich nestelen in je computer en zo goed werken. Je computer moet daarvoor even helemaal uit zodat hij opnieuw met een schone lei kan beginnen. Ook als je computer wat vreemd doet en er allerlei dingen mislopen, zijn meestal alle problemen op te lossen door even je computer opnieuw op te starten. Je computer is immers intern gigantisch complex. Als er ergens iets misloopt, kan dit een kettingreactie teweegbrengen van andere fouten. In principe mag dit niet voorkomen, maar af en toe gebeurt het toch. Het opnieuw opstarten van de computer zorgt ervoor dat deze met een schone lei begint en die opeenstapeling van fouten niet meer aanwezig is. Je probleem is dus opgelost!

Stel, er werken meer mensen op jouw computer, en alle mensen kunnen met hun eigen naam gebruikmaken van die computer. Hoe dat precies moet, leg ik later uit. Maar ga er voor nu even van uit dat dit kan. Stel weer dat er nét even iemand in zijn of haar eigen documenten moet kijken terwijl je zelf nog bezig bent. Juist voor zo'n situatie is de optie 'Andere gebruiker'.

Andere gebruiker

Hiermee kun je snel naar een andere gebruiker schakelen, zonder dat je eigen programma's worden afgesloten. Je parkeert jezelf even om iets later gewoon weer terug te komen en door te gaan.

De optie 'Afmelden' is dan ook meteen duidelijk. Je parkeert jezelf niet, maar sluit alles af zodat iemand anders zich kan aanmelden en met de computer kan gaan werken.

Afmelden

Als laatste zie je de optie 'Vergrendelen'. Wanneer je een wachtwoord gebruikt om jezelf aan te melden, kun je de computer ook 'op slot' zetten, vergrendelen. Alleen mensen die jouw wachtwoord kennen, kunnen zich dan aanmelden.

Vergrendelen

Tip
Als je werkt met de computer moet je er rekening mee houden dat de computer een dom ding is en eigenlijk niets weet. Bovendien is het een slaafje dat uitvoert wat jij hem opdraagt. Maar, hij kan je gedachten niet lezen en dat is wat vele mensen nog weleens vergeten.
Als je iets wilt intypen, denk er dan steeds aan met je muis de plek aan te klikken waar je dat wilt ingeven. Meestal zal dit een tekstvak zijn, te herkennen aan het feit dat het bijna altijd een rechthoek is en meestal een witte kleur heeft. Aanduiden waar je wilt typen, is belangrijk. De computer kan namelijk niet weten waar je iets wilt intypen. Alleen als jij het aangeeft, zal hij je nederig volgen!

Als je bijvoorbeeld bezig bent met bestanden op je computer, of met e-mails in je e-mailprogramma, en je wilt dat de computer met een of meerdere bestanden of e-mails iets doet, moet je deze eerst selecteren. De computer kan anders helemaal niet weten waarmee je nu juist iets wilt doen.

Tip
Zet je computer niet zomaar uit door de knop in te drukken. Zet de computer uit via de goede weg, indien je wilt dat je computer lang meegaat.

Vergelijk het met een auto: je zet de auto uit door de sleutel uit het contact te halen en niet door als je stilstaat de koppeling los te laten en hem zo op hardhandige manier stil te laten vallen.

Sneltoetsen

Als we op onze computer werken, doen we heel wat handelingen die ook sneller kunnen. Bijvoorbeeld via het menu 'Bestand' en vervolgens op 'Opslaan' klikken, kan sneller door op ons toetsenbord een combinatie van toetsen in te drukken. Sommige mensen gebruiken dergelijke combinaties, 'sneltoetsen' genoemd, heel vaak. Anderen gebruiken ze nooit. Probeer ze in ieder geval eens uit. Sneltoetsen zijn bijzonder handig voor handelingen die je geregeld doet, zoals een document opslaan. Ook als je wat problemen hebt met het gebruik van de muis kan het gebruik van sneltoetsen je leven verbeteren.

Het systeem van sneltoetsen werkt met een drietal toetsen op je toetsenbord waarvan je er dan één gebruikt in combinatie met een andere toets: de Ctrl-toets, de Alt-toets en de toets met het vlaggetje erop.

De Ctrl-toets kun je helemaal links onderaan op je toetsenbord vinden, er staat 'Ctrl' of 'Control' op.

AZERTY	QWERTY

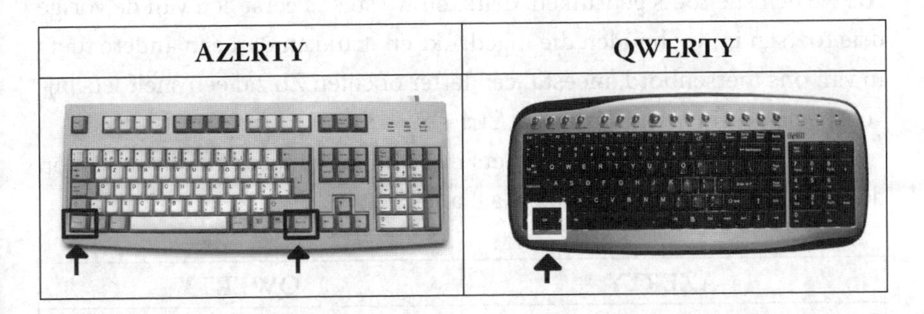

De Alt-toets bevindt zich er ongeveer naast, er staat 'Alt' op.

AZERTY	QWERTY

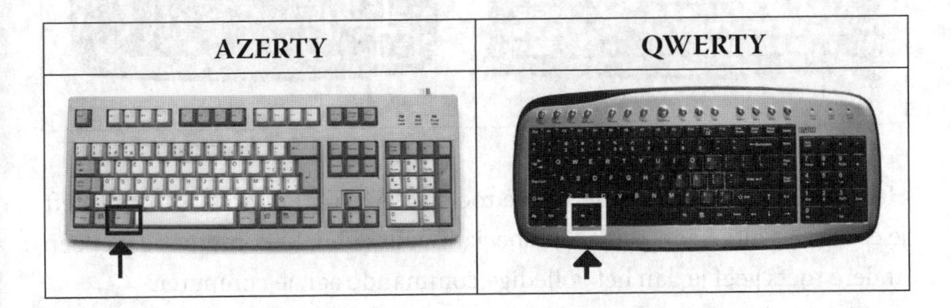

De toets met het vlaggetje vind je ook links onderaan, meestal tussen de Ctrl- en de Alt-toets en er staat dus een vlaggetje op.

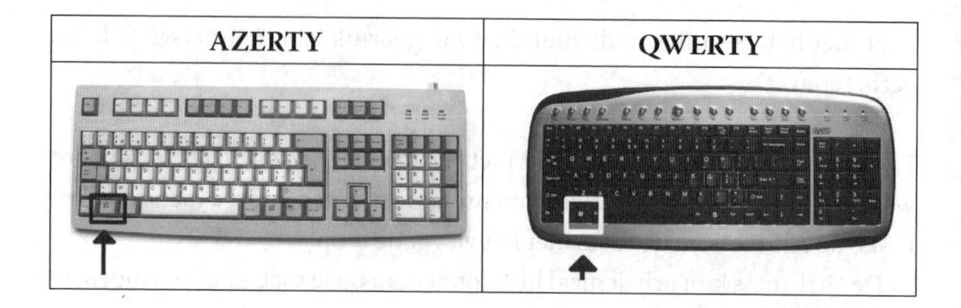

Als we een sneltoets gebruiken, drukken we steeds eerst een van de vorige drie toetsen in, we houden die ingedrukt en drukken dan een andere toets in van ons toetsenbord, meestal een letter of cijfer. Zo zal een sneltoets bijvoorbeeld geschreven worden als Ctrl + S.

Dit wil zeggen: druk de Ctrl-toets in, houd deze ingedrukt, druk dan op de 'S'-toets van je toetsenbord en laat alles los.

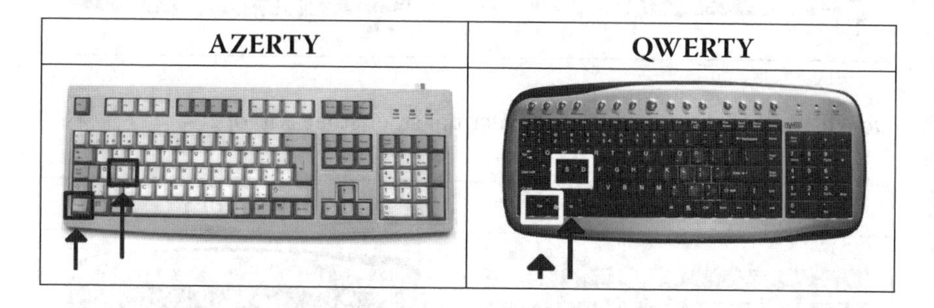

Het gebruik van een van deze drie toetsen (Alt, Ctrl of de vlagtoets) geeft je computer altijd aan dat je iets speciaals wilt doen. In combinatie met een andere toets geef je dan het volledige commando aan je computer.

Bij de sneltoetsen zit er soms logica in welke letter je moet indrukken. Zo kun je het opslaan van een bestand versnellen via de sneltoets Ctrl + S, waarbij de 'S' komt van 'save', wat letterlijk vertaald 'Opslaan' is. Net zoals Ctrl + P ervoor zorgt dat je iets gaat afdrukken, de 'P' staat dan voor 'print' (printen, afdrukken). Je zult echter ook heel wat onlogische toetsencombinaties tegenkomen. Zo staat Ctrl + V voor 'plakken', waarbij die V verder niet voor een bepaald Engels woord staat, het is gewoon zo.

De bovenste reeks knoppen van je toetsenbord (met F1, F2, F3, enzovoort), bestaat ook uit knoppen die soms worden gebruikt als sneltoets. Indien je dus een vermelding ziet als F1 of Alt + F4, dan weet je dat je niet de letter 'F' en dan het cijfer '1' moet indrukken, maar de toets 'F1', die zich links bovenaan op je toetsenbord bevindt. De 'F' staat voor 'Functie'.

AZERTY	QWERTY
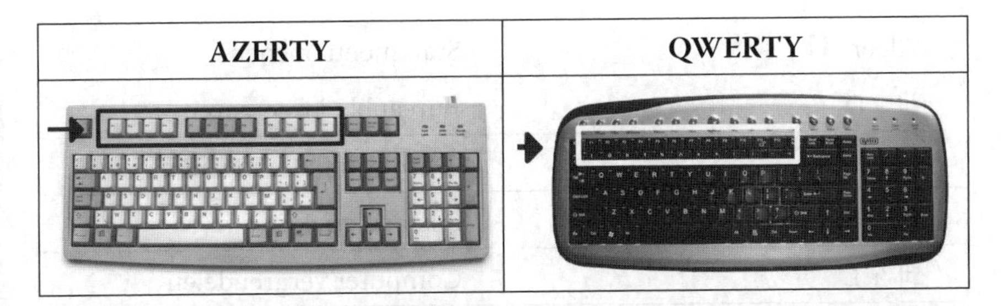	

Wat ook nog bijzonder interessant is om te weten, is dat je die sneltoetsen niet vanbuiten hoeft te leren. Als je iets geregeld gebruikt, zul je dat op de duur natuurlijk wel onthouden. Er zijn vele honderden sneltoetsen, maar je gebruikt er misschien maar vijf van. Die vijf kunnen dan wel bijzonder handig zijn.

Bijna elk programma geeft duidelijk aan welke sneltoetsen bij welk commando horen. Als je bijvoorbeeld in Windows, maar ook in bijna elk ander programma (zoals Paint, WordPad, Word, Excel en Photoshop) in het menu klikt, dan krijg je de mogelijkheden. Je zult zien dat telkens achteraan de overeenkomstige sneltoets staat! Niets vanbuiten leren dus. Weet je het even niet meer, doe dan de normale handeling via het menu en je ziet erachter de sneltoets staan. Handig!

Sneltoetsen zijn meestal combinaties met de Ctrl-toets, in mindere mate met de Alt-toets. De vlagtoets, ook wel 'Windows-toets' genoemd, wordt ook gebruikt.

AZERTY	QWERTY
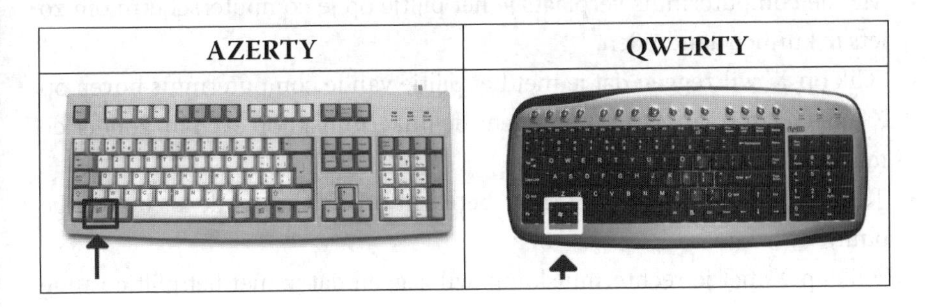	

Deze toets geeft de mogelijkheid om enkele dingen van Windows zelf te vereenvoudigen. Hieronder een overzicht van de meest nuttige.

Alleen ⊞	Startmenu openen
⊞ + D	Bureaublad weergeven
⊞ + E	'Deze computer' openen
⊞ + F	Bestand zoeken
⊞ + L	Computer vergrendelen
⊞ + M	Alle vensters in één keer minimaliseren
⊞ + Shift + M	Alle geminimaliseerde vensters weer zichtbaar maken

Indien er gebruikgemaakt kan worden van sneltoetsen, dan zal bij elk hoofdstuk in de rest van het boek een lijstje worden toegevoegd.

Samenvatting

Nu ken je de basis van Windows. Je hebt voldoende bagage om eindelijk te starten met de echt leuke dingen van je computer. Je kunt er praktische dingen mee gaan doen die je verderop in dit boek kunt ontdekken.

De belangrijkste zaken van dit hoofdstuk herhaal ik nog een keer. Mocht je iets van de basis vergeten, dan kun je het hier snel terugvinden.

- Met de computermuis verplaats je het pijltje op je computerscherm om zo iets te kunnen aanduiden.
- 'Klik op X' wil zeggen dat je met het pijltje van je computermuis boven op X moet gaan staan. Druk vervolgens de linkermuisknop even in, zonder de muis intussen te bewegen.
- 'Klik op X met je linkermuisknop' betekent precies hetzelfde als het vorige punt.
- 'Klik op X met je rechtermuisknop' wil zeggen dat je met het pijltje van je computermuis boven op X moet gaan staan. Druk vervolgens de rechterknop van je computermuis even in, zonder intussen de muis te bewegen.

- Dubbelklikken wil zeggen dat je twee keer snel achter elkaar op exact dezelfde plaats klikt, zonder intussen de muis te bewegen. Dubbelklikken doe je ALTIJD met de linkermuisknop. Met de rechtermuisknop bestaat dit gewoonweg niet.
- Er zijn 2 soorten toetsenborden: Qwerty en Azerty. Kijk naar de eerste 6 letters links bovenaan op je toetsenbord om te weten welk toetsenbord je hebt.
- Het indrukken van een toets op een toetsenbord zorgt ervoor dat het overeenkomstige teken of commando naar je computer wordt gestuurd.
- Een hoofdletter maak je door eerst de Shift-toets en daarna de letter die je als hoofdletter wilt gebruiken in te drukken. Hou de Shift-toets wel ingedrukt terwijl je op de letter drukt! De Shift-toets bevindt zich links onderaan op je toetsenbord, er staat een pijltje omhoog op (of 'Shift').
- Een witruimte, een 'spatie' genoemd, gebruik je tussen twee woorden zodat ze leesbaar zijn. Een witruimte maak je met de spatiebalk. Dit is de lange, smalle balk onderaan op je toetsenbord.
- Naar een nieuwe regel gaan, doe je via de entertoets. Dit is de grote toets naast de letters. Er staat een pijltje naar links op, met een kort streepje naar boven. De entertoets wordt ook gebruikt om iets te bevestigen aan de computer.
- De vier pijltjestoetsen op je toetsenbord maken het mogelijk te navigeren in je document: naar boven, beneden, links en rechts.
- Cijfers intypen gaat het makkelijkste door rechts de toetsen in te drukken waarop de cijfers van 0 tot en met 9 staan.
- Iets starten doe je steeds via het startmenu ('Starten'), dat je rechts onderaan op je scherm kunt vinden.
- Om iets te vinden in het geheugen van je computer, ga je via 'Computer' (in het startmenu), of via 'Documenten' (ook in het startmenu).
- Je computer afsluiten, doe je via 'start'. Klik vervolgens op de knop 'Afsluiten'. Trek dus niet zomaar de stekker uit het stopcontact!
- Als er te veel op je scherm staat en niet alles direct leesbaar is, dan zul je rechts een schuifbalk te zien krijgen. Deze kun je verschuiven om de informatie die hoger en lager staat zichtbaar te maken.
- Een venster onzichtbaar maken, ook wel 'minimaliseren' genoemd, doe je door rechtsboven op het vierkantje met een streepje erin te klikken.
- Een venster helemaal ter grootte van je computerscherm maken, 'maximaliseren', doe je door rechtsboven op het vierkantje in een vierkantje te klikken.

- Om het 'maximaliseren' ongedaan te maken, klik je opnieuw rechtsboven op dezelfde knop links van het kruisje.
- Om een programma of een venster in het algemeen af te sluiten, klik je rechtsboven steeds met je linkermuisknop op het kruisje.

Azerty	Qwerty
• Om een letter weer weg te halen, gebruik je de 'Backspace-toets'. Dit is de toets die vlak boven de entertoets te vinden is en waarop een pijltje naar links staat of een open vlaggetje dat naar links wijst met daarin een kruisje. Deze toets zorgt ervoor dat de letter die juist voor het knipperende streepje staat, zal worden verwijderd. • Om de cijfers en tekens op de bovenste rij van een toets te kunnen indrukken, gebruik je de 'Shift'-toets. • Om het derde teken op een toets te kunnen weergeven (bijvoorbeeld @, #, |), {, gebruik je de 'Alt Gr'-toets (die onderaan naast de spatiebalk zit), druk dan de knop in met het teken dat je wilt hebben. • Met de 'Home'-toets ga je in je tekst naar het begin van de regel. De Home-toets zit naast de Backspace-toets en er staat 'Home' op. • Met de 'End'-toets, die vlak onder de 'Home'-toets zit, ga je naar het einde van de regel. • Om meerdere hoofdletters achter elkaar te typen, kun je de 'Caps Lock'-toets gebruiken. Hierdoor worden alle volgende letters als hoofdletters weergegeven. Om te stoppen, druk je deze toets opnieuw in. De 'Caps Lock'-toets vind je links op je	• Om een letter weer weg te halen, gebruik je de 'Backspace-toets'. Dit is de toets die boven de entertoets te vinden is en waarop een pijltje naar links staat of een open vlaggetje dat naar links wijst met daarin een kruisje. Deze toets zorgt ervoor dat de letter die juist voor het knipperende streepje staat, zal worden verwijderd. • Om de tekens op de bovenste rij van een toets te kunnen indrukken, gebruik je de 'Shift'-toets. • Met de 'Home'-toets ga je in je tekst naar het begin van de regel. De Home-toets zit naast of in de buurt van de Backspace-toets en er staat 'Home' op. • Met de 'End'-toets, die in de buurt van de 'Home'-toets te vinden is, ga je naar het einde van de regel. • Om meerdere hoofdletters achter elkaar te typen, kun je de 'Caps Lock'-toets gebruiken. Hierdoor worden alle volgende letters als hoofdletters weergegeven. Om te stoppen, druk je deze toets opnieuw in. De 'Caps Lock'-toets vind je links op je toetsen bord, vlak boven de

toet senbord, vlak boven de 'Shift'-toets. Er staat 'Caps Lock' op of een hangslotje met een pijltje omhoog erin.	'Shift'-toets. Er staat 'Caps Lock' op of een hangslotje met een pijltje omhoog erin of een vierkantje met een hoofdletter 'A'.

Wil je extra oefenen met je computermuis?
Lees dan het hoofdstuk 'Tekenen met je computer (Paint)', waar je leert hoe je met je computer tekeningen kunt maken en zo het gebruik van de computermuis nog beter onder de knie kunt krijgen!

Wil je extra oefenen met je toetsenbord?
Lees dan het hoofdstuk 'Documenten maken en schrijven', waar je leert werken met documenten. Je zult er nog veel meer over je toetsenbord ontdekken!

SNELTOETSEN	
Alt + F4	Het venster dat openstaat sluiten
Alt + Tab	Wisselen tussen verschillende programma's
Ctrl + A	Alles selecteren
Ctrl + C	Kopiëren
Ctrl + V	Plakken
Ctrl + X	Knippen
Ctrl + Esc	Startmenu openen
Ctrl + Z	Ongedaan maken
Del/delete	Verwijderen
Esc	Huidige taak stoppen/mededeling sluiten
F2	Naam wijzigen
F5	Vernieuwen

5 •• WERKEN MET BIBLIOTHEKEN, BESTANDEN EN MAPPEN

Inleiding

We gaan in dit hoofdstuk heel wat zaken leren over onze computer: vooral hoe we er dingen goed op kunnen bewaren en hoe we gegevens efficiënt kunnen organiseren. Daardoor zullen we later alles snel en eenvoudig terugvinden.

Aan de slag

Eerst gaan we de inhoud van het geheugen van onze computer openen. Met andere woorden: we gaan naar 'Computer'. Dit hebben we al geleerd in het hoofdstuk Basiskennis.

Klik links onderaan op je scherm met je linkermuisknop op de knop 'Start'. We willen namelijk iets starten op onze computer.

Klik nu op 'Computer' met je linkermuisknop, want we willen de inhoud van onze computer bekijken.

We krijgen nu een overzicht te zien van wat er in onze computer zit. We willen onze harde schijf openen, want daar staan alle gegevens van onze computer op. Dubbelklik met je linkermuisknop op 'Lokaal station (C:)' of op mijn pc 'Windows 7 (C:)', want dat is onze harde schijf en die willen we openen.

We krijgen nu de inhoud te zien van onze harde schijf. Je ziet onder andere 'Windows' staan.

Een map aanmaken en een map openen

De gele figuren met een naam ernaast zijn mappen, net zoals dossiermappen in een dossierkast. We gaan nu leren hoe we zelf nieuwe mappen kunnen aanmaken. Dit kunnen we gebruiken om onze computer te organiseren.

We willen dus een nieuwe map aanmaken en dat willen we meedelen aan onze computer. Boven in het venster zien we allerlei zaken die we onze computer kunnen vragen. Een daarvan is 'Nieuwe map'. Klik erop met je linkermuisknop.

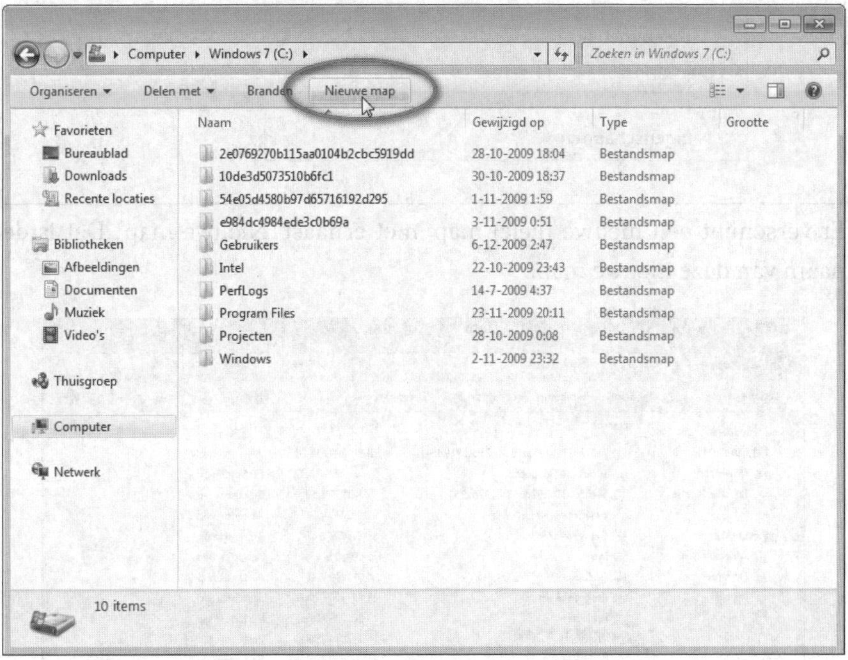

Tip
Je kunt een nieuwe map ook maken door op het witte vlak te klikken met je rechtermuisknop. Ga in het menu dat verschijnt met je muisaanwijzer op 'Nieuw' staan. Klik in het lijstje dat nu verschijnt met je linkermuisknop op 'Map'.

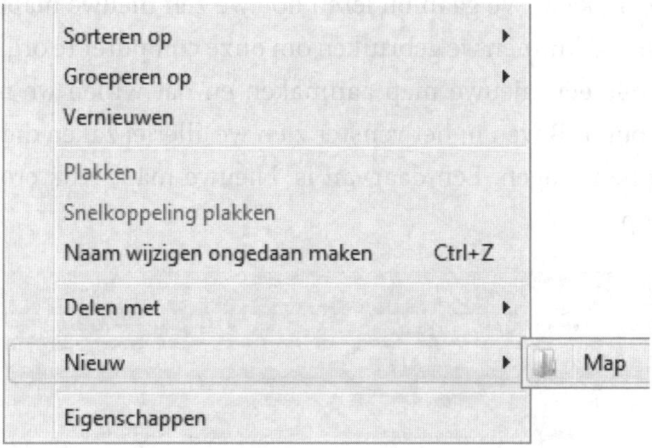

Er verschijnt een nieuwe (gele) map, met ernaast 'Nieuwe map'. Dat is de naam van deze nieuwe map.

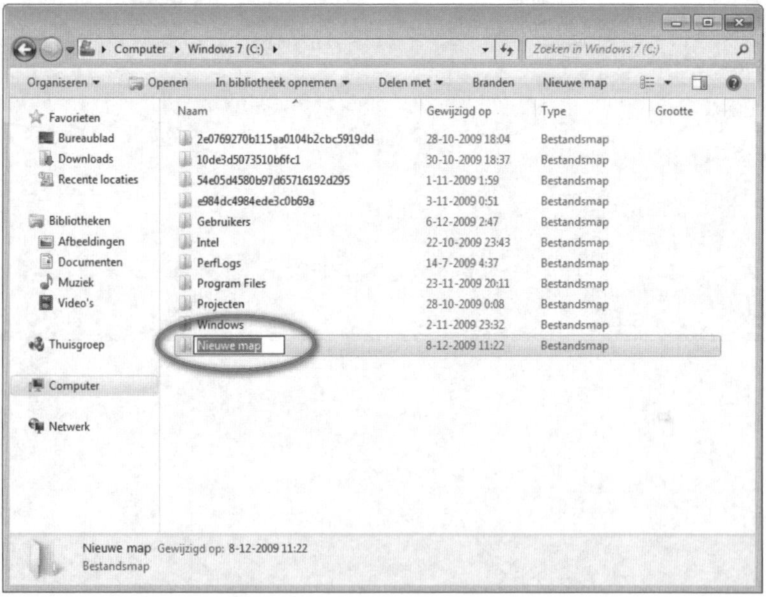

Aangezien 'Nieuwe map' niet echt een nuttige naam is, geven we een andere naam op voor deze map. Net zoals je in het echte leven mappen gebruikt om alles te ordenen (je zet op de voorkant of de rug van de map een naam en een omschrijving van wat erin zit), doe je dat ook op de computer. Typ een naam in. Dit zal de naam zijn van de map.

Omdat we nog aan het oefenen zijn, noemen we onze map 'oefenmap'. Typ dus 'oefenmap' in. Druk op de entertoets om de nieuwe naam te bevestigen aan de computer.

oefenmap 8-12-2009 11:22 Bestandsmap

De naam van de map krijgt als achtergrondkleur blauw. De computer doet dit omdat de map geselecteerd is. Deze is aangeduid. Als je dus in de toekomst een bestand of map aanduidt, wordt die ingekleurd met blauw. Het duidt aan dat je met díé map of dát bestand bezig bent.

We gaan nu de map openen. Je opent een map door erop te dubbelklikken. Zo geef je het commando aan je computer door. Je gaat dus boven op de naam van de map staan, of boven op de gele afbeelding van de map, om deze te openen. Dubbelklik dan met je linkermuisknop.

Tip

Als je niet goed overweg kunt met het dubbelklikken, kun je de map ook openen zonder te dubbelklikken. Je klikt de map dan eenmalig aan met je linkermuisknop, zodat deze geselecteerd wordt (blauw ingekleurd). Druk nu op de entertoets van je toetsenbord. De map zal worden geopend.

De map is nu geopend. We krijgen een wit scherm te zien, wat logisch is, want de map is juist aangemaakt en er staat natuurlijk nog niets in.

Boven in het venster zie je het 'adres' waar de map is te vinden. Dit wordt in Windows 7 op twee manieren weergegeven:

– Als serie van mapkeuzes waar je op hebt geklikt:

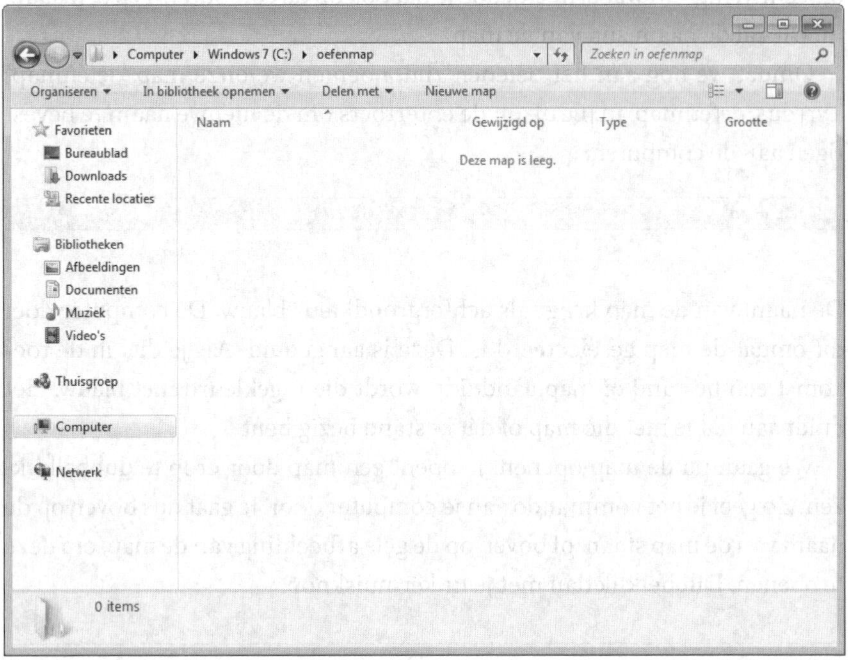

– En als zogenoemde padnaam:

Dit is de naam van het bestand of de map, plus alle eventuele bovenliggende mappen erbij. In ons geval is dat: C:\oefenmap. Standaard laat Windows 7 de mapkeuzes zien. Om de padnaam in beeld te krijgen, klik je in de adresbalk.

Tip

Als je foto's, documenten of andere bestanden op je computer hebt staan en je wilt deze openen in het overeenkomstige programma om er snel mee te werken, dan kun je dubbelklikken op het bestand. Het opent zich dan en je kunt er onmiddellijk mee verder werken.

Nieuwe bestanden aanmaken

We kunnen onze computer meedelen dat een bepaald bestand, bijvoorbeeld een tekst, op een specifieke plaats in een map moet komen. We doen dit door een leeg tekstbestand aan te maken, dat we later kunnen openen om er daadwerkelijk tekst in te plaatsen. Dit is dus net omgekeerd van wat we deden in de inleiding met Kladblok. Toen maakten we eerst de tekst aan en gingen daarna pas zeggen waar deze moest worden bewaard. Beide manieren zijn dus mogelijk.

Om een nieuw bestand te maken, klik je met je rechtermuisknop ergens in het witte vlak. We willen namelijk een extra functie tevoorschijn halen, want we zien zoiets niet boven in het venster (zoals bij het aanmaken van een nieuwe map wel het geval was). Klik dus met je linkermuisknop. In het menu dat verschijnt, ga je boven op 'Nieuw' staan. We willen immers een nieuw bestand aanmaken op deze plaats.

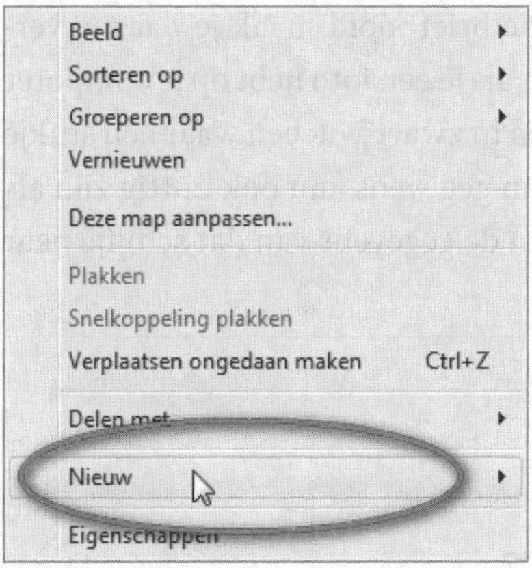

In het lijstje dat nu verschijnt, klikken we aan wat we nieuw willen aanmaken, bijvoorbeeld een tekstdocument. Klik dus met je linkermuisknop op 'Tekstdocument' om de computer een nieuw tekstdocument te laten aanmaken in onze map.

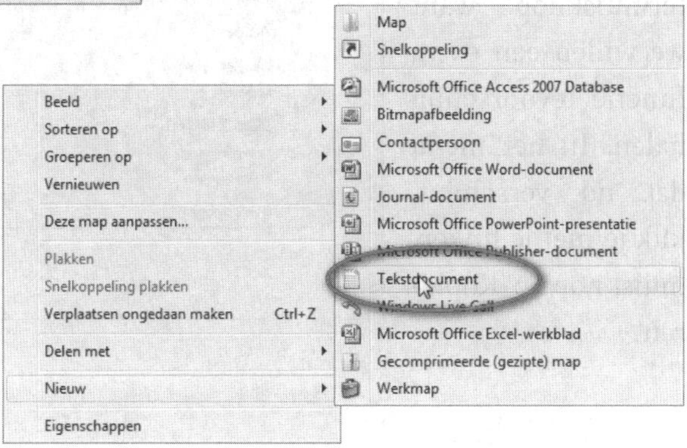

De computer maakt nu een nieuw, leeg tekstdocument aan in de map. We moeten het document echter nog een naam geven, net zoals we bij de nieuwe map moesten doen. Geef dus een naam in, bijvoorbeeld 'testdocument'. Als je klaar bent, dien je de naam die je juist hebt ingegeven te bevestigen. Dat doe je door op de entertoets te drukken.

testdocument 8-12-2009 14:07 Tekstdocument 0 kB

Kopiëren, knippen en plakken

We kunnen in het echte leven stukken tekst of foto's met een schaar bewerken en gaan knippen, plakken of stukken kopiëren. We kunnen dat ook met dossiers, met mappen dus. We kunnen dit natuurlijk ook op onze computer doen.

Een bestand kopiëren kan nuttig zijn als je er meerdere exact dezelfde versies van wilt hebben. Bijvoorbeeld omdat je het op verschillende plaatsen wilt hebben staan op je computer, of omdat je met een basisdocument daarna wilt verder werken en dus meerdere versies maakt. Denk maar aan een vooraf gemaakt briefhoofd: met hetzelfde briefhoofd maak je daarna verschillende brieven. Ook kan dit nuttig zijn als je een foto hebt op je computer en er meerdere versies van wilt maken: een in zwart-wit, een waar een stukje is uitgehaald, enzovoort. Het kopiëren van gegevens kan ook nuttig zijn als we later gaan werken met een cd of dvd en de gegevens van dat schijfje naar onze eigen computer willen krijgen.

Om een bestand te kopiëren, klik je op de naam van het bestand met je rechtermuisknop, want we willen een extra functie tevoorschijn halen. In het menu dat nu verschijnt, klik je met je linkermuisknop op 'Kopiëren'.

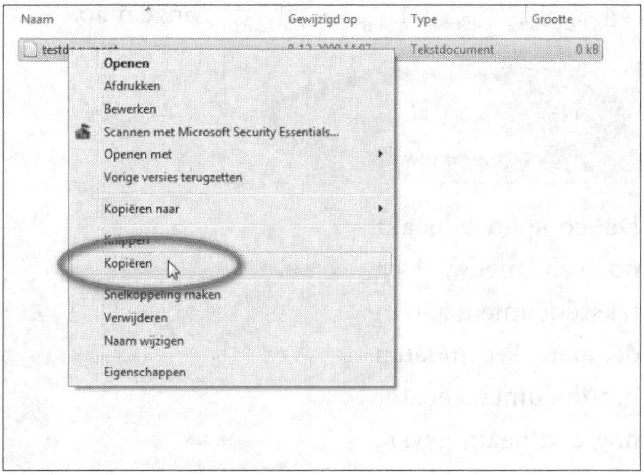

Naam | Gewijzigd op | Type | Grootte
Tekstdocument 0 kB
Openen
Afdrukken
Bewerken
Scannen met Microsoft Security Essentials...
Openen met
Vorige versies terugzetten
Kopiëren naar
Knippen
Kopiëren
Snelkoppeling maken
Verwijderen
Naam wijzigen
Eigenschappen

De computer heeft nu het bestand in het geheugen opgenomen. Nu moet je nog zeggen waar je het bestand wilt hebben. We willen het gewoon in dezelfde map krijgen en dus gaan we het 'plakken' in onze testmap.

Dit plakken in onze eigen testmap doen we door ergens op het witte vlak te klikken van onze map en wel met onze rechtermuisknop. We willen immers weer een speciale functie oproepen.

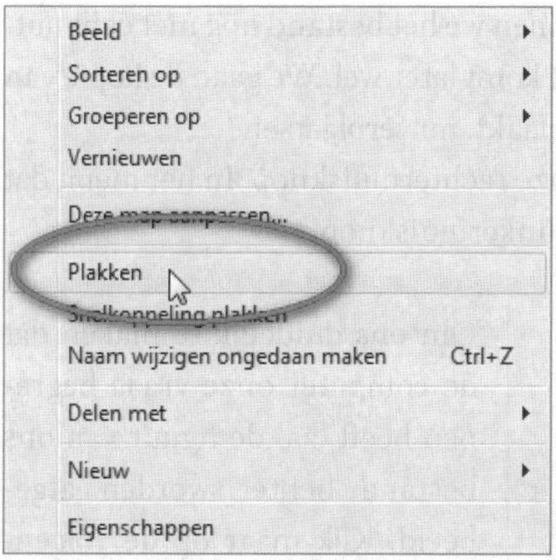

In het menu dat nu verschijnt, klik je op 'Plakken' met je linkermuisknop.

We hebben onze computer zo de opdracht gegeven te gaan plakken. Hij gaat nu van dat wat we hadden opgegeven om te kopiëren, een kopie plakken in onze map. We zien het nieuwe bestand verschijnen. De computer heeft het trouwens ook een andere naam gegeven: 'testdocument-kopie'.

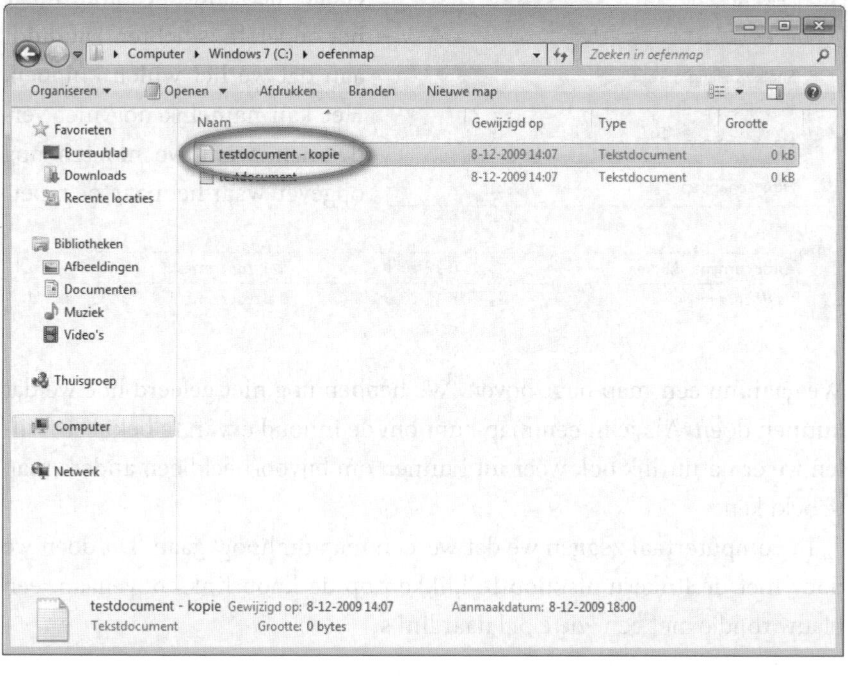

We hebben nu gezien hoe we een bestand kunnen kopiëren. Het zou leuk zijn als we zo'n bestand op een andere plaats op onze computer konden zetten, het konden verplaatsen dus. Een bestand dat ergens staat, is daar als het ware neergeschreven. Als we het willen verplaatsen, zullen we het dan ook eerst moeten (uit)knippen, om het daarna op de nieuwe locatie te plakken. In computertermen: het bestand dat je wilt verplaatsen eerst knippen en dan plakken.

Omdat we aan het oefenen zijn, kunnen we het bestand nog niet echt nuttig verplaatsen. Oefen gewoon, dat nut komt later wel. We gaan de kopie van het bestand dat we net hebben aangemaakt, nu verplaatsen.

We klikken het bestand aan met onze rechtermuisknop. In het menu dat verschijnt, klik je op 'Knippen' met je linkermuisknop.

Om ons duidelijk te maken dat de computer onze vraag begrepen heeft, zal de figuur van ons bestand lichter worden afgebeeld. Kijk maar op de volgende foto. Twee keer staat onder elkaar hetzelfde bestand, maar het onderste is lichter. Dit duidt aan dat we het willen knippen. Het kan namelijk nog niet verdwijnen, want we moeten nog opgeven waar het naartoe moet.

We gaan nu één map naar boven. We hebben nog niet geleerd hoe we dat kunnen doen. Als je in een map kunt om de inhoud ervan te bekijken, willen we er natuurlijk ook weer uit kunnen om bijvoorbeeld een andere map te bekijken.

In computertaal zeggen we dat we 'een map omhoog' gaan. Dit doen we door met de linkermuisknop te klikken op de knop links bovenaan, een blauw rondje met een witte pijl naar links.

We komen nu terecht in de weergave zoals we die daarstraks al zagen toen we onze harde schijf net hadden geopend, inderdaad één map terug omhoog, dus een stap terug.

Op deze plaats willen we ons bestand plakken, hier willen we het dus naar verplaatsen. Dit doen we door in het witte vlak ergens te klikken met onze rechtermuisknop, want we willen een speciale functie oproepen. In het menu dat verschijnt, klik je op 'Plakken'.

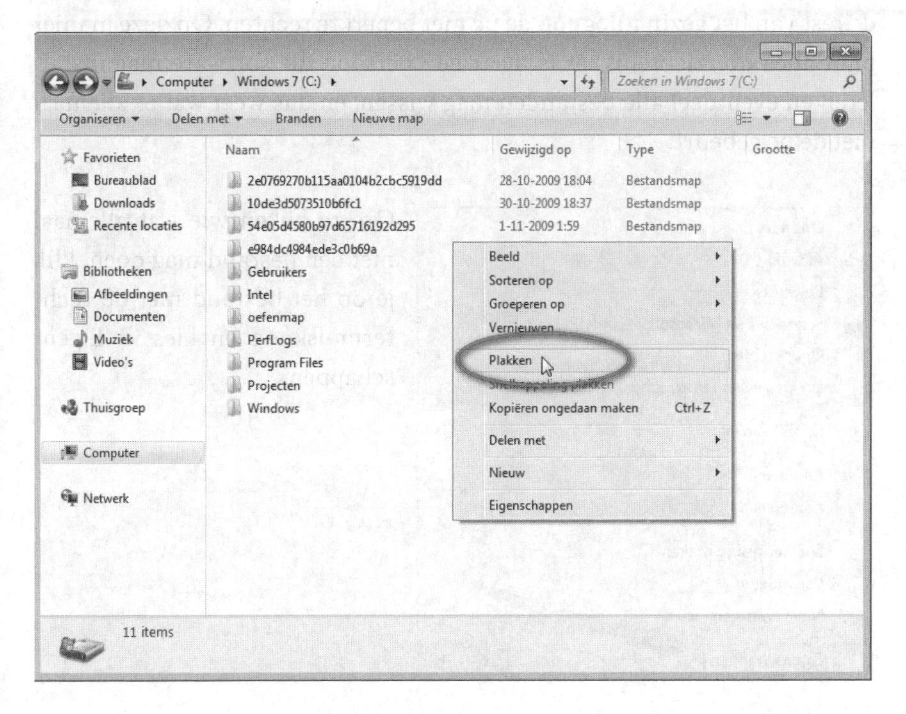

Nu kunnen er twee dingen gebeuren, afhankelijk van het 'soort' gebruiker dat je bent.

Windows 7 kent verschillende soorten gebruikers: beheerders (administrators) en gebruikers met beperkte rechten (standaardgebruikers).

De reden hiervoor is veiligheid, een aspect dat steeds belangrijker wordt. Zoals de naam al aangeeft, mag een beheerder meer dan een gebruiker met beperkte rechten. Hoe je zelf meerdere gebruikers maakt, wordt verderop in het boek uitgelegd. Op dit moment is het belangrijk dat je weet dat er verschillende gebruikers zijn.

Vaak is de pc zo ingesteld dat je als beheerder inlogt, met de daarbij behorende rechten. Onder rechten wordt verstaan: je mag wel of niet een bestand inkijken, veranderen, schrijven of verwijderen. Je kunt in Windows 7 aangeven dat jij alleen in dat ene bestand mag kijken en niemand anders, of dat je een map met bestanden alleen voor jou hebt. In Windows 7-termen betekent dat, dat anderen geen rechten hebben om die bestanden in te zien, laat staan veranderen of wissen.

Bijvoorbeeld: vaak is het zo dat in een gezin één persoon de pc beheert en de rest van het gezin inlogt op de pc met beperkte rechten. Op deze manier blijft alles overzichtelijk, er is maar een persoon die software mag installeren en eventueel alle bestanden mag wissen, en dus weet wat er allemaal met de pc gebeurt.

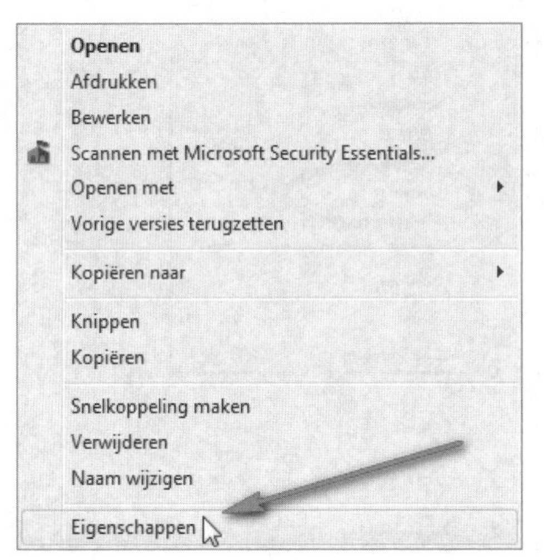

Om te kijken wie wat allemaal met een bestand mag doen, klik je op het bestand met de rechtermuisknop en kies je 'Eigenschappen'.

Klik nu op het tabblad 'Beveiliging'. Je ziet boven in het venster de soorten gebruikers.

Eigenschappen van testdocument - kopie

Algemeen | Beveiliging | Details | Vorige versies

Objectnaam: C:\oefenmap\testdocument - kopie.txt

Namen van groepen of gebruikers:

Geverifieerde gebruikers
SYSTEM
Administrators (T61-WIN7\Administrators)
Gebruikers (T61-WIN7\Gebruikers)

Klik op Bewerken als u de machtigingen wilt wijzigen. Bewerken...

Machtigingen voor Geverifieerde gebruikers — Toestaan — Weigeren

Volledig beheer
Wijzigen ✓
Lezen en uitvoeren ✓
Lezen ✓
Schrijven ✓
Speciale machtigingen

Klik op Geavanceerd voor speciale machtigingen of geavanceerde instellingen. Geavanceerd

Meer informatie over toegangsbeheer en machtigingen

OK | Annuleren | Toepassen

Klik nu op 'Administrators.' Onder in het scherm zie je welke rechten Administrators hebben.

Eigenschappen van testdocument - kopie

Algemeen | Beveiliging | Details | Vorige versies

Objectnaam: C:\oefenmap\testdocument - kopie.txt

Namen van groepen of gebruikers:

Geverifieerde gebruikers
SYSTEM
Administrators (T61-WIN7\Administrators)
Gebruikers (T61-WIN7\Gebruikers)

Klik op Bewerken als u de machtigingen wilt wijzigen. Bewerken...

Machtigingen voor Administrators — Toestaan — Weigeren

Volledig beheer ✓
Wijzigen ✓
Lezen en uitvoeren ✓
Lezen ✓
Schrijven ✓
Speciale machtigingen

Klik op Geavanceerd voor speciale machtigingen of geavanceerde instellingen. Geavanceerd

Meer informatie over toegangsbeheer en machtigingen

OK | Annuleren | Toepassen

Je ziet dat Administrators volledig beheer hebben van de kopie van ons testdocument. Klik nu op 'Gebruikers'. Je ziet meteen dat gewone gebruikers minder rechten hebben, ze mogen alleen lezen en uitvoeren. Kort gezegd, Administrators mogen meer doen met de computer dan gewone gebruikers. Meestal is het ook zo (en altijd aanbevolen) dat je wachtwoorden toekent aan gebruikers.

Naast rechten op bestanden (wat mag je ermee doen), kent Windows 7 ook rechten op mappen. Sommige mappen worden standaard beschermd. Je mag er bijvoorbeeld normaal gesproken geen bestanden inzetten. Een van die beschermde mappen is de hoofdmap C:, de map waar we de kopie van ons testdocument willen plakken.

Wanneer je als gewone gebruiker het bestand in de hoofdmap wilt plakken, krijg je de volgende mededeling.

Wanneer je op doorgaan klikt, zie je het volgende venster.

Gebruikersaccountbeheer

Wilt u het volgende programma toestaan wijzigingen aan deze computer aan te brengen?

Programmanaam: Bestandsbewerking
Gecontroleerde uitgever: **Microsoft Windows**
Afkomstig van: Harde schijf op deze computer

Geef een administratorwachtwoord op en klik vervolgens op Ja om door te gaan.

Admin

Wachtwoord

Details weergeven

Ja Nee

Windows 7 eist nu dat je het wachtwoord van de Administrator invult. Doe je dat niet, dan wordt het bestand niet in die map geplakt. Er zijn meer mappen waar Windows 7 streng op toeziet dat er geen andere bestanden zomaar worden ingezet. Voorbeelden hiervan zijn de map Windows en alle andere mappen die daaronder staan.

Voor het voorbeeld hier gaan we ervan uit dat je of als Administrator bent ingelogd, of dat je het wachtwoord hebt ingevuld en dat het plakken dus kan.

De computer zal nu het bestand dat we daarnet hebben geknipt, plakken. Je ziet het dus verschijnen.

Tip
Het gebruik van kopiëren, knippen en plakken wordt ook wel gebruik van het 'klembord' genoemd. Deze benaming is gekozen omdat je eigenlijk even iets op een aparte plaats zet (je kopieert of knipt iets) en het er vervolgens weer afhaalt via plakken.

Dit kan niet alleen met bestanden, maar ook met teksten. Je kunt dus eenvoudig een stukje tekst kopiëren, knippen en plakken.

Je kunt deze techniek bovendien in bijna elk programma gebruiken: in een fotobewerkingsprogramma kun je zo een stuk van een foto kopiëren, knippen en plakken.

De naam van een bestand wijzigen

Het komt zeker weleens voor dat je een bestand een andere naam wilt geven. De naam dekt bijvoorbeeld toch niet de lading of je hebt een tikfout gemaakt. Je kunt tenslotte op een vel papier ook iets doorkrassen en er iets anders op schrijven.

We gaan in dit voorbeeld verder waar we gebleven waren en gaan het bestand 'Kopie van testdocument' hernoemen. We klikken met onze rechtermuisknop op het bestand dat we willen hernoemen. Zo vragen we de computer om extra functies op te roepen. In het menu dat verschijnt, klik je op 'Naam wijzigen'.

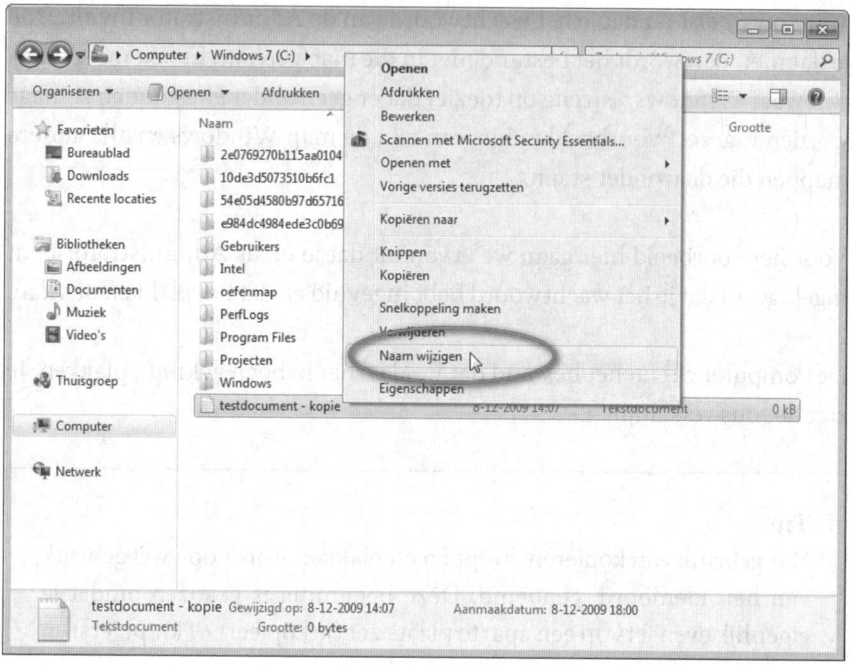

De naam van het bestand kunnen we nu wijzigen. Als we beginnen te typen, wordt de hele naam overschreven met de nieuw ingetypte naam. We kunnen ook met de pijltjestoetsen op ons toetsenbord werken om zo met onze cursor (het knipperende verticale streepje |) bijvoorbeeld een tikfout te verbeteren.

Als je de naam hebt veranderd, in dit voorbeeld naar 'voorbeelddocument', dan bevestig je de nieuwe naam door op de entertoets te drukken. Let op dat net als bij het knippen van het bestand naar de hoofdmap C: ook het wijzigen van namen te maken heeft met rechten. Ook hier krijg je dus weer dezelfde vragen als bij het knippen eerder.

Tekens die niet mogen in bestandsnamen

Je kunt alle letters en cijfers gebruiken om een bestand een naam te geven. Er zijn echter enkele tekens die je niet mag gebruiken in bestandsnamen. Het gaat om de volgende tekens :

/ \: *? ' < > |

Gebruik deze dus niet in de naam van je bestanden. Probeer je het toch, dan zal de computer meedelen dat het niet mag, zoals op volgende foto.

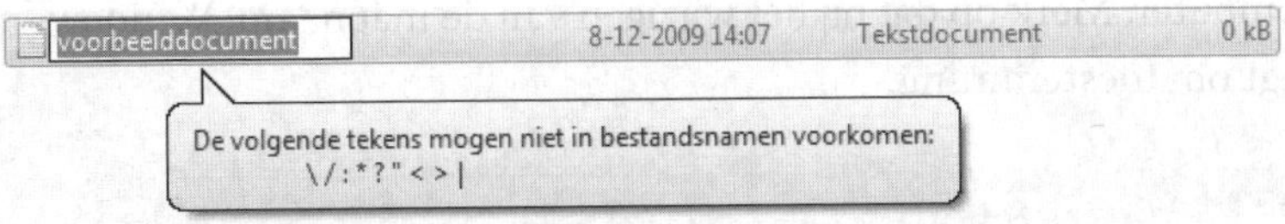

De naam van een map wijzigen

Het is mogelijk dat je de naam van een map wilt wijzigen, als je bijvoorbeeld de inhoud van een map hebt veranderd. We wijzigen de naam van een map op bijna dezelfde wijze als die van een bestand. De computer behandelt een map namelijk net zoals een gewoon bestand. We klikken dus met onze rechtermuisknop op de te hernoemen map om extra functies op te roepen. In het lijstje dat verschijnt, klikken we op 'Naam wijzigen'.

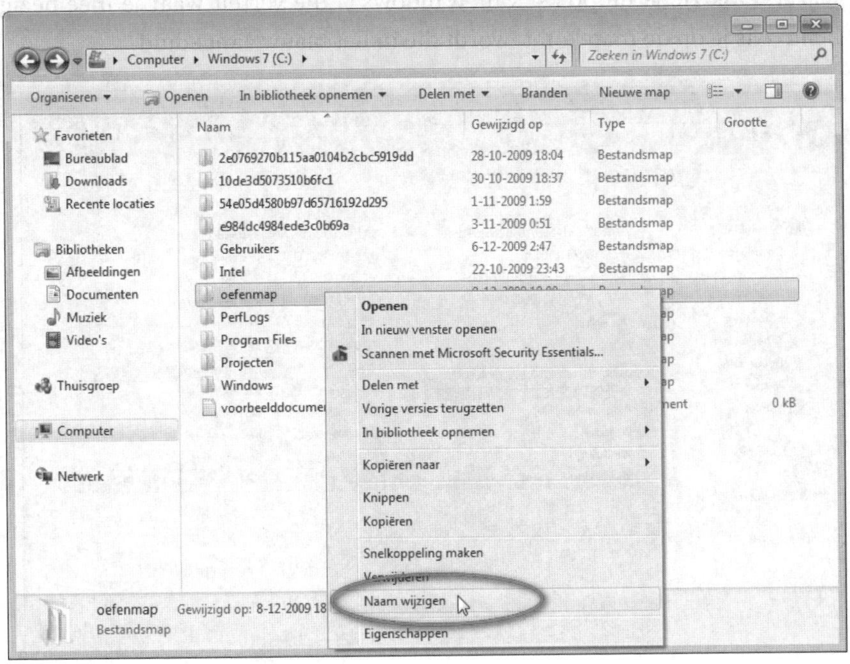

We kunnen nu de nieuwe naam intypen, net zoals we dat deden bij het wijzigen van een bestandsnaam. In dit voorbeeld hernoem ik de map 'oefenmap' naar 'testmap'. Druk op de entertoets om de nieuwe naam te bevestigen aan je computer. Merk op dat bij het wijzigen van de mapnaam, Windows 7 niet vraagt om toestemming.

Verslepen

Het is mogelijk om een bestand (of een map) vast te pakken en naar een andere map te slepen. Dit is eigenlijk een snellere manier om het bestand te verplaatsen. We doen dit als volgt. Neem het bestand (of de map) vast. Dit doe je door het bestand aan te klikken met je linkermuisknop en de knop ingedrukt te houden. Verschuif nu je muisaanwijzer totdat je boven op de map staat waar je het bestand naartoe wilt brengen. Je zult merken dat het bestand met je meegaat: het verschijnt als een vaag beeld naast je muisaanwijzer. Ook zie je hulptekst van Windows 7, die vertelt waar je mee bezig bent. Als je op de map komt, wordt die in het blauw aangeduid.

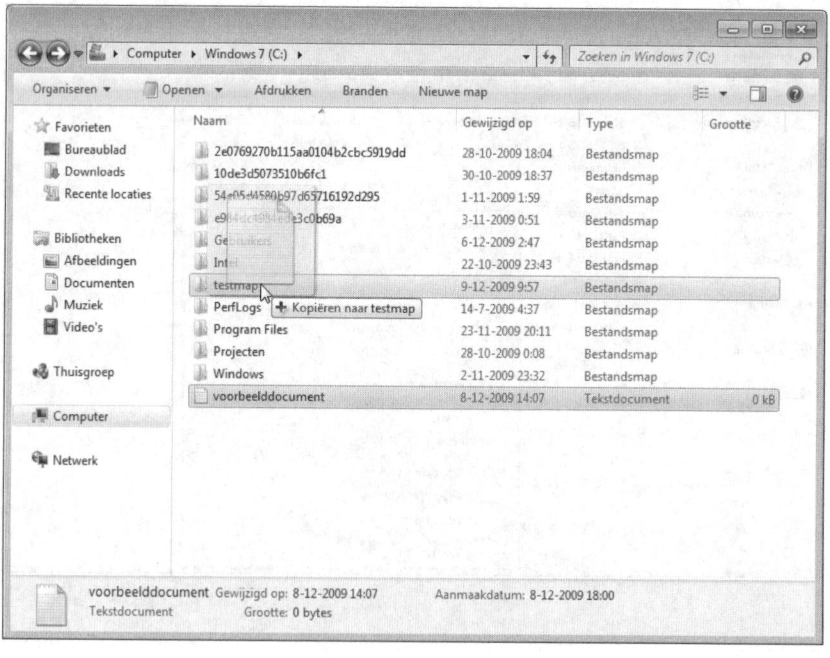

Laat je linkermuisknop los en het bestand wordt geplaatst in de map. In dit voorbeeld heb ik het bestand 'voorbeelddocument' verplaatst naar de map 'testmap'. Open de map door erop te dubbelklikken en je zult zien dat het bestand inderdaad in deze map staat.

Bestanden verwijderen

Het is zeer nuttig om te weten hoe je bestanden kunt verwijderen van je computer. Net zoals je thuis af en toe iets wilt weggooien of je bureau wilt opruimen, wil je dat ook bij je computer. Het verwijderen van bestanden op de computer heeft als extra voordeel dat het niet slecht is voor het milieu. Alles gebeurt immers elektronisch, er is helemaal geen afval.

We zitten in onze 'testmap' en gaan het bestand 'voorbeelddocument' verwijderen. Als je een bestand wilt verwijderen, klik je het aan met je linkermuisknop.

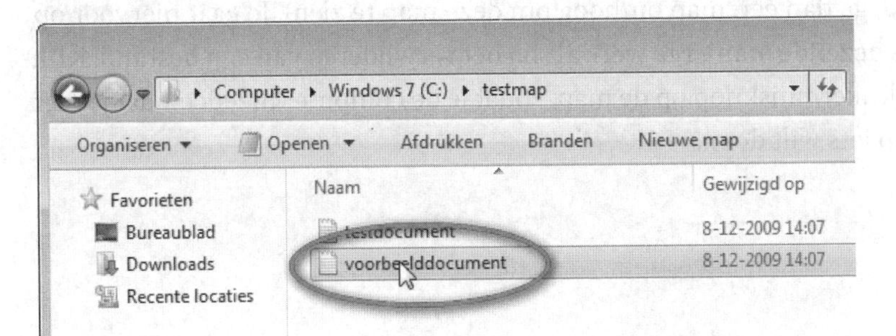

Vervolgens druk je op de 'Delete'-knop op je toetsenbord. Je kunt deze knop vinden naast of boven de entertoets (bij sommige toetsenborden staat deze op een andere plaats, zoek even, er staat 'Delete' of soms 'Suppr' op). Op het computerscherm verschijnt nu de vraag of je er zeker van bent dat je het bestand wilt verwijderen. Als je dit zeker weet, klik dan met je linkermuisknop op 'Ja'.

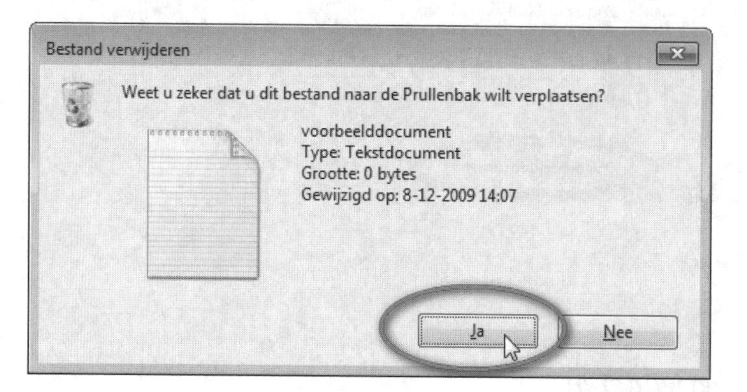

Het bestand wordt nu verwijderd. Het zal verdwijnen van je scherm.

Mappen verwijderen

Net zoals het nuttig kan zijn om een bestand te verwijderen, kan het ook handig zijn om een map te verwijderen. Je kunt trouwens ook in één keer vele bestanden tegelijk verwijderen, wat uiteraard eenvoudiger en sneller is.

Laten we onze 'testmap' verwijderen (heb je de rest van dit hoofdstuk gevolgd, ga dan één map omhoog om deze map te zien). Je gaat hiervoor op precies dezelfde manier te werk als bij het verwijderen van een bestand. Klik met je linkermuisknop op de map, zodat je de computer meedeelt dat je met díé map iets wilt doen.

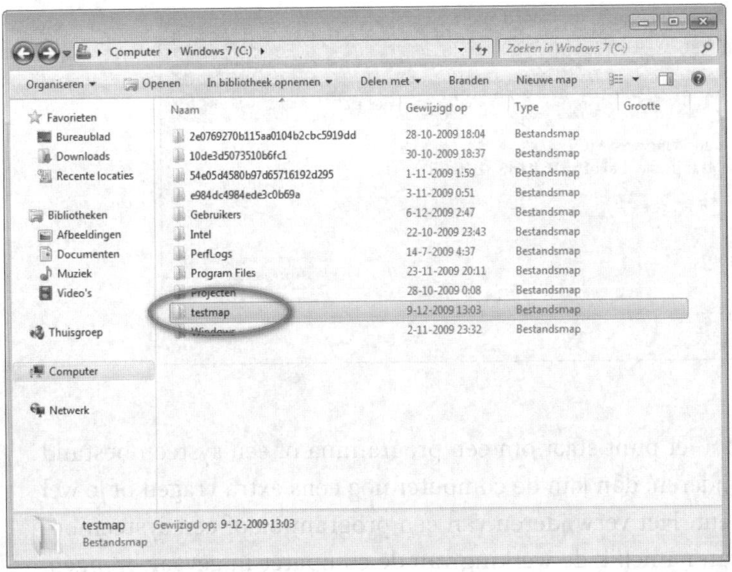

Druk nu op de 'Delete'-knop op je toetsenbord om mee te geven aan je computer dat je het geselecteerde (de map) wenst te verwijderen. Je krijgt nu de vraag of je zeker bent dat je de map wenst te verwijderen. Klik op 'Ja' met je linkermuisknop.

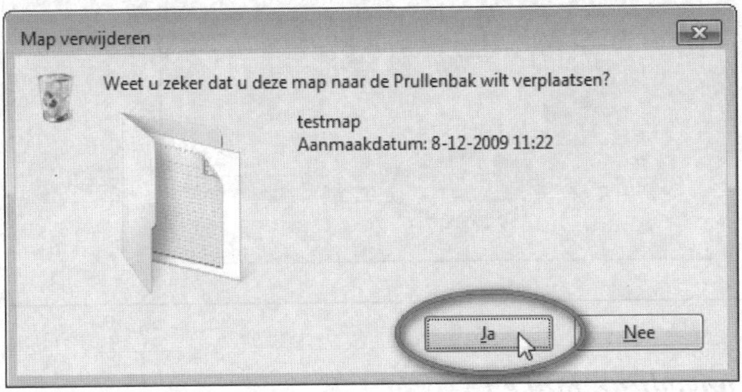

De map zal nu door je computer worden verwijderd. Als het een wat grote map is (voor het voorbeeld is de testmap gevuld met erg veel bestanden), zal het even duren. Je ziet intussen op je computerscherm de vooruitgang. Even geduld dus.

Naar prullenbak:

Naar prullenbak: 16.716 items (1,16 GB)

van **Windows 7 (C:)**
Naar prullenbak: 16.716 items (1,16 GB)

Annuleren

Tip
Als je op het punt staat om een programma of een systeembestand te verwijderen, dan kan de computer nog eens extra vragen of je wel zeker bent. Het verwijderen van een programma of een systeembestand kan namelijk de werking van de computer in gevaar brengen. Indien je zeker bent, druk je op die melding op 'Ja' met je linkermuisknop.

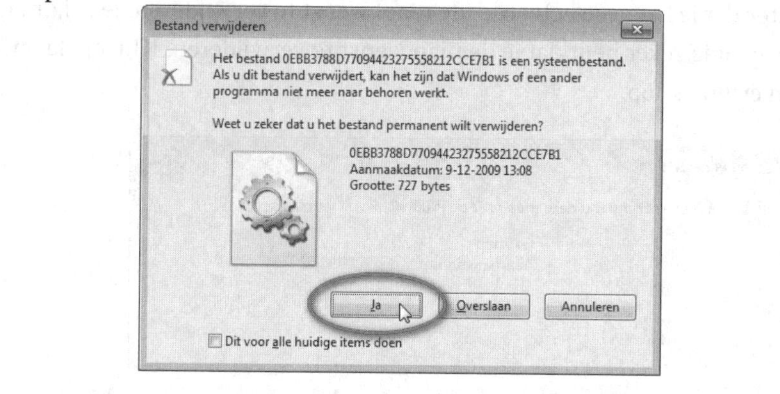

Verwijderen ongedaan maken

Als je iets weggooit in de vuilnisbak en je bedenkt je kort erna, dan kun je het weer uit de bak halen en opnieuw in gebruik nemen. Ligt dat met de computer anders? Als we een bestand hebben verwijderd, is het dan helemaal weg? Nee, ook bij de computer heb je nog een laatste redmiddel om een foutief verwijderd bestand terug te halen. De computer wil namelijk zo gebruiksvriendelijk mogelijk zijn. Hiervoor is de 'prullenbak' uitgevonden.

Elk bestand en elke map die je op je computer verwijdert, verhuist naar de prullenbak van je computer. Dit is een centrale plaats waar alle 'afval' samenkomt. Heb je iets per ongeluk verwijderd, dan kun je het weer uit de prullenbak halen en zo het bestand of de map herstellen. Dat gaan we nu leren.

Om naar de prullenbak te gaan, dubbelklik je op je bureaublad op de 'Prullenbak'.

De prullenbak wordt nu geopend. Het scherm dat je te zien krijgt, is een vertrouwd gezicht. Het is namelijk hetzelfde opgebouwd als 'Deze computer', waarmee we het geheugen van de computer kunnen doorzoeken. Logisch, want de prullenbak is een stukje van het geheugen van je computer.

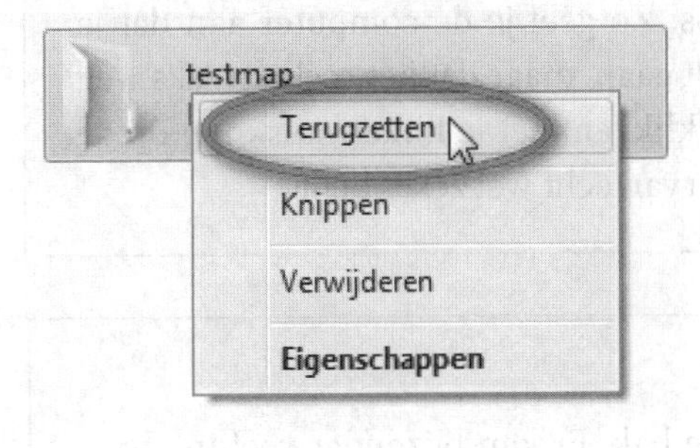

Je ziet de verschillende bestanden en mappen die in de prullenbak zitten. Als je een bepaald bestand terug wilt plaatsen, klik je op het bestand, of de map, met je rechtermuisknop om zo extra functies tevoorschijn te halen. In het menu dat verschijnt, klik je met je linkermuisknop op 'Terugzetten'.

Het bestand (of de map) waarvan je hebt gevraagd het terug te zetten, verdwijnt uit de prullenbak. Je hebt het er immers uit laten halen en laten terugzetten op de originele plaats. Als je gaat kijken op de plaats waar het vroeger stond, zul je het inderdaad weer zien staan.

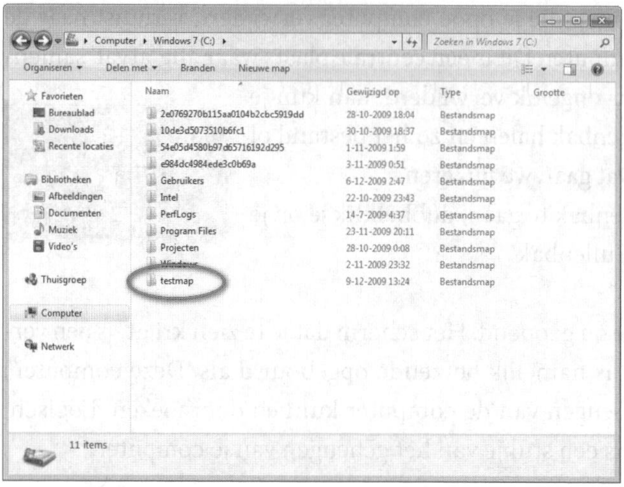

Tip
Je kunt een bestand (of een map) rechtstreeks verwijderen, zonder dat dit eerst nog naar de prullenbak gaat. Om het in één keer weg te krijgen, druk je nadat je het bestand (of de map) hebt geselecteerd in plaats van op de Delete-knop op 'Shift' + 'Delete'. Met andere woorden: druk de Shift-knop in, houd deze ingedrukt en druk nu op 'Delete'. Laat dan beide knoppen los. Zo geef je de computer aan dat je niet meer via de prullenbak wilt gaan, maar dat het rechtstreeks weg moet. Je moet nog even op 'Ja' klikken met je linkermuisknop op de vraag van de computer of je hiervan echt wel zeker bent.

Tip
De prullenbak is een heel grote bak. Er kan bijzonder veel in. Toch is dit niet onbeperkt, want het moet uiteraard kunnen worden opgeslagen op je computer. Als de prullenbak vol is, zal de computer dit melden.

Je kunt de grootte van de prullenbak ook wijzigen. Om dit te doen, klik je op je bureaublad met je rechtermuisknop op de prullenbak. In het lijstje van taken dat nu verschijnt, klik je op 'Eigenschappen' met je linkermuisknop.

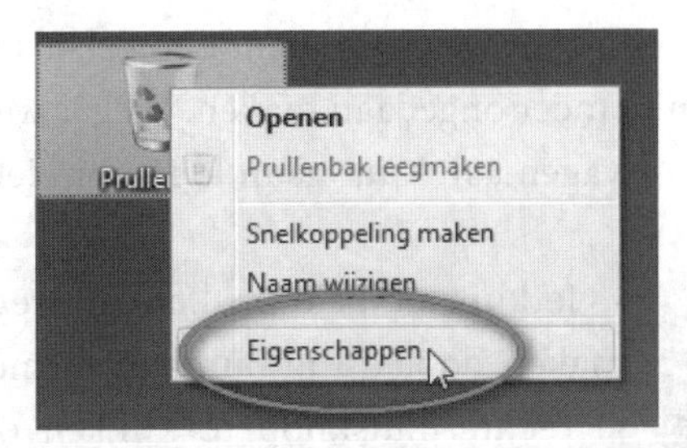

In het scherm dat verschijnt, kun je instellen hoeveel ruimte de prullenbak mag innemen van de vrije ruimte op je harde schijf. Als je meerdere schijven in je pc hebt zitten, dan kun je per schijf de prullenbakruimte aangeven. Standaard is dit 10%. Als je dit wilt wijzigen, klik je eerst op de schijf waar je de instelling wilt aanpassen. Daarna klik je op het veld bij 'Aangepaste grootte'. Hier vul je de hoeveelheid schijfruimte in die je wilt reserveren voor de prullenbak.

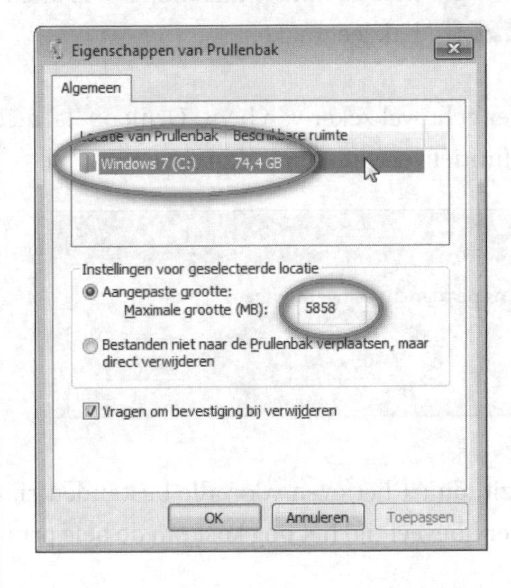

Klik vervolgens onderaan op 'OK' met de linkermuisknop.

Prullenbak leegmaken

Zolang bestanden en mappen die je verwijderd hebt nog in de prullenbak zitten, zijn ze dus nog niet echt verwijderd. Ze zitten nog op je computer. Dat is hetzelfde als in het echte leven: als je iets in de vuilnisbak hebt gegooid, is het nog niet echt weg. Nee, het staat nog bij je thuis. Als je er écht van af wilt, dan doe je alles in een vuilniszak en geef je het mee met het huisvuil. Bij onze computer moeten we daarom ook nog eens een extra opdracht geven om alles wat in de prullenbak steekt ook echt weg te gooien. Let wel: als je de prullenbak leegmaakt, kun je dit niet meer ongedaan maken. Weg is weg (net zoals je moeilijk achter de vuilniswagen aan kunt gaan lopen om iets terug te krijgen).

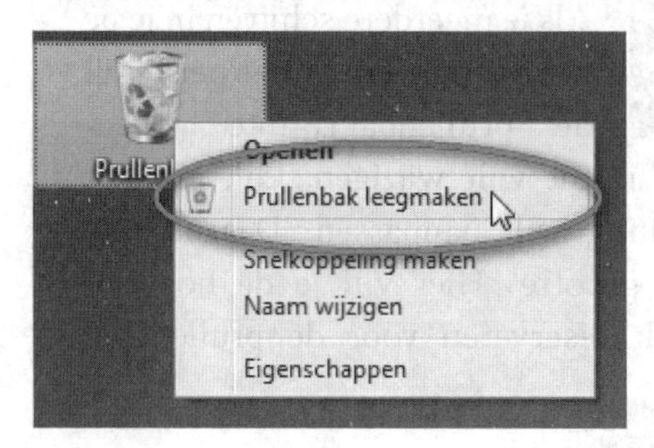

Je kunt de hele prullenbak leegmaken door op je bureaublad met je rechtermuisknop te klikken op 'Prullenbak', om zo een extra functie op te roepen. We klikken in de lijst met mogelijkheden vervolgens met de linkermuisknop op 'Prullenbak leegmaken'.

De computer vraagt nog of je hier echt wel zeker van bent. Druk op 'Ja' met je linkermuisknop om zo het definitief verwijderen te starten.

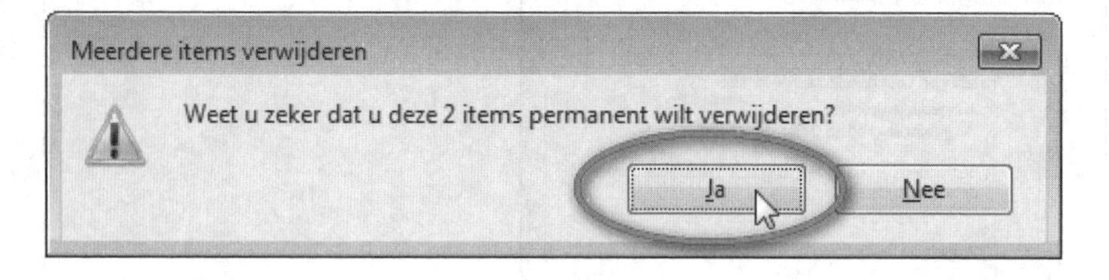

Wanneer je prullenbak erg vol zit, duurt het even voor alle bestanden zijn verwijderd. Windows 7 geeft weer hoeveel tijd het nog kost om de hele prullenbak leeg te maken.

Geheugen vol?

Je kunt eenvoudig nakijken hoeveel geheugen van je computer in gebruik is. Met andere woorden: hoeveel plaats er nog is op de harde schijf van je computer. Als je computer wat trager gaat werken of wanneer je mededelingen krijgt als 'geheugen vol' of 'te weinig geheugen', kun je het best de vrije ruimte van je geheugen even nakijken.

Ga naar 'Computer'. Klik dus onderaan op 'start' en vervolgens met je linkermuisknop op 'Computer'. Klik met je rechtermuisknop op 'Lokaal station (C:)' of zoals in ons voorbeeld 'Windows 7 (C:)' en klik in het lijstje met mogelijkheden op 'Eigenschappen'.

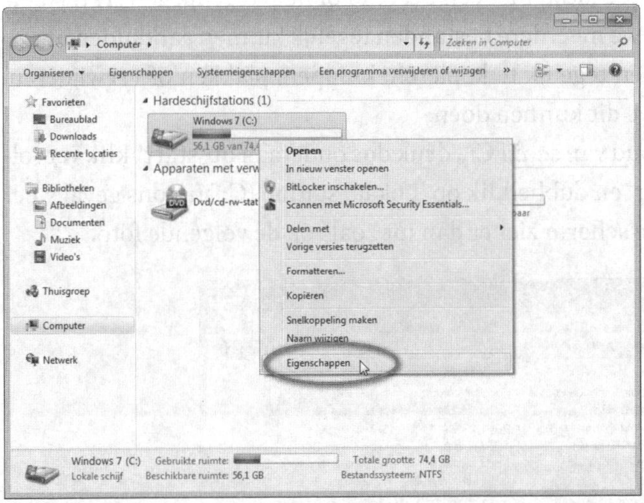

Computer
Zoeken in Computer
Organiseren
Eigenschappen
Systeemeigenschappen
Een programma verwijderen of wijzigen
Favorieten
Bureaublad
Downloads
Recente locaties
Bibliotheken
Afbeeldingen
Documenten
Muziek
Video's
Thuisgroep
Computer
Netwerk
Hardeschijfstations (1)
Windows 7 (C:)
56,1 GB van 74,4
Apparaten met verw
Dvd/cd-rw-stat
Openen
In nieuw venster openen
BitLocker inschakelen...
Scannen met Microsoft Security Essentials...
Delen met
Vorige versies terugzetten
Formatteren...
Kopiëren
Snelkoppeling maken
Naam wijzigen
Eigenschappen
Windows 7 (C:) Gebruikte ruimte: Totale grootte: 74,4 GB
Lokale schijf Beschikbare ruimte: 56,1 GB Bestandssysteem: NTFS

Je krijgt nu een nieuw scherm te zien met daarop een voorstelling van het gebruik van het geheugen. Het donkerblauwe is wat in gebruik is, het beschikbare (en dus nog vrij te gebruiken geheugen) is roze. Tevens zie je het in echte cijfers staan (in 'GB', wat 'gigabyte' betekent).

Als de schijf helemaal blauw gekleurd is, wil dit dus zeggen dat je geheugen zo goed als vol is!

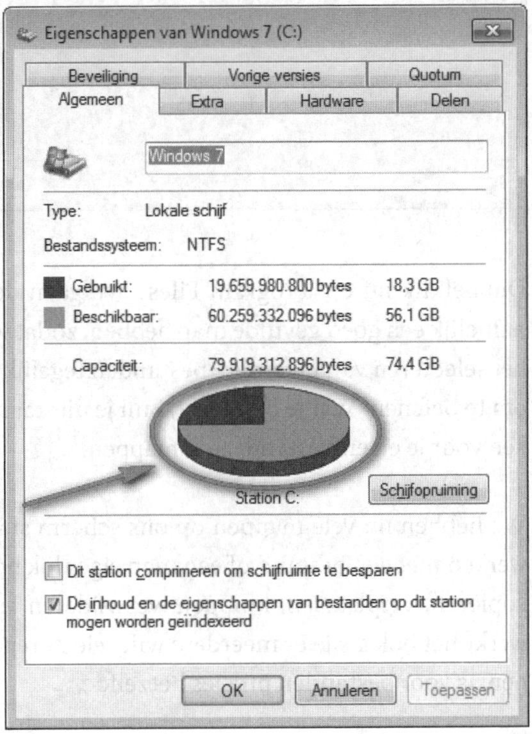

Eigenschappen van Windows 7 (C:)
Beveiliging | Vorige versies | Quotum
Algemeen | Extra | Hardware | Delen
Windows 7
Type: Lokale schijf
Bestandssysteem: NTFS
Gebruikt: 19.659.980.800 bytes 18,3 GB
Beschikbaar: 60.259.332.096 bytes 56,1 GB
Capaciteit: 79.919.312.896 bytes 74,4 GB
Station C:
Schijfopruiming
Dit station comprimeren om schijfruimte te besparen
De inhoud en de eigenschappen van bestanden op dit station mogen worden geïndexeerd
OK | Annuleren | Toepassen

Meerdere bestanden en mappen selecteren

We hebben tot nu toe altijd met één bestand of map tegelijk gewerkt. Het is natuurlijk leuk als we meerdere bestanden tegelijk kunnen aanduiden om zo meerdere bestanden tegelijk te kopiëren, knippen, plakken of verwijderen. We leren nu hoe we dit kunnen doen.

Ga naar de inhoud van schijf C:\, druk dus onderaan op 'start', klik vervolgens op 'Computer' en dubbelklik op 'Lokaal station (C:)' (in ons geval weer Windows 7 (C:)). Je scherm ziet er dan uit zoals op de volgende foto.

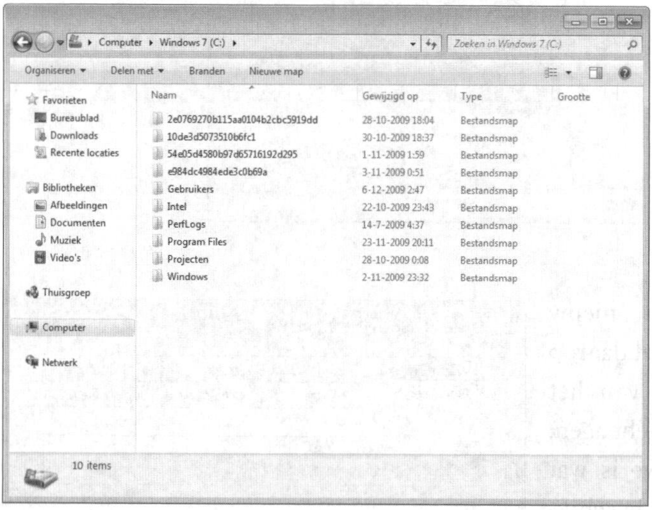

Dubbelklik nu op 'Program Files'. We gaan deze map openen. We willen namelijk een goed gevulde map hebben, zodat we goed kunnen oefenen met het selecteren van meerdere bestanden tegelijk. Uiteraard is dit alleen maar om te oefenen. Wat je hier leert, kun je uiteraard later in de praktijk gebruiken voor je eigen bestanden en mappen.

We hebben nu vele mappen op ons scherm staan. Ik heb al gezegd dat het werken met een bestand of een map eigenlijk hetzelfde is. Dat was zo bij het kopiëren, verplaatsen, knippen, verwijderen en het hernoemen ervan. Zo werkt het ook als je er meerdere wilt selecteren. Wat we nu leren voor mappen, is voor bestanden precies hetzelfde.

Om te oefenen, gaan we de bovenste vier mappen aanduiden. Het aanduiden van meerdere mappen (bestanden) tegelijk doe je als volgt. Klik met je linkermuisknop op de eerste map (bestand) en laat de knop weer los.

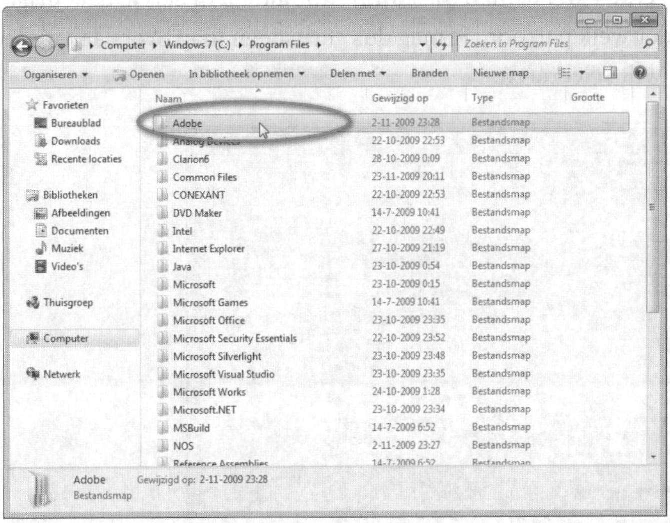

Druk nu de 'Ctrl'-toets in op je toetsenbord. Je vindt deze helemaal links onderaan op je toetsenbord. In plaats van 'Ctrl' kan er ook 'Control' op staan. Dit is een speciale toets om ook weer extra functies van de computer te vragen. Houd deze Ctrl-knop ingedrukt.

Klik nu op de tweede map (bestand) die je wilt aanduiden. Je zult zien dat de vorige map die je had aangeduid, aangeduid zal blijven (je ziet dat aan de blauwe kleur). De tweede map die je nu net hebt aangeklikt, is ook blauw en dus geselecteerd.

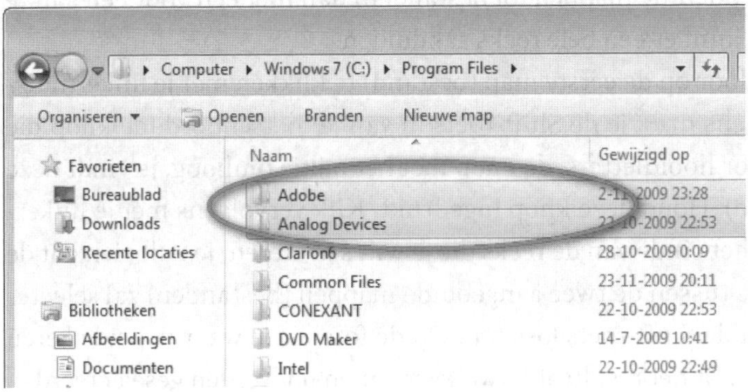

Houd de Ctrl-knop nog steeds ingedrukt en blijf op de verschillende mappen (bestanden) klikken totdat je alles hebt geselecteerd wat je wilt. Pas als je alles wat je wenst, hebt geselecteerd, laat je de Ctrl-knop los. Zoals je op de foto ziet, kun je eender welke map (bestand) aanduiden, in een willekeurige volgorde en eender welk patroon. Je mag dus gerust een map overslaan als je die gewoon niet wilt selecteren.

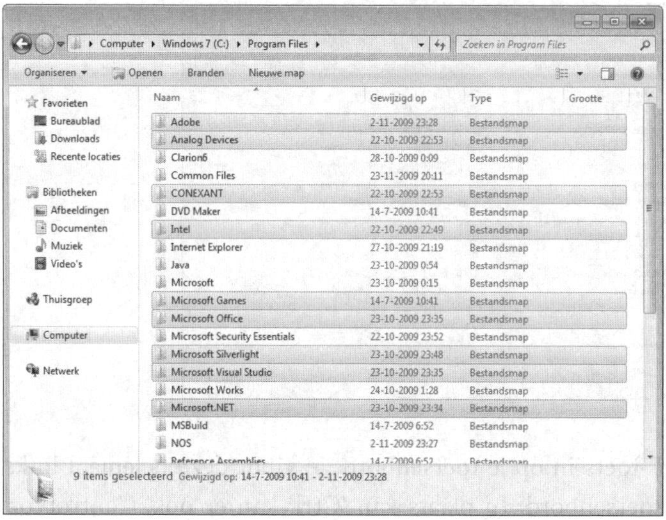

Je hebt nu verschillende mappen (bestanden) geselecteerd en kunt verdergaan zoals je hebt geleerd. Je kunt dus gewoon verder kopiëren, plakken, knippen, verwijderen, enzovoort. Er is nog een tweede manier om meerdere mappen (of bestanden) tegelijk te selecteren. Die is handig als je er niet hier en daar eentje wilt overslaan (wat bij de vorige methode wel ging). Het gaat ook sneller. Je hoeft de mappen (of bestanden) dan niet één voor één aan te klikken, maar kunt er een hele reeks aanduiden.

Dat doe je door op de eerste map (bestand) te klikken met je linkermuisknop. Vervolgens druk je de Shift-toets in van je toetsenbord (de knop die je gebruikt voor hoofdletters, de knop met het pijltje omhoog, je vindt deze links onderaan). Houd deze knop ingedrukt. Klik vervolgens met je linkermuisknop op het einde van de reeks die je wilt selecteren. Je zult zien dat de computer alles tussen de twee aangeduide mappen (bestanden) zal selecteren. Je mag nu de Shift-toets loslaten. Op de foto zie je waar ik beide keren heb geklikt en wat het resultaat is: welke mappen nu werden geselecteerd.

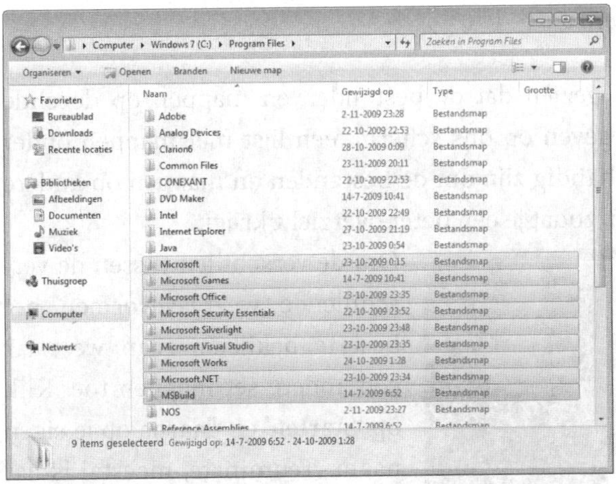

Tip

Wil je alles in een bepaalde map tegelijk selecteren, zonder enige verdere moeite? Dan kan dit ook in één snelle zet!

Klik met je linkermuisknop in het wit op je scherm, zodat we de computer meegeven dat we daar iets willen doen. Druk nu de Ctrl-toets in van je toetsenbord (helemaal links onderaan te vinden), houd deze knop ingedrukt en druk nu de 'a'-toets in van je toetsenbord. Laat dan alles weer los. Je zult zien dat de computer nu alles heeft geselecteerd. De 'a' staat voor alles (in het Engels 'all'). Zo kun je in een seconde alles selecteren. Met de hiervoor geleerde methodes was je daar veel langer mee bezig!

Tip

Je kunt tot slot ook nog combinaties maken met wat je hebt geselecteerd. Als je bijvoorbeeld vijf bestanden (mappen) hebt geselecteerd met de methode met de Ctrl-toets (om ze dus een voor een aan te duiden) en je hebt per ongeluk een verkeerd bestand of een verkeerde map aangeduid, dan kun je er gewoon opnieuw op klikken. Je zult zien dat de selectie (het blauw ingekleurde) weer weggaat. Dezelfde truc werkt ook als je de Shift-methode of de voorgaande tip (Ctrl + A) hebt gebruikt: als je iets hebt geselecteerd, druk je de Ctrl-toets in, druk er dan opnieuw op met je linkermuisknop. De selectie zal dan weggaan.

Bestanden weergeven

We hebben tot nu toe gezien dat de bestanden en mappen op dezelfde manier worden weergegeven op ons scherm: een lijst met mappen onder elkaar. Het kan echter handig zijn om de bestanden en mappen op andere manieren weer te geven, zodat je een beter overzicht krijgt.

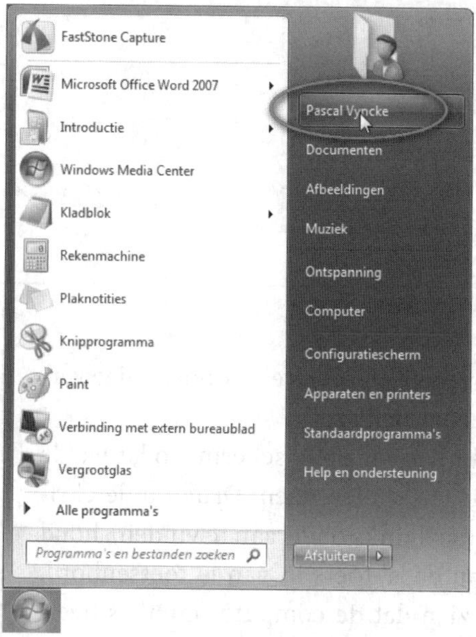

Om de verschillen tussen de verschillende weergavevormen het best te bekijken, gaan we naar een andere set mappen toe. Klik op 'Starten' en daarna op je eigen naam. Tenminste, meestal is dat het geval. Bij de installatie van Windows 7 werd om de naam van de gebruiker gevraagd. Deze zie je in het startmenu weer terug.

Je ziet nu de standaardmappen die elke gebruiker ter beschikking heeft. Je ziet ook dat de weergave van de mappen anders is dan we eerst op ons scherm hadden. We gaan nu de weergave wijzigen. Je kunt dit op twee manieren aan je computer vragen.

Klik ergens op het wit met je rechtermuisknop om zo een extra functie te vragen aan je computer. In het menu dat verschijnt, ga je boven op 'Beeld' staan, want we willen iets aanpassen aan de weergave van de gegevens in het beeld (scherm).

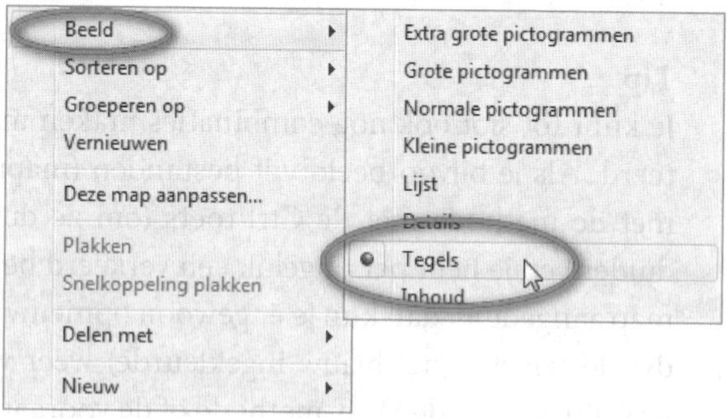

De andere manier is het menu boven de lijst met bestanden gebruiken. Klik hier op het pijltje rechts naast het pictogram 'Weergave wijzigen'.

In het menu dat verschijnt, staan de verschillende mogelijkheden. Kies er een door erop te klikken met je linkermuisknop. Ik beschrijf de verschillende mogelijkheden.

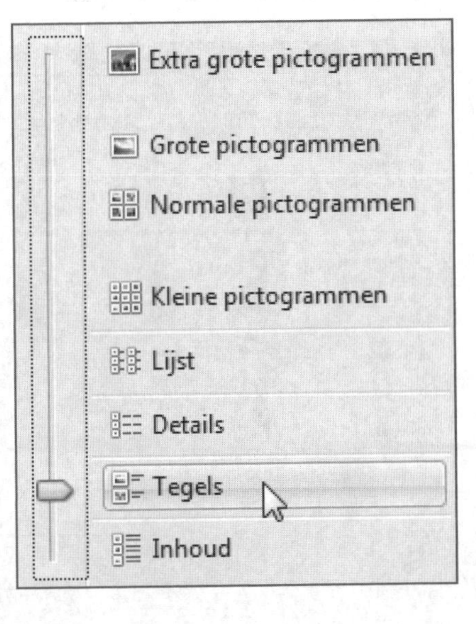

Extra grote pictogrammen

Het vragen van de 'Extra grote pictogrammen' is het interessantst als je met foto's werkt. De computer geeft dan namelijk van elke foto een miniatuurweergave. Als in een map foto's zitten, zullen die in het klein worden weergegeven in de opengevouwen map.

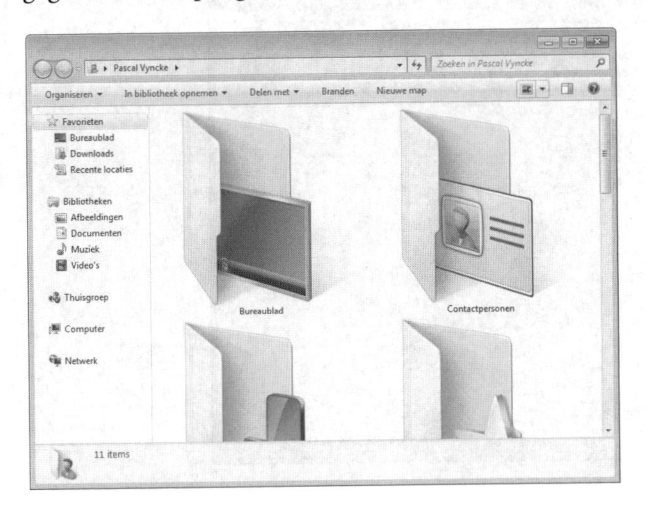

▸▸ *GROTE PICTOGRAMMEN*

Grote pictogrammen geven dezelfde informatie weer als de 'Extra grote pictogrammen', maar zoals de naam al zegt, in een iets kleinere vorm.

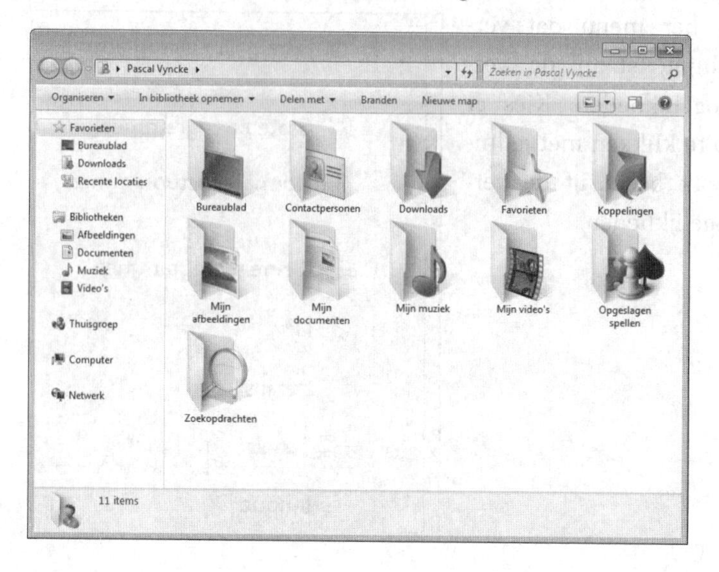

▸▸ *NORMALE PICTOGRAMMEN*

Het wordt eentonig, maar hetzelfde geldt voor deze weergave. Gelijk aan 'Extra grote pictogrammen', maar een stuk kleiner.

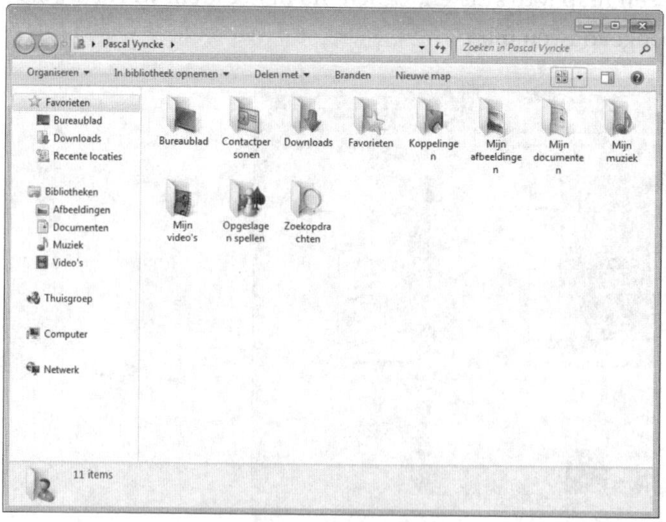

▸▸ *Kleine pictogrammen*

Voor de liefhebbers van leesbrillen is er nog deze weergave, gelijk aan 'Extra grote pictogrammen', maar erg klein en in twee kolommen weergegeven.

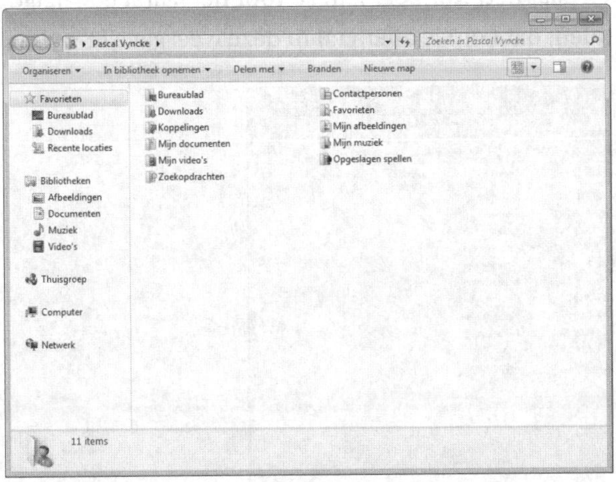

▸▸ *Lijst*

Deze weergave lijkt op 'Kleine pictogrammen', maar de mappen worden onder elkaar weergegeven, niet in twee kolommen. Hiermee krijg je de meeste bestanden en mappen tegelijk op je beeldscherm. Handig vooral als je met veel bestanden of mappen tegelijk bezig bent. Je hebt dan een goed overzicht.

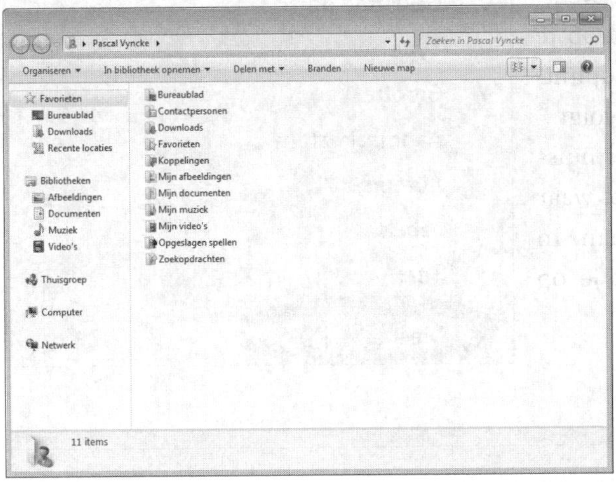

▸▸ *DETAILS*

Dit is de weergave die we eerder hebben gebruikt. De mappen worden onder elkaar weergegeven, met kleine pictogrammen én met extra informatie. Om wat voor soort bestanden gaat het, wanneer zijn ze voor het laatst gewijzigd, hoe groot zijn de bestanden, dat kom je allemaal in deze weergave te weten.

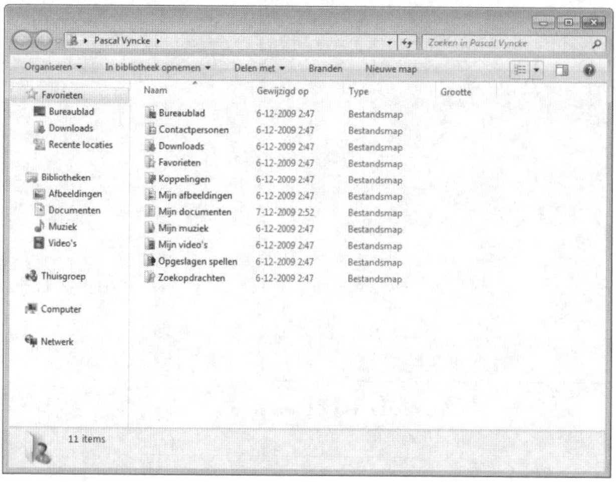

De informatie die extra wordt gegeven, kan ook worden aangepast. Misschien vind je het handig om in een map foto's ook de weergave van de sluitertijd op te nemen, of van de brandpuntafstand. Dit doe je als volgt.

Klik met de rechtermuisknop op de kolomkop, waar de andere koppen staan. In het uitklapmenu klik je op 'Meer'.

Details selecteren

Selecteer de details die u voor de items in deze map wilt weergeven.

Details:

- Beats per minuut
- Bedrijf
- Begindatum
- Belichtingsafwijking
- Belichtingsprogramma
- Belichtingstijd
- Beroep
- Beschikbare ruimte
- Beschrijvende naam
- Beschrijving
- Bestandsbeschrijving
- Bestandsnaam
- Bestandsversie
- Beveiligd
- Bijdragers

Omhoog | Omlaag | Weergeven | Verbergen

Breedte van geselecteerde kolom (in pixels): 0

OK | Annuleren

Je ziet dan een nieuw venster met allemaal details die je kunt aanvinken en in de kop van het venster kunt weergeven.

Klik op de details die je wilt weergeven en klik erna op OK. Je ziet nu dat je een nieuwe kolomkop hebt: 'Belichtingstijd'.

Pascal Vyncke ▸ | Zoeken in Pascal Vyncke

Organiseren ▾ | In bibliotheek opnemen ▾ | Delen met ▾ | Branden | Nieuwe map

Favorieten
Bureaublad
Downloads
Recente locaties

Bibliotheken
Afbeeldingen
Documenten
Muziek
Video's

Thuisgroep

Computer

Netwerk

Naam	Gewijzigd op	Type	Grootte	Belichtingstijd
Bureaublad	6-12-2009 2:47	Bestandsmap		
Contactpersonen	6-12-2009 2:47	Bestandsmap		
Downloads	6-12-2009 2:47	Bestandsmap		
Favorieten	6-12-2009 2:47	Bestandsmap		
Koppelingen	6-12-2009 2:47	Bestandsmap		
Mijn afbeeldingen	6-12-2009 2:47	Bestandsmap		
Mijn documenten	7-12-2009 2:52	Bestandsmap		
Mijn muziek	6-12-2009 2:47	Bestandsmap		
Mijn video's	6-12-2009 2:47	Bestandsmap		
Opgeslagen spellen	6-12-2009 2:47	Bestandsmap		
Zoekopdrachten	6-12-2009 2:47	Bestandsmap		

11 items

▸▸ *Tegels*

De weergave 'Tegels' staat standaard ingesteld voor veel mappen. Alles wordt als een 'tegel' weergegeven, maar er worden geen miniatuurweergaven van foto's gemaakt. Deze weergave geeft ook aan dat het om bestandsmappen gaat.

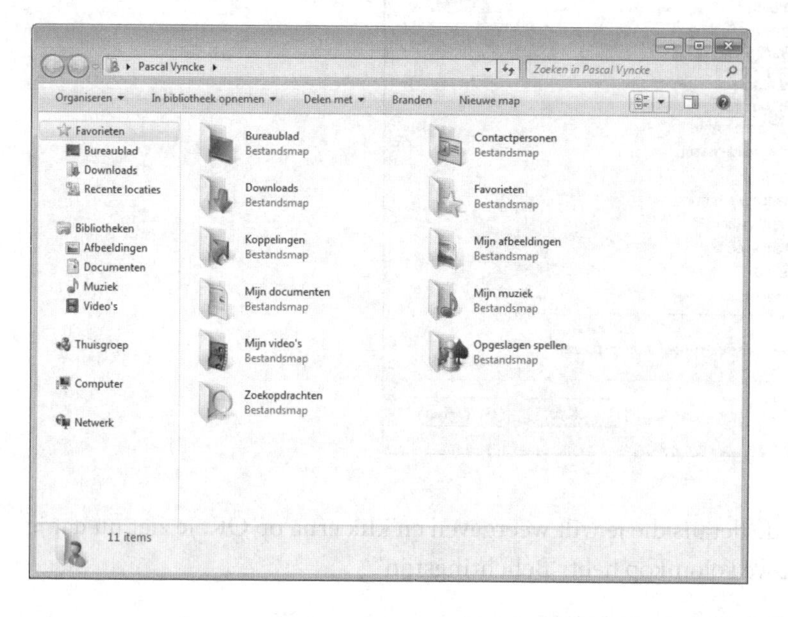

> **Tip**
> Mogelijk krijg je bij het selecteren van bestanden de melding dat de 'verborgen bestanden' niet meegeselecteerd zijn. Of je ziet bij het aantal bestanden bijvoorbeeld: '10 bestanden (2 verborgen)'. Indien je deze onzichtbare bestanden zichtbaar wilt maken, doe je dat als volgt.
>
> Klik bovenaan met je linkermuisknop op 'Organiseren'. In het menu dat verschijnt, klik je met je linkermuisknop op 'Map- en zoekopties'. We gaan namelijk de instellingen van het weergeven van de mappen en bestanden aanpassen.

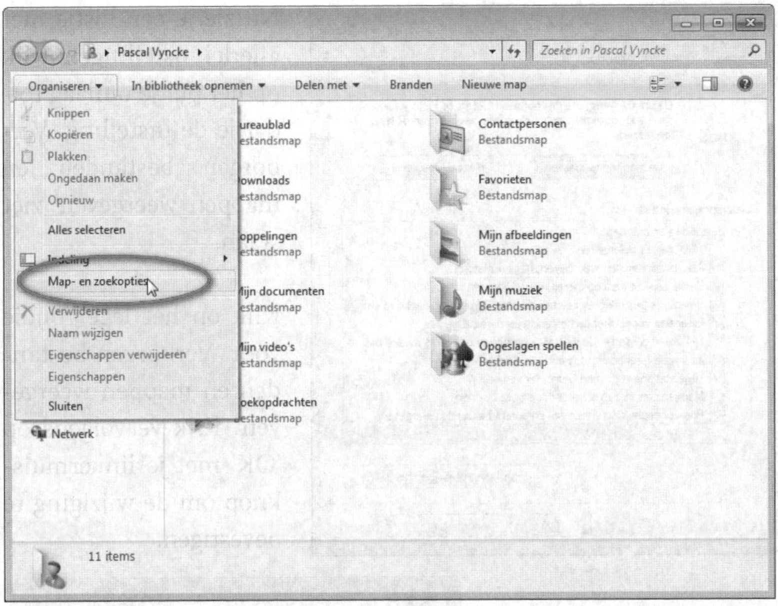

Pascal Vyncke ▸ | Zoeken in Pascal Vyncke

Organiseren ▾ | In bibliotheek opnemen ▾ | Delen met ▾ | Branden | Nieuwe map

Knippen
Kopiëren
Plakken
Ongedaan maken
Opnieuw
Alles selecteren
Indeling
Map- en zoekopties
Verwijderen
Naam wijzigen
Eigenschappen verwijderen
Eigenschappen
Sluiten

Netwerk

ureaublad
estandsmap
ownloads
estandsmap
oppelingen
estandsmap
lijn documenten
estandsmap
lijn video's
estandsmap
oekopdrachten
estandsmap

Contactpersonen
Bestandsmap
Favorieten
Bestandsmap
Mijn afbeeldingen
Bestandsmap
Mijn muziek
Bestandsmap
Opgeslagen spellen
Bestandsmap

11 items

Vervolgens klik je met je linkermuisknop op het tabblad 'Weergave', want de weergave is datgene wat we willen aanpassen.

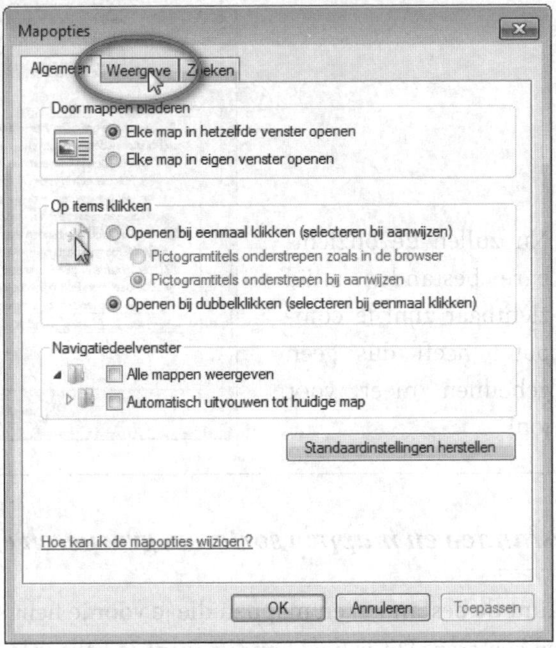

Mapopties

Algemeen | Weergave | Zoeken

Door mappen bladeren
Elke map in hetzelfde venster openen
Elke map in eigen venster openen

Op items klikken
Openen bij eenmaal klikken (selecteren bij aanwijzen)
Pictogramtitels onderstrepen zoals in de browser
Pictogramtitels onderstrepen bij aanwijzen
Openen bij dubbelklikken (selecteren bij eenmaal klikken)

Navigatiedeelvenster
Alle mappen weergeven
Automatisch uitvouwen tot huidige map

Standaardinstellingen herstellen

Hoe kan ik de mapopties wijzigen?

OK | Annuleren | Toepassen

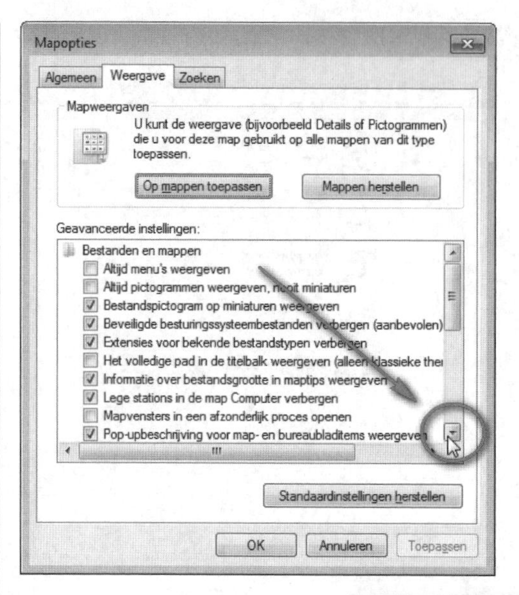

Nu zie je een lijstje met allerlei instellingen. Klik op het pijltje omlaag totdat je de instelling 'Verborgen bestanden en mappen weergeven' ziet staan.

Klik op het lege rondje voor 'Verborgen bestanden en mappen weergeven'. Klik vervolgens op 'OK' met je linkermuisknop om de wijziging te bevestigen.

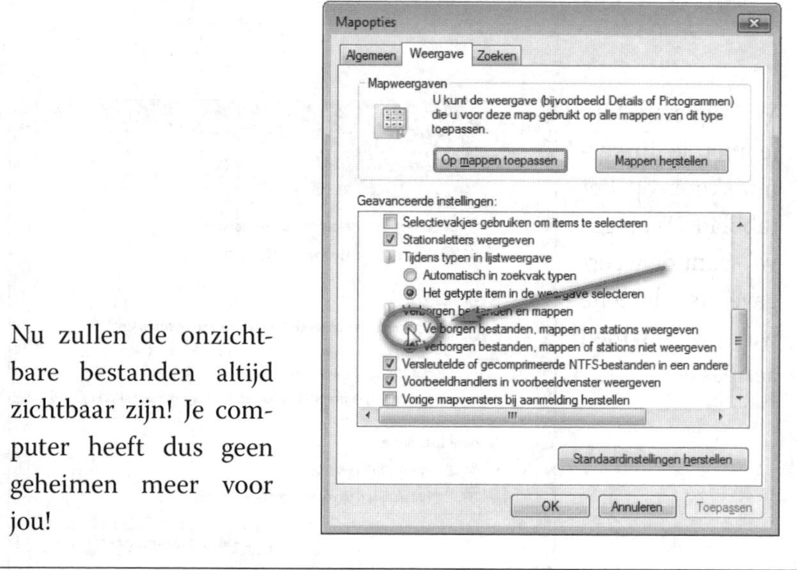

Nu zullen de onzichtbare bestanden altijd zichtbaar zijn! Je computer heeft dus geen geheimen meer voor jou!

Bestanden en mappen sorteren, groeperen en stapelen

Je kunt de bestanden en mappen die je voor je hebt staan door je computer laten sorteren. Dit is heel handig, want je hebt vele mogelijkheden: alfabetisch, op grootte, op datum, enzovoort. De computer sorteert alles supersnel, zodat het gemakkelijker is om iets terug te vinden.

Om bestanden en/of mappen te sorteren, klik je in het witte vlak met de rechtermuisknop. We willen immers iets extra's vragen aan de computer. In het menu dat verschijnt, ga je op 'Sorteren op' staan.

Vervolgens verschijnt er een nieuw menu en kun je kiezen uit verschillende mogelijkheden. Klik op de gewenste keuze met je linkermuisknop.

Onder in dat menu staat weer de optie 'Meer'. Dit houdt in dat je ook kunt sorteren op alle details die je in dat eerdere venster zag.

Naast sorteren kun je bestanden ook nog anders rangschikken. Windows 7 biedt ook de mogelijkheid tot groeperen en stapelen. Stel, je hebt een serie foto's die je een waarde, een classificatie hebt meegegeven. Vijf sterren is heel erg goed en één ster is slecht. We zullen aan de hand van een voorbeeld bekijken hoe dit werkt.

Klik op 'start' en daarna op 'Afbeeldingen'.

Voorbeelden van afbeeldingen

Een venster met al je afbeeldingen verschijnt. Daarin zit standaard een map 'Voorbeelden van afbeeldingen.

Dubbelklik hierop en een venster met allemaal foto's verschijnt. Deze foto's worden standaard met Windows 7 meegeleverd. Hier gaan we even mee spelen.

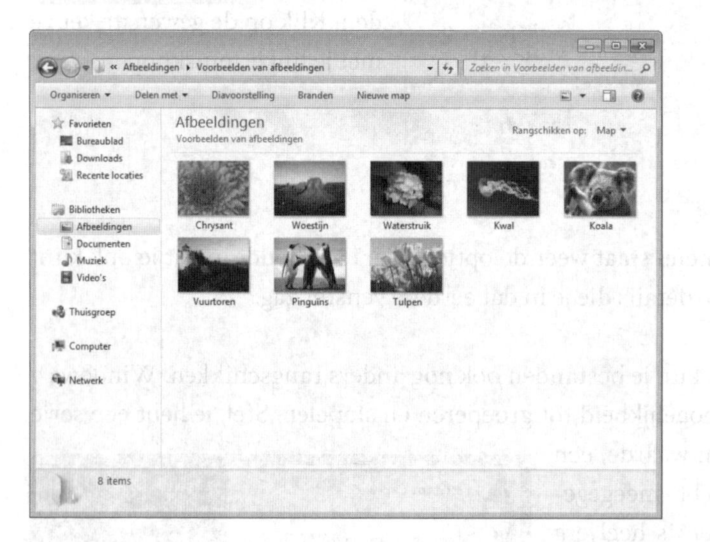

Rechtsklik nu op de foto 'Woestijn' en kies de optie 'Eigenschappen'. Je ziet nu een venster met allemaal informatie over dat ene bestand, die ene foto. Klik op het tabblad 'Details'.

Je ziet nu veel informatie over de foto. Een deel is leeg en kun je zelf invullen. Je kunt de foto een titel geven, invullen wat het onderwerp is, wie de foto heeft genomen, opmerkingen erbij plaatsen enzovoort. Dit kun je dus ook allemaal bij je eigen foto's doen! Het mooie hieraan is dat je ook op al die onderdelen kunt zoeken, en erop kunt sorteren of groeperen.

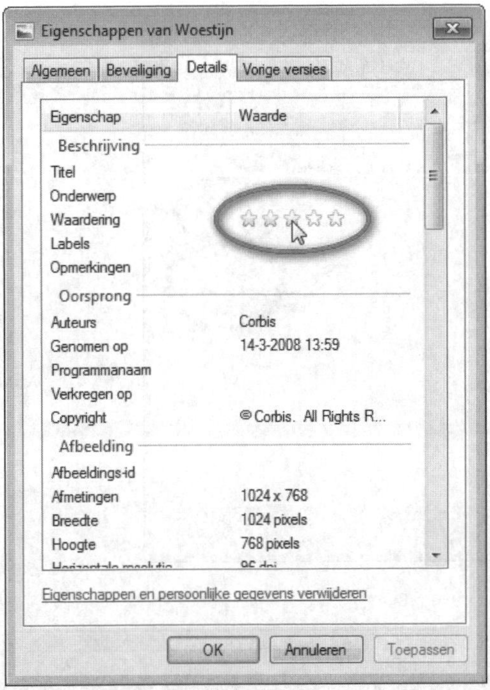

We concentreren ons nu even op het onderdeel 'Waardering'. Klik eerst met de muis rechts van het woord 'Waardering'. Wanneer je dan de muis over de sterren beweegt, zie je dat de sterren veranderen van kleur. Klik je op de meest linkse ster, dan is deze geel en zijn de vier andere wit. Klik je op de meest rechtse ster, dan zijn ze allemaal geel. Op deze manier kun je een waardering vastleggen voor elke foto.

Voor ons voorbeeld geven we de Woestijn vijf sterren en klikken dan op OK.

Je bent nu weer terug in het venster met alle foto's. Klik, zoals hierboven beschreven, op weergave 'Details'. Boven de foto's zie je nu de kolomkoppen. Rechts in de kolomkop zie je de term 'Waardering'. Klik daarop. Je ziet meteen dat de foto's in een andere volgorde worden weergegeven. Windows 7 sorteert de foto's nu niet meer op naam, maar op het aantal sterren. Nog een keer klikken op 'Waardering' en de sorteervolgorde wordt omgedraaid.

Ook zie je nu rechts naast het woord Waardering een pijltje. Klik hierop.

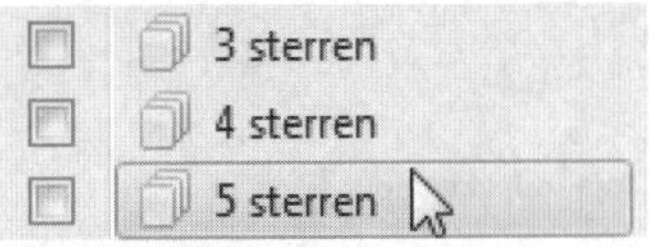

Met het menu wat je nu ziet, kun je de weergave volledig veranderen. Windows 7 heeft alle bestanden in die map al nagekeken en is tot de ontdekking gekomen dat er foto's met drie, vier en vijf sterren in voorkomen. Je kunt nu zeggen dat je bijvoorbeeld alleen foto's met vier en vijf sterren wilt zien, en deze netjes bij elkaar gegroepeerd wilt hebben. Klik dan op het vakje voor vier en vijf sterren, zodat voor beide regels een vinkje komt te staan, en klik daarna ergens boven in het venster op de titelbalk. Je ziet meteen de wijzigingen zodra je de vinkjes hebt geplaatst.

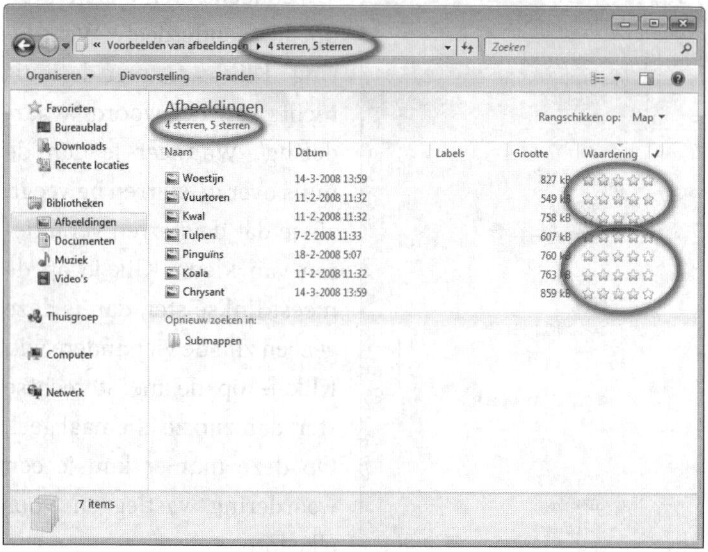

Je ziet nu alleen de foto's met vier en vijf sterren, netjes onder elkaar gezet.

Rechts boven in het venster zie je nog een mogelijkheid om de geselecteerde foto's anders weer te geven.

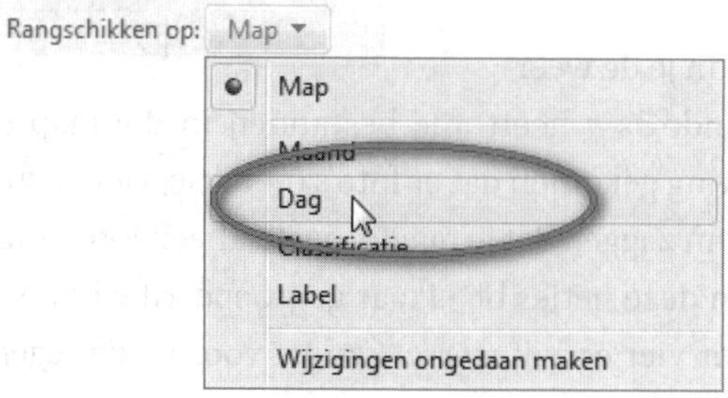

Met de optie 'Rangschikken op' en de bijbehorende lijst ernaast kun je de foto's op map, maand, dag, classificatie of label gesorteerd weergeven.

Op de afbeelding hieronder zie je de resultaten weergegeven als de foto's op dag zijn gesorteerd.

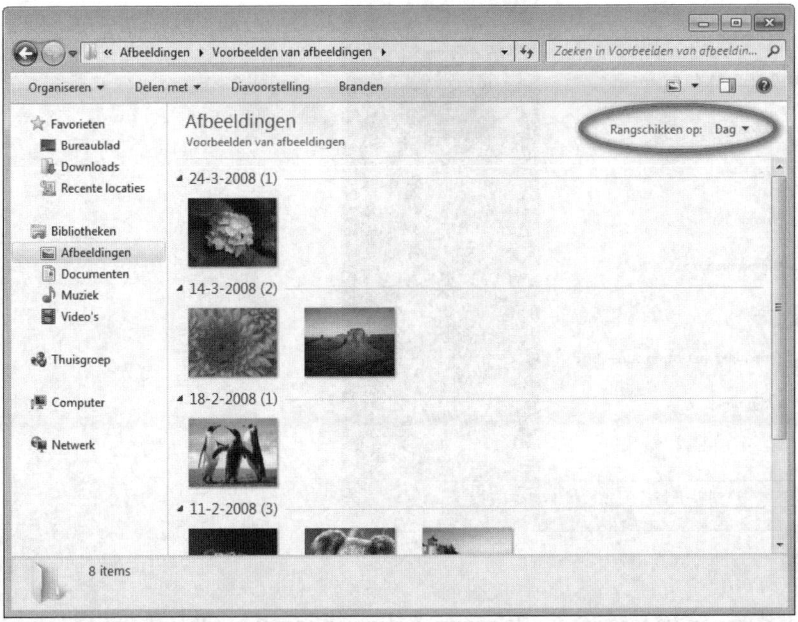

Je kunt op enorm veel criteria sorteren, groeperen, stapelen. Op deze manier is er altijd wel een passende manier te verzinnen om je foto's, muziekbestanden, films of wat dan ook overzichtelijk weer te geven.

Bibliotheken

In het begin van dit hoofdstuk is al kort gesproken over de manier van Windows 7 om bestanden eenvoudiger te beheren, de bibliotheken. Om goed te begrijpen wat het verschil is tussen 'gewone' mappen en bibliotheken, kun je het beste eerste kijken naar de mappen die bij jou horen. Elke gebruiker, dus ook jij, heeft een persoonlijke map. Hierin staan een set submappen waarin hij of zij alles kan opslaan. Om deze mappen te zien, klik je op de knop 'Starten' en daarna op je eigen naam.

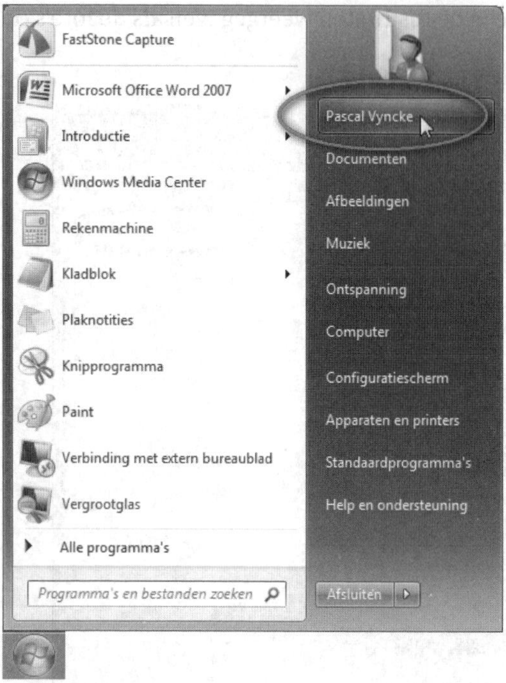

Je ziet dan een venster met alle mappen die van jou zijn. Ook al zijn er meerdere gebruikers op de pc, deze mappen zijn jouw persoonlijke mappen waar andere gebruikers niet in kunnen komen (met als uitzondering de beheerder van de pc).

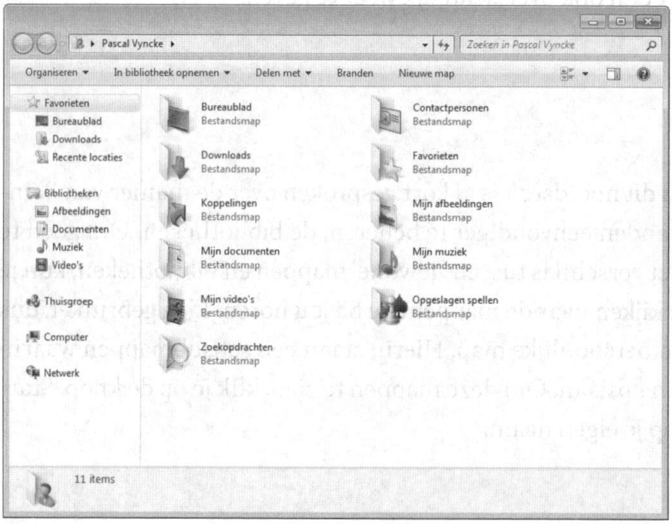

Je ziet dat er een aparte map is waar je je documenten in kunt opslaan, je muziek, je films, je foto's enzovoort. Als je bijvoorbeeld foto's uit je digitale camera op je pc opslaat, herkent Windows 7 dat het foto's zijn en zal de computer altijd voorstellen om deze foto's in de map 'Mijn afbeeldingen' op te slaan.

Windows 7 groepeert dus de bestanden naar soort en slaat ze in de daarvoor aanwezige mappen op, foto's in 'Mijn afbeeldingen', tekstbestanden in 'Mijn documenten', films in 'Mijn video's' enzovoort.

Nu komen de bibliotheken aan bod. Als je Windows Verkenner start door op het pictogram in de taakbalk te klikken, zie je een venster met alle beschikbare bibliotheken.

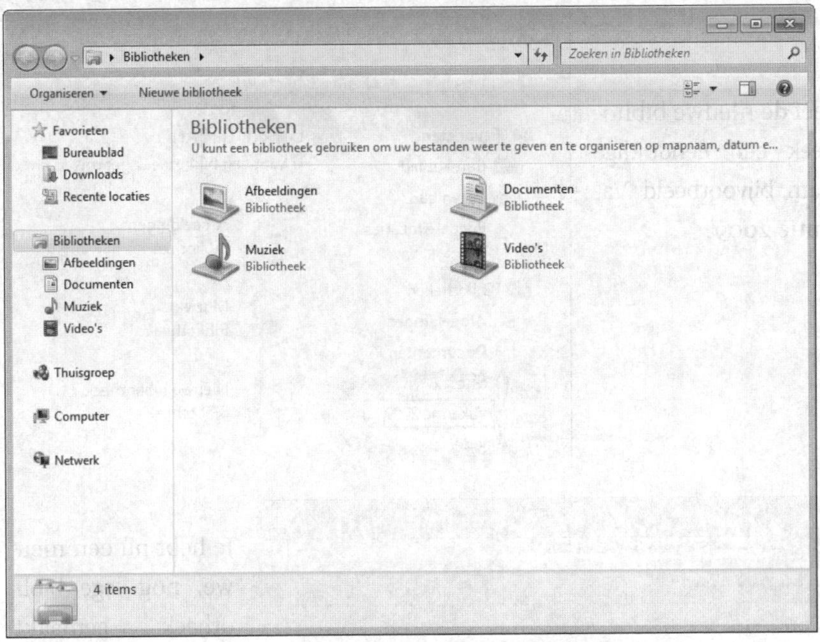

We gaan nu een nieuwe bibliotheek aanmaken. Klik met de rechtermuisknop op 'Bibliotheken'. Klik in het submenu op 'Nieuw' en daarna op 'Bibliotheek'.

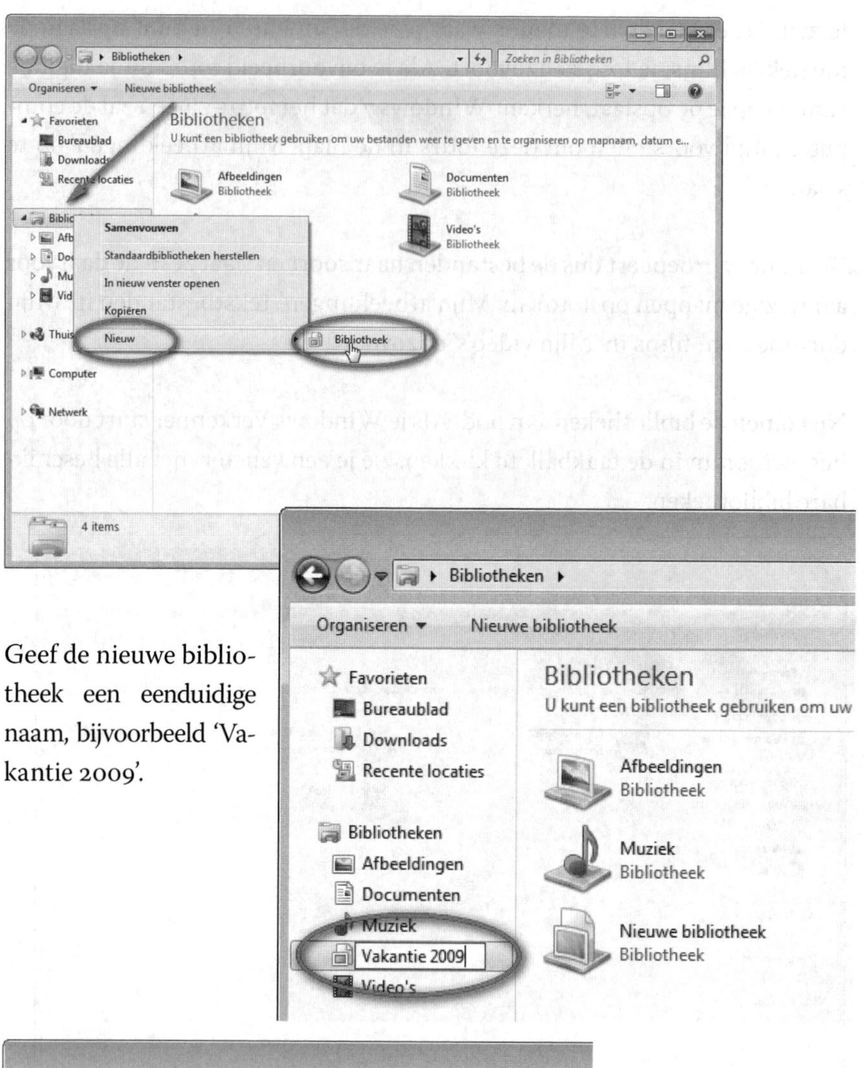

Geef de nieuwe bibliotheek een eenduidige naam, bijvoorbeeld 'Vakantie 2009'.

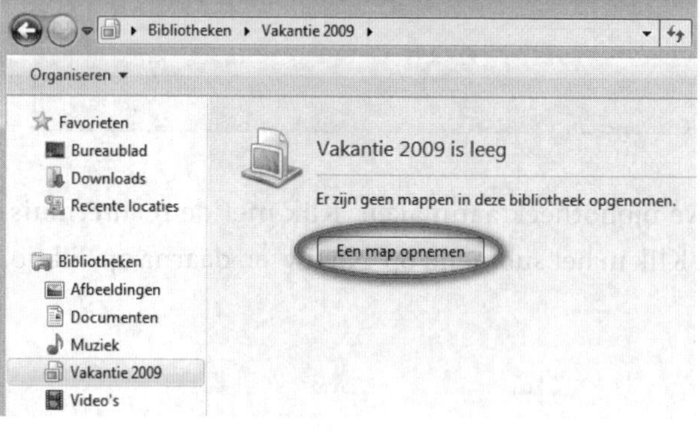

Je hebt nu een nieuwe, nog lege bibliotheek gemaakt. Dubbelklik erop. Je ziet nu een nieuw venster waarin je de mededeling krijgt dat er nog geen mappen zijn toegewezen aan deze bibliotheek.

Klik nu op de knop 'Een map opnemen'. Je ziet nu je persoonlijke map met daarin al jouw submappen. Stel, je bent naar Toscane geweest en je hebt netjes je reisverslag in de map 'Mijn documenten' opgeslagen, je foto's in de map 'Mijn afbeeldingen' en je films in de map 'Mijn video's'. Je selecteert nu de mappen waarin je alles van die vakantie hebt opgeslagen. Om bijvoorbeeld je reisverslag in de bibliotheek op te nemen, dubbelklik je eerst de op de map 'Mijn documenten', dan op de map 'Vakanties' en je klikt daarna één keer op de map 'Toscane 2009'.

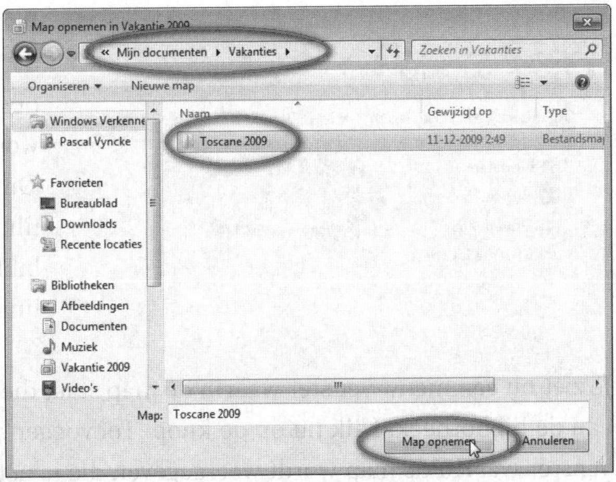

Klik dan op de knop 'Map opnemen'. Je komt weer terug in de bibliotheek 'Vakantie 2009' en je ziet dat de map waarin het reisverslag staat, is opgenomen.

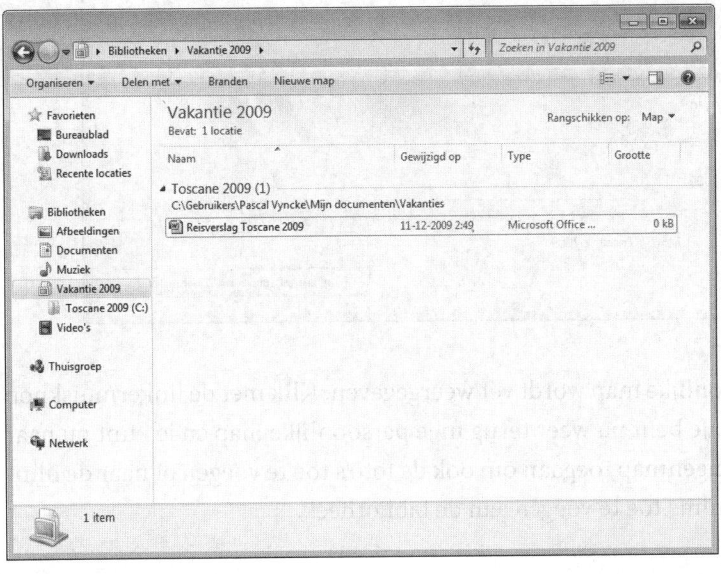

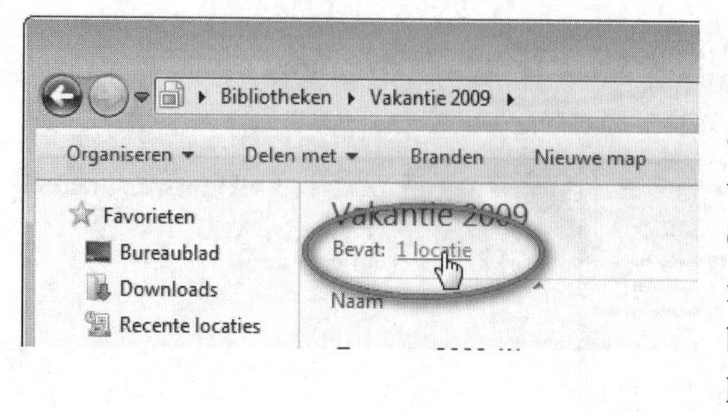

Boven in het venster zie je dat je nu één locatie hebt opgenomen. Met locatie wordt een map bedoeld. Om nu ook je foto's en je films toe te voegen aan de bibliotheek, klik je op de link '1 locatie'.

Je ziet nu een nieuw venster waarin de map staat die je net hebt toegevoegd aan de bibliotheek. Klik nu op de knop 'Toevoegen'. Je ziet een Verkenner-venster waarin de map wordt weergegeven die je net hebt toegevoegd. Klik nu op het dubbele pijltje naar links en je ziet een lijst uitklappen met allemaal verschillende mappen.

Jouw persoonlijke map wordt vet weergegeven. Klik met de linkermuisknop op die map. Je bent nu weer terug in je persoonlijke map en je kunt nu naar de afbeeldingenmap toegaan om ook de foto's toe te voegen of naar de filmmap om je films toe te voegen aan de bibliotheek.

Uiteindelijk, als je alles hebt toegevoegd, zie je in het locatievenster dat je drie mappen hebt toegevoegd aan de bibliotheek 'Vakantie 2009'.

Als je een map wilt verwijderen, klik je op die map zodat deze is geselecteerd en klik je daarna op de knop 'Verwijderen'.

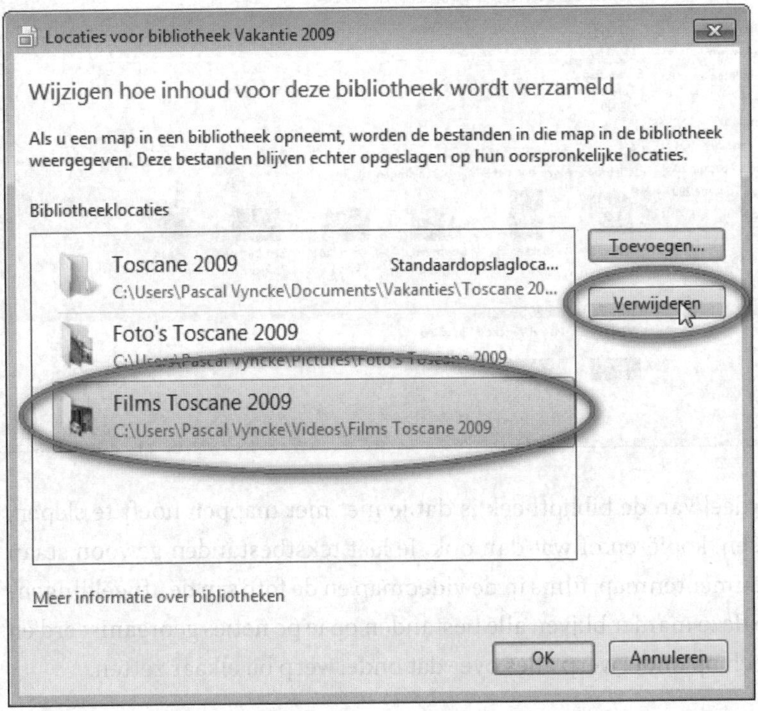

Als alles is toegevoegd aan de bibliotheek klik je op de knop 'OK' om het locatievenster te sluiten.

Je komt weer terug in de bibliotheek 'Vakantie 2009' en je ziet meteen alles van die vakantie.

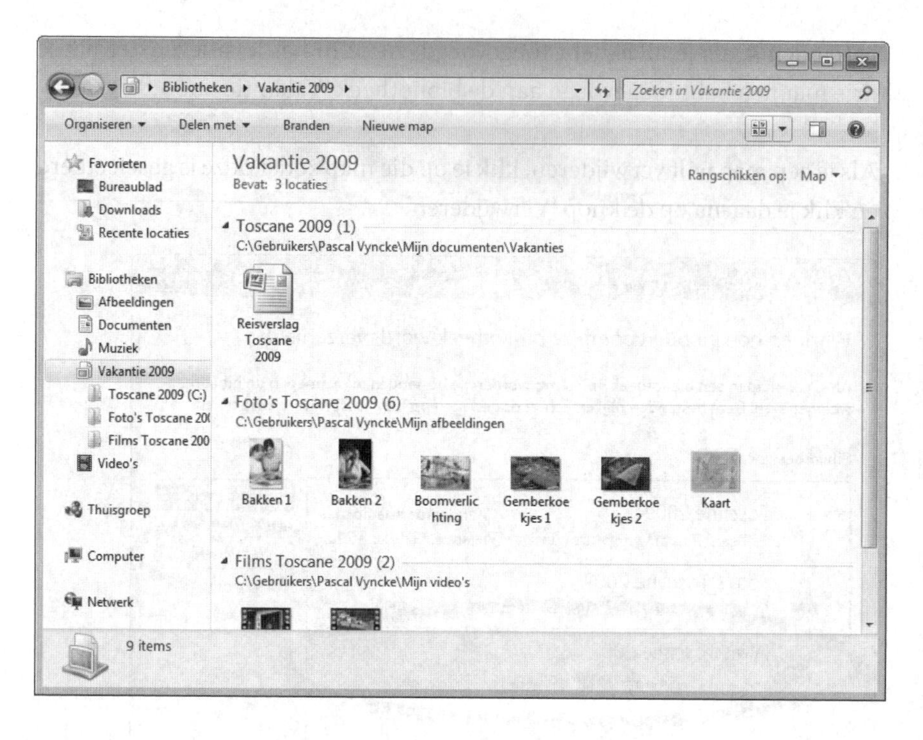

Het voordeel van de bibliotheek is dat je niet met mappen hoeft te slepen, verplaatsen, kopiëren of wat dan ook. Je laat tekstbestanden gewoon staan in de documentenmap, films in de videomap en de foto's in de afbeeldingenmap. Op deze manier blijven alle bestanden op je pc netjes georganiseerd en kun je toch op onderwerp alles over dat onderwerp bij elkaar zetten.

Samenvatting

- **Een map aanmaken**
  Klik met je rechtermuisknop, vervolgens 'Nieuw' en vervolgens 'Map'.
- **Een bestand aanmaken**
  Klik met je rechtermuisknop, vervolgens 'Nieuw' en duid dan aan welk soort bestand je wenst.
- **De naam wijzigen van een map/bestand**
  Klik met je rechtermuisknop op het bestand of de map, klik vervolgens op 'Naam wijzigen'. Geef de nieuwe naam in en bevestig met de entertoets.
- **Een map/bestand openen**

Dubbelklik op de map of het bestand met je linkermuisknop.

- **Een bestand kopiëren**
  Klik met je rechtermuisknop op het bestand en vervolgens 'Kopiëren'. Ga naar de plaats waar je het bestand wilt zetten en klik met je rechtermuisknop, vervolgens 'Plakken'.
- **Een bestand knippen**
  Klik met je rechtermuisknop op het bestand, vervolgens 'Knippen'. Ga naar de gewenste plaats waar het bestand moet komen, druk met je rechtermuisknop en vervolgens 'Plakken'.
- **Een bestand/map verwijderen**
  Klik op het bestand of de map met je linkermuisknop, druk vervolgens de 'Delete'-knop in van je toetsenbord. Bij de melding die je nu krijgt, klik je op 'Ja'.
- **Rechtstreeks een bestand verwijderen zonder prullenbak**
  Klik op het bestand of de map met je linkermuisknop, druk vervolgens de Shift-knop in en houd deze ingedrukt. Druk de 'Delete'-knop van je toetsenbord in en laat dan alles los. Bij de melding die je nu krijgt, klik je op 'Ja'.
- **Een bestand uit de prullenbak halen**
  Open de prullenbak op je bureaublad door erop te dubbelklikken. Klik vervolgens met de rechtermuisknop op het bestand dat je wilt herstellen en klik met de linkermuisknop op 'Terugzetten'.
- **De prullenbak leegmaken**
  Klik met de rechtermuisknop op 'Prullenbak' op het bureaublad, klik vervolgens met de linkermuisknop op 'Prullenbak leegmaken'.
- **Verschillende weergaven**
  Klik met de rechtermuisknop, klik vervolgens met de linkermuisknop op 'Weergave wijzigen' en selecteer de gewenste weergave.
- **Rangschikken op**
  Klik met de linkermuisknop op 'Rangschikken op' en selecteer het gewenste item.
- **Met bibliotheken werken**
  Klik op het pictogram van de Verkenner en voeg bibliotheken toe.

6 •• BRIEVEN MAKEN

Inleiding

Met je computer kun je heel gemakkelijk brieven en teksten maken. Zo kun je eenvoudig zaken neerschrijven en een mooi opgemaakte brief sturen. Die kun je gebruiken als verjaardagskaart, een klachtenbrief, een brief om iets op te vragen, enzovoort. Het is netter (en als je het onder de knie hebt ook eenvoudiger) dan met pen en papier.

Je kunt niet alleen brieven maar ook teksten schrijven op je computer. Al die teksten kun je een verzorgde vorm geven. We leren in dit hoofdstuk werken met een eenvoudig tekstverwerkingsprogramma, WordPad genaamd, dat gratis op elke computer staat. Vele mensen, jij misschien ook, hebben op hun computer nog een ander programma staan voor tekstverwerking: Microsoft Word. Dit laatste programma bespreken we hier echter niet. Alle principes en methodes die we hier wél leren, kun je echter perfect gebruiken voor Word. Het loont dan ook vast en zeker om dit hoofdstuk te gebruiken om brieven (en teksten) te leren maken met de computer. In dit hoofdstuk zullen we ook een aantal belangrijke onderwerpen behandelen, zoals het selecteren van tekst, lettertypes, de lettergrootte, opsommingen maken en afdrukken. Een bijzonder interessant hoofdstuk dus.

Aan de slag

Programma opstarten

We gaan, zoals reeds gezegd, werken met het programma WordPad, dat alles aan boord heeft om brieven en teksten te maken op onze computer. We gaan dit programma opstarten. Aangezien we een programma willen opstarten, drukken we links onderaan op de knop 'Starten' met onze linkermuisknop.

In het menu dat we nu te zien krijgen, gaan we staan op 'Alle programma's', want we willen een programma opstarten.

In het menu dat nu verschijnt, gaan we staan op 'Bureau-accessoires', want daar hoort het programma WordPad bij. Klik daarop met je muis.

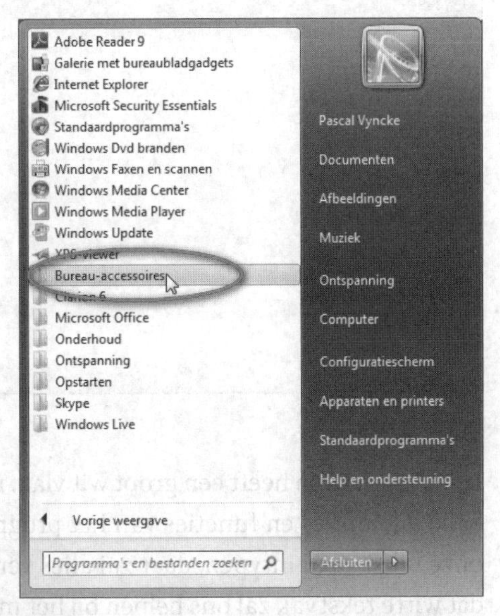

In het menu dat nu verschijnt, zien we het programma staan dat we willen openen: WordPad. Klik erop met je linkermuisknop om tegen de computer te zeggen dat we het programma willen gebruiken.

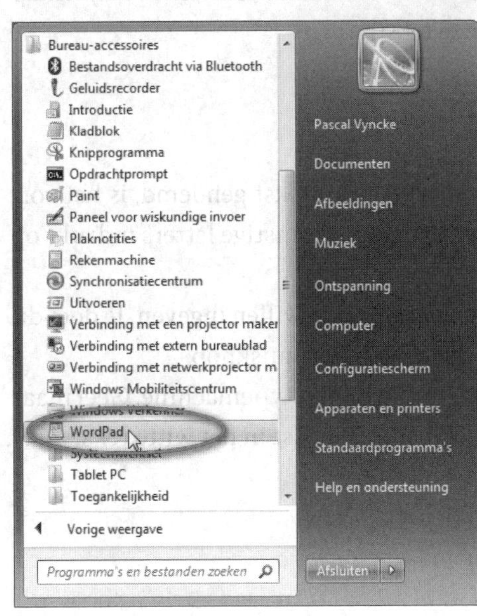

Het programma wordt nu opgestart en we krijgen het te zien op onze computer. Het zal eruitzien zoals op de volgende foto.

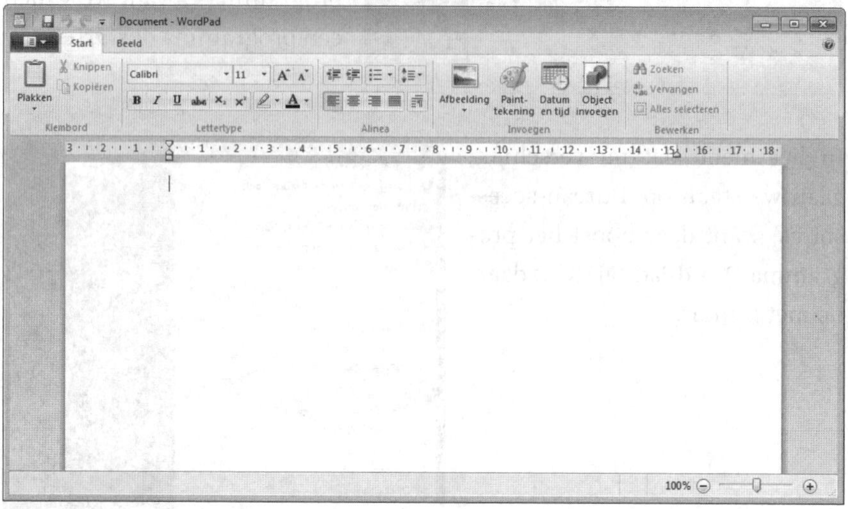

Het programma heeft een groot wit vlak, met daarboven, als een grote werkbalk, alle opties en functies van het programma. In dit witte vlak zullen we onze tekst gaan intypen, daar zal alles verschijnen. Alles wat we zien buiten dat witte tekstvak zal ons helpen bij het maken van de tekst, in het bijzonder met het uiterlijk (de opmaak) van onze tekst.

Tekst ingeven

Het ingeven van tekst, ook wel het 'intypen' van tekst genoemd, is het vormen van woorden doordat je telkens de overeenkomstige letters indrukt op het toetsenbord.

We gaan nu de computer meedelen dat we tekst willen ingeven. Je doet dit door in het witte tekstvak te klikken met je linkermuisknop.

Het ingeven van een tekst gaat anders dan bij een typemachine. Geef maar eens een lange zin in, die zeker niet op één regel past in het witte tekstvak.

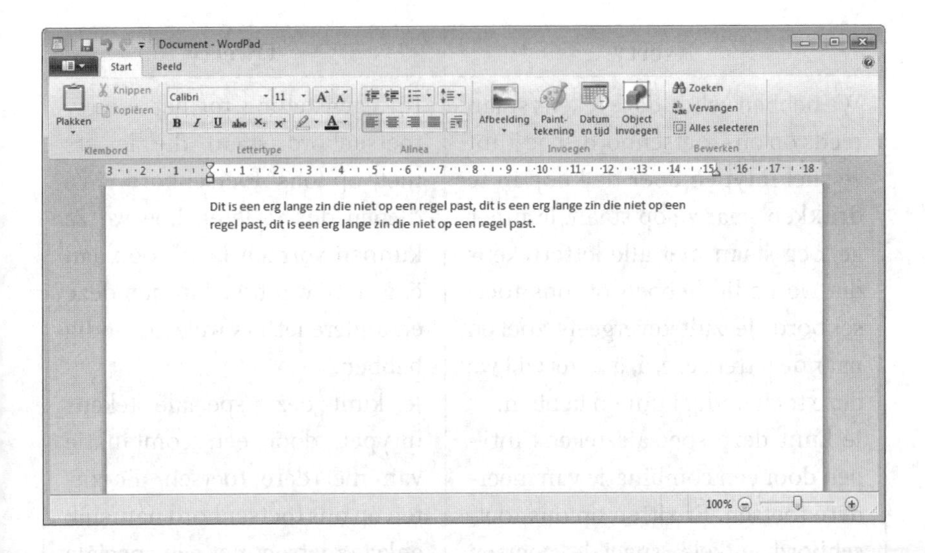

Zonder dat je iets hoeft te doen, gaat de computer verder op de regel eronder. Dit is anders dan bij een typemachine, waar je telkens weer naar de linkerkant van het blad moet gaan om verder te kunnen typen. Bij de computer kun je je hele tekst dus in één lange trek intypen, zonder dat je hem hoeft te zeggen dat hij naar de volgende regel moet gaan. Dat heeft vele voordelen!

Dit is dus veel eenvoudiger, je hoeft niet te 'gokken' of je woord nog wel op de regel kan. Bovendien kun je achteraf nog woorden of zelfs hele zinnen in een bestaande tekst toevoegen zonder dat alles in het honderd loopt. De computer zal er dan eenvoudigweg voor zorgen dat alles weer mooi staat (in computertaal zeggen we dat de tekst mooi 'uitgelijnd' wordt).

Alleen als je heel bewust naar een nieuwe regel wilt, bijvoorbeeld om een nieuwe paragraaf te beginnen, gebruik je de entertoets. In een doorlopend stuk tekst hoef je die entertoets niet te gebruiken en laat je de computer zelf kiezen waar die de rest van de tekst op een nieuwe regel plaatst.

Speciale tekens

We hebben in het Nederlands, en zeker ook in andere talen, soms speciale tekens nodig. Denk bijvoorbeeld aan de é, è en à.

Azerty	Qwerty
We hebben geluk: deze tekens staan reeds op ons toetsenbord en je kunt ze snel intypen door de knop in te drukken waar ze op staan. Jammer genoeg staan niet alle lettertekens die we nodig hebben op ons toetsenbord. Je zult tevergeefs zoeken naar de letters ë, ê, á, ã ... terwijl we deze toch nodig kunnen hebben. Je kunt deze speciale tekens intypen door een combinatie van meerdere toetsen. Er zitten op ons toetsenbord enkele speciale toetsen met een speciale functie. Kijk naar de toets vlak naast de 'p', waar je ¨ en ^ op ziet staan. Dit is zo'n speciale toets. Hiermee gaan we alle mogelijke combinaties maken van letters met een ¨ of ^ erop. Een tweede speciale toets staat op je toetsenbord onder de 'm', een toets met ~ erop. Die gebruiken we om de tilde te zetten op een letter. Zo zijn er tot slot nog twee andere toetsen: de twee toetsen naast de 'm', waar je ´ en ` op ziet staan. Deze toetsen zorgen ervoor dat we de ´ of ` op een gewone letter kunnen krijgen. Om de ê te vormen, voor bijvoorbeeld de woorden crêpepapier, enquête, gefêteerd, gênant en tête-à-tête, doen we het volgende. Druk eerst eenmalig de toets in waar het teken ^ op staat, juist naast de 'p'.	In tegenstelling tot het Azerty toetsenbord staan die letters niet op ons toetsenbord. We dienen dus te leren hoe we ze kunnen vormen (denk ook aan ë, ê, ã...); want we kunnen deze en andere letters weleens nodig hebben. Je kunt deze speciale tekens intypen door een combinatie van meerdere toetsen. Er zitten op ons toetsenbord namelijk enkele toetsen met een speciale functie. Kijk naar de toets waar het cijfer 6 op staat. Je ziet hier ^ op staan. Dit is zo'n speciale toets. Hiermee kunnen we alle mogelijke combinaties maken van letters met een ^ erop. Denk aan ê, â, û, î, ô... Om zo'n letter te vormen, bijvoorbeeld de ê die voorkomt in crêpepapier, enquête, gefêteerd, gênant en tête-à-tête, ga je als volgt te werk: Druk eerst de Shift-toets in, want je wil het bovenste teken hebben van de toets met cijfer 6. Druk vervolgens op de toets met het cijfer 6 (en dus ook ^ erop). Je ziet nu nog niets. Laat nu beide toetsen los en druk dan op de letter 'e'. Je zult nu de ê zien verschijnen.

Azerty	Qwerty
Laat de toets los (je ziet niets op je computerscherm, dat is normaal) en druk nu de letter in waarop je het hoedje (^) wenst. Druk je een 'e' in, dan zal op het computerscherm de ê verschijnen. Ditzelfde kun je doen om de letters â, û, ô, î in te typen. Die kun je gebruiken voor woorden als maîtresse. Om de ë te vormen, die we gebruiken in honderden Nederlandse woorden als amfibieën, drieën, audiëntie, Australiër, dinosauriër en hygiëne, doen we het volgende. Druk de hoofdlettertoets in (de Shift-toets, dus de toets met het pijltje omhoog, die je linksonder op het toetsenbord kunt vinden), houd deze knop ingedrukt. Druk nu op de toets waarop je het teken ¨ ziet staan, juist naast de 'p'. Laat nu alles los. Het is normaal dat je nog niets ziet op je scherm. De computer heeft het commando wel degelijk begrepen. Op de volgende letter die je indrukt, zal ¨ verschijnen. We wilden de ë maken, dus druk nu op de 'e'-toets. Op je scherm verschijnt de ë. Ditzelfde kun je doen om de letters ä, ü, ï, ö in te typen. Die kun je gebruiken voor woorden als familiereünie, vacuüm, geïnformeerd, pinguïn en coördinaten.	Om de letters ë, ä, ï, ö... te vormen hebben we een speciale toetsencombinatie nodig. De letter ë gebruiken we in honderden Nederlandse woorden als amfibieën, drieën, audiëntie, Australiër, dinosauriër en hygiëne. Maar ook de ï, ü en ö komen voor: denk aan woorden als: familiereünie, vacuüm, geïnformeerd, pinguïn en coördinaten. De letter ë vorm je bijvoorbeeld als volgt. Druk eerst de Ctrl-toets in op je toetsenbord. Houd deze toets ingedrukt, en druk nu ook op de Alt-toets. Hou deze beide toetsen ingedrukt en druk nu op de toets met het dubbelpunt (de toets waar ook het ; op staat). Laat nu de drie toetsen los. Druk dan de letter in waarop je het ¨ wilt krijgen, bijvoorbeeld de letter 'e'; nu zal op je scherm de ë verschijnen. Een derde speciale toets op ons toetsenbord is voor de tilde: ~, om bijvoorbeeld in Spaanse woorden te gebruiken. Deze toets is linksboven te vinden, naast de toets met het cijfer 1 en boven de Tab-toets. De letter ã bijvoorbeeld, vorm je als volgt:

Azerty	Qwerty
Om de ñ te vormen, bijvoorbeeld voor Spaanse woorden, ga je als volgt te werk. Druk de 'Alt Gr'-toets in, die we ook hebben gebruikt om andere tekens zoals de @ en # tevoorschijn te toveren op ons scherm.  Houd deze knop ingedrukt. Druk nu de knop in waar de tilde (~) op staat, gewoonlijk onder de letter 'm'. Je laat nu beide knoppen los. Je ziet nog niets op het scherm, dit is normaal. Druk nu de letter in waarop je de tilde wilt laten verschijnen, in ons voorbeeld dus de 'n'. De ñ zal verschijnen op je scherm. Ditzelfde kun je doen om de ã of õ tevoorschijn te toveren op je scherm. Tot slot is het ook weleens handig om op een bepaalde letter een accent te leggen. De é en è hebben we reeds op ons toetsenbord staan, maar de andere, zoals de á, ú, ó, ò ontbreken. We kunnen deze op dezelfde manier op ons beeldscherm krijgen als we tot nu toe hebben geleerd. Om de ó te maken, druk je de 'Alt Gr'-toets in, je houdt deze ingedrukt en drukt de toets met het teken ´ in. Deze zit vlak	Druk de Shift-toets in op je toetsenbord en houd deze ingedrukt. Druk nu op de toets met de ~. Laat dan beide knoppen los. Druk nu de toets in waarop je de tilde wilt laten verschijnen, bijvoorbeeld de letter 'a'. Nu verschijnt ã op je scherm. 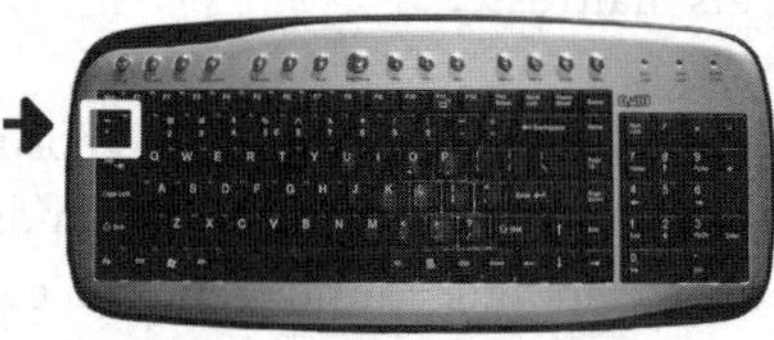 Een vierde speciale toets is om de letters é, á, ú, ó te kunnen maken. We kunnen dit met behulp van de '-toets, die direct links van de entertoets te vinden is. De letter 'é' vorm je bijvoorbeeld als volgt: Druk eerst de Ctrl-toets in van je toetsenbord en houd deze toets ingedrukt. Druk vervolgens op de ´-toets (dus direct links van de entertoets). Laat beide knoppen los en druk nu de letter in waarop je het accent wilt hebben, in dit voorbeeld de letter 'e'. Nu zal de é verschijnen!

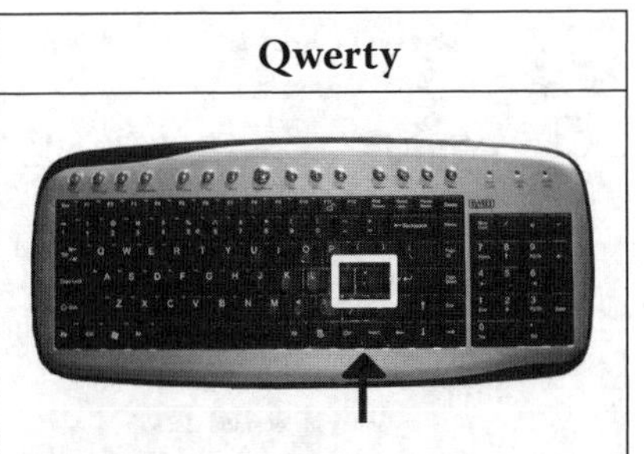

Azerty	Qwerty
naast de 'm'-toets op je toetsenbord (er staat ook het %-teken op). Nu laat je beide knoppen los. Het is normaal dat je nog niets ziet op je scherm, we moeten namelijk nog de letter doorgeven waarop we het accent willen laten verschijnen. In ons voorbeeld wilden we de ó maken, dus drukten we de 'o' in. Er verscheen nu een ó op het scherm. Om het accent in de andere richting te maken, dus ò in plaats van ó, doe je het volgende: houd de 'Alt Gr'-toets ingedrukt, druk dan op de toets met het teken ` (ook de £ staat op deze knop, die vlak naast de knop zit die we juist hebben gebruikt voor het accent in de andere richting). Druk dan de letter in waarop je het accent wenst, bijvoorbeeld de 'o'. Zo kun je bijvoorbeeld ook de à en ù maken.	Een vijfde speciale toets is er voor de letters è, à, ù, ò... Hiervoor gebruiken we dezelfde toets als voor de tilde (~). De toets helemaal links bovenaan dus, onder de Esc-toets en boven de Tab-toets. De letter è vormen we bijvoorbeeld als volgt: Druk eerst op de toets met het `-teken (de toets waar ook de tilde ~ op staat) en laat deze knop weer los. Druk nu de letter in waarop het accent moet komen, bijvoorbeeld de letter 'e'. Nu zal è op je scherm verschijnen.

Je weet nu voldoende om alle letters in te geven die we nodig hebben. Om goed te kunnen oefenen wat we verder in dit hoofdstuk nog zullen behandelen, typ je nu het best wat tekst in, het maakt niet echt uit wat. Uiteraard kun je in één keer voor een stuk tekst zorgen door een reeds bestaande tekst te openen. Anders geef je maar wat in.

Werken met de computer, de basis
De complete gids voor Windows 7

maandag 14 december 2009

Deze tekst gebruiken we als voorbeeldtekst hoe een brief eruit kan zien. Dit document zal als titel 'Werken met de computer, de basis' hebben. Met dit stuk tekst kunnen we nu allerlei functies en bewerkingen van Wordpad laten zien, zoals:
woorden een verschillend lettertype geven,
tekst onderlijnen,
tekst cursief zetten,
tekst een kleur geven,
een opsomming maken,
een afbeelding invoegen
enzovoort...

Ik hoop dat u het een leerzaam hoofdstuk vindt.

Met vriendelijke groeten,
Pascal Vyncke
www.SeniorenNet.be

Het selecteren van tekst

Het selecteren van tekst is iets wat we veel gaan doen. Het selecteren van een tekst wil zeggen dat we een stukje tekst, een letter, een woord of meerdere regels aanduiden om er vervolgens iets mee te doen. We willen bijvoorbeeld de grootte van die aangeduide tekst wijzigen of de tekst wissen. We leren nu hoe je een tekst kunt selecteren. In de rest van het hoofdstuk kunnen we dit gebruiken voor het maken van een brief. Deze kennis is echter ook heel handig als we op het internet gaan en voor alle mogelijke toepassingen met teksten.

Het selecteren van een tekst is eenvoudig. Ga met je muisaanwijzer aan ohet begin van de tekst staan die je wilt selecteren. Op de foto willen we bijvoorbeeld de titel 'Werken met computers, de basis' selecteren.

Ga met je muisaanwijzer naar het begin (in het voorbeeld dus de 'W' van 'Werken met computers, de basis'). Druk nu de linkermuisknop in en houd deze ingedrukt. Versleep de muis tot aan het einde van datgene wat je wilt selecteren (in het voorbeeld tot achter de 's' van 'Werken met computers, de basis'). Laat nu de linkermuisknop los. Je zult zien dat tijdens het verplaatsen van je muis de computer het stukje tekst een andere kleur als achtergrondkleur heeft gegeven, namelijk een donkerblauwe of zwarte achtergrond. Zo zie je heel duidelijk wat je exact hebt geselecteerd.

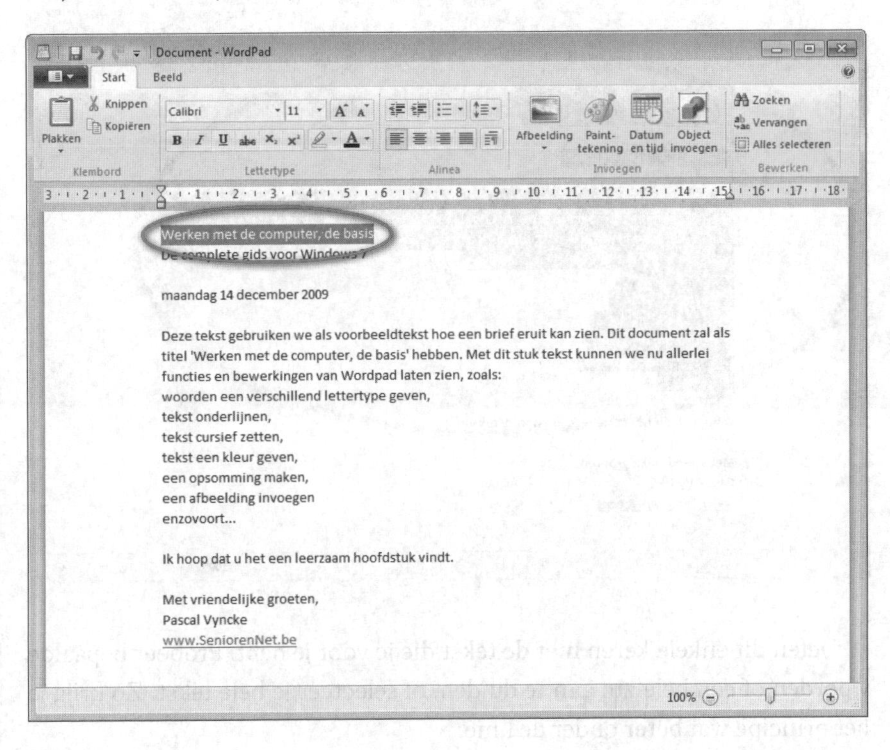

Hetzelfde principe kun je gebruiken om maar één letter te selecteren (je beweegt over slechts één letter), of zelfs hele teksten. Je kunt immers ook meerdere regels selecteren. Ga hiervoor op exact dezelfde manier aan de slag: klik met je linkermuisknop op het begin, hou de knop ingedrukt en sleep dan de muisaanwijzer tot het einde. Of het nu om één letter of om een hele tekst gaat, maakt niet uit. Je ziet steeds het stuk dat je hebt aangeduid in een andere kleur verschijnen.

Je kunt de selectie ook weer ongedaan maken. Met andere woorden: je kunt die tekst weer 'loslaten', zodat je alles weer ziet zoals je gewend was (zonder de gekleurde achtergrond dus). Daarvoor klik je gewoon met de linkermuisknop eenmalig ergens in het witte vlak (je laat de knop dus ook direct weer los). Je zult zien dat de selectie weg is en er dus niets meer aangeduid staat.

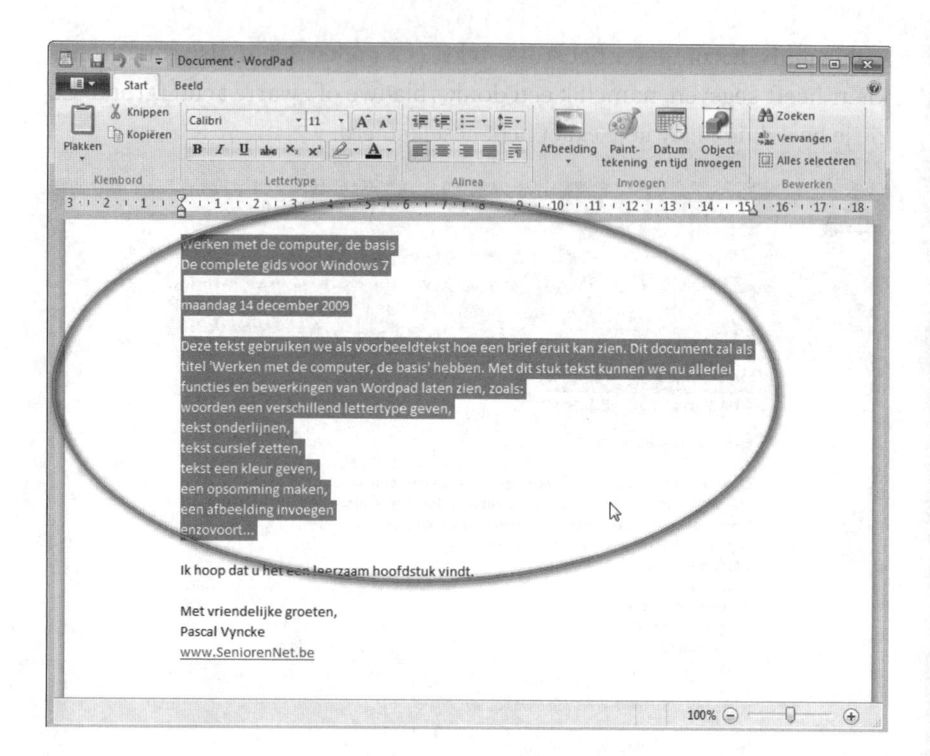

Oefen dit enkele keren met de tekst die je voor je hebt. Probeer bepaalde woorden of een hele zin aan te duiden, of selecteer je hele tekst. Zo krijg je het principe wat beter onder de knie.

Tip
Om een hele regel in één keer te selecteren, dus zonder dat je je muis moet verschuiven van het begin tot het einde van de regel, bestaat ook een snellere methode. Klik in de kantlijn voor die regel met je linkermuisknop (en laat deze ook gewoon weer los). Je zult zien dat de computer de hele regel zelf zal aanduiden. Oefen dit een keer. Als je later veel met teksten gaat werken (afhankelijk van wat je wilt doen met je computer natuurlijk), zul je deze techniek goed kunnen gebruiken. Het is immers eenvoudiger en sneller.

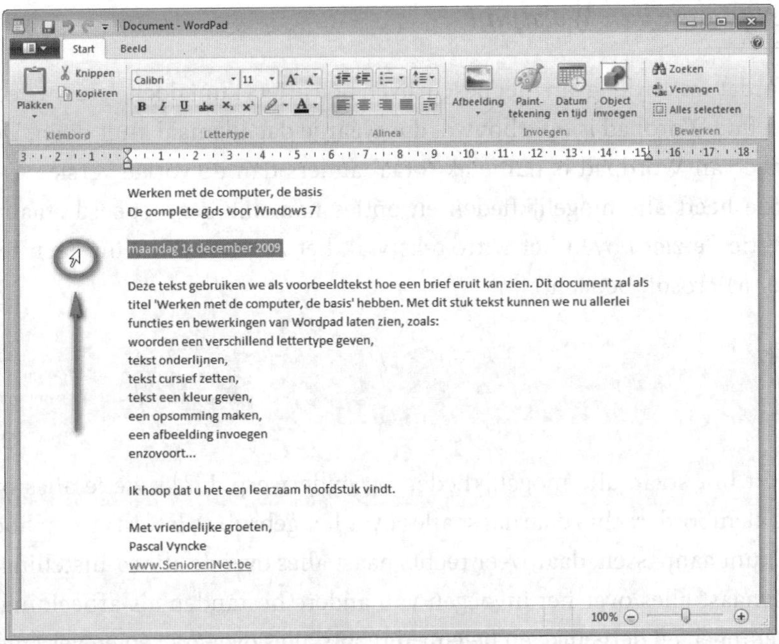

Tip
Indien je een hele paragraaf in één keer wilt selecteren, dan kun je dit bereiken door driemaal kort achter elkaar te klikken op een regel van de paragraaf (dus een dubbelklik met nog één extra). Dan zal de hele paragraaf worden geselecteerd.

Tip
Indien je gewoon één woord wenst te selecteren, kun je dit eenvoudiger en sneller doen. Ga met je muisaanwijzer boven op het woord staan en dubbelklik met je linkermuisknop. Als je het goed hebt gedaan, dan zal dat ene woord worden aangeduid en de rest niet. Eenvoudiger dus dan de 'klassieke' methode om een woord te selecteren!

De opbouw van Wordpad

Voordat we verder gaan met beschrijven hóe je iets kunt doen, laten we eerst zien hoe Wordpad is opgebouwd, dus wáár je dat allemaal kunt doen. Deze versie van Wordpad is namelijk totaal anders dan de vorige versies. Deze versie heeft alle mogelijkheden en opties namelijk gegroepeerd staan op functie. Je ziet boven het witte tekstvlak het zogenoemde 'lint' (een term door Microsoft bedacht).

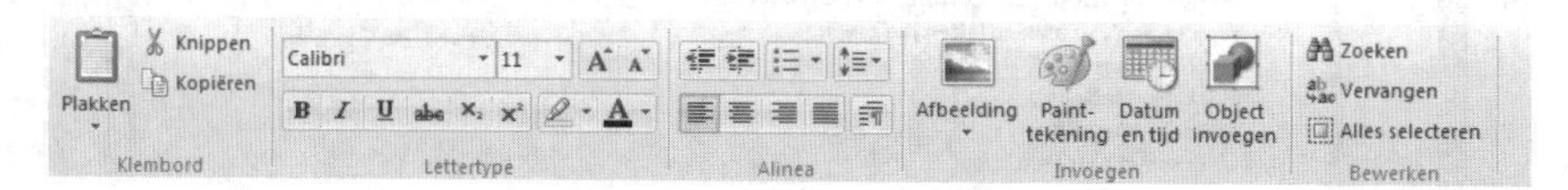

In dit lint staan alle mogelijkheden op onderwerp. Links zie je alles over het klembord, rechts daarnaast alles over het gebruikte lettertype en hoe je dit kunt aanpassen, daar weer rechts naast alles over de alinea-instellingen, daarnaast alles over het invoegen van andere bestanden als afbeeldingen, tekeningen en dergelijke en helemaal rechts alles over zoeken en vervangen van tekst in het document. Al deze onderverdelingen noemen we 'groepen'. Je hebt dus de groep Klembord, de groep Lettertype, de groep Alinea enzovoort.

Direct boven het lint, aan de linkerkant van het venster, staan twee zogenoemde tabbladen, 'Start' en 'Beeld'.

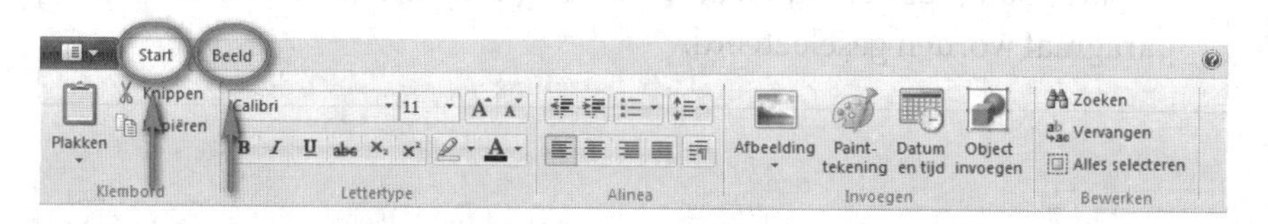

Bij elk tabblad hoort een eigen lint. Als je klikt op het tabblad 'Beeld', dan zie je een ander lint.

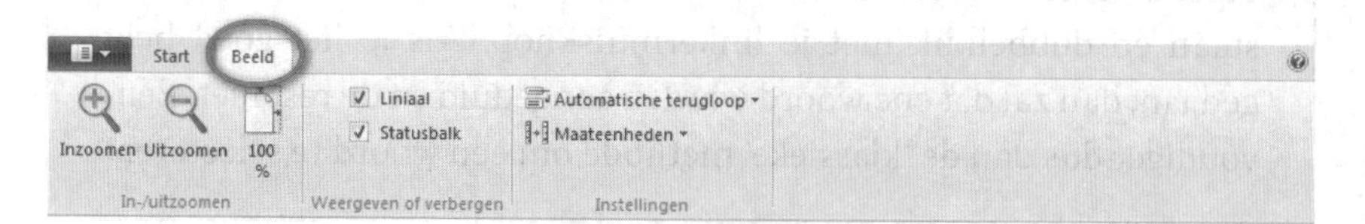

De groepen in het lint die bij het tabblad 'Beeld' horen zijn 'In-/Uitzoomen', 'Weergeven of verbergen' en 'Instellingen'.

Links naast de twee tabbladen zie je nog een knop.

Dit is de knop 'Wordpad'. Als je hierop klikt, zie je hoe je Wordpad-bestanden kunt opslaan, afdrukken, verzenden via e-mail, het programma afsluit enzovoort.

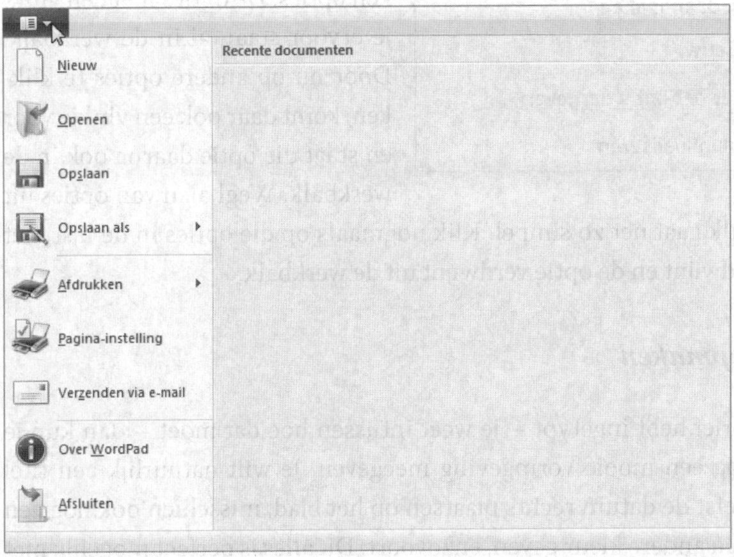

Je sluit dit venster door weer op de knop 'Wordpad' te klikken.

Als laatste, helemaal boven in het venster van Wordpad, zie je nog een werkbalk. Een werkbalk is ook een gegroepeerde manier om functies van een programma uit te voeren.

Dit is de werkbalk 'Snelle toegang'. Zoals de naam al zegt, kun je hiermee op een snelle manier veelvoorkomende functies uitvoeren. Standaard zie je de functie 'Opslaan' en 'Ongedaan maken' in die werkbalk staan. De functies zelf behandelen we iets verderop in het boek, maar voor nu is het handig te weten dat je deze knoppen snel kunt gebruiken.

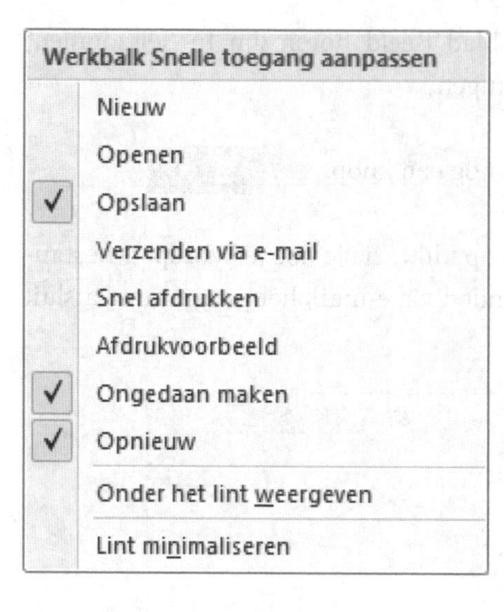

Je kunt zelf bepalen welke functies je direct onder handbereik wilt hebben, want deze werkbalk is aan te passen. Klik daarvoor op het kleine pijltje aan de rechterkant in de werkbalk.

Je ziet nu een lijst met aan te vinken opties. De opties met een vinkje ervoor staan al in de werkbalk. Door nu op andere opties te klikken, komt daar ook een vinkje voor en staat die optie daarna ook in de werkbalk. Weghalen van opties uit de werkbalk gaat net zo simpel. Klik nogmaals op die opties in de lijst, het vinkje verdwijnt en de optie verdwijnt uit de werkbalk.

Je brief opmaken

Als je je brief hebt ingetypt – je weet intussen hoe dat moet – dan kun je je brief nog een mooie vormgeving meegeven. Je wilt natuurlijk een titel hebben, liefst de datum rechts plaatsen op het blad, misschien ook nog een woordje een andere kleur geven, enzovoort. Dit alles is perfect mogelijk met onze computer. De brieven die je thuis van andere mensen of van bedrijven krijgt, die zo professioneel opgemaakt zijn, dat kun jij ook!

▸▸ *Titel maken*

We gaan eerst onze tekst een titel geven. Een titel staat meestal in het midden van het blad. In ons voorbeeld zetten we 'Werken met computers, de basis' en de regel eronder 'De complete gids voor Windows 7' in het midden. Je hoeft dit helemaal niet te doen door vele spaties te typen (zoals met een klassieke typemachine nodig was). Je kunt het eenvoudig door de computer laten doen.

Selecteer eerst met je linkermuisknop beide regels. Klik nu met je linkermuisknop op de knop 'Centreren' in WordPad. Je vindt deze in de groep Alinea. Je ziet in de afbeelding dat je een klein tipvenster ziet met informatie over een bepaalde knop zodra je de muiswijzer boven die knop plaatst. Door erop te klikken, geef je de computer het commando om de aangeduide tekst in het midden van het blad te plaatsen.

Je zult zien dat na het klikken de geselecteerde tekst inderdaad naar het midden van het blad verschuift.

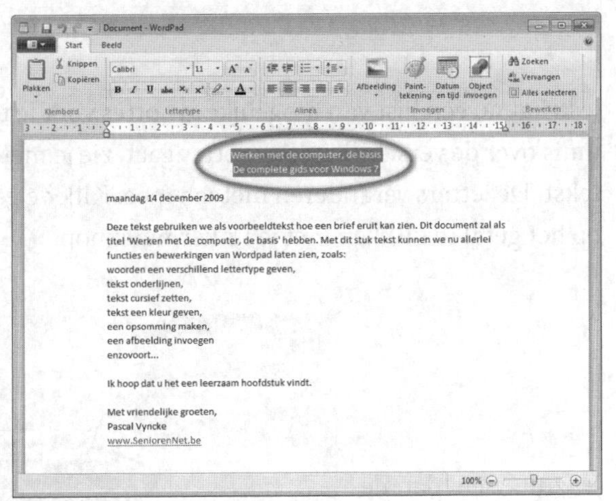

We willen nu onze titel groter maken. We moeten dus de lettergrootte aanpassen. Ook dit is eenvoudig. Je selecteert opnieuw de titel. De grootte van de letters wordt aangegeven door een getal. Kijk op de afbeelding waar je dit getal in de groep Lettertype kunt vinden.

Dit getal geeft dus de grootte weer. Het is niet echt een lengtemaat die we kennen, zoals meter of kilometer. Je ziet bijvoorbeeld dat het getal '10' is of '14'. Als je het getal groter maakt, dan zullen de letters groter worden. Als je het kleiner maakt, zullen de letters kleiner worden. Moeilijker is het niet.

(Ter informatie voor de nieuwsgierige lezer: het getal geeft het aantal 'punten' aan. Een punt komt overeen met 0,35 mm.) Om de grootte te wijzigen, klik je naast het getal op het pijltje omlaag.

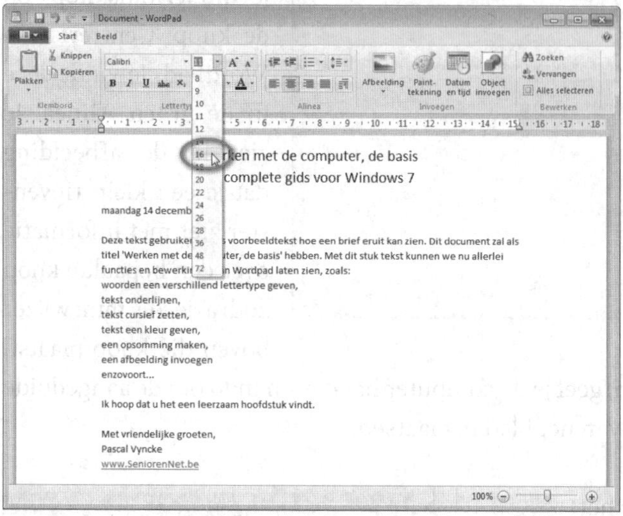

Document - WordPad
Start Beeld
Plakken Knippen Kopiëren Calibri
8 9 10 11 12 14 16 18 20 22 24 26 28 36 48 72
Afbeelding Paint-tekening Datum en tijd Object invoegen
Zoeken Vervangen Alles selecteren
Klembord Lettertype Alinea Invoegen Bewerken

rken met de computer, de basis
complete gids voor Windows 7

maandag 14 decemb

Deze tekst gebruike[n] ... voorbeeldtekst hoe een brief eruit kan zien. Dit document zal als
titel 'Werken met de ...ter, de basis' hebben. Met dit stuk tekst kunnen we nu allerlei
functies en bewerki... n Wordpad laten zien, zoals:
woorden een verschillend lettertype geven,
tekst onderlijnen,
tekst cursief zetten,
tekst een kleur geven,
een opsomming maken,
een afbeelding invoegen
enzovoort...

Ik hoop dat u het een leerzaam hoofdstuk vindt.

Met vriendelijke groeten,
Pascal Vyncke
www.SeniorenNet.be

100%

Je krijgt nu een lijst van mogelijke groottes voor je tekst te zien. Als je met de muis over de verschillende groottes gaat, zie je meteen het effect ervan in de tekst. De letters veranderen meteen mee. Klik de gewenste grootte aan door op het getal te klikken met je linkermuisknop.

Document - WordPad
Start Beeld
Plakken Knippen Kopiëren Calibri 16
Afbeelding Paint-tekening Datum en tijd Object invoegen
Zoeken Vervangen Alles selecteren
Klembord Lettertype Alinea Invoegen Bewerken

Werken met de computer, de basis
De complete gids voor Windows 7

maandag 14 december 2009

Deze tekst gebruiken we als voorbeeldtekst hoe een brief eruit kan zien. Dit document zal als
titel 'Werken met de computer, de basis' hebben. Met dit stuk tekst kunnen we nu allerlei
functies en bewerkingen van Wordpad laten zien, zoals:
woorden een verschillend lettertype geven,
tekst onderlijnen,
tekst cursief zetten,
tekst een kleur geven,
een opsomming maken,
een afbeelding invoegen
enzovoort...

Ik hoop dat u het een leerzaam hoofdstuk vindt.

Met vriendelijke groeten,
Pascal Vyncke
www.SeniorenNet.be

100%

Je zult zien dat de titel groter is geworden dan ervoor. Je kunt het voorgaande herhalen met een andere grootte, totdat de titel het gewenste formaat heeft.

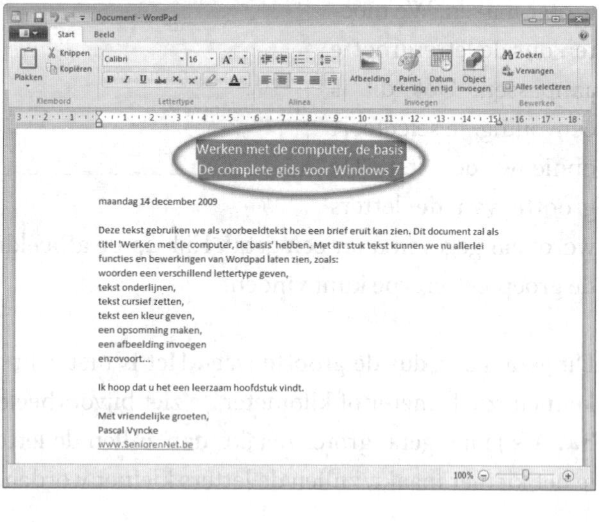

Er is nog een manier om de grootte van de letters in te stellen. Direct rechts naast het getal staan twee knoppen.

Door op de linkerknop te klikken, vergroot je de geselecteerde tekst en met de rechterknop verklein je de geselecteerde tekst.

Vet maken, schuin zetten en onderstrepen

We kunnen net zoals bij het schrijven van een brief met pen en papier nog enkele andere trucjes gebruiken, bijvoorbeeld een woord of tekst **vet** maken. (Op papier zou je enkele keren opnieuw over hetzelfde woord gaan zodat het dikker lijkt). De tekst die je vet wilt maken, selecteer je met de linkermuisknop. Zo geef je de computer de informatie dat hij met die tekst iets moet doen.

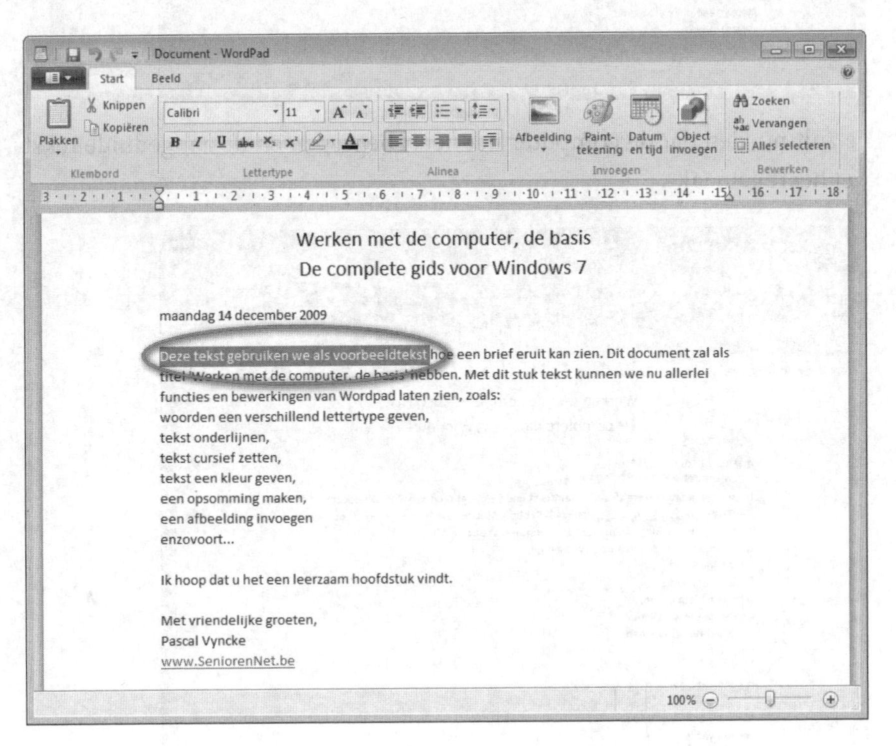

Druk vervolgens met je linkermuisknop op de knop met de dikke '**B**' (de 'B' komt van 'Bold', wat 'vet' betekent in het Engels) in de groep Lettertype.

Je zult nu zien dat de computer het heeft begrepen en de aangeduide tekst vet heeft gemaakt.

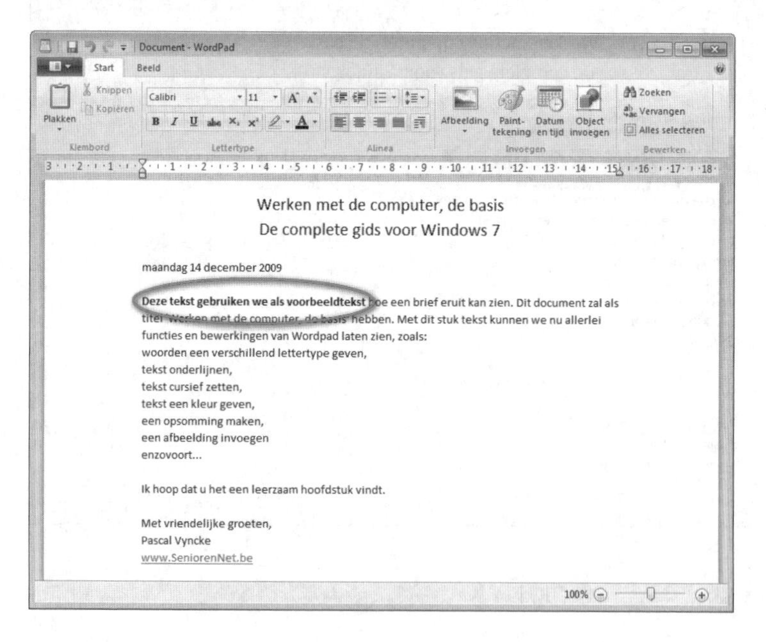

Je kunt zo ook de tekst *schuin* zetten, ook wel 'cursief' genoemd. Dit doe je ook weer door de tekst eerst te selecteren, vervolgens klik je op de scheve '*I*', die naast de toets zit die we net hebben gebruikt (de toets met de B erop). De 'I' komt van het Engelse woord 'Italic', dat cursief betekent.

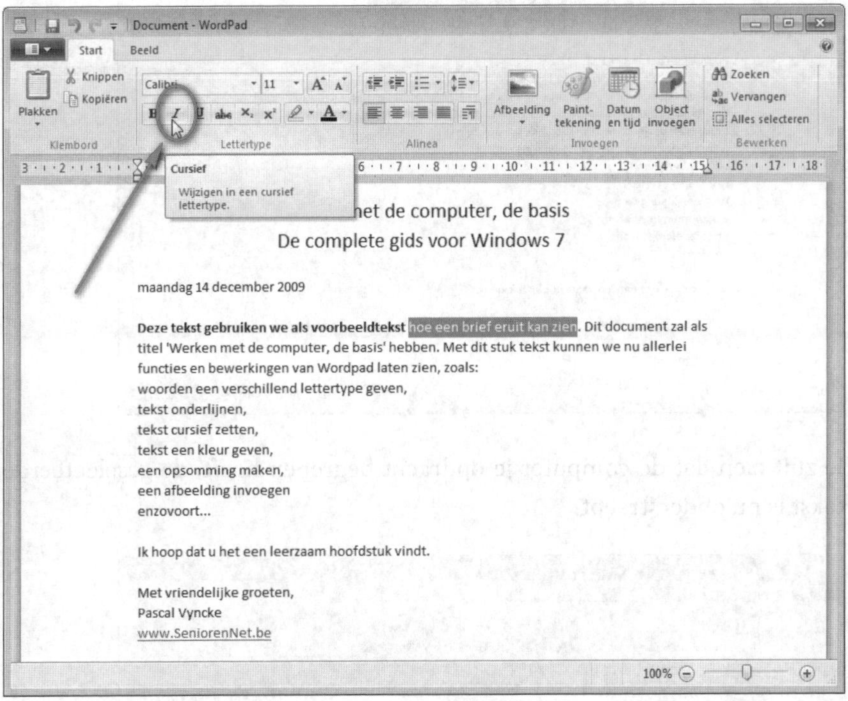

Je kunt ook je tekst onderstrepen. Je hoeft dus geen liniaal tevoorschijn te halen om een aantal woorden of een hele tekst te onderstrepen. Je kunt het de computer laten doen. Laten we bijvoorbeeld onze titel eens onderstrepen. Selecteer de tekst die je wilt onderstrepen, in dit voorbeeld de titel 'Werken met de computer, de basis'. Selecteren doe je met je linkermuisknop. Druk vervolgens op de '**U**', die naast de knoppen van cursief en vet zit. De 'U' komt van het Engelse 'Underline', wat onderstrepen (onderlijnen) betekent.

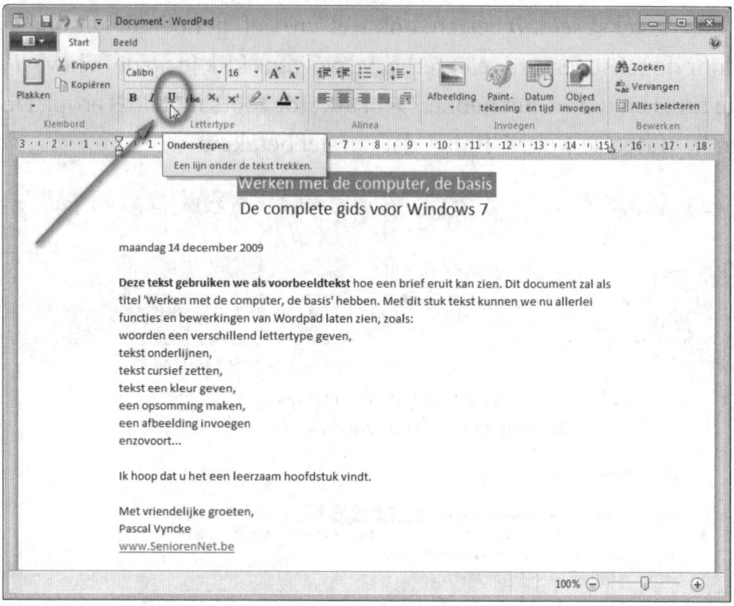

Document - WordPad

Start Beeld

Knippen Kopiëren Plakken Klembord Calibri 16 Lettertype Alinea Afbeelding Paint-tekening Datum en tijd Object invoegen Invoegen Zoeken Vervangen Alles selecteren Bewerken

Onderstrepen
Een lijn onder de tekst trekken.

Werken met de computer, de basis
De complete gids voor Windows 7

maandag 14 december 2009

Deze tekst gebruiken we als voorbeeldtekst hoe een brief eruit kan zien. Dit document zal als titel 'Werken met de computer, de basis' hebben. Met dit stuk tekst kunnen we nu allerlei functies en bewerkingen van Wordpad laten zien, zoals:
woorden een verschillend lettertype geven,
tekst onderlijnen,
tekst cursief zetten,
tekst een kleur geven,
een opsomming maken,
een afbeelding invoegen
enzovoort...

Ik hoop dat u het een leerzaam hoofdstuk vindt.

Met vriendelijke groeten,
Pascal Vyncke
www.SeniorenNet.be

100%

Je zult zien dat de computer je opdracht begrepen heeft: de geselecteerde tekst is nu onderstreept.

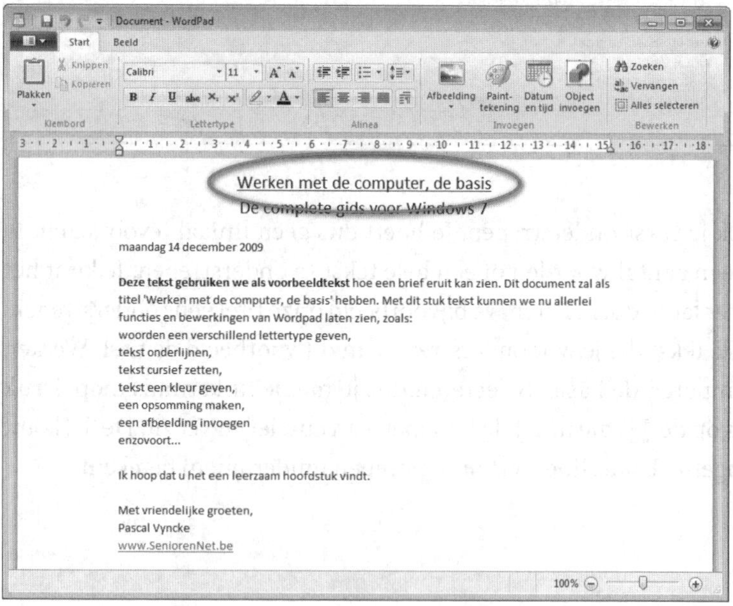

Document - WordPad

Start Beeld

Knippen Kopiëren Plakken Klembord Calibri 11 Lettertype Alinea Afbeelding Paint-tekening Datum en tijd Object invoegen Invoegen Zoeken Vervangen Alles selecteren Bewerken

Werken met de computer, de basis
De complete gids voor Windows 7

maandag 14 december 2009

Deze tekst gebruiken we als voorbeeldtekst hoe een brief eruit kan zien. Dit document zal als titel 'Werken met de computer, de basis' hebben. Met dit stuk tekst kunnen we nu allerlei functies en bewerkingen van Wordpad laten zien, zoals:
woorden een verschillend lettertype geven,
tekst onderlijnen,
tekst cursief zetten,
tekst een kleur geven,
een opsomming maken,
een afbeelding invoegen
enzovoort...

Ik hoop dat u het een leerzaam hoofdstuk vindt.

Met vriendelijke groeten,
Pascal Vyncke
www.SeniorenNet.be

100%

▸▸ *Uitlijnen tekst*

Bij het maken van onze titel hebben we reeds gezien dat we tekst kunnen centreren op een pagina, in het midden zetten dus. We kunnen de tekst echter ook helemaal rechts plaatsen, bijvoorbeeld als we een datum willen opnemen in een tekst.

Selecteer met je linkermuisknop de tekst die je rechts wilt laten uitlijnen op de pagina. Druk nu vervolgens op de knop voor rechts uitlijnen, zodat de computer weet wat hij moet doen. Je vindt de knop rechtsboven. Kijk ook op de afbeelding voor visuele ondersteuning.

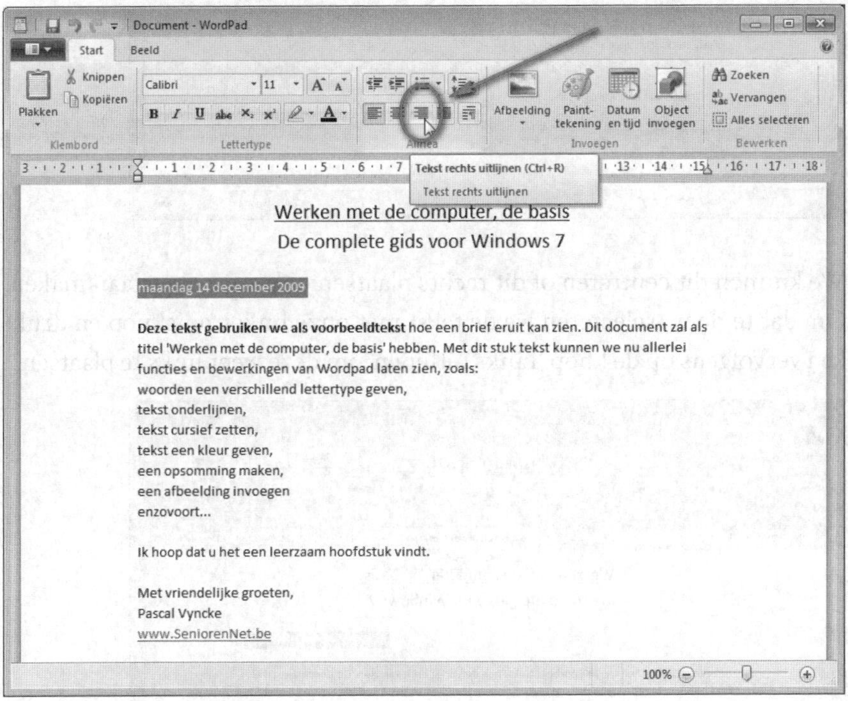

Je ziet dat de computer de tekst nu rechts plaatst, zoals op de volgende foto.

Werken met de computer, de basis
De complete gids voor Windows 7

maandag 14 december 2009

Deze tekst gebruiken we als voorbeeldtekst hoe een brief eruit kan zien. Dit document zal als titel 'Werken met de computer, de basis' hebben. Met dit stuk tekst kunnen we nu allerlei functies en bewerkingen van Wordpad laten zien, zoals:
woorden een verschillend lettertype geven,
tekst onderlijnen,
tekst cursief zetten,
tekst een kleur geven,
een opsomming maken,
een afbeelding invoegen
enzovoort...

Ik hoop dat u het een leerzaam hoofdstuk vindt.

Met vriendelijke groeten,
Pascal Vyncke
www.SeniorenNet.be

We kunnen dit centreren of dit rechts plaatsen ook weer ongedaan maken. Om dat te doen, selecteren we de tekst met onze linkermuisknop en drukken vervolgens op de knop 'Links uitlijnen' om deze weer links te plaatsen.

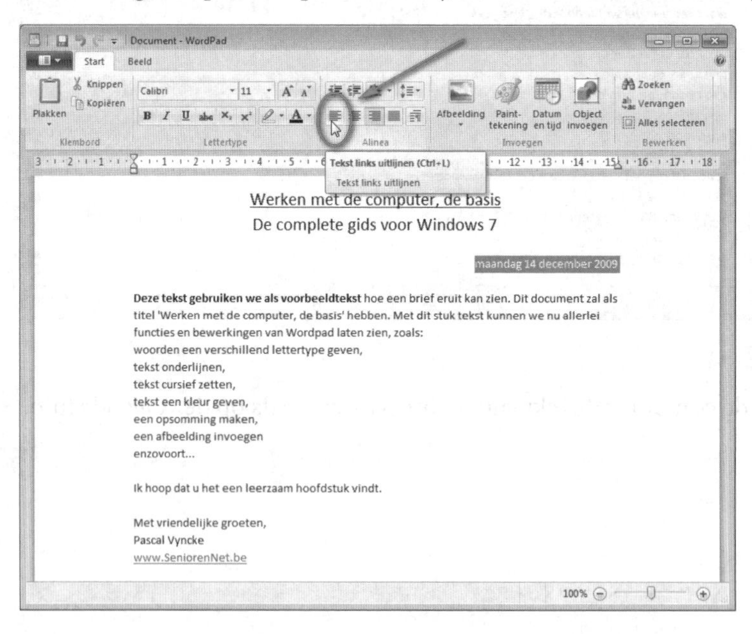

Werken met de computer, de basis
De complete gids voor Windows 7

maandag 14 december 2009

Deze tekst gebruiken we als voorbeeldtekst hoe een brief eruit kan zien. Dit document zal als titel 'Werken met de computer, de basis' hebben. Met dit stuk tekst kunnen we nu allerlei functies en bewerkingen van Wordpad laten zien, zoals:
woorden een verschillend lettertype geven,
tekst onderlijnen,
tekst cursief zetten,
tekst een kleur geven,
een opsomming maken,
een afbeelding invoegen
enzovoort...

Ik hoop dat u het een leerzaam hoofdstuk vindt.

Met vriendelijke groeten,
Pascal Vyncke
www.SeniorenNet.be

▸▸ *Je tekst een kleurtje geven*

Het is leuk om wat kleur te geven aan onze tekst. Een gekleurde titel of een gekleurde inleiding staat best mooi. We kunnen dit eenvoudig doen op de computer door de tekst die we van kleur willen veranderen te selecteren met onze linkermuisknop. Klik vervolgens midden bovenaan op het scherm in de groep Lettertype op het pijltje naast de A met een streep eronder. Dit is de knop 'Tekstkleur'. Zo vertellen we de computer dat we iets met de geselecteerde tekst willen doen, namelijk de kleur wijzigen.

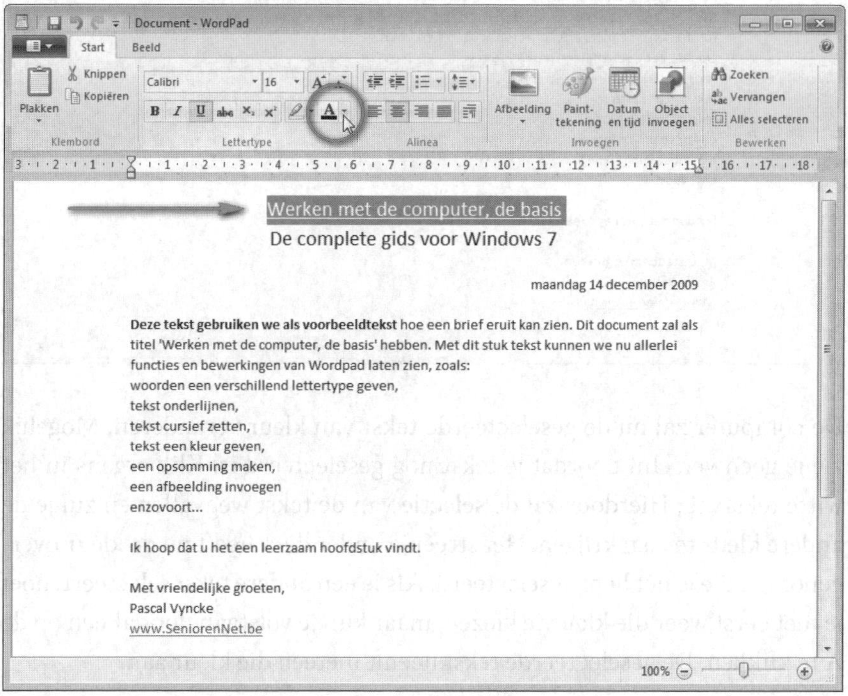

We krijgen nu een nieuw menu te zien met alle kleuren waaruit we kunnen kiezen: zwart, kastanjebruin, groen, enzovoort. Klik met je linkermuisknop op de kleur die je je tekst wilt geven. Merk op dat zodra je de muis boven een kleur plaatst, je een klein venster ziet met de naam van de kleur. Ook zie je dat de geselecteerde tekst meteen zichtbaar is in de kleur waar je de muis hebt staan.

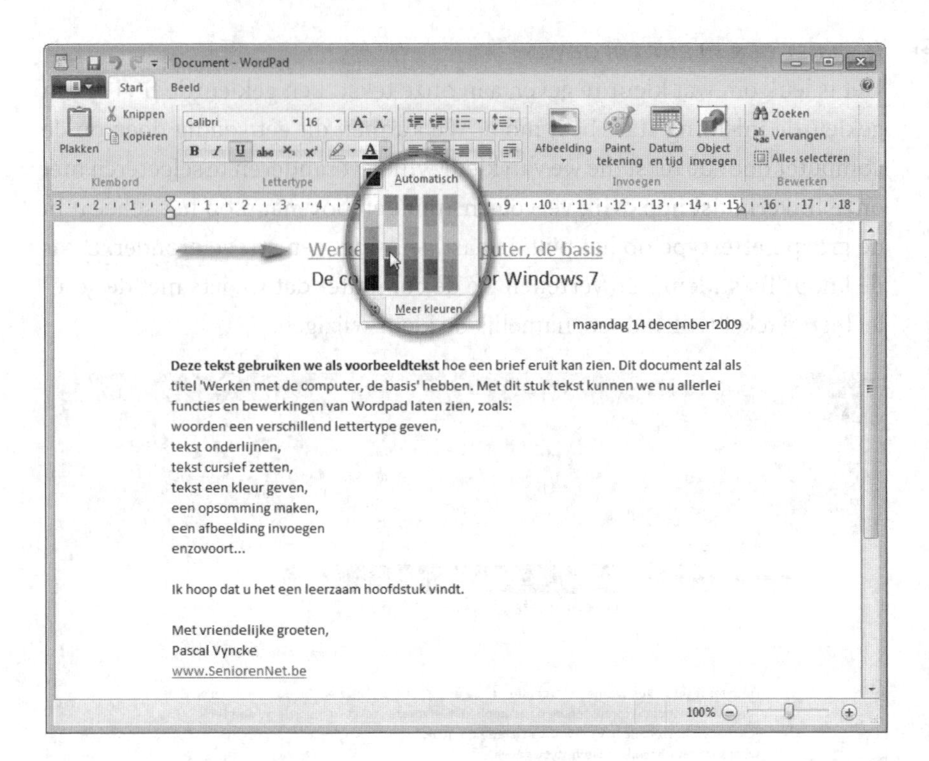

De computer zal nu de geselecteerde tekst van kleur veranderen. Mogelijk zie je geen verschil doordat je tekst nog geselecteerd is. Klik ergens in het witte tekstvak. Hierdoor zal de selectie van de tekst wegvallen en zul je de andere kleur te zien krijgen. Het streepje onder de A heeft nu de kleur overgenomen die je net hebt geselecteerd. Als je een andere tekst selecteert, hoef je niet eerst weer die kleur te kiezen, maar kun je volstaan door alleen op de A te klikken. De geselecteerde tekst neemt meteen die kleur aan.

Om terug naar de oorspronkelijke kleur te gaan, zwart dus, doe je precies hetzelfde: de tekst selecteren, op de kleurknop drukken en dan 'Automatisch' selecteren in het lijstje. Onder in het lijstje zie je nog de optie 'Meer kleuren'. Via deze optie kun je nog meer kleuren kiezen dan je te zien krijgt in dat lijstje.

▸▸ *Een opsomming maken*

Het kan weleens voorvallen dat je een opsomming wilt maken, bijvoorbeeld van taken die nog moeten gebeuren, mogelijkheden die er zijn of ingrediënten. De computer helpt ons om zo'n opsomming duidelijk te maken.

Als je al een opsomming hebt getypt, zoals in het voorbeeld waarmee we tot nu toe hebben gewerkt in dit boek, dan kun je deze bestaande opsomming verduidelijken door haar te selecteren met je linkermuisknop.

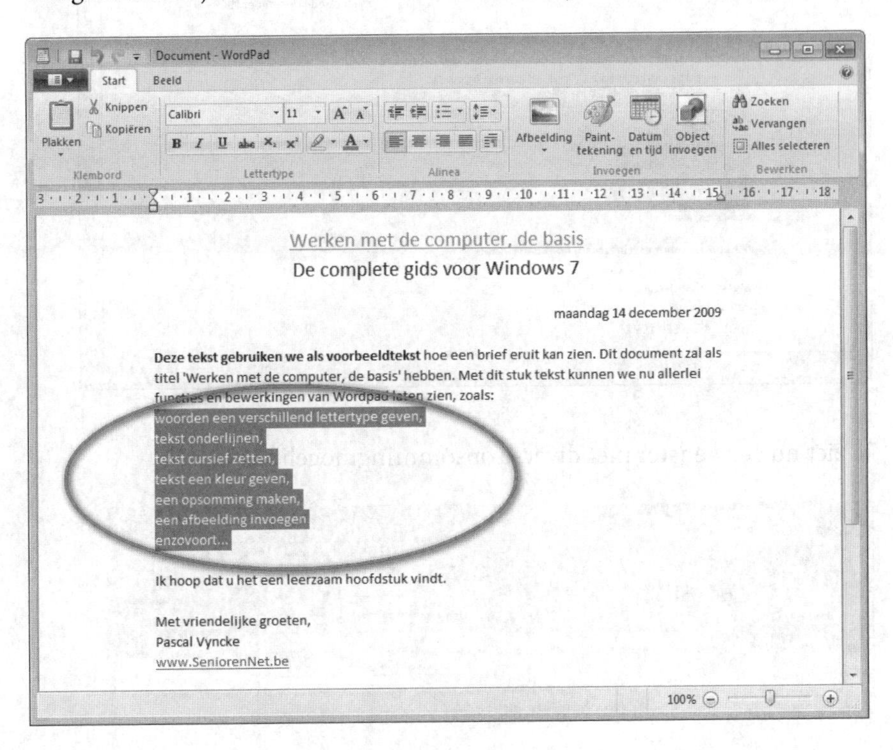

We hebben nu de opsomming geselecteerd en willen tegen onze computer zeggen dat hij er een echte opsomming van moet maken. We doen dat door op het pijltje naast de knop 'Een lijst beginnen' te klikken.

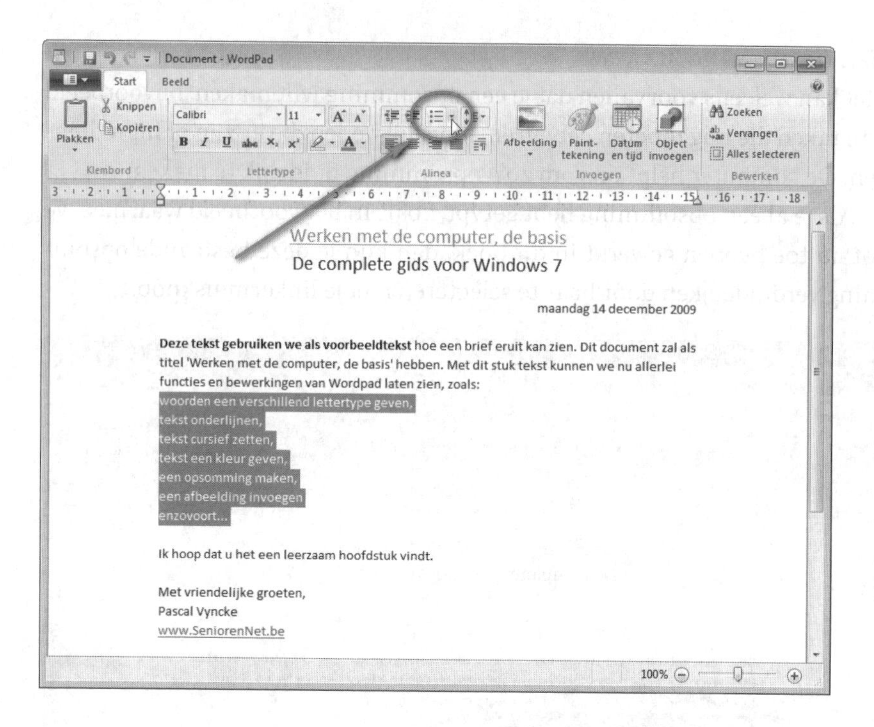

Je ziet nu een venster met diverse opsommingmogelijkheden.

Ook hier zie je meteen het effect van je keuze van een lijst, net als bij de tekstkleur. De geselecteerde tekst wordt meteen in die lijstkeuze weergegeven zodra je de muis boven een bepaalde opsommingskeuze plaatst. Hierdoor kun je duidelijk bepalen wat het gevolg van is van een bepaalde opsommingskeuze. Selecteer een soort opsomming en klik daarop met de linkermuisknop.

We zien nu dat de computer van onze lijst een mooie opsomming heeft gemaakt.

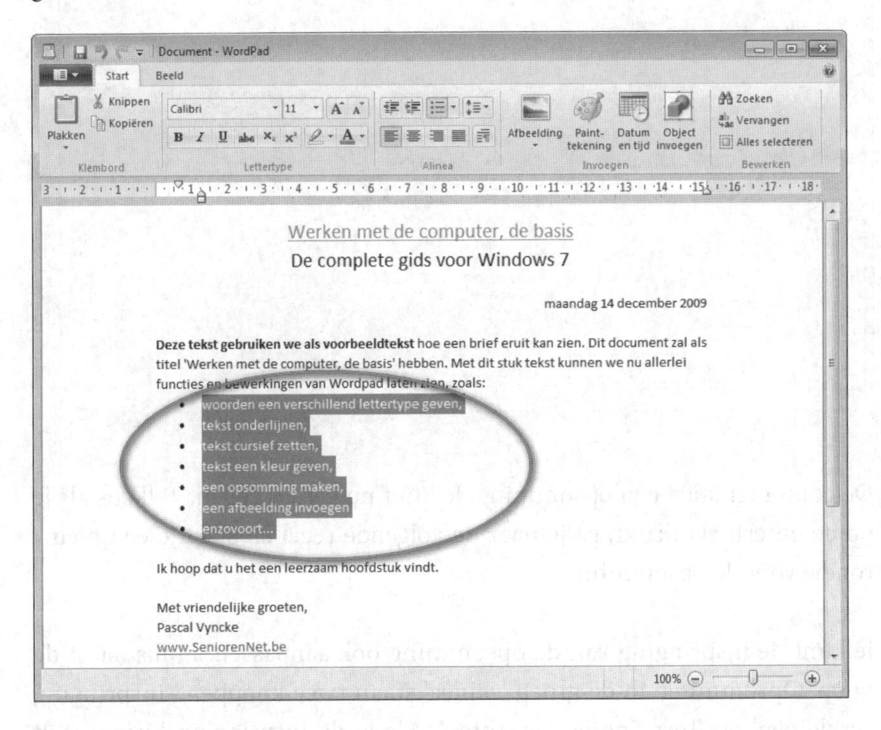

De computer zet een zwart rondje per regel, per keer dat je op de entertoets hebt gedrukt. Als je dus alle delen van je opsomming achter elkaar hebt geschreven zonder de entertoets te gebruiken, kan de computer niet weten wat de verschillende delen zijn. Wijzig je tekstje dan door op de juiste plaatsen een enter te zetten.

Als we nog geen opsomming hebben gemaakt, maar nog volop met onze tekst bezig zijn, dan kun je de computer al vragen om een opsomming te starten. Ga in je tekst op de plaats staan waar de opsomming moet komen. Druk vervolgens op de knop om de opsomming te starten.

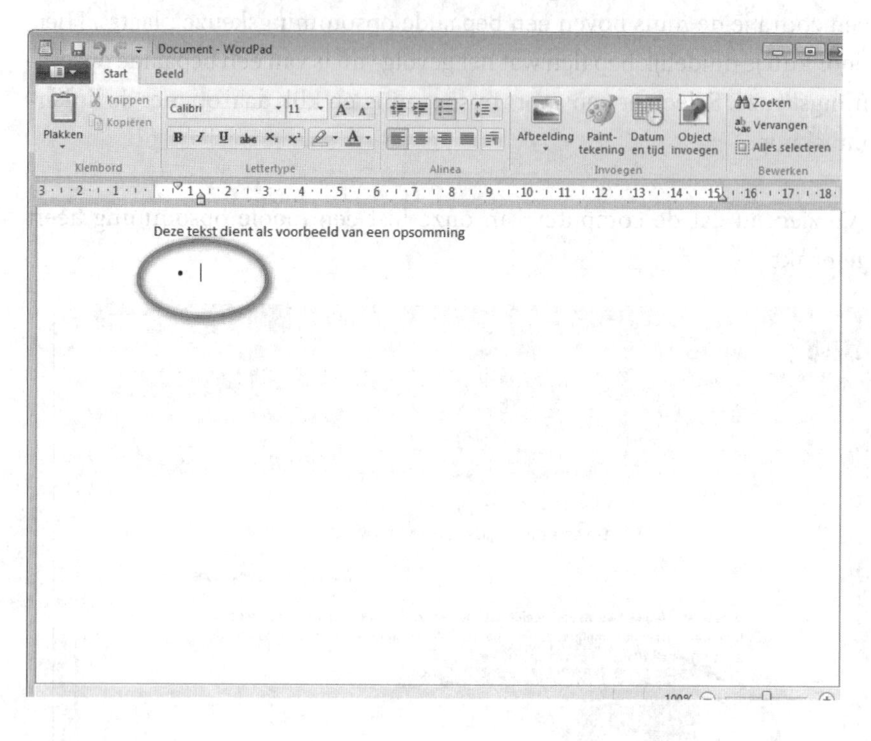

De computer start een opsomming. Je kunt nu verder typen. Telkens als je op de entertoets drukt, ga je naar de volgende regel en start je een nieuw rondje voor de opsomming.

Je kunt de inspringing van de opsomming ook aanpassen. Links naast de knop 'Opsomming' in de groep 'Alinea' staan twee knoppen, 'Inspringing verkleinen' en 'Inspringing vergroten'. Als je de inspringing kleiner wilt maken, klik je op de linkerknop.

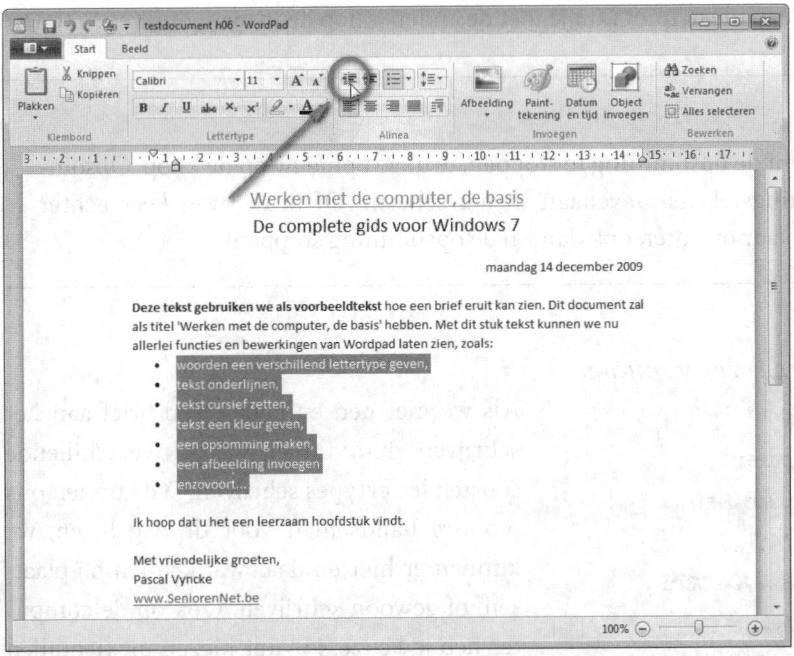

testdocument h06 - WordPad

Start Beeld

Plakken Knippen Kopiëren Klembord

Calibri 11 Lettertype

Alinea

Afbeelding Paint-tekening Datum en tijd Object invoegen Invoegen

Zoeken Vervangen Alles selecteren Bewerken

Werken met de computer, de basis

De complete gids voor Windows 7

maandag 14 december 2009

Deze tekst gebruiken we als voorbeeldtekst hoe een brief eruit kan zien. Dit document zal als titel 'Werken met de computer, de basis' hebben. Met dit stuk tekst kunnen we nu allerlei functies en bewerkingen van Wordpad laten zien, zoals:

- woorden een verschillend lettertype geven,
- tekst onderlijnen,
- tekst cursief zetten,
- tekst een kleur geven,
- een opsomming maken,
- een afbeelding invoegen
- enzovoort...

Ik hoop dat u het een leerzaam hoofdstuk vindt.

Met vriendelijke groeten,
Pascal Vyncke
www.SeniorenNet.be

100%

Je ziet meteen dat de geselecteerde tekst naar links springt.

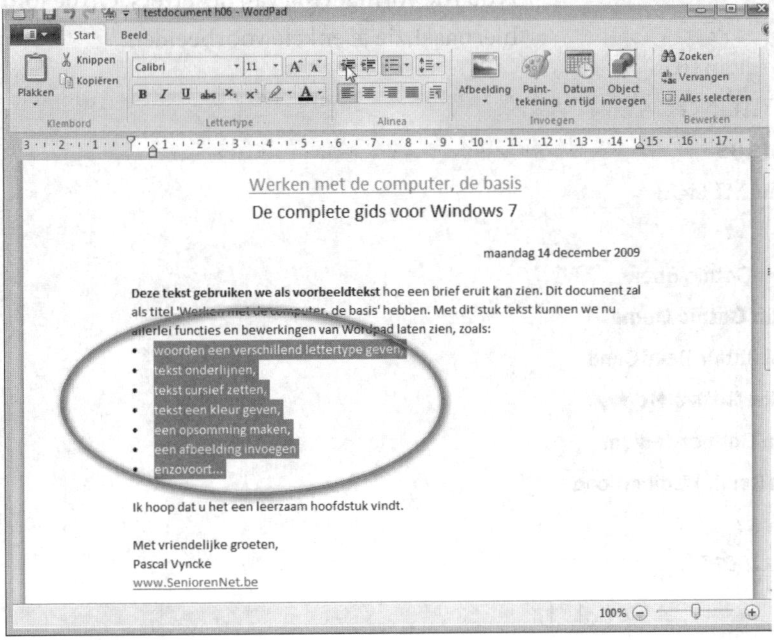

testdocument h06 - WordPad

Start Beeld

Plakken Knippen Kopiëren Klembord

Calibri 11 Lettertype

Alinea

Afbeelding Paint-tekening Datum en tijd Object invoegen Invoegen

Zoeken Vervangen Alles selecteren Bewerken

Werken met de computer, de basis

De complete gids voor Windows 7

maandag 14 december 2009

Deze tekst gebruiken we als voorbeeldtekst hoe een brief eruit kan zien. Dit document zal als titel 'Werken met de computer, de basis' hebben. Met dit stuk tekst kunnen we nu allerlei functies en bewerkingen van Wordpad laten zien, zoals:

- woorden een verschillend lettertype geven,
- tekst onderlijnen,
- tekst cursief zetten,
- tekst een kleur geven,
- een opsomming maken,
- een afbeelding invoegen
- enzovoort...

Ik hoop dat u het een leerzaam hoofdstuk vindt.

Met vriendelijke groeten,
Pascal Vyncke
www.SeniorenNet.be

100%

Op dezelfde manier kun je met de andere knop de inspringing vergroten.

Tip
Om de opsomming te stoppen, druk je opnieuw op de knop 'Opsommingstekens' bovenaan in het scherm. Of druk twee keer achter elkaar op enter, ook dan zal de opsomming stoppen!

▸▸ *Lettertype wijzigen*

Corbel
Courier
Courier New
Curlz MT
Edwardian Script ITC
Elephant
ENGRAVERS MT
Eras Bold ITC
Eras Demi ITC
Eras Light ITC
Eras Medium ITC
FELIX TITLING
Fixedsys
Footlight MT Light
Forte
Franklin Gothic Book
Franklin Gothic Demi
Franklin Gothic Demi Cond
Franklin Gothic Heavy
Franklin Gothic Medium
Franklin Gothic Medium Cond
Freestyle Script
French Script MT
Gabriola

Als we met pen en papier een brief aan het schrijven zijn, kunnen we ook verschillende soorten lettertypes schrijven. We kunnen ons mooiste handschrift voor de dag halen, we kunnen er hier en daar wat krullen bij plaatsen, of gewoon schrijven. Ook op de computer heb je keuze: je kunt kiezen uit tientallen of wel honderden verschillende lettertypes (afhankelijk van je computer). Een lettertype is dus de vormgeving van de letters. Op de foto hiernaast zie je enkele voorbeelden.

Selecteer de tekst waar je het lettertype van wenst te wijzigen met je linkermuisknop. Nu kun je het lettertype veranderen. Dit staat linksboven in de groep Lettertype. Kijk op de afbeelding voor de juiste locatie.

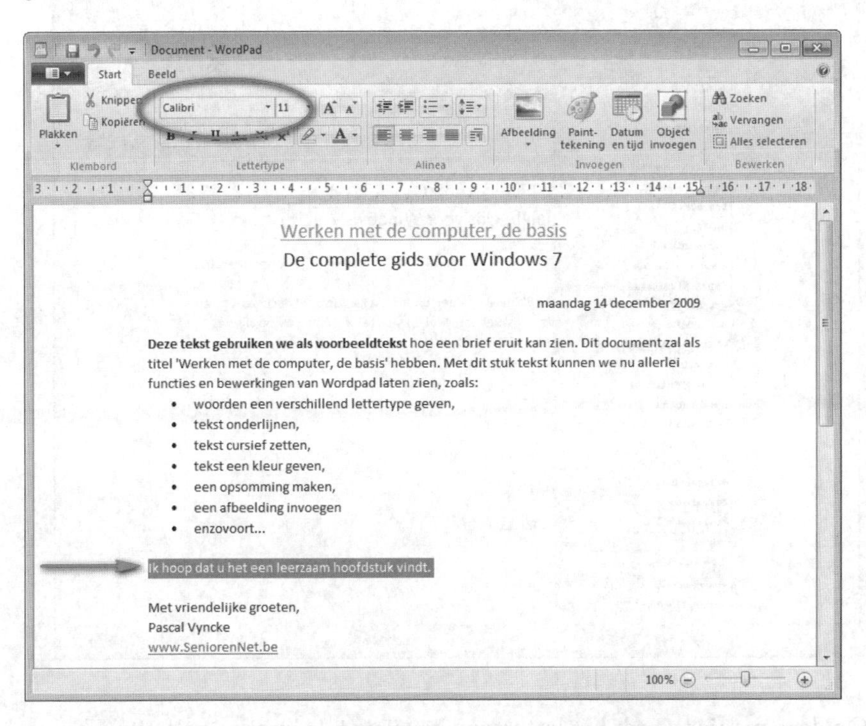

Op de foto zie je het lettertype 'Calibri'. Dit is de naam van een veelgebruikt lettertype. We kunnen het wijzigen door met onze linkermuisknop te klikken op het pijltje naar beneden dat achter de naam van het lettertype staat.

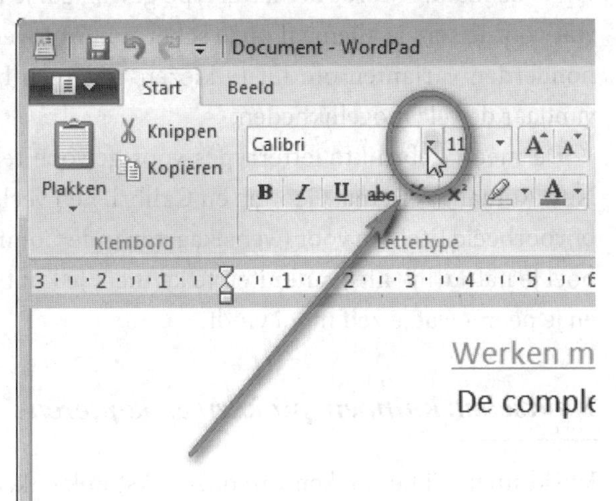

Je krijgt nu een lijst van alle mogelijke lettertypes te zien. Uit deze lijst kun je een lettertype kiezen door op de naam te klikken met je linkermuisknop.

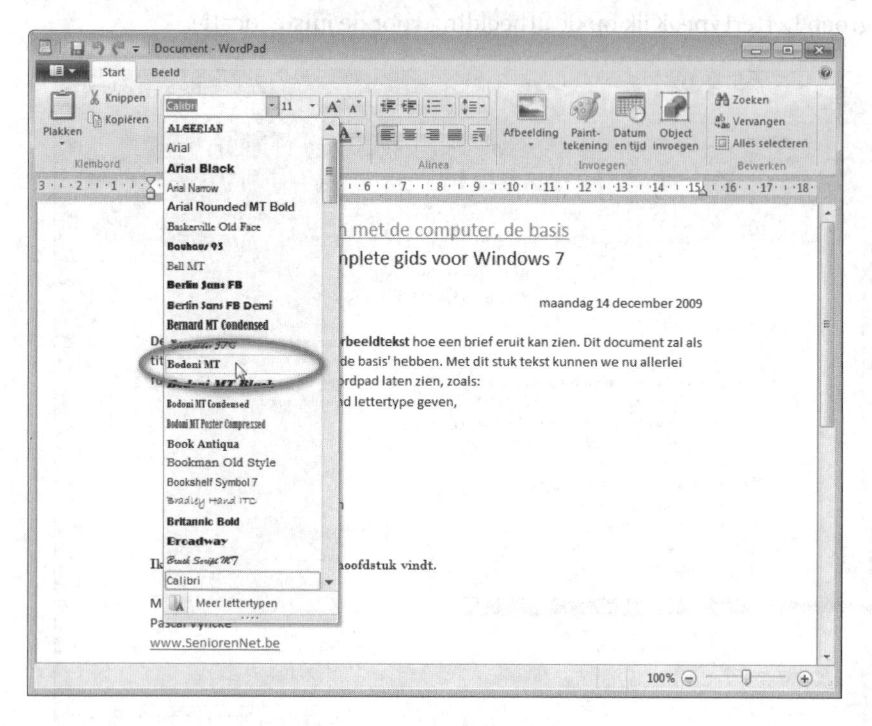

Op deze manier wordt het lettertype gewijzigd. Je kunt zo zelf uitproberen wat voor letters je allemaal op je scherm kunt toveren. Je hebt tientallen of honderden varianten om uit te kiezen. Iedereen heeft een andere smaak, vandaar de vele mogelijkheden.

De meest gebruikte lettertypes voor gewone teksten zijn: Arial, Times New Roman, Verdana, Georgia en Calibri. Een veelgebruikt lettertype voor bijvoorbeeld titels en voor (wens)kaarten is de Comic Sans MS. Deze namen hoef je natuurlijk niet vanbuiten te kennen. Je kunt ze zelf kiezen uit de lijst en je neemt wat je zelf mooi vindt.

Knutselen: knippen, plakken en kopiëren

We kunnen bij het maken van onze tekst ook enkele extra functies gebruiken die het ons weer een beetje gemakkelijker maken.

Zo kunnen we een stuk tekst verplaatsen: het op de ene plaats knippen en op een andere plaats plakken. Heb je bijvoorbeeld een brief geschreven die uit meerdere paragrafen (alinea's) bestaat, maar wil je deze van volgorde wisselen, dan is dit bijzonder eenvoudig. Je hoeft helemaal niets te wissen of opnieuw in te typen. Selecteer met je linkermuisknop het stuk tekst dat je wilt verplaatsen, het stuk dus dat je wilt wegknippen. Klik vervolgens met je linkermuisknop bovenaan in de groep 'Klembord' op de knop 'Knippen', om aan te geven dat je het wilt wegknippen.

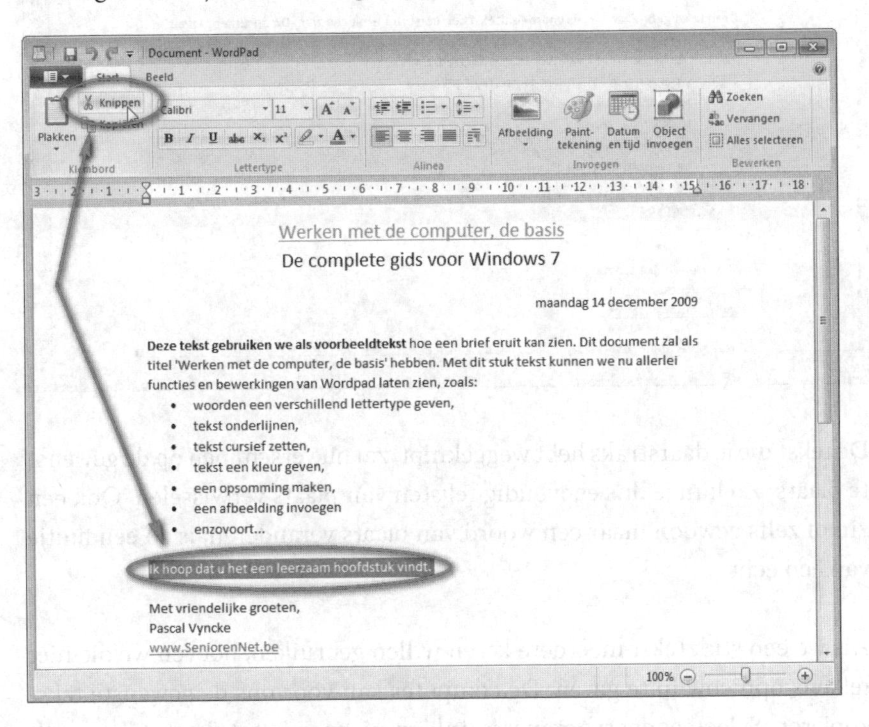

De geselecteerde tekst zal verdwijnen. De computer heeft deze onzichtbaar ergens opgeborgen. Klik nu met je linkermuisknop op de plaats waar de tekst moet komen. Klik vervolgens op de knop 'Plakken'.

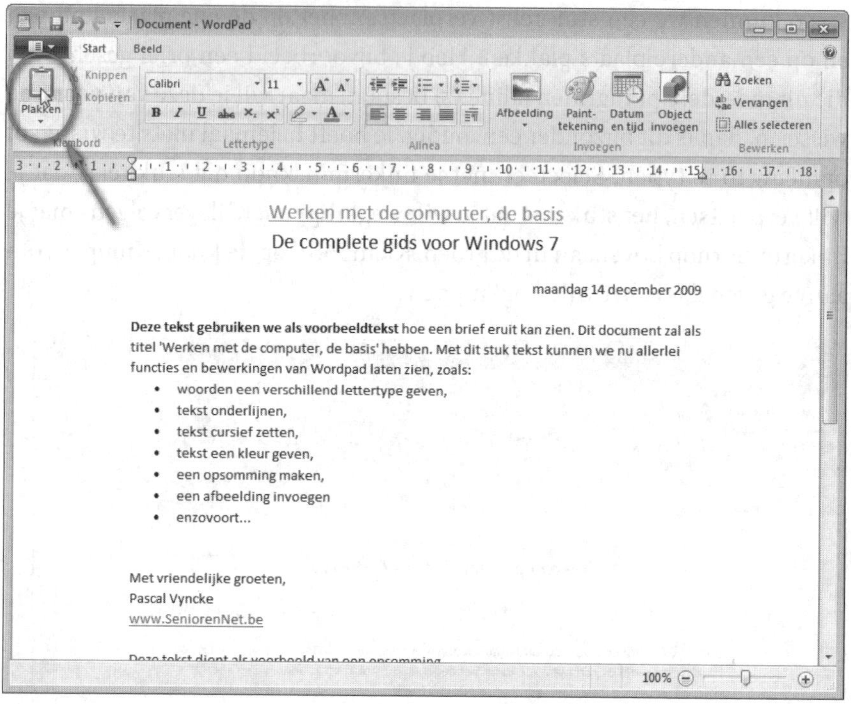

De tekst die je daarstraks hebt weggeknipt, zal nu verschijnen op de gewenste plaats. Zo kun je dus eenvoudig teksten van plaats verwisselen. Ook een zin of zelfs gewoon maar een woord van plaats veranderen, is zo een fluitje van een cent.

Als we een stuk tekst meerdere keren willen gebruiken, hoeven we die niet telkens opnieuw in te geven. De computer kan voor ons de gewenste tekst kopiëren. Selecteer daarvoor met je linkermuisknop het stuk tekst dat je wilt kopiëren. Druk vervolgens op de knop 'Kopiëren'.

Werken met de computer, de basis
De complete gids voor Windows 7

maandag 14 december 2009

Deze tekst gebruiken we als voorbeeldtekst hoe een brief eruit kan zien. Dit document zal als titel 'Werken met de computer, de basis' hebben. Met dit stuk tekst kunnen we nu allerlei functies en bewerkingen van Wordpad laten zien, zoals:

- woorden een verschillend lettertype geven,
- tekst onderlijnen,
- tekst cursief zetten,
- tekst een kleur geven,
- een opsomming maken,
- een afbeelding invoegen
- enzovoort...

Ik hoop dat u het een leerzaam hoofdstuk vindt.

Met vriendelijke groeten,
Pascal Vyncke
www.SeniorenNet.be

We hebben nu de geselecteerde tekst in het geheugen van onze computer gezet. Hij staat klaar om te worden vermenigvuldigd. Zeg maar dat we het stukje tekst op het glas van de kopieermachine hebben gelegd en dat we nu alleen nog maar hoeven te zeggen waar en hoeveel keer we er een kopie van willen hebben. Klik met je linkermuisknop op de plaats waar je de tekst gekopieerd wilt hebben. Klik nu op de knop 'Plakken'.

Het stuk tekst dat in het geheugen zit, zal nu worden geplakt op de plaats die jij hebt aangeduid. Als je meerdere keren op de knop 'Plakken' klikt, zal het stukje meerdere keren verschijnen.

Onder de knop 'Plakken' zie je een klein pijltje. Als je daarop klikt, zie je twee opties verschijnen, 'Plakken' en 'Plakken speciaal'.

Plakken
Plakken speciaal

In de voorbeelden hebben we steeds van het 'gewone' plakken gebruikgemaakt. Als je klikt op de optie 'Plakken speciaal', zie je een nieuw venster.

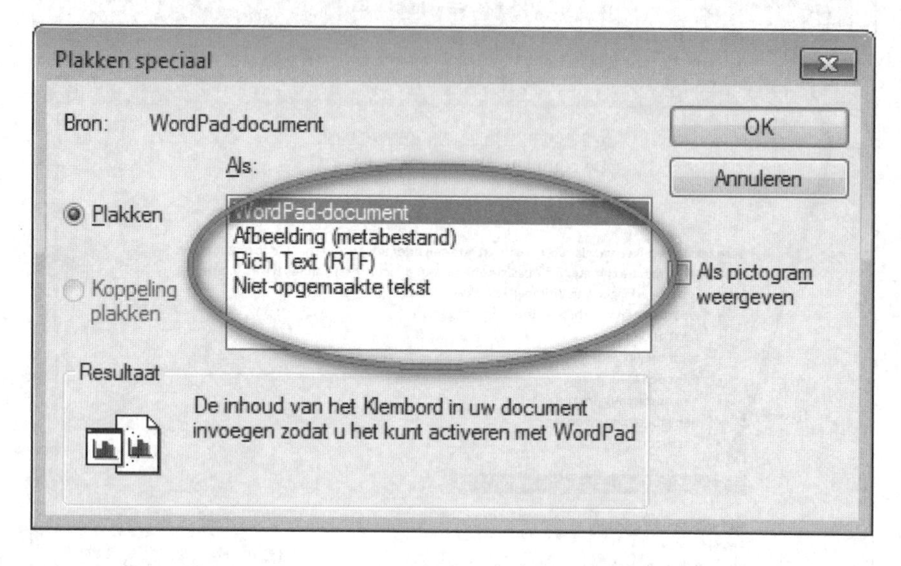

Je ziet nu vier opties waarbij de bovenste optie gewoon een Wordpad-tekst is. De opties die je te zien krijgt, hangen af van wat je hebt gekopieerd of geknipt. Als je ergens een afbeelding uit een document hebt gekopieerd, dan is dat anders dan wanneer je gewoon tekst uit een Wordpad-document hebt gekopieerd. Soms kan de onderste optie handig zijn om 'kale tekst' zonder enige opmaak als vet, cursief enzovoort te plakken. Meestal heb je trouwens genoeg aan gewoon 'Plakken' in plaats van 'Plakken speciaal'.

Je hebt nu geleerd hoe je eenvoudig stukken tekst kunt kopiëren, knippen en plakken. Laat je lijm dus maar in de bureaulade liggen en je hoeft niet meer naar het kopieercentrum te lopen. Je kunt het zelf snel en gemakkelijk met je computer.

Zoeken

Als je iets wilt zoeken in je eigen tekst, en dat is vooral nuttig als je met langere teksten werkt, dan kun je dit snel door je computer laten doen. Dat gaat veel vlugger dan zelf heel de tekst te doorlopen.

Druk in de groep Bewerken op de knop 'Zoeken' (de verrekijker) met je linkermuisknop. Dit is de knop om te zoeken.

Je krijgt nu een nieuw schermpje te zien, zoals op de volgende foto.

Je kunt in het witte tekstvak klikken met je linkermuisknop en vervolgens het woord of de woorden intypen die de computer voor je moet zoeken in het tekstvak. Als je daarmee klaar bent, druk je op de knop 'Volgende zoeken' met je linkermuisknop.

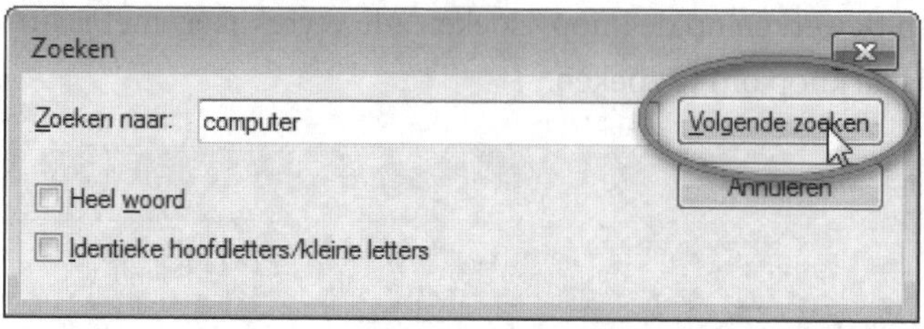

De computer zal nu beginnen te zoeken in het document. Als hij iets gevonden heeft, zal hij het gezochte woord selecteren. In het voorbeeld op de foto zocht ik naar 'computer'. Je ziet dat de computer inderdaad het woord 'computer' heeft aangeduid in de tekst. Je kunt de computer ook vragen om verder te zoeken in de tekst. Een woord kan namelijk meerdere keren voorkomen. Je doet dit door op de knop 'Volgende zoeken' te klikken met je linkermuisknop, net zolang tot je klaar bent.

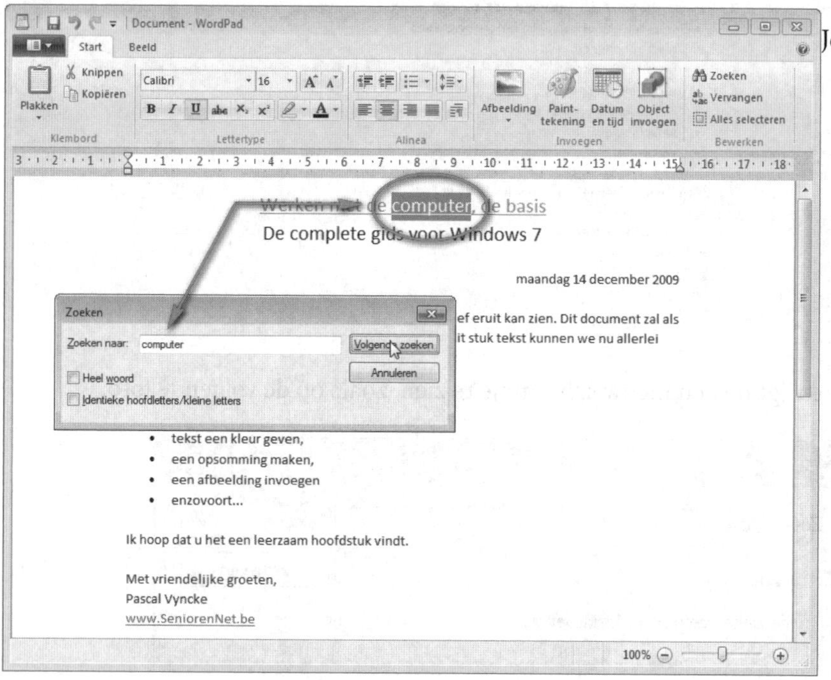

Als de computer helemaal niets kan vinden, of onderaan in het document gekomen is en geen volgende resultaten meer kan weergeven, zal hij een melding weergeven zoals op de volgende foto. Sluit die melding door te klikken met je linkermuisknop op de knop 'OK'.

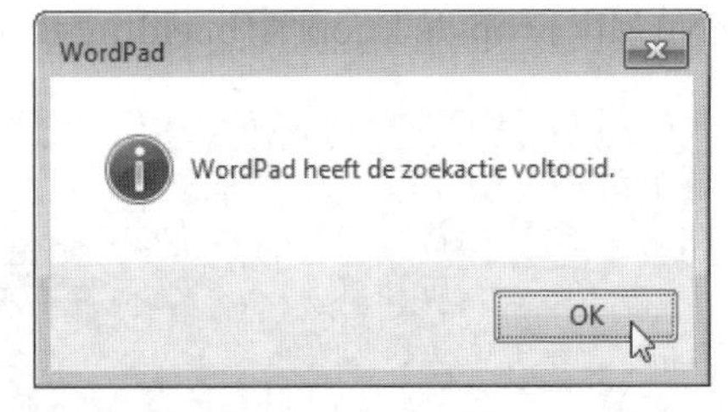

Invoegen van afbeeldingen, tekeningen en datum en tijd

Nieuw in deze versie van Wordpad is dat je nu ook afbeeldingen, foto's, tekeningen, diagrammen, maar ook bijvoorbeeld de datum en de tijd kunt invoegen in je document. Hiervoor gebruik je alle knoppen in de groep Invoegen.

EEN FOTO INVOEGEN

Laten we als eerste een foto in het voorbeelddocument plaatsen. Zet daarvoor de cursor op een plek waar je de foto wilt hebben.

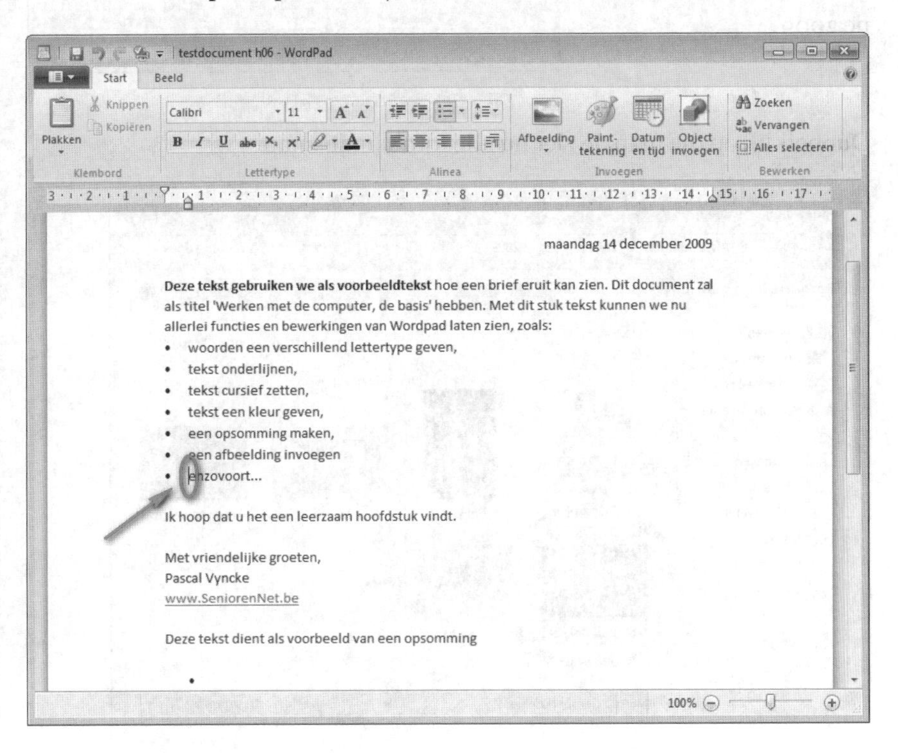

Nu klik je op de knop 'Afbeelding invoegen'.

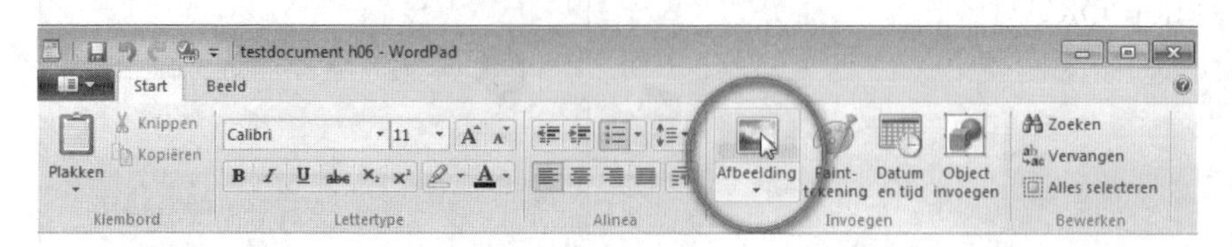

Je ziet nu een nieuw venster dat de bibliotheek 'Afbeeldingen' weergeeft. Van hieruit kun je bladeren naar de map waarin de foto staat die je wilt invoegen. In het voorbeeld kiezen we een foto uit de map 'Foto's Toscane 2009'.

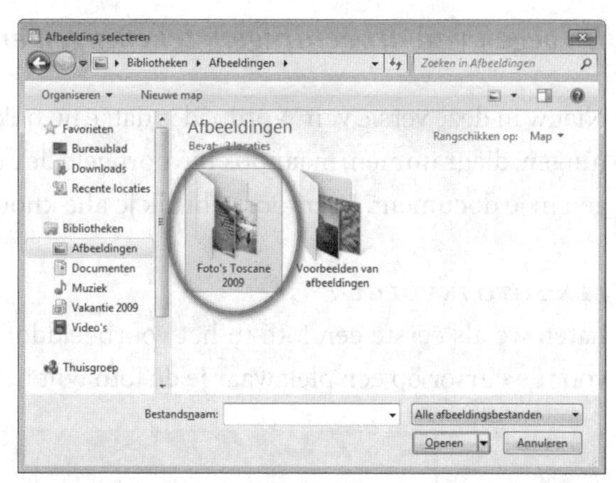

Dubbelklik op die map. Je ziet nu alle foto's in die map.

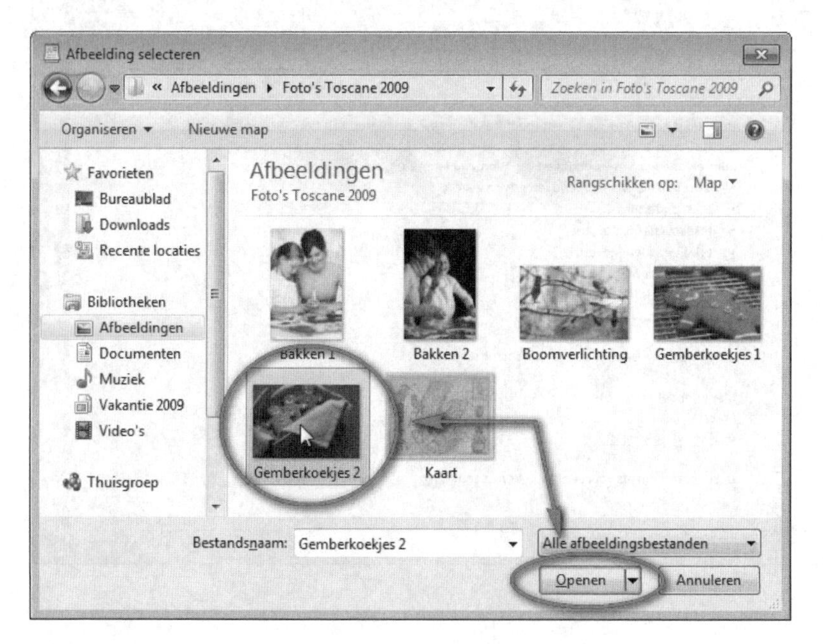

Selecteer de foto door erop te dubbelklikken of klik één keer op de foto om hem te selecteren en klik erna op de knop 'Openen'.

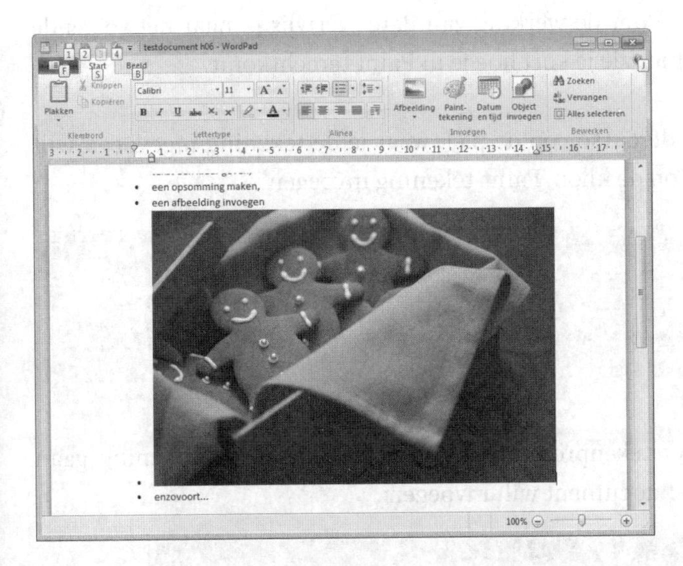

Je ziet nu dat de foto is ingevoegd in het document. Wel is het zo dat de foto over de volledige kolombreedte is geplaatst. Als je dat niet wilt, klik je één keer op de foto. Je ziet dat de foto is geselecteerd en er op de hoekpunten en in het midden van de zijkanten zogenoemde handvatten zichtbaar zijn.

Je kunt de foto groter of kleiner maken door op deze handvatten te klikken, de linkermuisknop ingedrukt te houden en het handvat te slepen naar waar je hem wilt hebben. Laat dan de muisknop los. De foto heeft z'n nieuwe afmeting gekregen.

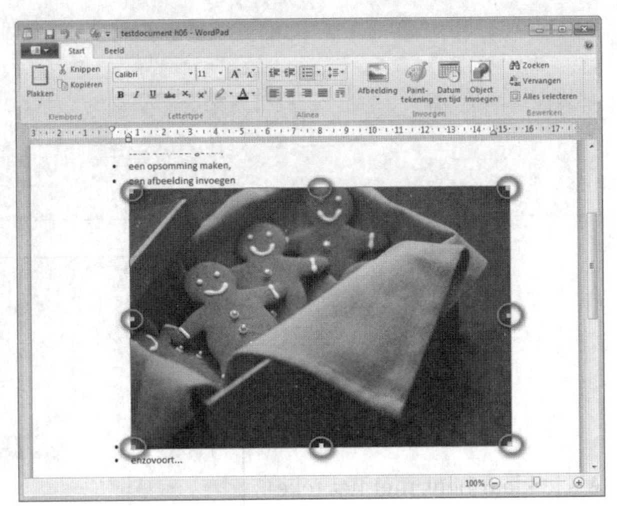

▸▸ *EEN TEKENING INVOEGEN*

Op soortgelijke wijze voeg je ook een tekening in. Deze tekening wordt gemaakt in Paint. Voor de werking van Paint verwijs ik naar het volgende hoofdstuk, maar hier zie je kort hoe je in Paint terechtkomt.

Plaats eerst weer de cursor op de plek waar je de tekening ingevoegd wilt hebben. Klik dan op de knop 'Paint-tekening invoegen'.

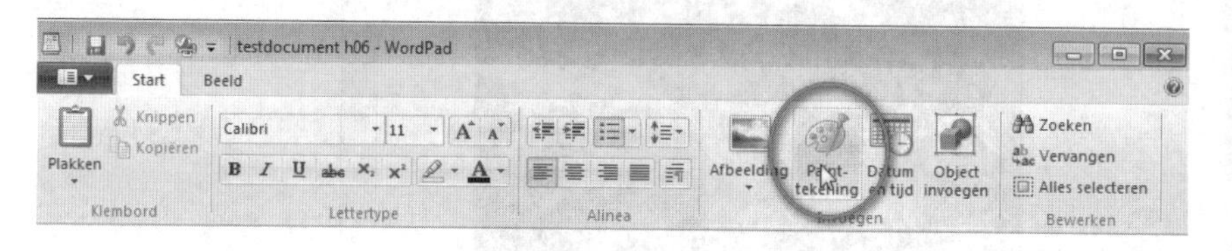

Hierdoor start het tekenprogramma Paint en kun je een tekening gaan maken die je in het document wilt invoegen.

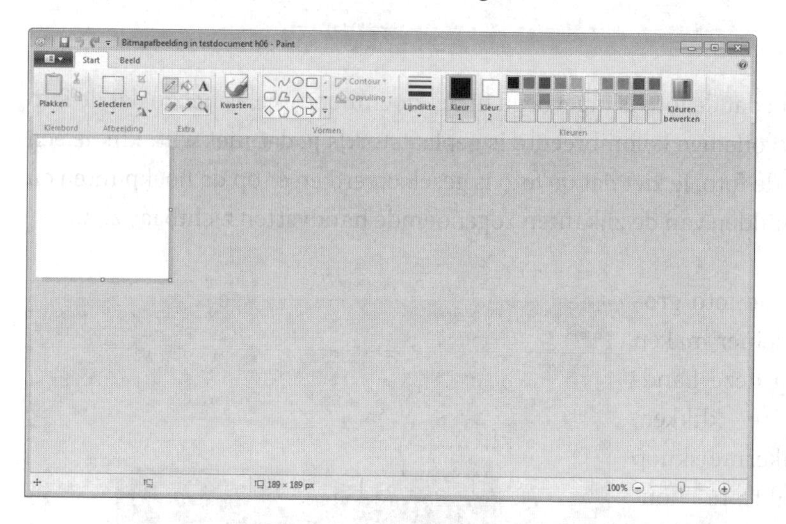

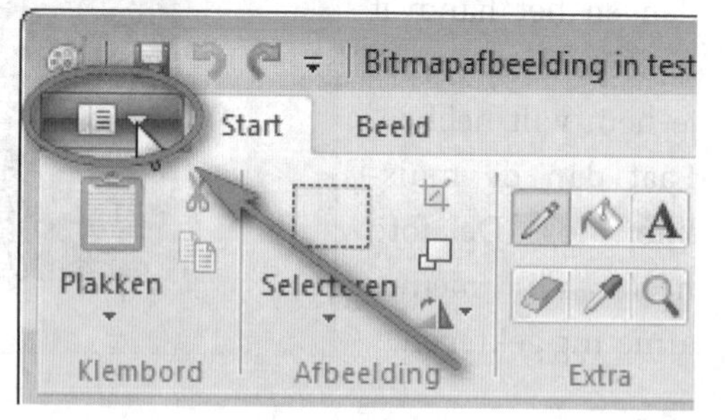

Als je klaar bent met het tekenen, klik je op de knop 'Paint'.

Net als bij Wordpad zie je nu een lijst met opties.

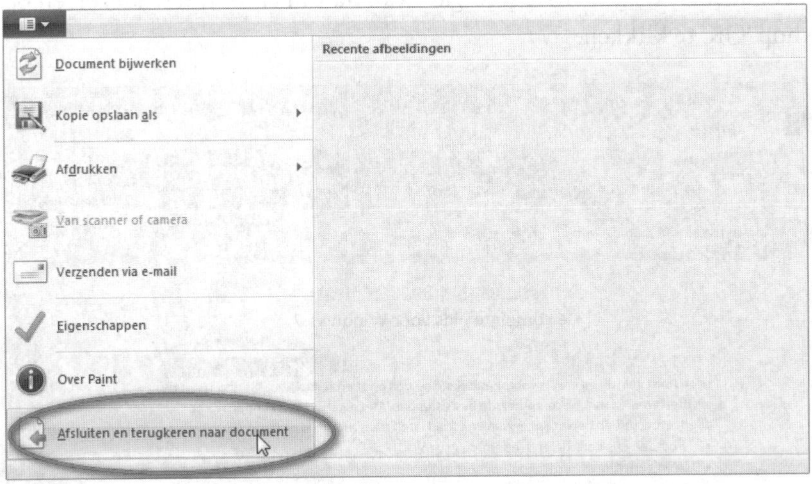

Klik op de onderste knop 'Afsluiten en terugkeren naar document' om het effect van je tekenkunsten in het Wordpad-document te bewonderen.

DATUM EN TIJD INVOEGEN

Als je ergens een datum of tijd ingevoegd wilt hebben in je document, is dit een erg handige optie. Klik weer op een plek in het document waar je datum en/of tijd in je document wilt hebben. Klik daarna op de knop 'Datum en tijd invoegen'. Je ziet nu een apart venster met diverse keuzemogelijkheden.

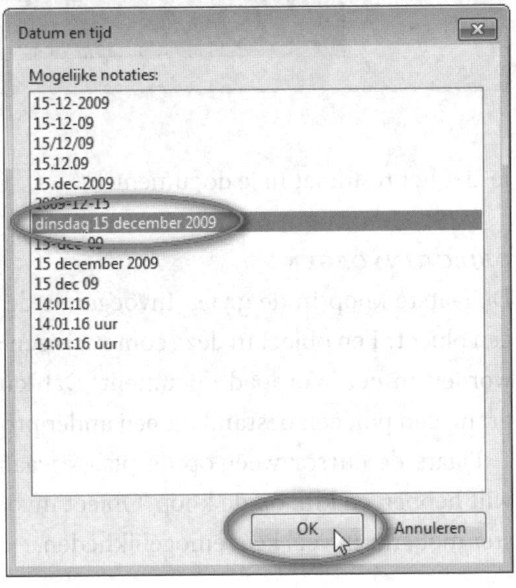

Windows 7 heeft de juiste datum en tijd al voor je ingevuld. Het enige dat je hoeft te doen, is de gewenste weergave van datum en/of tijd te kiezen en op de knop 'OK' te klikken.

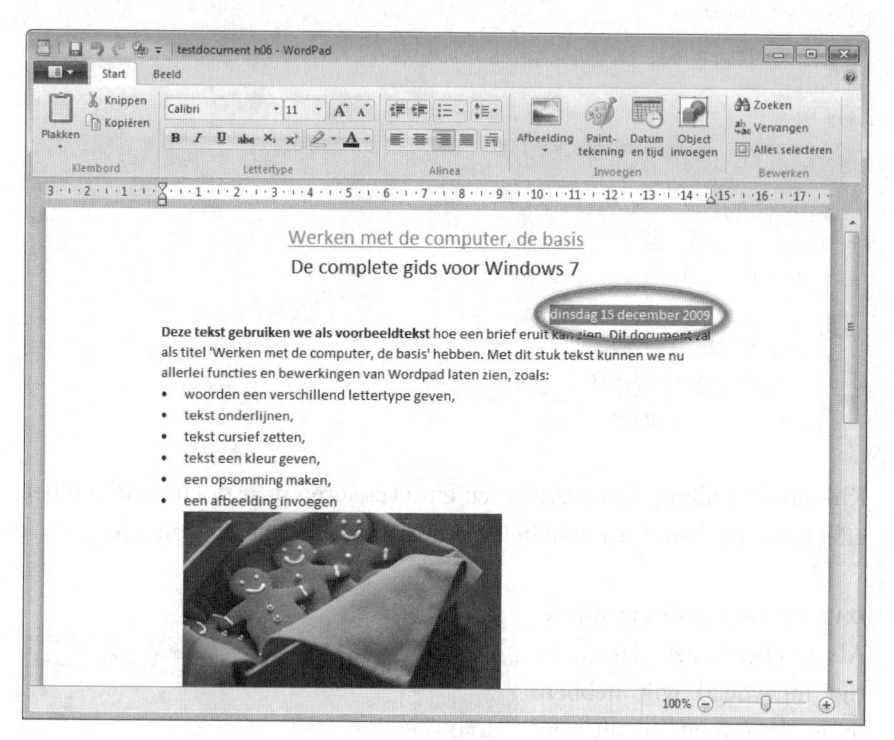

Je ziet het resultaat in je document.

OBJECT INVOEGEN

De laatste knop in de groep Invoegen is de knop Object invoegen. Wat is een object? Een object in deze context is een willekeurig iets dat geplakt kan worden in het Wordpad-document. Dat kan een grafiek zijn, een organigram, een pdf, een bestand uit een ander programma, van alles.

Plaats de cursor weer op de plaats waar je het object in je document wilt hebben en klik op de knop 'Object invoegen'. Je ziet nu een nieuw venster met enorm veel keuzemogelijkheden.

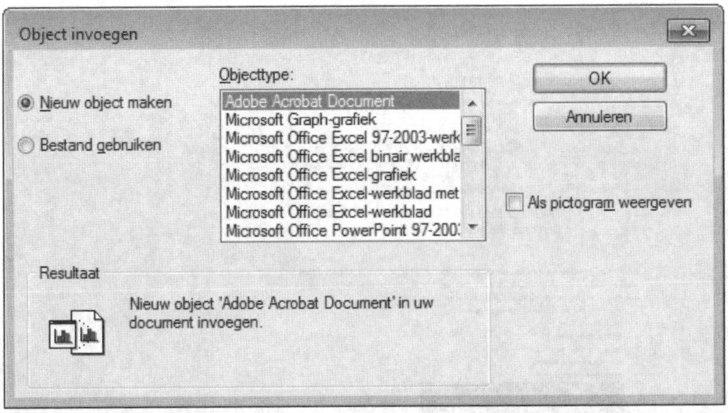

Kies een van de opties, selecteer eventueel erna het bestand en klik op de knop ‘OK’.

Het tabblad Beeld

Tot nu toe is steeds het tabblad ‘Start’ van het lint aan de orde geweest. Hier zitten ook de meeste functies in die vaak aan de orde komen tijdens het bewerken van een document. In het tabblad ‘Beeld’ zitten minder groepen.

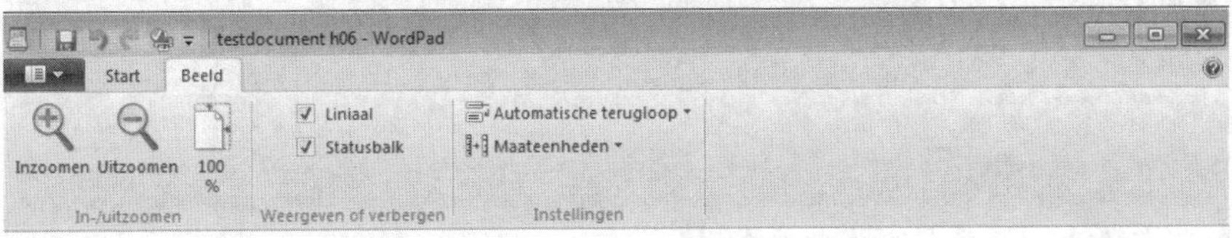

Je ziet de groepen In-/Uitzoomen, Weergeven of verbergen en Instellingen.

De groep In-/Uitzoomen kun je gebruiken om in of uit te zoomen op je document. Zie bijvoorbeeld onderstaande afbeeldingen.

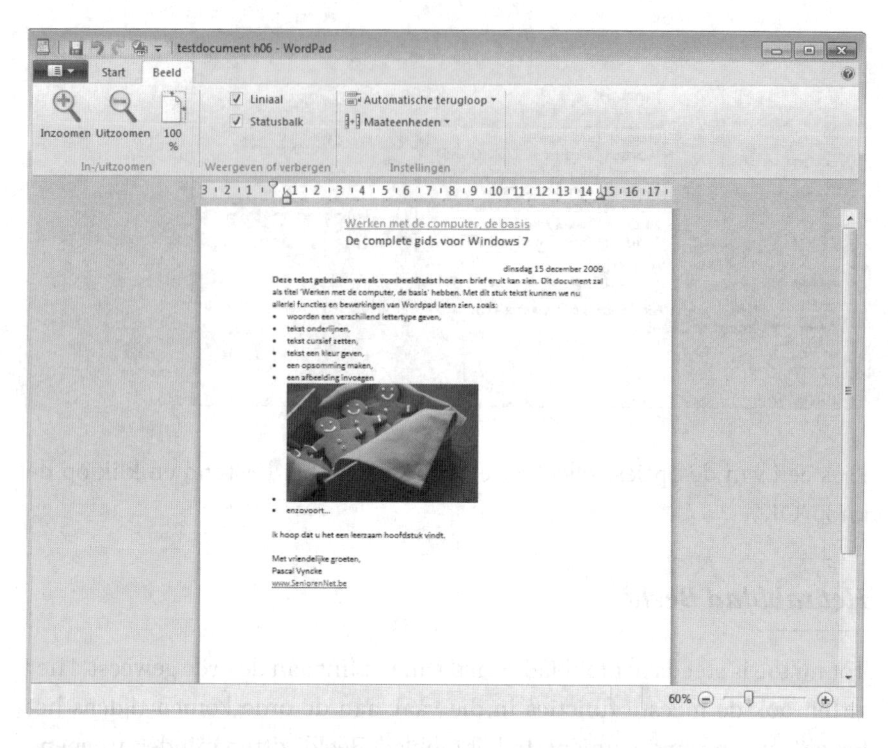
testdocument h06 - WordPad
Start
Beeld
Inzoomen
Uitzoomen
100 %
In-/uitzoomen
Liniaal
Statusbalk
Weergeven of verbergen
Automatische terugloop
Maateenheden
Instellingen
Werken met de computer, de basis
De complete gids voor Windows 7
dinsdag 15 december 2009
60%

testdocument h06 - WordPad
Start
Beeld
Inzoomen
Uitzoomen
100 %
In-/uitzoomen
Liniaal
Statusbalk
Weergeven of verbergen
Automatische terugloop
Maateenheden
Instellingen
tekst een kleur geven,
een opsomming maken,
een afbeelding invoegen
280%

Door een keer te klikken op de knop '100%' zorg je ervoor dat alles weer standaard wordt weergegeven.

Met de opties in de groep Weergeven of verbergen bepaal je of de liniaal en de statusbalk onder in het venster worden weergegeven. Doorgaans zijn dit instellingen die je één keer goed zet en er daarna nooit meer naar kijkt.

De groep Instellingen laat een paar handige functies zien. Allereerst zie je de knop 'Automatische terugloop'. Zodra je hierop klikt, klapt een korte lijst met opties open.

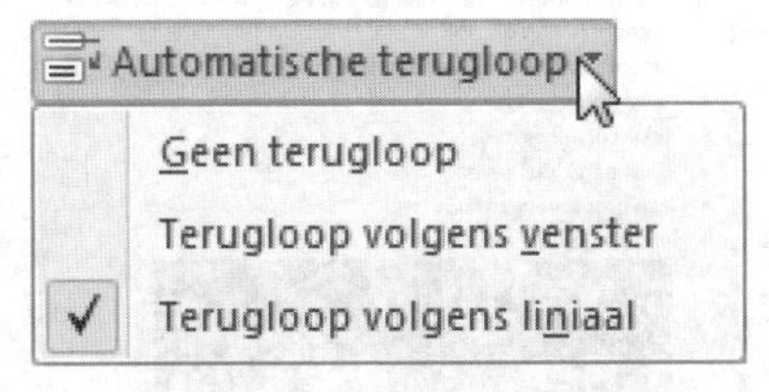

Hiermee bepaal je of de tekst netjes binnen de linialen moet blijven, zoals tot nu toe was ingesteld, of dat deze door kan lopen tot binnen de grenzen van het venster, óf dat er helemaal geen automatische terugloop van de tekst is. In het laatste geval begint een zin alleen op een volgende regel als ervoor een regelomhaal met de entertoets is gegeven. De onderstaande drie afbeeldingen laten de verschillen zien.

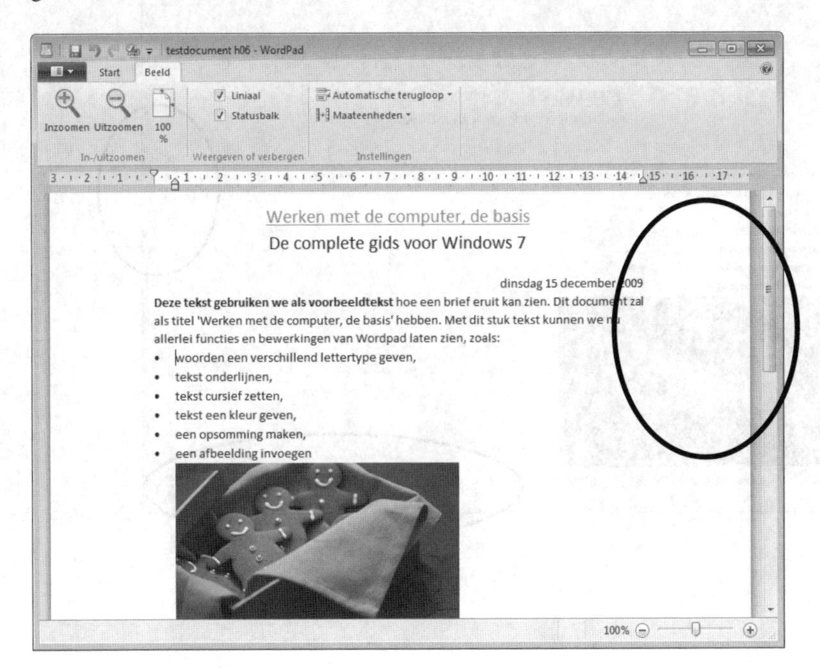

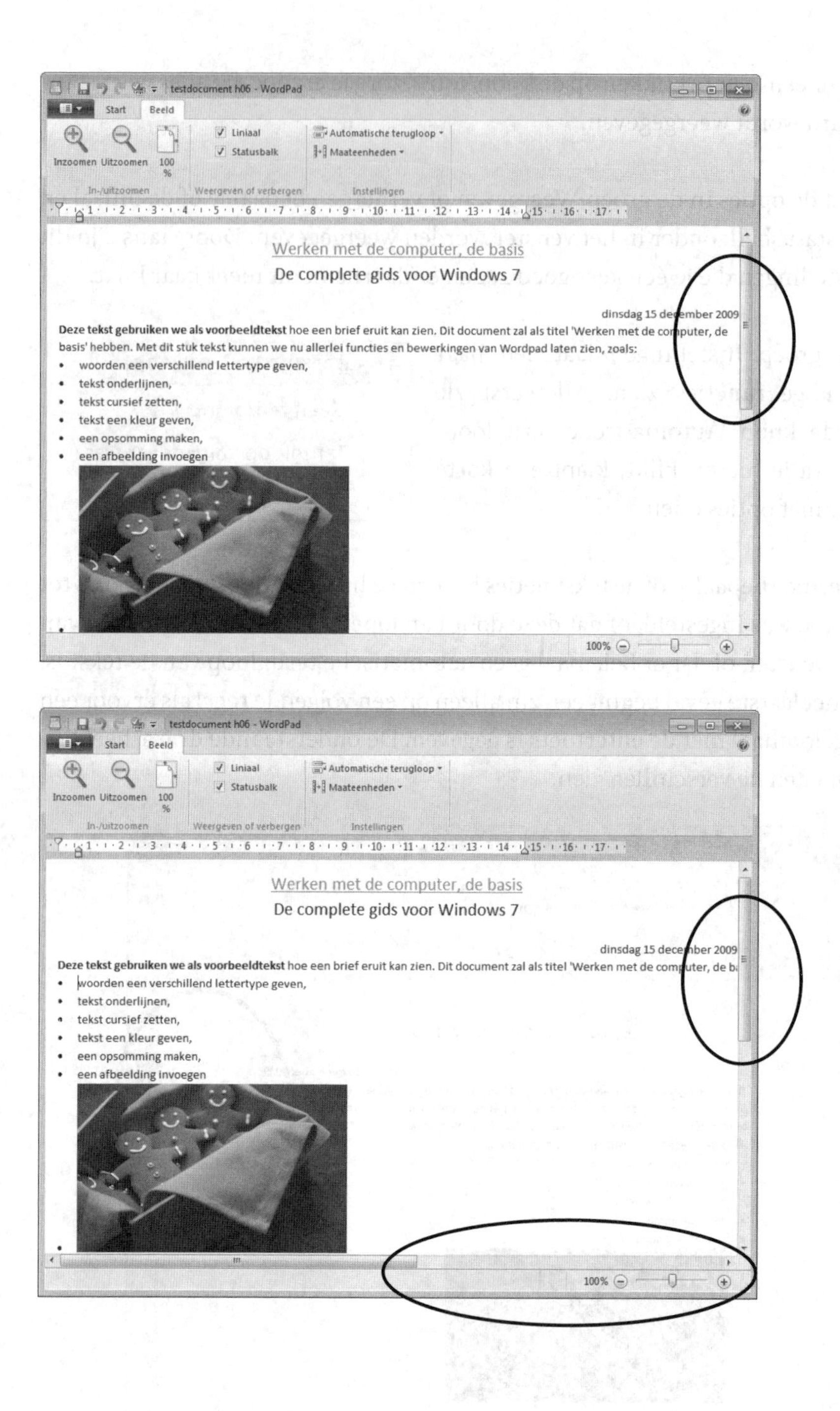
testdocument h06 - WordPad
Start
Beeld
Inzoomen
Uitzoomen
100 %
In-/uitzoomen
Liniaal
Statusbalk
Weergeven of verbergen
Automatische terugloop
Maateenheden
Instellingen
Werken met de computer, de basis
De complete gids voor Windows 7
dinsdag 15 december 2009
Deze tekst gebruiken we als voorbeeldtekst hoe een brief eruit kan zien. Dit document zal als titel 'Werken met de computer, de basis' hebben. Met dit stuk tekst kunnen we nu allerlei functies en bewerkingen van Wordpad laten zien, zoals:
woorden een verschillend lettertype geven,
tekst onderlijnen,
tekst cursief zetten,
tekst een kleur geven,
een opsomming maken,
een afbeelding invoegen
100%
testdocument h06 - WordPad
Start
Beeld
Inzoomen
Uitzoomen
100 %
In-/uitzoomen
Liniaal
Statusbalk
Weergeven of verbergen
Automatische terugloop
Maateenheden
Instellingen
Werken met de computer, de basis
De complete gids voor Windows 7
dinsdag 15 december 2009
Deze tekst gebruiken we als voorbeeldtekst hoe een brief eruit kan zien. Dit document zal als titel 'Werken met de computer, de b
woorden een verschillend lettertype geven,
tekst onderlijnen,
tekst cursief zetten,
tekst een kleur geven,
een opsomming maken,
een afbeelding invoegen
100%

Met de knop 'Maateenheden' stel je in of je in cm's, inches, punten of pica's werkt.

Een inch is 2,54 cm. Een punt is een typografische eenheid waarin vaak de grootte van letters wordt aangeduid. Een punt is 0,36 cm. Een pica komt ook uit de typografie en is 4,2175176 mm.

Als je dit aanpast, worden de liniaal en andere maten allemaal in die eenheid weergegeven.

Een document bewaren

Als je een document (brief) hebt gemaakt, kun je dit natuurlijk bewaren (opslaan) op je computer. Het zou nutteloos zijn te werken aan een brief en deze dan gewoon weg te gooien als je klaar bent. Om iets op te slaan, klik je met je linkermuisknop op de knop 'Opslaan', links bovenaan in je venster.

Je had ook op de knop 'Wordpad' kunnen klikken en van daaruit 'Opslaan' kunnen kiezen, maar hier is je meteen duidelijk waarom de werkbalk 'Snelle toegang' (want daar zit de knop 'Opslaan' in) zo is genoemd.

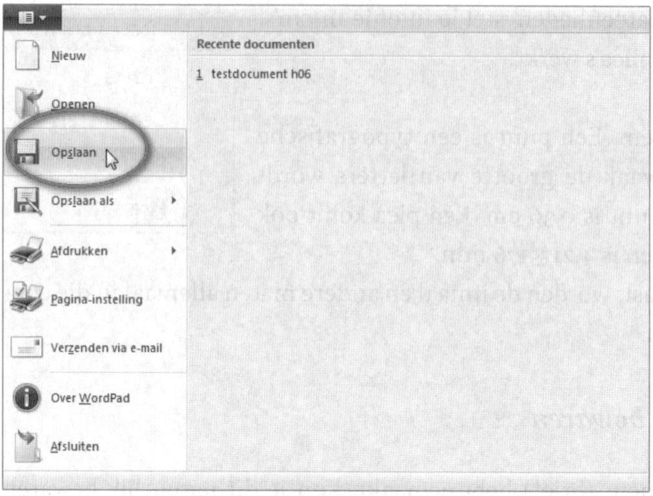

In het scherm dat nu verschijnt, kun je opgeven hoe het bestand moet heten en waar je het wilt opslaan. Dit hebben we in dit boek al uitgebreid behandeld (onder andere bij de Basiskennis). Dit venster is echter iets anders ingedeeld dan wat je al hebt gezien. Windows 7 maakt het je in eerste instantie erg gemakkelijk, omdat ze ervan uitgaat dat je jouw documenten in de bibliotheek 'Documenten' in de map 'Mijn documenten' wilt opslaan. Je kunt gewoon een naam invoeren en op 'Opslaan' klikken. Je ziet ook de map 'oefenen' die je eerder hebt aangemaakt. Je kunt het document bijvoorbeeld daarin opslaan door op de map oefenen te dubbelklikken en dan op de knop 'Opslaan' te klikken.

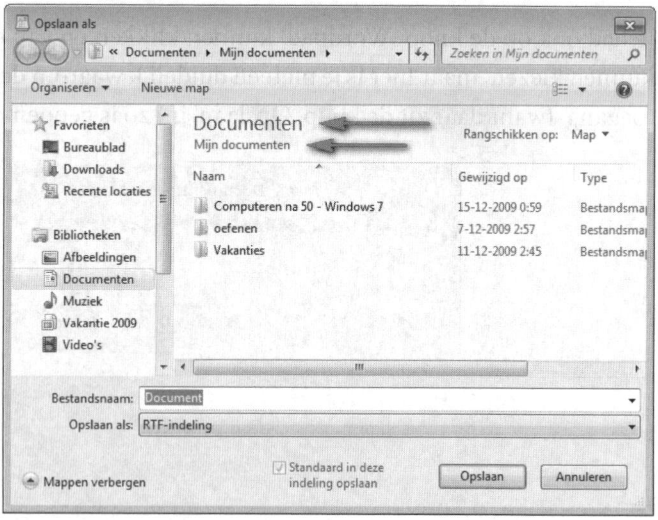

Je kunt in dit scherm ook eventueel een nieuwe map aanmaken. Geef dus de naam in van het bestand en de locatie waar je het op je computer wenst op te slaan. Als je klaar bent, druk je met je linkermuisknop op 'Opslaan', rechts onderaan.

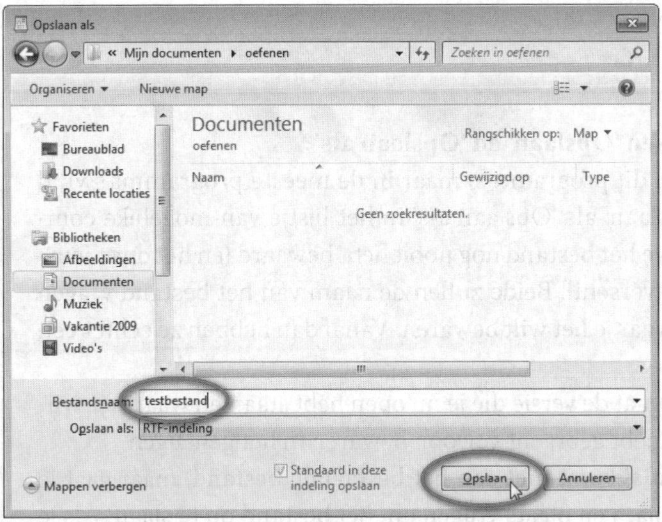

De computer zal nu je document op die plaats opslaan, zodat je het daar later kunt terugvinden.

Belangrijk om te weten
Als je iets laat opslaan door je computer, dan gaat die bewaren wat op dát ogenblik gemaakt is. Als je enkele ogenblikken later iets wijzigt aan het document, is dit NIET opgeslagen op je computer! Valt dan bijvoorbeeld je computer uit, dan zal alleen de versie van het moment dat je het document hebt opgeslagen er nog zijn. De wijzigingen die je daarna hebt aangebracht, zijn niet meer aanwezig. Vergelijk het met het doorbellen van alle gegevens aan een vriend. Als je de nieuwste wijzigingen niet hebt doorgebeld en je verliest om de een of andere reden zelf de gegevens, dan zal je vriend ook alleen maar de gegevens kunnen doorgeven van de laatste keer dat je die hebt doorgebeld. De boodschap is dus regelmatig het document waaraan je werkt op te slaan, om zo verlies te voorkomen.

Als je eens volop wilt experimenten, kun je het volgende doen. Bewaar je document en voer daarna naar hartenlust allerlei wijzingen door. Als het resultaat je niet bevalt, sluit dan het document en bewaar de wijzigingen NIET! Als je het daarna opnieuw opent, heb je weer de versie van voor je wijzigingen.

Verschil tussen 'Opslaan' en 'Opslaan als'?
Niet alleen in dit programma, maar in de meeste programma's vind je zowel 'Opslaan' als 'Opslaan als' in het lijstje van mogelijke commando's. Als je het bestand nog nooit hebt bewaard (en het dus nieuw is), is er geen verschil. Beide zullen de naam van het bestand vragen en de plaats waar je het wilt bewaren. Vanaf dan hebben ze echter een aparte functie.

'Opslaan' gaat de versie die je nu open hebt staan en waarin je wijzigingen aan hebt gebracht gewoon bewaren in het geheugen.

'Opslaan als' komt niet aan het bestaande bestand, maar gaat je een nieuwe naam en plaats vragen om het bestand op te slaan. Als je dus een tekst hebt gewijzigd en je doet 'Opslaan als', dan behoud je de originele tekst. De nieuwe, aangepaste tekst wordt onder een andere naam en eventueel op een andere plaats in het geheugen bewaard.

Een document afdrukken

Als je een printer hebt, dan kun je wat je nu op het scherm hebt staan afdrukken op echt papier. Je kunt het daarna bijvoorbeeld opsturen.

Let er eerst op dat je de printer inschakelt: als hij niet aanstaat, kan hij uiteraard niet afdrukken. Zorg er ook voor dat je printer goed geïnstalleerd is op je computer, dat je computer dus goed overweg kan met je printer. We leggen dit stap voor stap uit op p. 526.

Als je printer klaar is om af te drukken, kun je het huidige document eenvoudig laten printen. We willen het bestand afdrukken, dus we klikken met onze linkermuisknop linksboven op de knop 'Wordpad'.

In het menu dat verschijnt, klikken we natuurlijk met onze linkermuisknop op 'Afdrukken'. We willen ons bestand immers laten afdrukken door de printer.

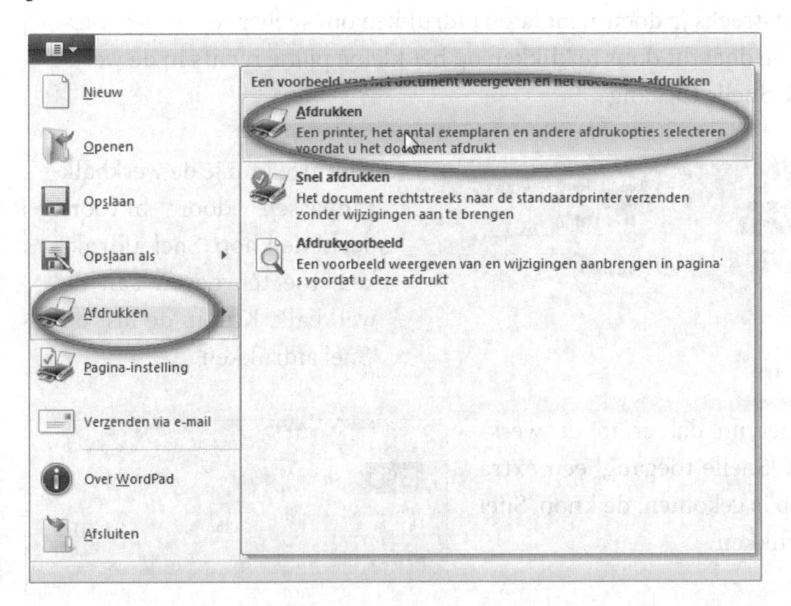

Je krijgt nu het scherm van je printers te zien. Selecteer de printer waar je het document afgedrukt wilt hebben en verander eventueel de instellingen op dit scherm (zie p. 526). Als je er zeker van bent dat de computer het document mag afdrukken, druk je eenvoudigweg op de knop 'Afdrukken' onderaan.

Je printer zal nu de opdracht ontvangen van je computer en beginnen met het afdrukken van het document op papier. Let erop dat je printer voldoende papier heeft om het document af te drukken.

Tip
Je kunt in plaats van via de knop 'Wordpad' en dan 'Afdrukken' ook rechtstreeks je document laten afdrukken om sneller te kunnen werken. Je doet dit door te klikken op het kleine pijltje rechts in de werkbalk 'Snelle toegang'.

Hiermee kun je de werkbalk aanpassen door bijvoorbeeld de knop 'Snel afdrukken' toe te voegen aan de werkbalk. Klik in de lijst op 'Snel afdrukken'.

Je ziet nu dat er in de werkbalk 'Snelle toegang' een extra knop is gekomen: de knop 'Snel afdrukken'.

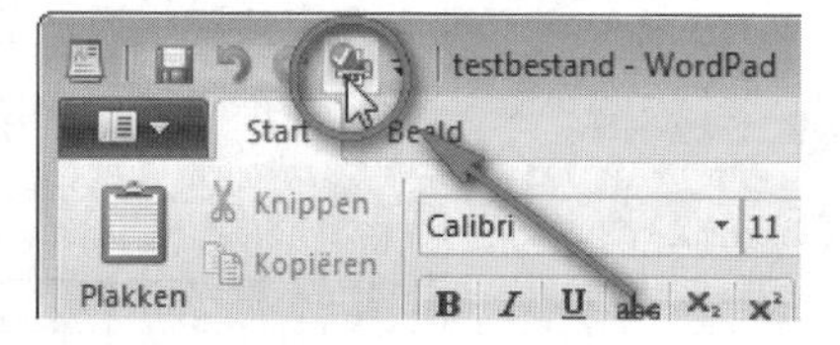

Deze methode slaat ook het tussenscherm over waar je allerlei instellingen kon ingeven voor je computer (of waar je gewoon opnieuw op 'Afdrukken' moet klikken). Dit is dus een sterk versnelde methode om je computer te laten afdrukken.

Tip
Wil je voordat je het document afdrukt op papier al eens kijken hoe het eruit gaat zien? Dat kan, dankzij het 'afdrukvoorbeeld'. Deze functie laat zien hoe het document zal worden afgedrukt op het papier. Er is namelijk een verschil tussen hoe het op je computerscherm staat en hoe het uiteindelijk op papier zal staan: de marges zijn mogelijk anders, je drukt het misschien op een A4'tje (een gewoon blad papier) af, maar het kan evengoed op A5-formaat (de helft van een A4-pagina) staan, enzovoort.

Om een voorbeeld te krijgen van hoe je document eruit gaat zien, klik je weer op de knop 'Wordpad'.

Klik nu ook op 'Afdrukken' en daarna op 'Afdrukvoorbeeld'.

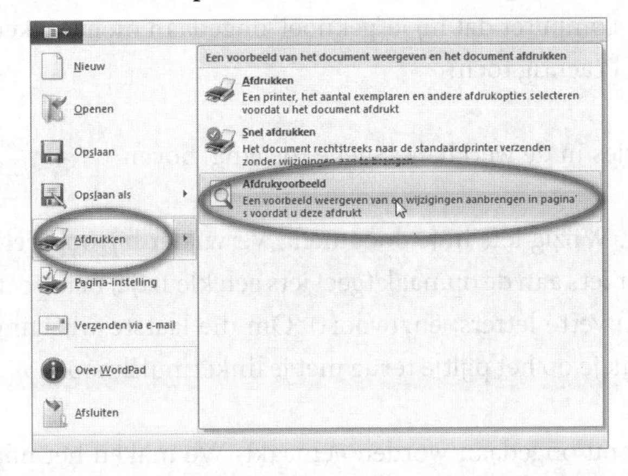

De computer toont nu je document zoals het zal worden afgedrukt. Het zal eruitzien zoals op de volgende foto.

Bij grotere documenten kun je ervoor kiezen om twee pagina's naast elkaar te laten weergeven, eventueel kun je de pagina-instellingen aanpassen als marges of grootte van het papier. Als je klaar bent, klik je op de knop 'Afdrukvoorbeeld sluiten'.

Ongedaan maken

De laatste fantastische functie van een computer is dat je dingen die je hebt gedaan weer ongedaan kunt maken. Heb je een fout gemaakt? Geen probleem, je zegt tegen de computer dat hij je 'geknoei' ongedaan moet maken en je kunt weer verder. Prachtig toch?

Je doet dat met de pijltjes in de werkbalk 'Snelle toegang' boven in het venster.

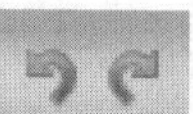

Ga als volgt te werk. Wijzig iets in je document. Verwijder bijvoorbeeld iets, typ iets of verander iets aan de opmaak (geef iets een kleurtje, maak een opsomming, zet iets in vette letters, enzovoort). Om die laatste wijziging ongedaan te maken, klik je op het pijltje terug met je linkermuisknop.

Je laatste wijziging zal nu ongedaan worden gemaakt. We maken het nóg leuker: je kunt namelijk meer dan één stap teruggaan! Je kunt zo vele stappen teruggaan tot een punt ergens in het verleden. Fantastisch om rustig wat te knoeien in je document en vervolgens gewoon weer terug te gaan naar een goede versie. Volop experimenteren is dus de boodschap.

Ook het omgekeerde is mogelijk. Als je iets ongedaan hebt gemaakt, kun je het ook weer gewoon terugzetten. Klik dan op het pijltje vooruit.

Het principe van 'ongedaan maken' en 'opnieuw' doen, wordt niet alleen bij een tekstverwerker gebruikt. Ook in vele andere programma's, zoals een tekenprogramma of gewoon bij Windows, zien we het terug voor het werken met bestanden en mappen. Je kunt dus eigenlijk niets verkeerd doen met de computer: is het niet goed, maak het dan gewoon ongedaan! (Het 'ongedaan maken' en 'opnieuw' doen wordt ook wel 'undo' en 'redo' genoemd, wat de Engelse vertaling is.)

Afsluiten

Om te stoppen met je document, klik je rechtsboven op het kruisje. Je sluit daarmee het programma af.

Als je nog niets hebt opgeslagen, of sinds de laatste keer dat je iets hebt bewaard nog iets hebt veranderd, dan zal de computer vragen of je de wijzigingen nog wenst op te slaan.

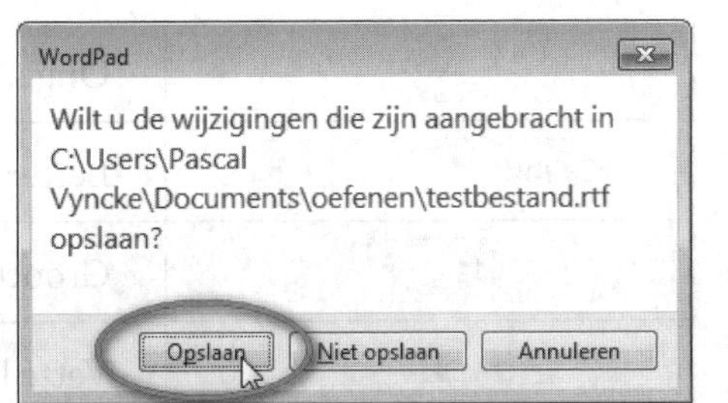

Klik met je linkermuisknop op het gewenste antwoord: 'Opslaan' om op te slaan, 'Niet opslaan' om niet op te slaan of 'Annuleren' om het programma toch niet af te sluiten.

Samenvatting

Nieuw	Nieuw document starten
Openen	Document openen
Opslaan	Document opslaan
Afdrukken	Document afdrukken
	Afdrukvoorbeeld weergeven
Zoeken	Zoeken in het document
Knippen	Knippen
Kopiëren	Kopiëren
Plakken	Plakken

(undo icon)	Ongedaan maken
Calibri	Lettertype wijzigen
11	Grootte van de letters wijzigen
B	Vette letters maken
I	Schuine letters maken
U	Onderstrepen
A	Kleur wijzigen
(icon)	Links uitlijnen (standaard)
(icon)	Centreren (in het midden plaatsen)
(icon)	Rechts uitlijnen
(icon)	Opsomming maken

Je kunt met WordPad, het programma dat je nu al grotendeels onder de knie hebt, heel gemakkelijk brieven maken, deze bewaren, documenten van andere mensen openen en alles afdrukken op papier. Er bestaan ook uitgebreidere programma's die meer mogelijkheden bieden om met documenten te werken, zoals het maken van tabellen en het werken met figuren. Het bekendste programma is Microsoft Word, dat mogelijk standaard op je computer staat. Als dat niet het geval is, kun je het apart in de winkel kopen (onder de noemer Microsoft Office, waar Microsoft Word een onderdeel van is). Alles wat je geleerd hebt voor WordPad, kun je ook in de uitgebreidere programma's, zoals Microsoft Word, toepassen. Alleen hebben die programma's meer mogelijkheden.

7 •• TEKENEN MET JE COMPUTER (PAINT)

Inleiding

Je kunt echt tekenen met je computer. In plaats van op een blad wat te kriebelen, kun je de computer gebruiken. Het is natuurlijk niet de bedoeling om met een stift op ons computerscherm te gaan tekenen. Nee, we gaan met onze computermuis tekenen in een speciaal tekenprogramma.

Behalve voor gewoon tekenen, kunnen we dit programma ook gebruiken om een stuk te knippen uit een foto, een stuk van een foto bij te werken, een foto te draaien of te spiegelen, een negatief te maken van een foto, enzovoort.

Dat alles gaan we leren met het programma dat gratis bij onze computer is geleverd: het programma 'Paint' (Paint is het Engelse woord voor 'tekenen' of 'verven').

Aan de slag

We gaan het programma Paint opstarten. Daarom klik je links onderaan met je linkermuisknop op de knop 'Starten'.

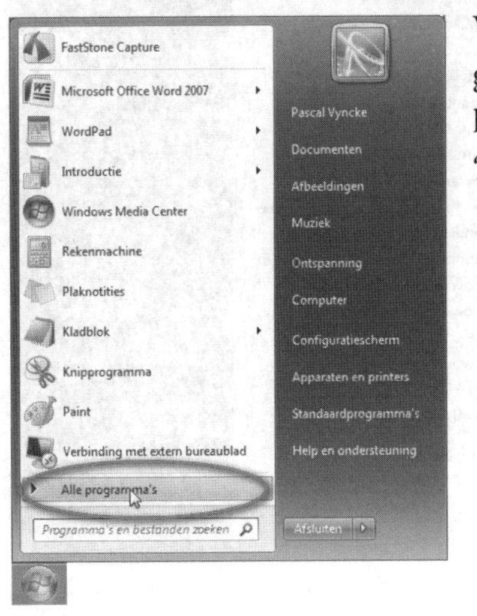

We willen een programma opstarten, we gaan dus naar 'Alle programma's'. Ga met het pijltje van je computermuis staan op 'Alle programma's'.

Nu gaan we het programma Paint zoeken. Dit staat in het lijstje van de 'Bureau-accessoires'. We klikken dus met de muis op 'Bureau-accessoires' om deze te openen en de verschillende mogelijkheden ervan te zien.

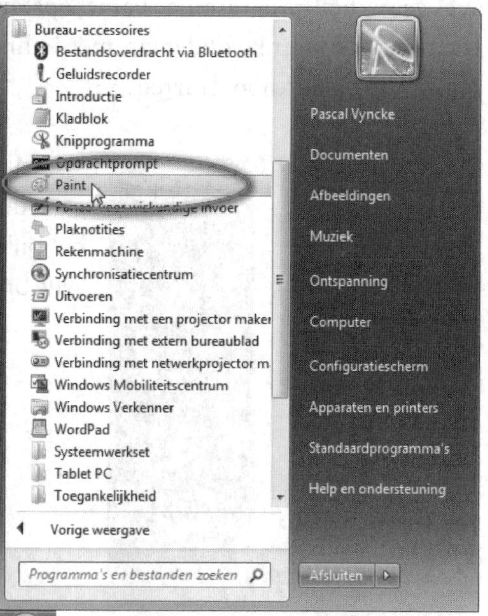

We willen het programma Paint opstarten, we gaan dus boven op 'Paint' staan en klikken met onze linkermuisknop om tegen de computer te zeggen dat hij het programma Paint moet starten voor ons.

Het programma Paint wordt nu opgestart. Het ziet eruit zoals op de volgende foto.

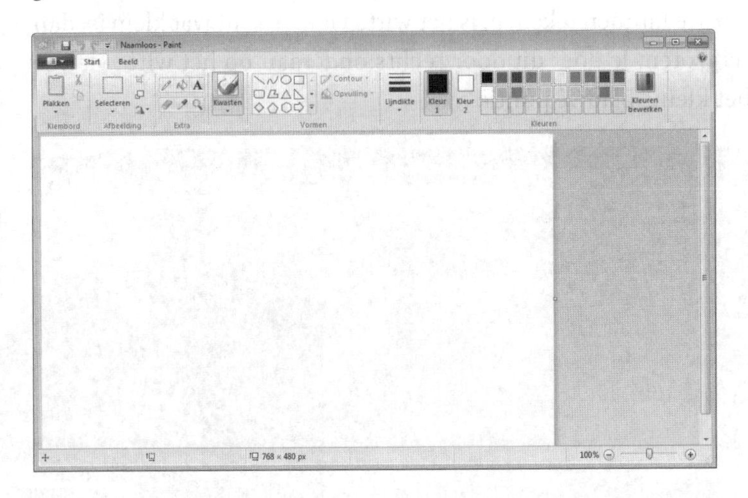

Boven in het venster zien we weer het lint, vergelijkbaar met Wordpad in het vorige hoofdstuk. In het lint zie je alle functies en opties die je met Paint kunt uitvoeren. Ook hier weer zijn er twee tabbladen, 'Start' en 'Beeld'. De meeste functies zitten in het tabblad 'Start', met groepen als Klembord, Afbeelding, Extra, Kwasten, Vormen, Lijndikte en Kleuren.

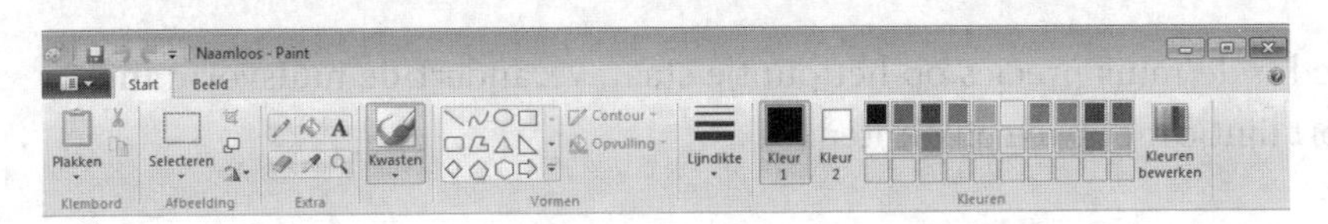

Het tabblad Beeld biedt de groepen In-/Uitzoomen, Weergeven of Verbergen en Instellingen.

Onder het lint zie je tot slot op het grootste deel van ons scherm een wit vlak. Dit is de plaats waar we kunnen gaan tekenen. Je kunt dit zien als het tekenpapier waarmee je gaat 'spelen'.

Het tekenvlak groter of kleiner maken

De plaats waar we kunnen tekenen, is het witte vlak. Als dit wat klein is, dan kun je het vergroten. Je doet dit door rechts onderaan op het witte vlak te klikken op het kleine blauwe puntje.

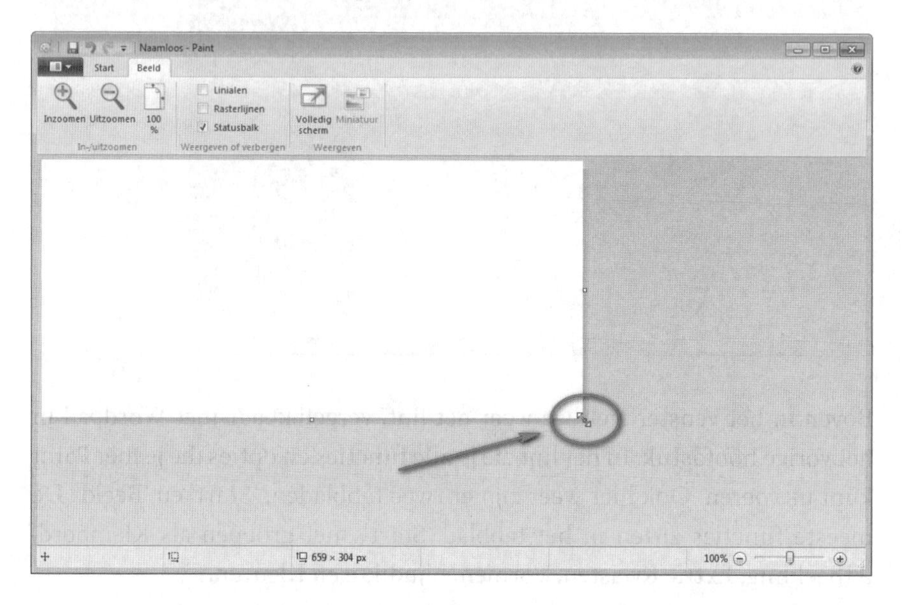

Zodra de muis precies op het puntje staat, verandert de muisvorm in een kort lijntje met twee pijlpunten.

Je klikt erop met je linkermuisknop, houdt de knop ingedrukt en versleept je muisaanwijzer naar opzij, zodat het venster groter wordt. Laat vervolgens de muisknop los. Je zult zien dat het witte tekenvlak groter is geworden.

Het potlood

Net zoals op gewoon tekenpapier kunnen we nu lijnen gaan tekenen, in ons geval dus met onze muis op het computerscherm. Je doet dit door eerst op het tabblad 'Start' te klikken. Daarna klik je in de groep Extra op de knop 'Pen'.

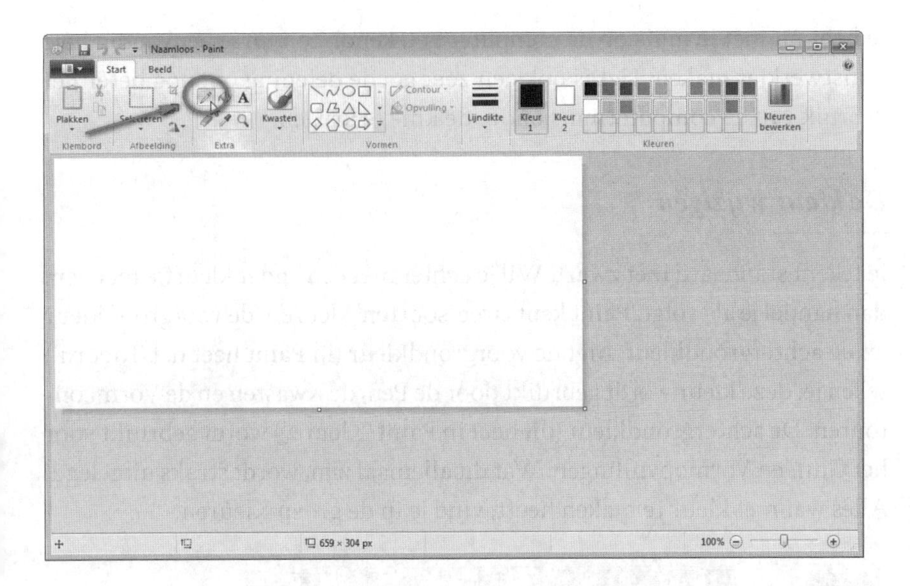

Ga met je muisaanwijzer ergens in het witte vlak staan. Merk op dat het pijltje van je muis verandert in een potlood.

Druk nu je linkermuisknop in, houd deze ingedrukt en verschuif je muis. Je ziet nu een streep verschijnen op de plaatsen waar je met je potlood op het witte tekenvlak komt.

Je hebt nu met je muis op de computer getekend. Zo kun je eenvoudig hele kunstwerkjes maken. Het is ook een zeer goede oefening om nóg beter het gebruik van de computermuis onder de knie te krijgen.

De kleur wijzigen

Je tekent standaard met zwart. Wil je echter met een ander kleurtje tekenen, dan handel je als volgt. Paint kent twee 'soorten' kleuren, de voorgrondkleur en de achtergrondkleur. Met de voorgrondkleur (in Paint heet dat 'Kleur 1') teken je, deze kleur wordt gebruikt door de Pen, de Kwasten en de Vormcontouren. De achtergrondkleur (dit heet in Paint 'Kleur 2') wordt gebruikt voor het Gum en Vormopvullingen. Wat dit allemaal zijn, wordt straks uitgelegd. Alles wat met kleur te maken heeft, vind je in de groep Kleuren.

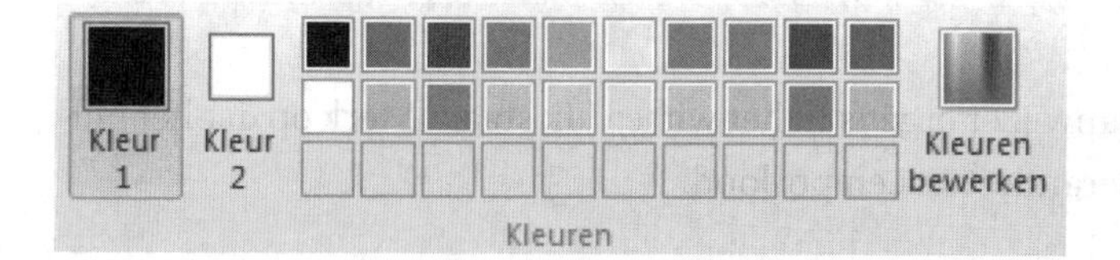

Omdat je nu aan het tekenen bent, gebruik je dus de voorgrondkleur, Kleur 1. Je ziet op de afbeelding dat deze ook gemarkeerd is. Door nu op een van de kleuren in het kleurpalet aan de rechterkant in die groep te klikken, kies je de kleur waarmee je tekent. In de afbeelding hieronder zie je dat de kleur groen in het kleurpalet is aangeklikt en dat meteen die kleur zichtbaar is in de knop bij Kleur 1.

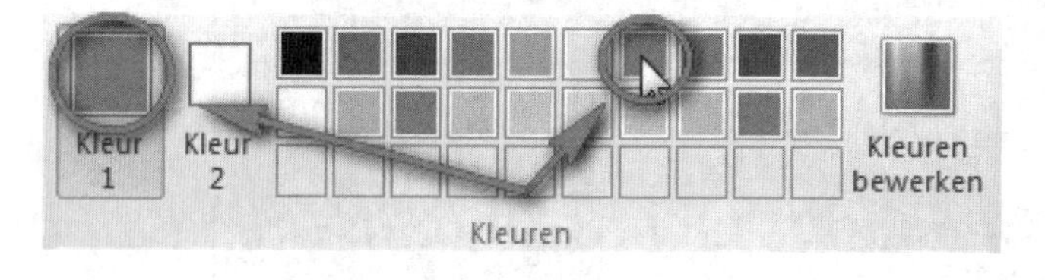

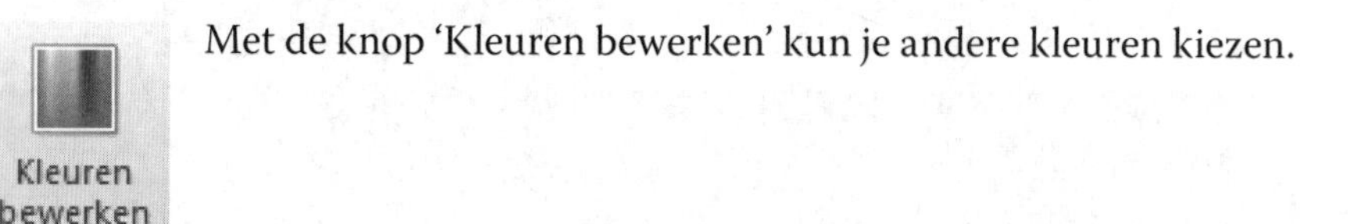

Met de knop 'Kleuren bewerken' kun je andere kleuren kiezen.

Als je hierop klikt, zie je een nieuw venster waarin je kunt aangeven welke kleur je wilt hebben.

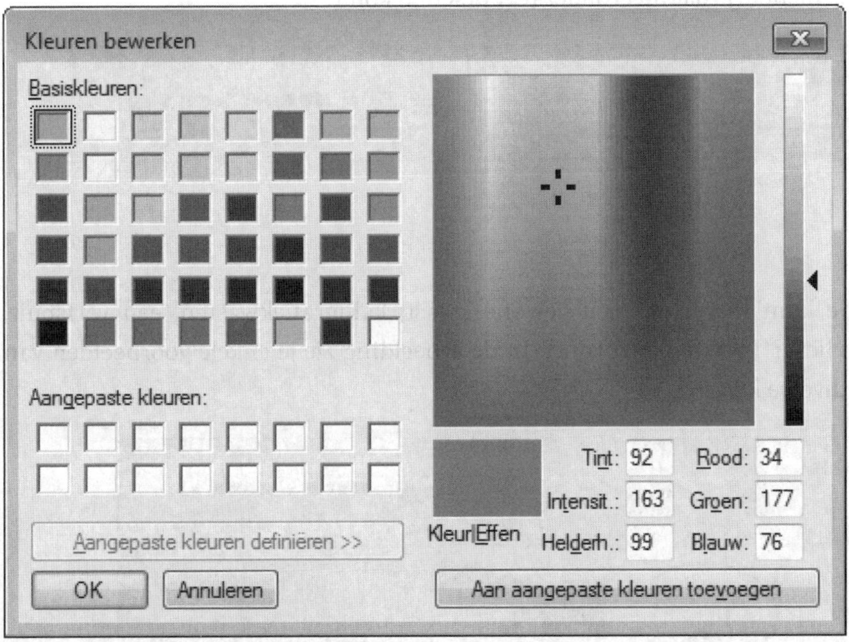

Als je een nieuwe kleur hebt geselecteerd, kun je deze gebruiken. Je kunt vervolgens weer met je muis op het witte tekenvlak tekenen, maar nu met de andere kleur. Je kunt dit zo vaak herhalen als je wilt en zo alle mogelijke kleuren gebruiken.

De verfborstel en de spuitbus

Je kunt ook een verfborstel (kwast) gebruiken. Die heeft hetzelfde effect als het potlood, maar geeft andere lijnen. In het lint zie je de knop 'Kwasten' staan.

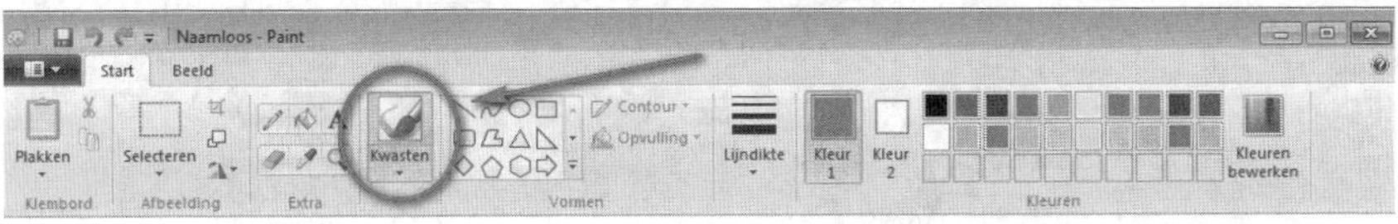

Je kunt ook kiezen wat voor soort kwast je gebruikt. Dat doe je door op het pijltje te klikken onder de knop 'Kwasten' en een keuze te maken in het keuzemenuutje dat nu eronder tevoorschijn komt.

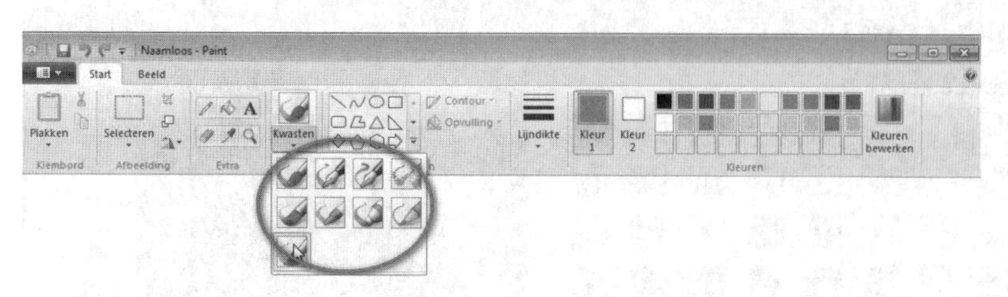

Je kunt kiezen uit een gewone kwast, kalligrafiekwasten, een verfspuit, olieverfkwasten enzovoort. In de afbeelding zie je enkele voorbeelden van diverse kwasten.

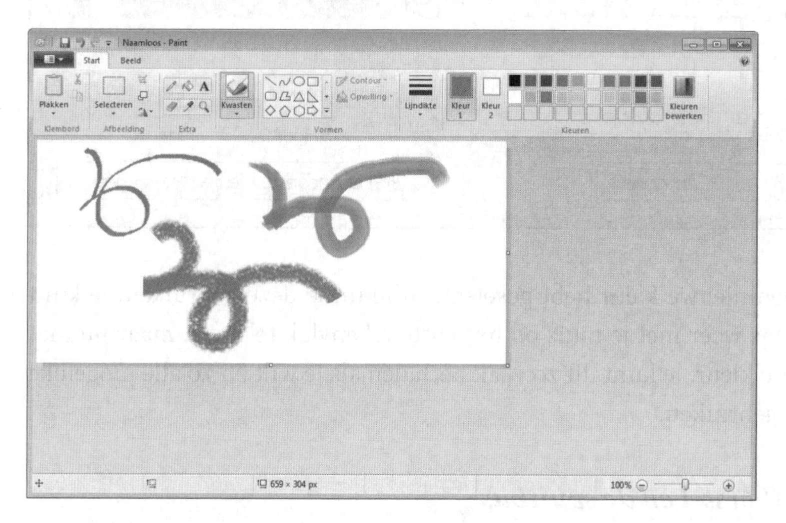

De spuitbus is gemakshalve ook bij de kwasten gezet. Deze geeft geen volledige dekking, net zoals in het echt. Ook kun je weer van de verschillende kleuren gebruikmaken.

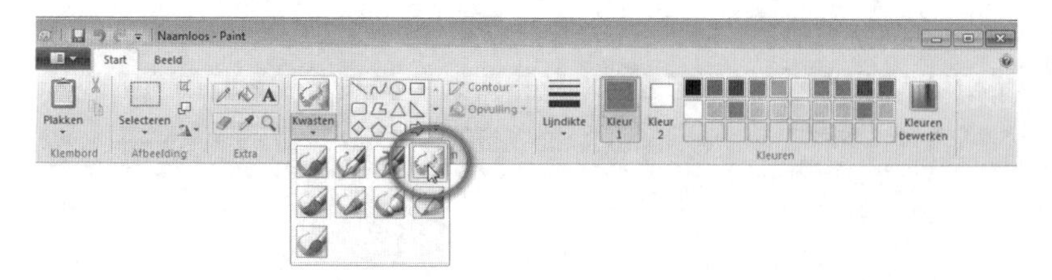

Je kunt ook opnieuw de verschillende diktes kiezen in het keuzemenu dat eronder verschijnt. De computerspuitbus heeft net zoals een echte spuitbus het effect dat als je heel snel beweegt, er maar weinig inkt valt op het blad. Als je hem lang op dezelfde plaats houdt, wordt het kleurvlak steeds voller en voller. Amuseer je even met de spuitbus.

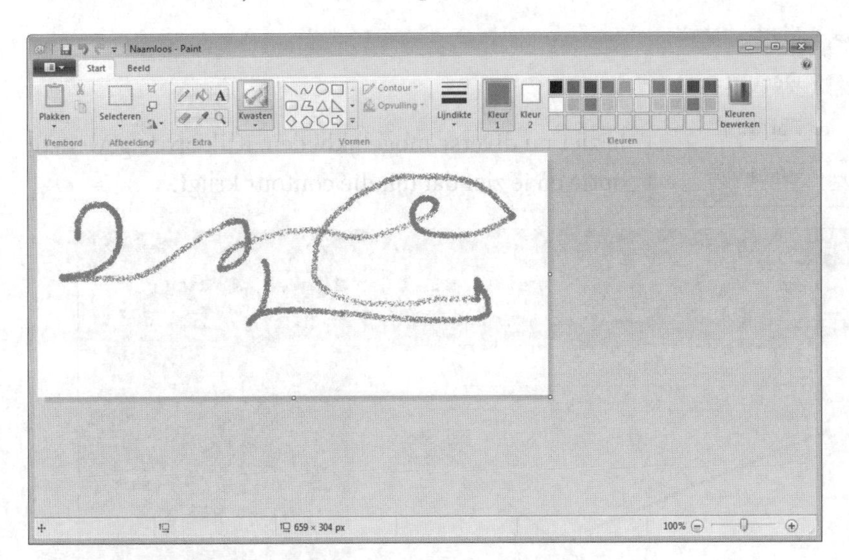

Een lijn trekken

In Paint kun je een strakke lijn trekken, net zoals je in het echt een liniaal kunt nemen om een mooie rechte lijn te trekken. Kies hiervoor de functie in de groep Vormen, links boven in het vakje met allemaal vormen.

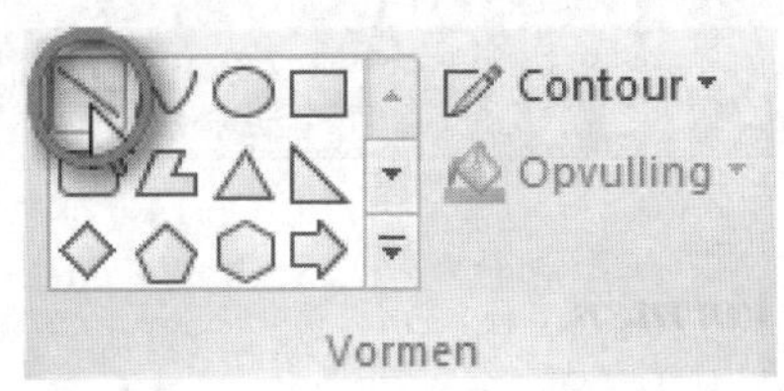

Een lijn trekken, doe je door op de plaats waar je wilt starten met je linkermuisknop te klikken, de knop ingedrukt te houden en vervolgens je muisaanwijzer te verschuiven tot de plaats waar je de lijn wilt stoppen. Je zult zien dat er automatisch een rechte lijn wordt getrokken. Je kunt de lijn uiteraard ook schuin laten lopen. De dikte van de lijn bepaal je door een keuze te maken bij de ‘Lijndikte’, rechts naast de groep Vormen. Je kunt ook nog de

contouren van de lijnen veranderen. Trek een lijn en klik daarna op de knop 'Contour'.

Je ziet nu diverse mogelijkheden. Klik op de gewenste optie en je ziet dat lijn die contour krijgt.

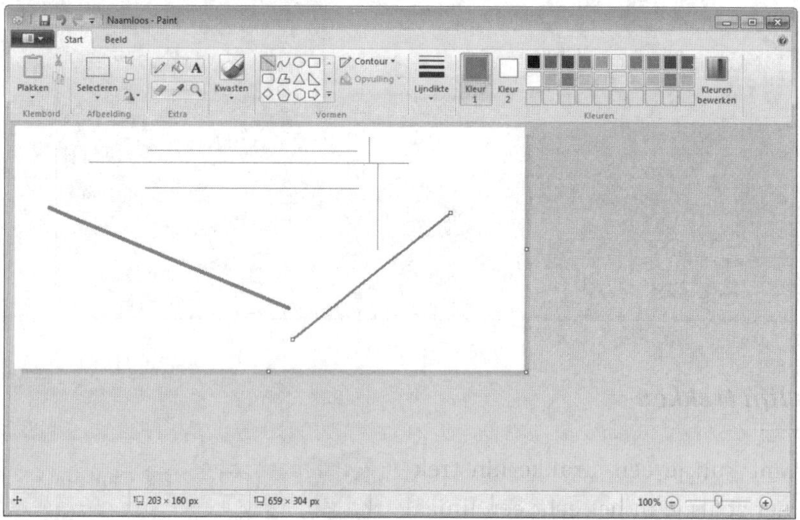

Vormen

In hetzelfde vakje waar je op de lijn hebt geklikt, kun je ook kiezen uit andere vormen. Om te zien welke vormen je allemaal tot je beschikking hebt, klik je op het pijltje rechtsonder in het vakje.

Meteen zie je alle beschikbare vormen. Probeer de diverse vormen uit door erop te klikken en in het witte vak ermee te gaan tekenen. Bij deze vormen kun je ook gebruikmaken van de knop 'Kleur 2'. Dit is de achtergrondkleur die gebruikt wordt wanneer je kiest voor het opvullen van de getekende vormen.

Klik op de knop 'Kleur 2' en kies een kleur uit het palet. Selecteer een vorm door erop te klikken en klik daarna op de knop 'Contour' om een contour te selecteren. Klik dan op de knop 'Opvulling'.

Je ziet een lijstje met effecten die vergelijkbaar zijn met de effecten voor de contouren van de vormen, maar nu worden deze effecten gebruikt voor de opvulkleur. Met wat spelen bereik je dan bijvoorbeeld onderstaande effecten.

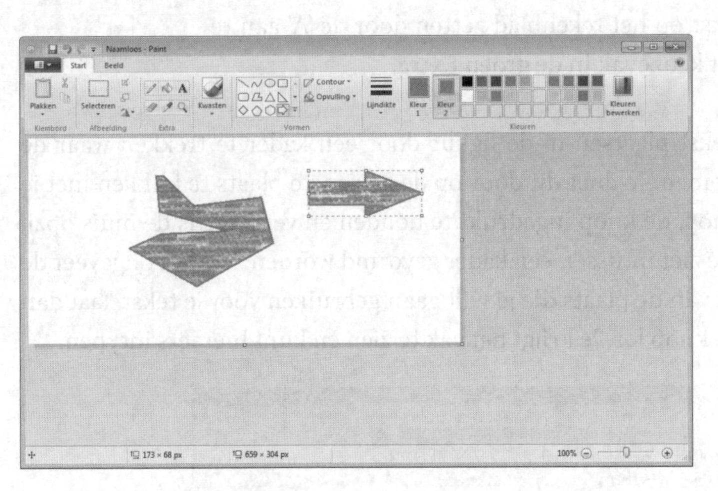

Tip
Als je een exacte cikel wilt tekenen, houd dan de Shift-toets ingedrukt terwijl je de cirkel tekent. Op deze manier zal de computer alleen nog een cirkel toestaan en geen ellips.

> **Tip**
> Indien je een exact vierkant wilt tekenen, houd dan de Shift-toets ingedrukt terwijl je het vierkant tekent. Op deze manier laat de computer alleen een vierkant toe en geen rechthoek.

Tekst typen

Wil je enkele letters, woorden of hele zinnen op het tekenblad zetten, dan kun je dat met de computer eenvoudig doen. Je hoeft de tekst niet met het potlood te schrijven. Je kunt namelijk de keurig afgewerkte letters van de computer gebruiken, zodat iedereen kan lezen wat je schrijft. Zo hoeft niemand nog je geschrift te ontcijferen.

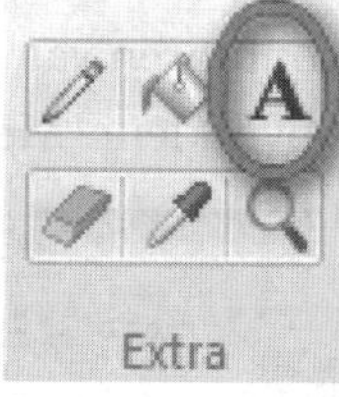

Je kunt tekst op het tekenblad zetten door de 'A' aan te klikken in het keuzevak in de groep Extra.

Je kunt nu tekst plaatsen in de figuur door een kader te trekken waar de tekst moet komen. Je doet dit door op de gewenste plaats te klikken met je linkermuisknop, de knop ingedrukt te houden en vervolgens de muis opzij te bewegen. Je ziet intussen een kader gevormd worden. Als het ongeveer de grootte heeft van de plaats die je wilt gaan gebruiken voor je tekst, laat dan de linkermuisknop los. Je krijgt het vak te zien en kunt hier iets intypen.

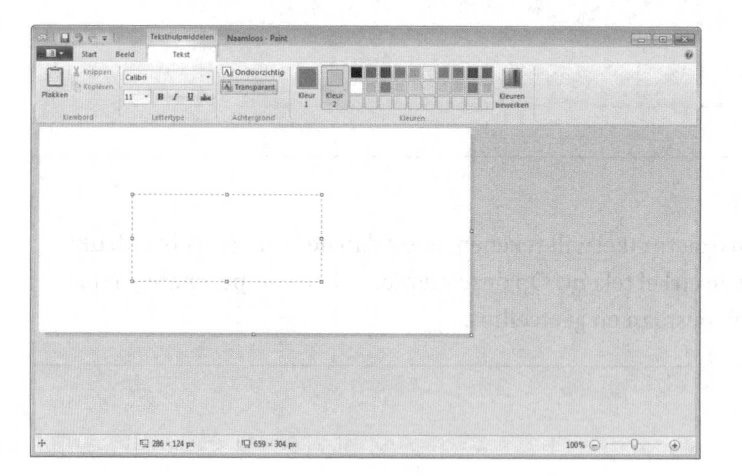

Zoals je ziet is er nog meer gebeurd. Er is een nieuw tabblad bijgekomen met de naam 'Tekst'. In dit tabblad zitten de groepen Klembord, Lettertype, Achtergrond en Kleuren. Het merendeel van deze groepen is al behandeld in het vorige hoofdstuk over Wordpad. Daar kun je nog een keer lezen wat je met de functies in die groepen kunt doen. Er is wel één nieuwe groep, de groep Achtergrond.

Deze groep bestaat uit twee knoppen, 'Ondoorzichtig' en 'Transparant'. Zoals je ziet in de afbeelding is de knop 'Transparant' actief (want deze knop heeft een kleur, als teken dat deze optie actief is). De achtergrond van het net getrokken tekstvak is doorzichtig. Je kunt nu tekst invoeren in dat tekstvak.

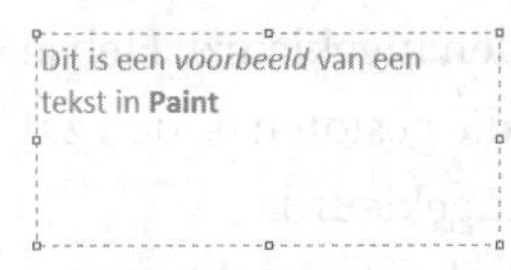
Dit is een voorbeeld van een
tekst in Paint

Als je nu op de knop 'Ondoorzichtig' klikt, zie je dat de achtergrond in het tekstvak ingekleurd wordt met Kleur 2.

Je sluit het tabblad 'Tekst' door op een van de andere twee tabbladen te klikken en daarna op een knop of optie in die tabbladen.

Wissen/weggommen

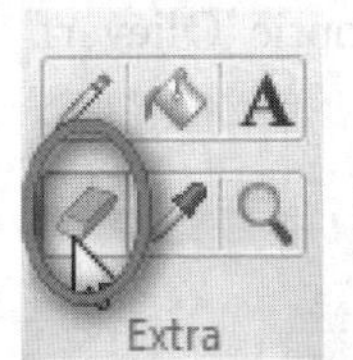
Extra

Als je op een tekenblad tekent met een potlood, kun je dit weer wissen door een gom te nemen en een stuk weg te gommen. Ook op de computer is dit mogelijk. Zelfs gekleurde vlakken kun je zo weggommen, het blijft dus niet beperkt tot de zwarte potloodlijnen.

Je kunt dit doen door de gom te selecteren in het keuzevak in de groep Extra in het tabblad 'Start'.

Je kunt een stuk van je tekenblad wissen op dezelfde manier als je tekende met het potlood. Je gaat met je muisaanwijzer op de gewenste plaats staan en drukt je linkermuisknop in. Houd deze ingedrukt en ga nu over alle stukken die je wilt wissen. Laat dan de muisknop weer los.

De verfpot (grote vlakken inkleuren)

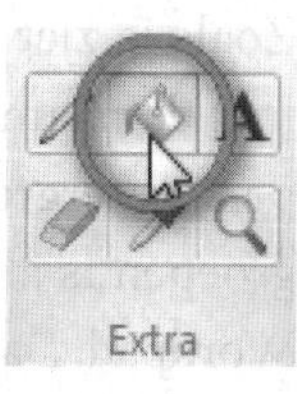

Je kunt grote vlakken in één keer inkleuren met de 'verfpot'. Je vindt deze functie middenboven in het keuzevak in de groep Extra.

Je hebt dus twee manieren om iets op te vullen, met de knop 'Opvulling' en met de verfpot. De knop 'Opvulling' gebruikt Kleur 2 om iets op te vullen en de verfpot gebruikt Kleur 1 om iets op te vullen. Je wijzigt de kleuren door voor de verfpot op de knop 'Kleur 1' te klikken en dan een kleur uit het palet te kiezen.

Om een vlak in te kleuren, klik je in het vlak met je linkermuisknop en laat deze gewoon weer los. De computer kleurt het volledige vlak in. Als je dus geen gesloten vlak hebt, dan zal het hele blad worden ingekleurd. Heb je een vierkant, een cirkel of een andere figuur getekend die gesloten is, dan zal bij een klik op die figuur alleen die ene vorm worden ingekleurd.

In onderstaande afbeelding hebben we eerst een vierkant getrokken met rood als Kleur 1. Daarna hebben we voor Kleur 1 de kleur blauw geselecteerd door op de knop 'Kleur 1' te klikken en in het palet op de kleur blauw te klikken. Toen werd de verfpot geselecteerd en in het vierkant met de rode lijn geklikt. Dat vak is opgevuld met blauw via de knop 'Kleur 1'.

Rechts naast het vierkant werd een tweede vierkant getekend, nu met een blauwe lijnkleur. Daarna werd op de knop 'Kleur 2' geklikt en de kleur grijs gekozen in het palet. Erna werd op de knop 'Opvulling' de optie 'Olieverf' gekozen.

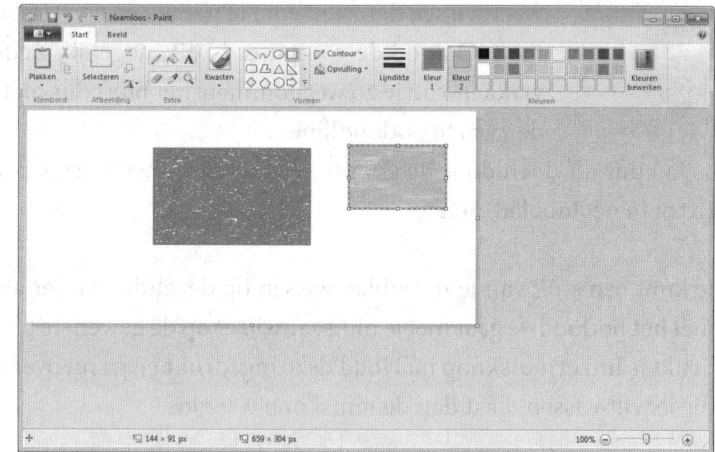

Stukken knippen/verplaatsen

Net zoals met echt papier kun je de schaar nemen, een stuk van je tekening uitknippen en ergens anders leggen. Je kunt daarvoor de functie gebruiken die je in de groep Afbeelding vindt, de knop 'Selectie'. Klik eerst eens op het pijltje direct onder de knop 'Selectie' voordat je gaat selecteren. Je ziet een lijstje uitklappen met extra selectie-opties.

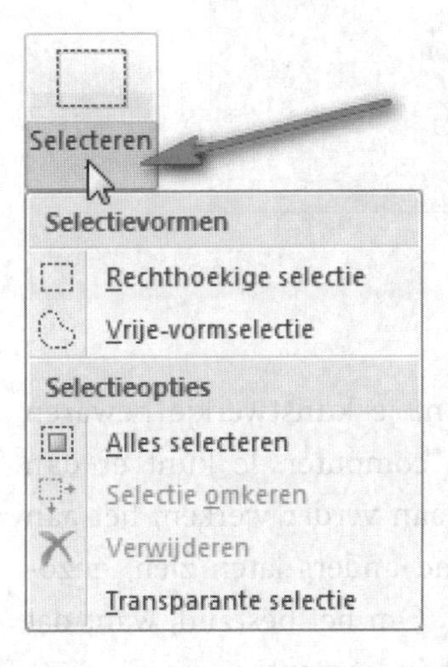

Je kunt hier kiezen uit rechthoekige of vrije selecties, een selectie omkeren, wissen of verwijderen, en je kunt een transparante selectie aanzetten.

Standaard staat een rechthoekige selectie aan. Hiermee kun je nu een stuk van je tekening selecteren. Dat gaat op dezelfde manier als het tekenen van een rechthoek. Dus met je linkermuisknop klikken, de knop ingedrukt houden, je muis verplaatsen totdat de rechthoek die (in stippellijnen) verschijnt zo groot is als het vlak dat je wilt verplaatsen. Laat dan los. Je muisaanwijzer zal veranderen in een pijl in vier richtingen.

Je kunt nu het geselecteerde deel verplaatsen op je tekening. Je doet dit door op het vlak te klikken met je linkermuisknop, de knop ingedrukt te houden en je muis te verplaatsen. Je ziet dat het geselecteerde deel zich helemaal mee verplaatst over je tekening. Als je de toets loslaat, zal het weer worden neergezet op je tekening.

Een vrije selectie werkt iets anders. Klik met je muis op de 'Vrije-vormselectie'. Klik daarna met je muis ergens in het tekenvlak in bijvoorbeeld een bestaande tekening en teken gewoon een figuur met de muisknop ingedrukt. Zodra je de muisknop loslaat, zie je een selectiekader staan. Klik bijvoorbeeld op dat kader en sleep dat naar een andere plek. Je zult nu precies dat deel zien dat je net hebt getekend.

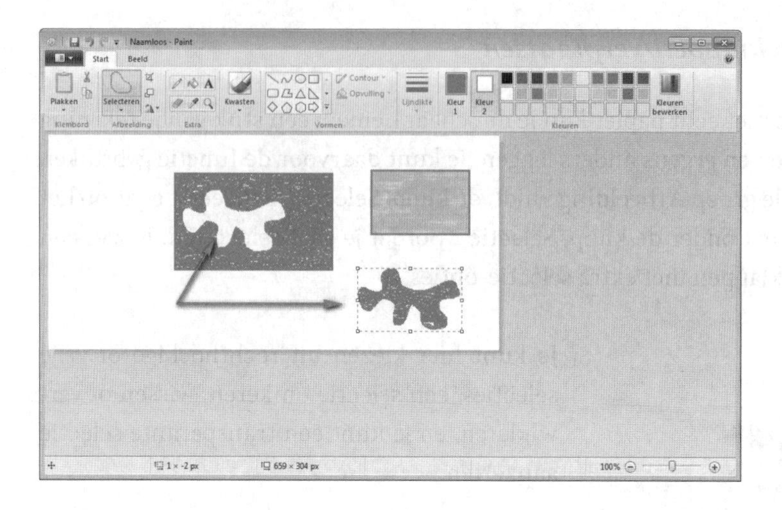

Je kunstwerkje opslaan

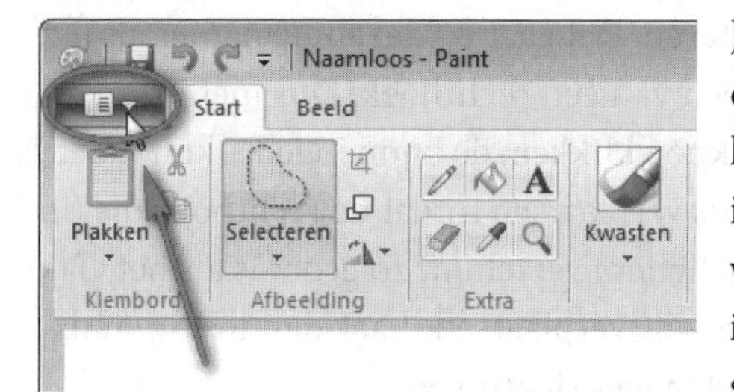

Je kunt je kunstwerkje bewaren op je computer. Je kunt er dan later aan verder werken, het aan iemand anders laten zien, enzovoort. Om het bestand, want dat is het in computertermen, op te slaan, klik je op de knop 'Paint' linksboven in het venster.

Je ziet nu – vergelijkbaar met Wordpad – een lijst met opties. Klik op de knop 'Opslaan'.

Omdat het bestand nog niet eerder is opgeslagen, kom je bij het venster 'Opslaan als' uit.

Windows 7 zorgt ervoor dat je meteen in de bibliotheek 'Afbeeldingen' (in de map 'Mijn afbeeldingen') terechtkomt. Net als bij Wordpad kun je nu nieuwe mappen aanmaken om jouw tekening daarin op te slaan, of je slaat de tekening gewoon direct op in de map 'Mijn afbeeldingen'.

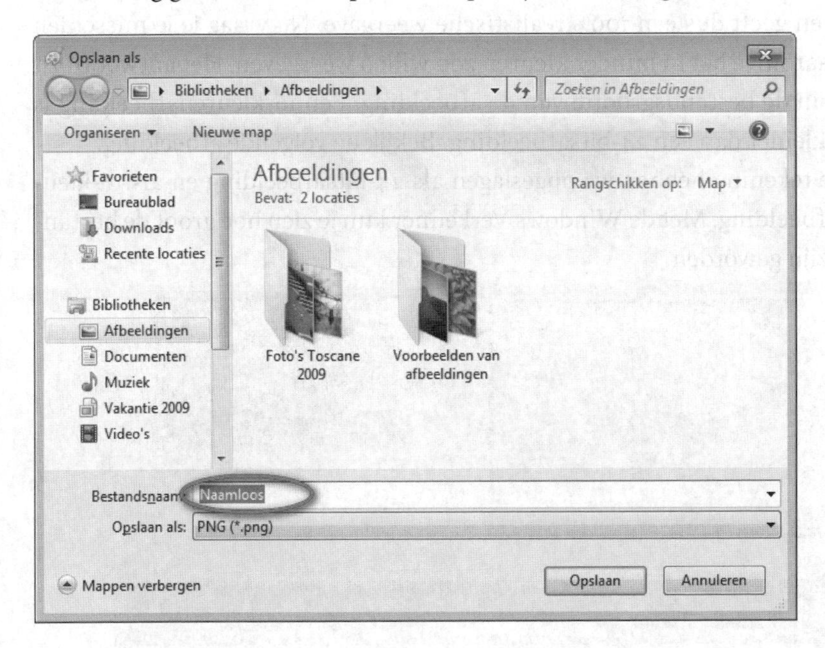

Geef de tekening als eerste een naam. Daarna klik je op de lijst met bestandssoorten, rechts naast de tekst 'Opslaan als'. Je ziet nu een lijst met verschillende mogelijkheden om je tekening op te slaan.

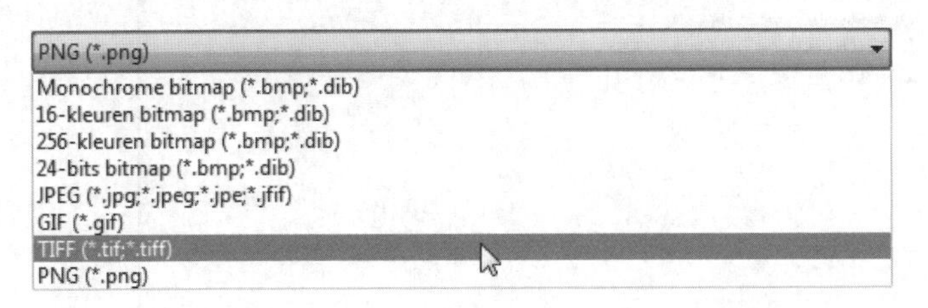

De bovenste vier bestandsformaten (monochroom, 16-kleuren, 256-kleuren en 24-bitskleuren) gaan allemaal over de kleurinstelling waarmee het bestand wordt opgeslagen. Monochroom is zwart-wit en zeker niet geschikt

als je een mooie kleurentekening hebt gemaakt (of het moet een bewust effect zijn dat je nastreeft). De verschillen tussen 16-kleuren, 256-kleuren en 24-bitskleuren zitten in de natuurgetrouwheid van de weergave. Als je de wereld in niet meer dan 16 kleuren moet weergeven, mis je veel. Eveneens bij 256 kleuren. Pas 24-bitskleuren zijn in staat om kleuren goed weer te geven, 24-bitskleuren zijn 16,7 miljoen kleuren. Dat is veel meer dan ons oog kan zien en geeft dus een 100% realistische weergave. Nu vraag je je misschien af waarom je het in minder kleuren zou willen weergeven. Het antwoord zit hem in de bestandsgrootte van de afbeelding. Een 16-kleurenafbeelding is veel kleiner dan een 24-bitsafbeelding. Bekijk de volgende afbeelding.
Deze tekening hebben we opgeslagen als 24-bitsafbeelding en als 16-kleurenafbeelding. Met de Windows Verkenner kun je zien hoe groot de bestanden zijn geworden.

Je ziet dat de 16-kleurenafbeelding bijna 6 keer zo klein is dan de 24-bitsafbeelding. Dat scheelt dus veel ruimte op je harde schijf. Wel is het zo dat er van de originele kleuren niets meer over is. De tekening lijkt totaal anders na het omzetten in 16 kleuren.

Naast de kleurkwaliteit kies je verschillende soorten bestandsformaten. Het is wat ingewikkelde materie, maar in grote lijnen kun je zeggen dat gif-afbeeldingen alleen geschikt zijn voor kleine bestanden van een lage kwaliteit. Bmp-, tif- en PNG-bestanden zijn wel geschikt voor afbeeldingen van hoge kwaliteit. Jpeg-bestanden kunnen ook in hoge kwaliteit afbeeldingen opslaan en zijn erg geschikt voor internet omdat ze sterk kunnen worden verkleind. In dat laatste geval is de kwaliteit weer minder hoog. Als je foto's gebruikt, neem dan steeds Jpeg, heb je zelf iets getekend neem dan PNG.

Net als bij Wordpad kun je hier ook een nieuwe map aanmaken door op de knop 'Nieuwe map' te klikken. Als je alles goed hebt ingevuld en gekozen, klik je op de knop 'Opslaan'.

Opslaan

De tekening is nu correct opgeslagen op je computer. Je kunt dezelfde werkwijze later gebruiken om andere tekeningen of foto's op te slaan!

Werken met foto's

Tot nu toe heb je alleen maar gewerkt met een zelfgemaakte tekening. Dat is leuk om te starten en het programma te leren kennen, maar uiteindelijk niet altijd even nuttig, behalve als je een echte kunstenaar bent. Nuttiger is het te werken met echte foto's, die we zo naar onze eigen wensen kunnen aanpassen.

Het openen van een foto doe je als volgt. Een foto is een bestand, dus we klikken met onze linkermuisknop linksboven op de knop 'Paint'.

In het menu klik je dan op de optie 'Openen'.

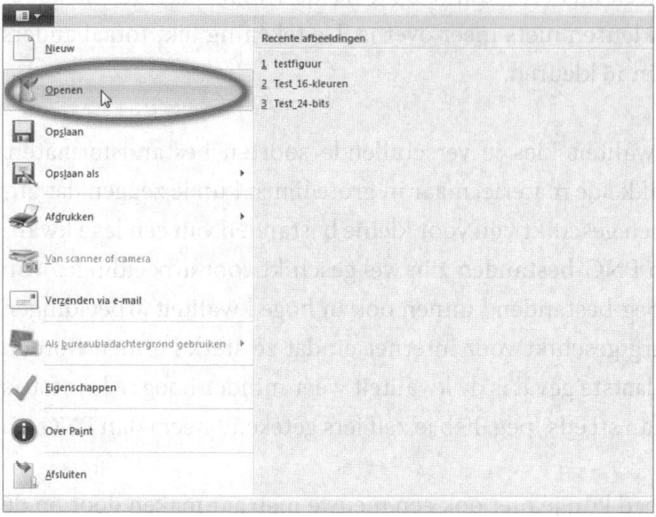

Je krijgt een scherm te zijn dat sterk lijkt op het scherm om een bestand te bewaren op de computer.

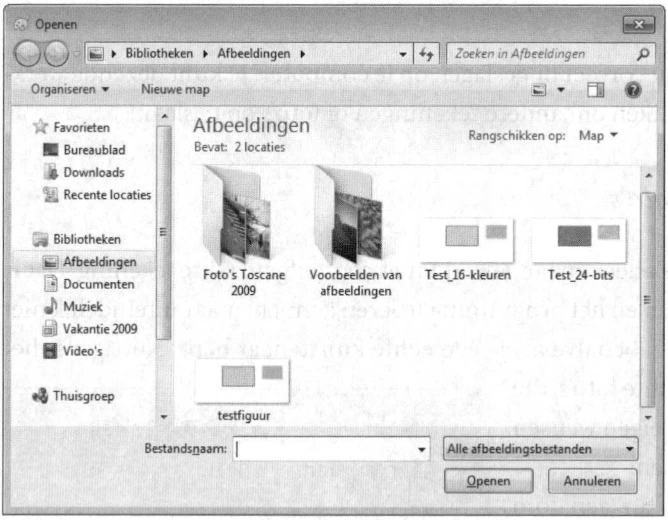

Je kunt hiermee ook weer helemaal door je computer navigeren. Je kunt verschillende mappen openen op je computer en steeds de foto's zien die op je computer staan. Handig is ook dat de computer elke foto of figuur in het klein weergeeft. Zo kun je niet alleen op basis van de bestandsnaam de foto terugvinden, maar ook op basis van de figuur. Als je in een map zit met veel foto's en niet alles op het scherm past, denk er dan aan dat die schuifbalk rechts zal verschijnen. Daarmee kun je naar boven en beneden (scrollen) om alle foto's te bekijken. Klik de foto aan en klik op de knop 'Openen' om hem te openen.

Tip
Je kunt een foto rechtstreeks openen door er onmiddellijk op te dubbelklikken, zo sla je dus een stap over, namelijk dat je op 'Openen' moet klikken.

Tip
Als je nog geen foto's op je computer hebt staan, dan kun je toch al oefenen met een foto. Dubbelklik op 'Voorbeelden van afbeeldingen' met je linkermuisknop.

Je krijgt nu enkele foto's, zoals 'Chrysant' en 'Woestijn' te zien. Klik er een aan met je linkermuisknop (door op de naam van de foto te klikken) en druk vervolgens op 'Openen'.

Met de foto die je nu geopend hebt, kun je werken net zoals met het tekenblad. Met andere woorden: je kunt hier ook op tekenen, je kunt dingen weggommen, vlakken tekenen, vlakken invullen, de spuitbus gebruiken, enzovoort.

Een andere kleur kiezen

Zeker als je met foto's aan het werken bent, heb je aan de 28 kleuren die bovenaan staan niet genoeg. In het echt zijn er miljoenen kleuren.

Je hebt twee mogelijkheden om nog andere kleuren tevoorschijn te halen. De eerste mogelijkheid is een kleur van de foto zelf te nemen. Je kunt dit doen door op de knop 'Kleur selecteren' te klikken, die in de groep Extra tussen de gom en het vergrootglas staat. Klik deze aan met je linkermuisknop.

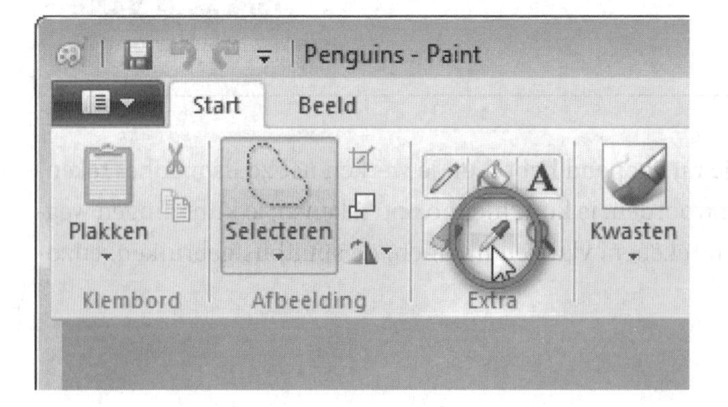

Vervolgens kun je met je muisaanwijzer op de kleur gaan staan die je wenst van de foto. Klik vervolgens met je linkermuisknop en laat deze weer los. De kleur die je hebt genomen, is nu Kleur 1.

Als je met je rechtermuisknop op een kleur klikt, wordt deze als achtergrondkleur, dus als Kleur 2 ingesteld.

Er is nog een tweede mogelijkheid om een kleur te kiezen. Klik met je linkermuisknop op de knop 'Kleuren bewerken'.

Je krijgt nu een nieuw scherm te zien, waarmee je de kleur kunt aanpassen. Dit is een uitgebreider palet met kleuren.

Als je een kleur wilt hebben die niet bij de basiskleuren staat, klik je ergens in het kleurenvlak op een bepaalde kleur. Je ziet er vele duizenden kleuren. Als je de zogenaamde RGB-waarde hebt (waarbij RGB staat voor de kleuren rood, groen en blauw), dan kun je deze ingeven door rechts onderaan de cijfers in te typen. Je ziet de kleur waarop je klikte meteen in het vlakje terug.

Als je deze kleur wilt gebruiken, klik je op de knop 'Ok'. Je kunt nu tekenen met de kleur of de kleur gebruiken op je foto om bijvoorbeeld iets bij te werken.

Het kan ook zijn dat je de net gekozen kleur wilt bewaren. Klik in dat geval op de knop 'Aan aangepaste kleuren toevoegen'. Je ziet die kleur in een vakje linksonder de basiskleuren terug.

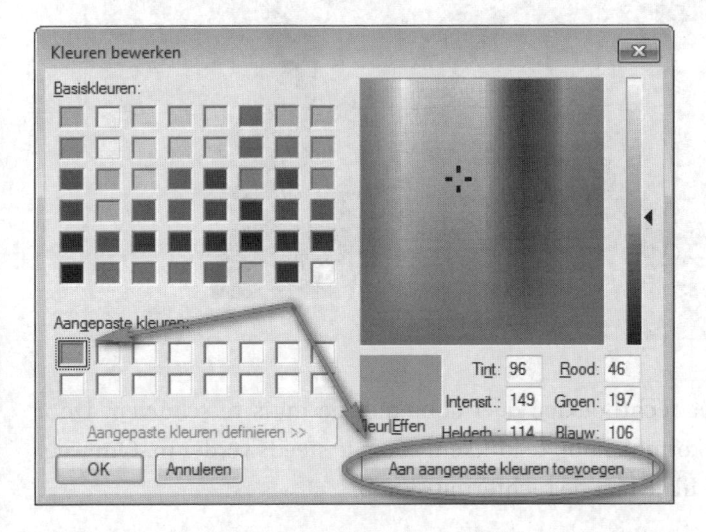

Deze kleur wordt nu bewaard. Je ziet hem ook terug in het kleurenpalet van Paint.

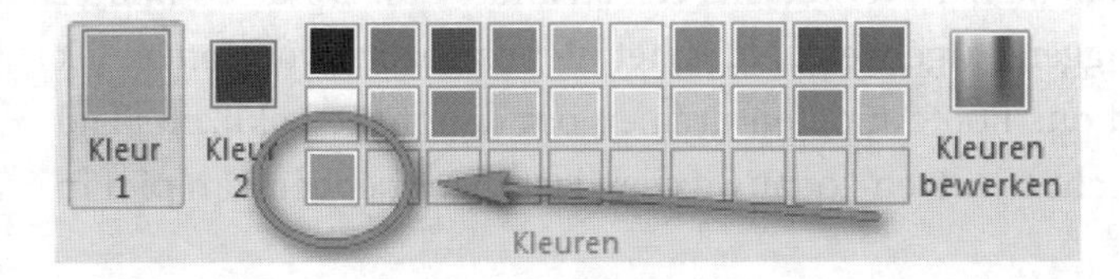

In- en uitzoomen

Je kunt de foto ook in- en uitzoomen. Je kunt hem met andere woorden nauwkeuriger bekijken, alsof je er een vergrootglas bij zou halen. Je kunt dit doen door in de groep Extra op het vergrootglas te klikken (rechts naast de knop 'Kleur selecteren').

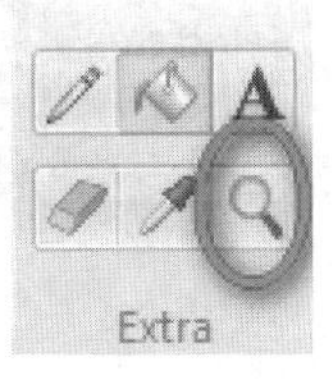

Je ziet nu in de figuur een rechthoek. Dat is het deel dat je gaat zien wanneer je nu op de linkermuisknop klikt.

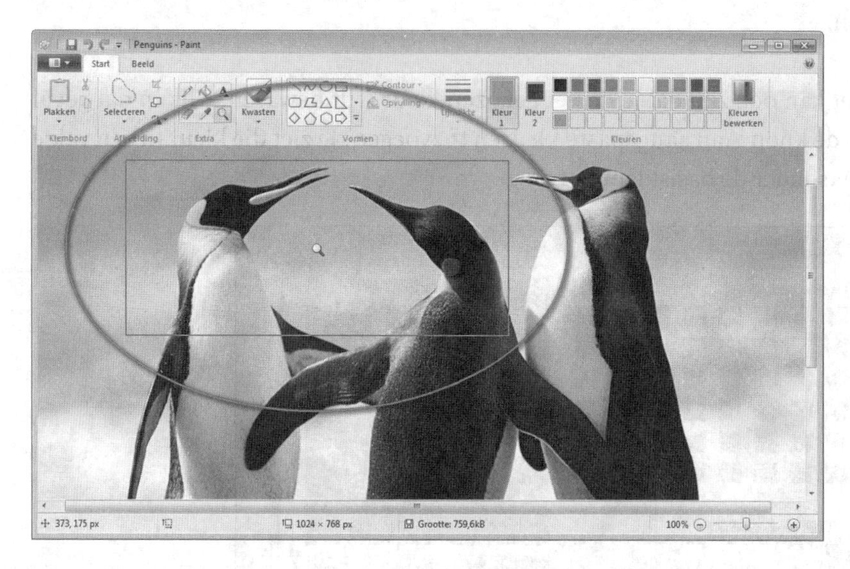

Je verplaatst het rechthoekige deel door met de muis te schuiven. Door steeds op de linkermuisknop te klikken, zoom je steeds verder in. Om weer uit te zoomen, klik je met de rechtermuisknop.

Figuur draaien of spiegelen

Als we foto's nemen, nemen we weleens een staande foto. Op de computer wordt die echter liggend afgebeeld. Nu is het niet zo gezond voor onze nek als we heel de tijd ons hoofd moeten draaien om de foto te bekijken. Tijd dus om die foto recht te zetten zodat we geen last meer hebben van pijn in de nek...

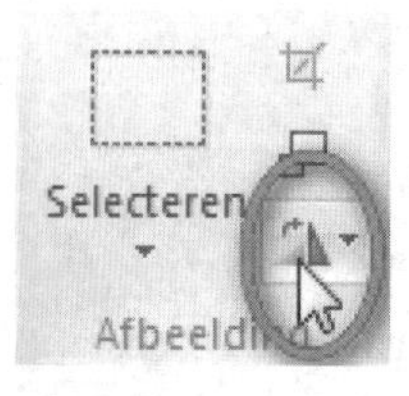

We willen iets met een afbeelding doen, dus klik je met je linkermuisknop in de groep Afbeelding op de knop 'Draaien of spiegelen'. Dat is immers de instructie die we willen geven aan onze computer voor de afbeelding die nu openstaat.

90 graden rechtsom draaien
90 graden linksom draaien
180 graden draaien
Verticaal spiegelen
Horizontaal spiegelen

Je ziet nu een lijst met diverse mogelijkheden om de afbeelding te draaien of te spiegelen.

Als je de afbeelding horizontaal wilt spiegelen, klik dan op de onderste optie.

Als je de afbeelding wilt draaien, heb je keuze uit 90 graden linksom, 90 graden rechtsom of 180 graden. Bij een draaiing van 180 graden plaats je de afbeelding ondersteboven. Dit is niet gelijk aan verticaal spiegelen waar je de foto ook ondersteboven zet. Probeer dit uit. Je kunt de draaiing of spiegeling altijd met de sneltoetscombinatie Ctrl-Z weer ongedaan maken.

In het volgende voorbeeld heb ik de afbeelding 180 graden laten draaien.

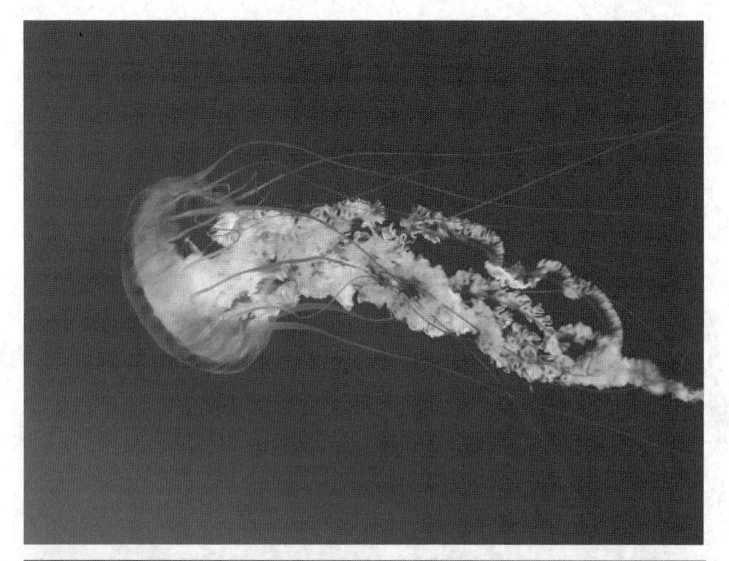

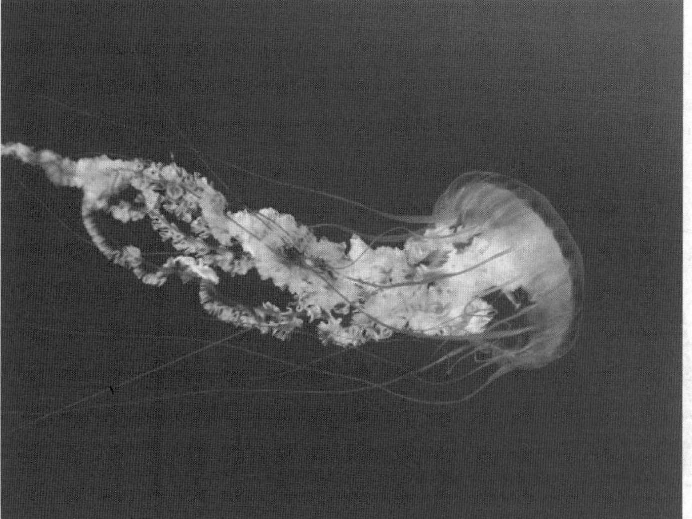

Figuur hellen of het formaat wijzigen

Soms neem je op afstand foto's van een vierkant voorwerp waar je niet helemaal recht voor staat. Op de foto staat het voorwerp dan hellend naar links of naar rechts. Paint heeft een handige voorziening hiervoor, figuur hellen. Hiermee kun je dit soort foto's prima herstellen.

Zie onderstaande afbeelding. De rechtshoek helt naar rechts.

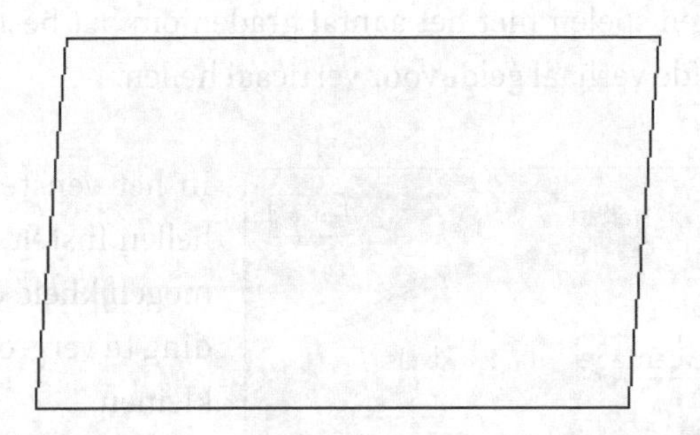

Klik nu op de knop 'Formaat wijzigen en hellen'.

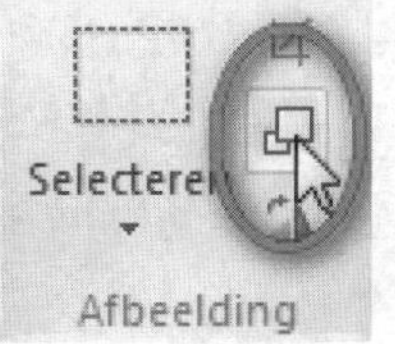

Formaat wijzigen en hellen
Formaat wijzigen
Met: Percentage Pixels
Horizontaal: 100
Verticaal: 100
Hoogte-breedteverhouding behouden
Hellen (graden)
Horizontaal: -5
Verticaal: 0
OK Annuleren

Je ziet een nieuw venster waarin opties staan om de figuur te laten hellen.

Vul hier een horizontale waarde van -5 graden in (een negatief getal omdat de hellingshoek naar links moet) en klik op de knop ‘OK’. Je ziet dat de figuur weer keurig rechthoekig is geworden.

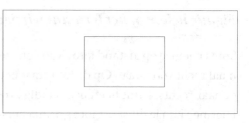

Soms moet je even spelen met het aantal graden om het beste resultaat te bereiken. Hetzelfde verhaal geldt voor verticaal hellen.

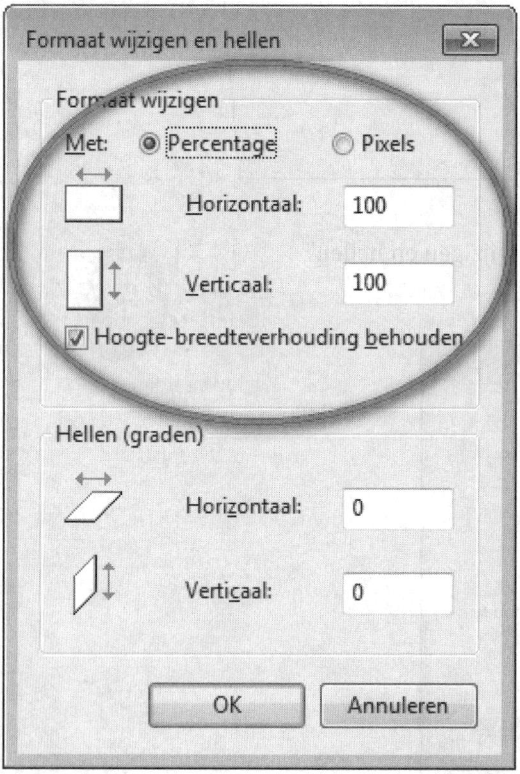

Formaat wijzigen en hellen
Formaat wijzigen
Met: Percentage Pixels
Horizontaal: 100
Verticaal: 100
Hoogte-breedteverhouding behouden
Hellen (graden)
Horizontaal: 0
Verticaal: 0
OK Annuleren

In het venster waar je het hellen instelt, zie je ook de mogelijkheid om de afbeelding te vergroten en te verkleinen.

Je kunt een afbeelding vergroten door een percentage in te stellen (kleiner dan 100 is verkleinen, groter dan 100 is vergroten) of door te zeggen hoeveel pixels een afbeelding groter moet worden. Dit kun je zowel horizontaal als verticaal onafhankelijk instellen. Houd er wel rekening mee dat een afbeelding vervormt wanneer je bijvoorbeeld de afbeelding alleen horizontaal zou vergroten, of alleen verticaal. In de volgende afbeeldingen is links de koala normaal afgebeeld en is rechts de horizontale as van de afbeelding 200 % vergroot.

Als je het vinkje bij 'Hoogte-breedteverhouding behouden' weghaalt, kun je de horizontale en verticale vergrotingsfactoren apart instellen. Als het vinkje er wél staat, hoef je maar één vergrotingsfactor in te voeren, de andere as wordt automatisch ingevuld.

Afbeelding bijsnijden

Vaak is het zo dat je, nadat je een gemaakte foto bekijkt, de compositie anders wilt hebben. Je wilt bijvoorbeeld een uitsnede van de oorspronkelijke foto. Je doet dat als volgt. Open eerst de betreffende foto door op de knop 'Paint' te klikken en dan op de knop 'Openen' te klikken.

Blader naar de juiste map waar de foto staat, selecteer hem en klik op de knop 'Openen'.

Stel, je wilt in bovenstaande foto alleen de vuurtoren links weergeven. Klik dan op de knop 'Selectie' in de groep Afbeelding.

Trek nu het selectiekader over de vuurtoren heen zoals te zien is in de volgende afbeelding.

Klik met het selectiekader in beeld op de knop 'Bijsnijden' in de groep Afbeelding.

De afbeelding zal nu worden bijgesneden langs de randen van het selectiekader. Zie volgende afbeelding.

Programma afsluiten

Je kunt het programma Paint afsluiten door rechts bovenaan in het venster op het kruisje te klikken.

Als je de huidige foto of de laatste veranderingen nog niet hebt opgeslagen, dan zal de computer vragen of je dat alsnog wilt doen.

Klik op 'Opslaan' om de foto op te slaan, op 'Niet opslaan' om dit niet te doen en op 'Annuleren' om helemaal niets af te sluiten en verder te werken met het tekenprogramma Paint.

Je weet nu voldoende van het programma Paint om de basisbewerkingen uit te voeren op foto's en zelf tekeningen te maken. Paint zelf is een zeer eenvoudig programma om te werken met foto's. Er bestaan veel geavanceerdere programma's die talloze keren meer kunnen dan Paint. Dergelijke programma's moet je echter apart aankopen voor je computer. Bekende programma's zijn onder meer Photoshop Elements, Paint Shop Pro, Corel Photo Paint en Microsoft Picture-it. Je kunt deze vinden in de winkel.

8 •• ONTSPANNING

Spelletjes spelen

Ontspanning is belangrijk, heel belangrijk. Daarom kun je ook met je computer spelletjes spelen. Je hebt zo zelfs geen andere mensen nodig om te kunnen spelen, je kunt in je eentje spelen of tegen de computer.

In de winkel zijn vele honderden spelletjes te koop voor de computer. Op internet zijn er nog eens vele honderden (gratis) te vinden (bijvoorbeeld op www.seniorennet.be of www.seniorennet.nl).

Op je computer zelf staat ook een aantal gratis spelletjes. Om die te kunnen spelen heb je dus geen internet nodig en hoef je niets te kopen in een winkel. Deze spelletjes bekijken we in dit hoofdstuk. Ze zijn te vinden in een aparte map in het startmenu. Klik dus met je linkermuisknop onderaan op je scherm op de knop 'Starten'.

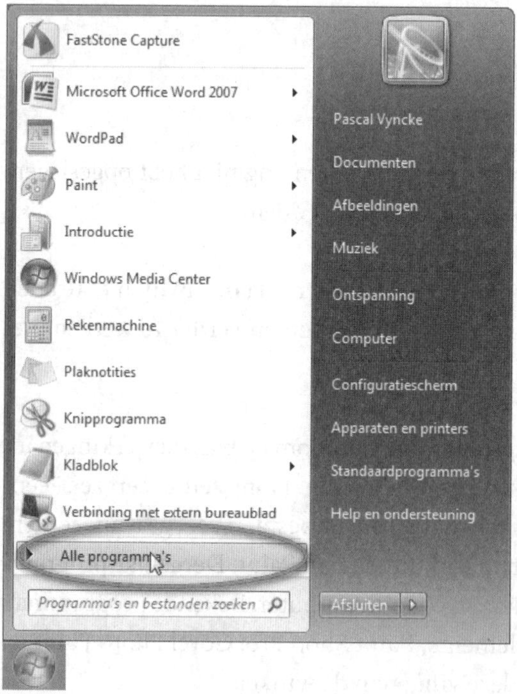

Ga vervolgens naar 'Alle programma's'.

Ga nu naar 'Ontspanning'.

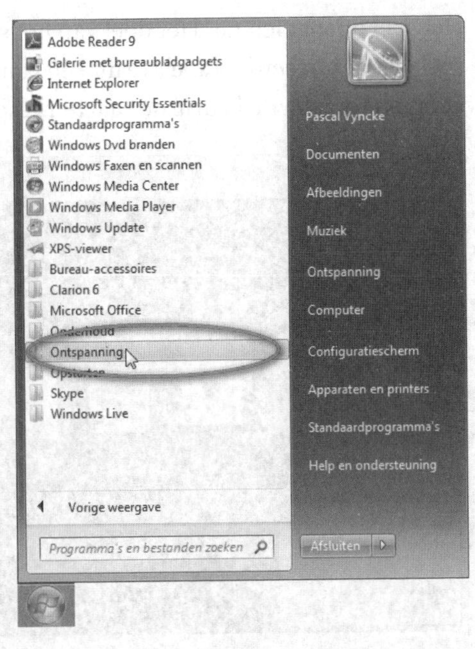

Het lijstje dat zich nu opent, toont de verschillende spelletjes op je computer: Chess Titans, Freecell, Hartenjagen, Mahjong Titans, Mijnenveger, Patience, Purble Place en Spider Solitaire. Daarnaast staan er enkele spellen tussen die je via internet kunt spelen: Backgammon, Dammen en Spades. Ook staat er de Spelverkenner tussen, die een overzicht geeft van de spelletjes op je computer; hier komen we later op terug. Klik met je linkermuisknop op het spelletje dat je wenst te spelen.

Patience

Klik in het lijstje op 'Patience', een zeer bekend kaartspelletje dat ook op de computer kan worden gespeeld.

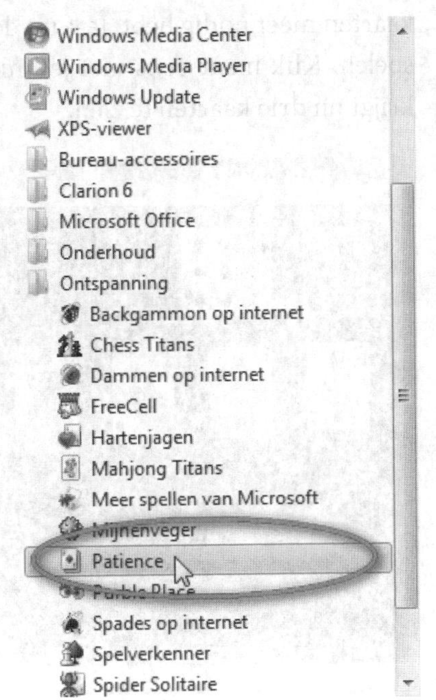

Het spel opent zich nu. Het doel van het spel is om met alle kaarten van het spel vier gesorteerde stapels te maken van aas tot koning. De computer heeft voor jou totaal willekeurig de kaarten geschud en je kunt starten met spelen.

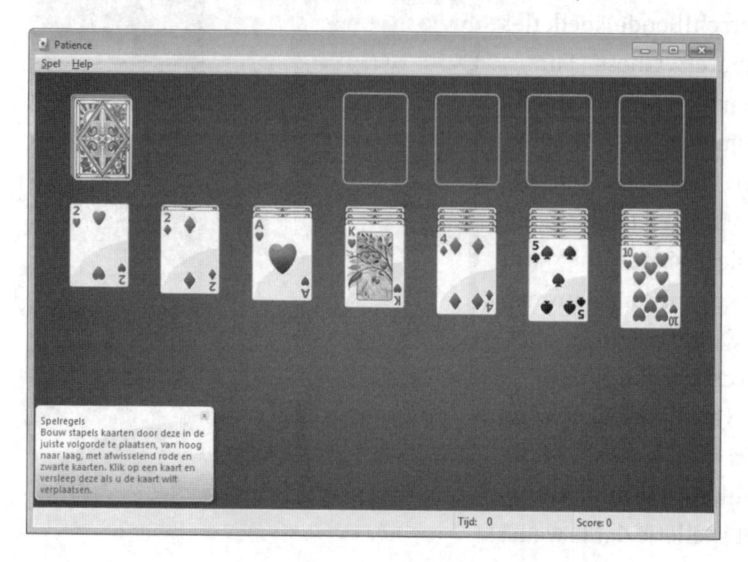

Het hele spel is dus volledig voorgesteld op je scherm zodat je geen echte kaarten meer nodig hebt. Je kunt door middel van je computermuis het spel spelen. Klik maar eens met je linkermuisknop op de kaart linksboven. Je krijgt nu drie kaarten te zien.

Als je de kaart kunt gebruiken om op een van de hoopjes te leggen, klik je deze aan met je linkermuisknop. Houd de knop ingedrukt, versleep de kaart naar het juiste hoopje en laat dan los. Zo heb je de kaart verlegd. Je kunt ook kaarten van stapels halen en deze leggen op een andere stapel.

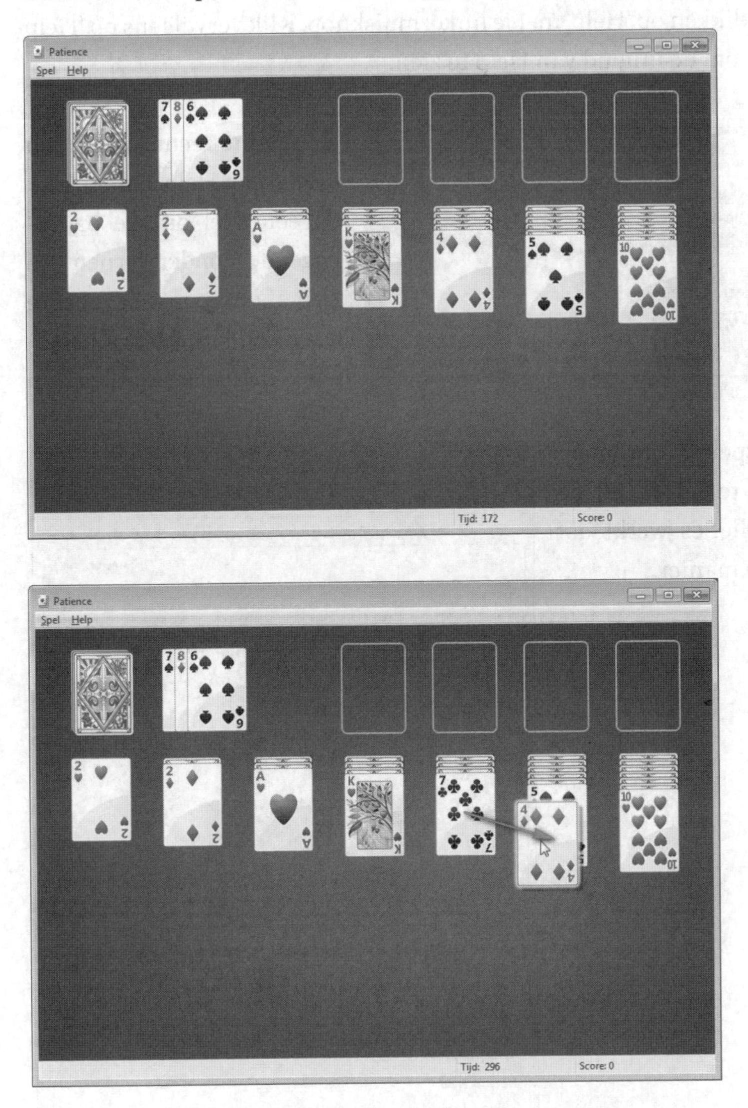

Op deze manier kun je verder het spel spelen. De bedoeling is dat je op de bovenste vakjes de azen krijgt, vervolgens de twee, drie, enzovoort van dezelfde kleur/tekening. Je kunt kaarten afleggen rechtstreeks uit het hoopje links, of van de lijstjes midden op je scherm. Je kunt een kaart op een andere leggen als hij één waarde lager is én een andere kleur heeft. Op de voorgaande foto ligt dus een rode 6, met daaronder een zwarte 5, enzovoort.

Om de spelregels en manier van spelen en zelfs enkele tips te lezen, kun je bovenaan klikken op 'Help' met je linkermuisknop. Klik vervolgens op 'Help weergeven' om de inhoud van Help te zien.

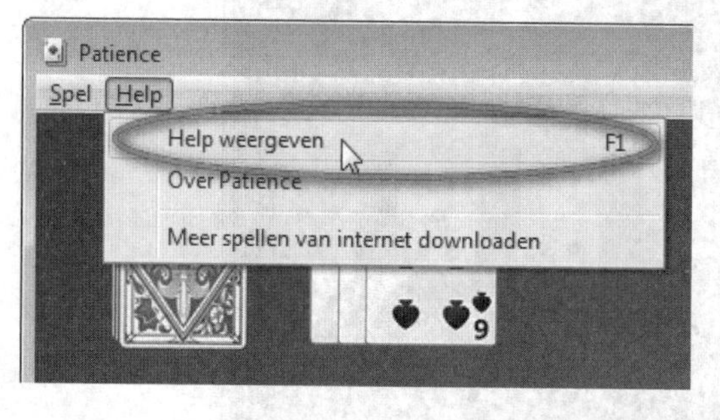

Je krijgt nu rechts de inhoud te zien van Help. Dubbelklik op een titel om de onderliggende onderwerpen te zien of om rechts de tekst te lezen. Zo kun je bij dit spelletje patience klikken op 'Patience spelen' om meer informatie te lezen. Bij de andere spelletjes werkt dat op dezelfde manier.

Mijnenveger

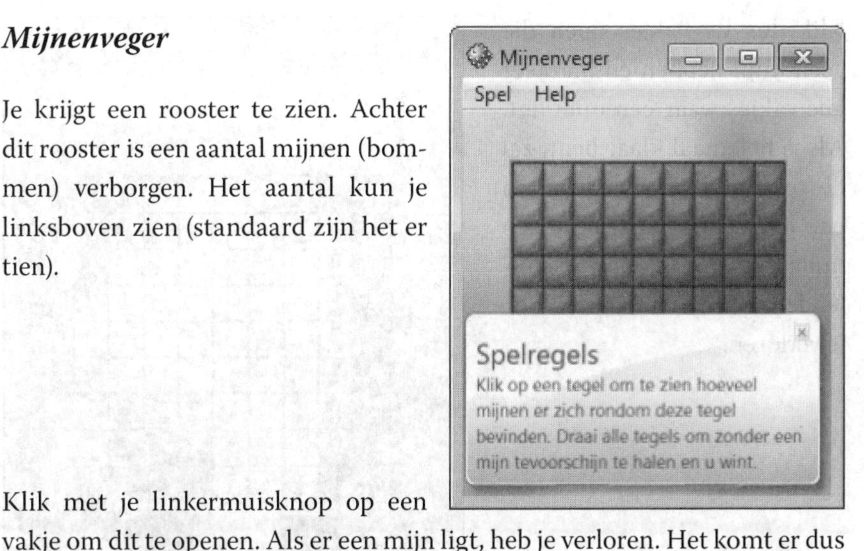

Je krijgt een rooster te zien. Achter dit rooster is een aantal mijnen (bommen) verborgen. Het aantal kun je linksboven zien (standaard zijn het er tien).

Klik met je linkermuisknop op een vakje om dit te openen. Als er een mijn ligt, heb je verloren. Het komt er dus op aan géén mijn te raken. Als je geluk hebt, heb je geen mijn geraakt en zullen er vakjes verdwijnen. Onder alles wat nu verdwenen is, zat dus niets.

Je krijgt aan de zijkanten overal cijfers te zien. Deze cijfers geven aan hoeveel mijnen er liggen in horizontaal, verticaal en diagonaal aangrenzende vakjes. Bij een vakje in het midden van het speelveld gaat het dus om maximaal acht mijnen, bij een vakje tegen de rand om maximaal vijf mijnen en bij een vakje in de hoek om drie mijnen.

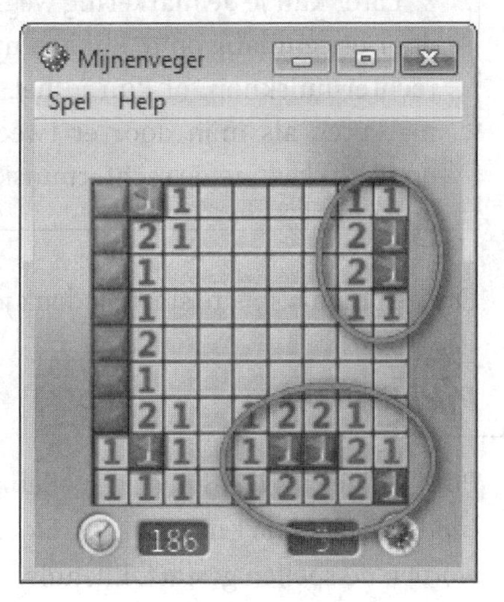

Nu komt het eropaan om te ontdekken waar de verschillende mijnen liggen. Als je ervan overtuigd bent dat onder een bepaald vakje een mijn ligt, markeer je dit vakje door erop te klikken met je rechtermuisknop.

Klik dus de vakjes open die geen mijn hebben en markeer alle vakjes waar een mijn ligt. Als je helemaal klaar bent, zal de computer dit meedelen en heb je gewonnen. Raak je een mijn, dan worden de verschillende mijnen zichtbaar en heb je verloren.

Tip

Als je niet zeker weet of ergens een mijn ligt, kun je dit vakje markeren door te dubbelklikken met je RECHTERmuisknop. Een vraagteken zal erop verschijnen.

Later kun je de markering weghalen door er eenmalig op te klikken met de rechtermuisknop, of kun je het vakje markeren als mijn door er tweemaal op te klikken met je rechtermuisknop.

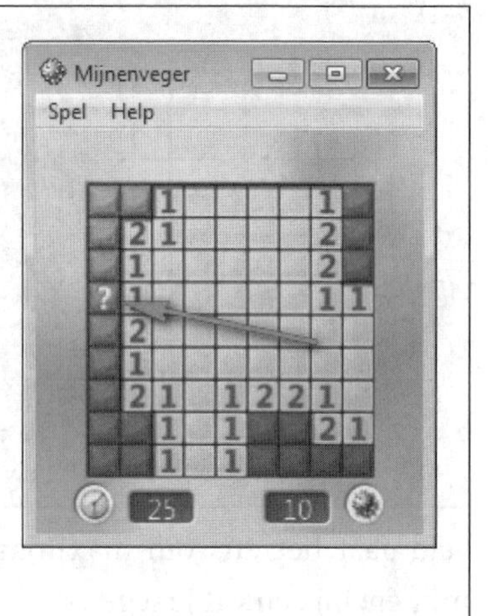

Om een nieuw spel te starten, druk je op de toets F2.

Purble Place

Purble Place is eigenlijk drie spellen in één. Wanneer je het spel start, zie je een landschap met drie huisjes. Door met de muis op de huisjes te klikken, worden de spellen gestart. Elk huisje vertegenwoordigt een ander spel.

Het linkerhuis is de digitale versie van 'Memory'. Je draait de kaartjes één voor één om en onthoudt welke kaartjes waar liggen. De bedoeling is dat je gelijke kaartjes tegen elkaar wegspeelt en een leeg veld overhoudt.

Bij het spel in het middelste huis ga je taartjes bakken en in het rechterhuis stel je gezichten samen. Binnen deze spelletjes ga je terug naar het hoofdmenu door op de toets F3 te drukken.

Door de opzet en uitvoering van deze spelletjes zijn ze vooral bedoeld voor kinderen.

Hartenjagen

Het doel van het spel hartenjagen is om op het einde zo weinig mogelijk punten over te houden. Het spel is voor vier personen: jij en drie denkbeeldige tegenstanders die door de computer worden gespeeld.

In het begin van het spel heeft de computer iedereen een aantal kaarten gegeven.

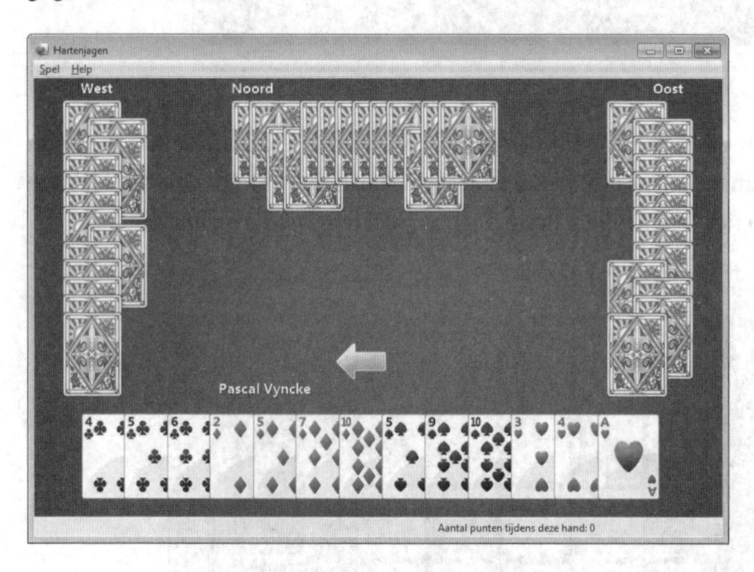

Jij dient te beginnen bij het spel. Je moet drie van je kaarten selecteren om door te geven aan de linkerspeler. Je doet dit door op de gewenste kaarten te klikken met je linkermuisknop en vervolgens op de knop 'Naar links' met je linkermuisknop.

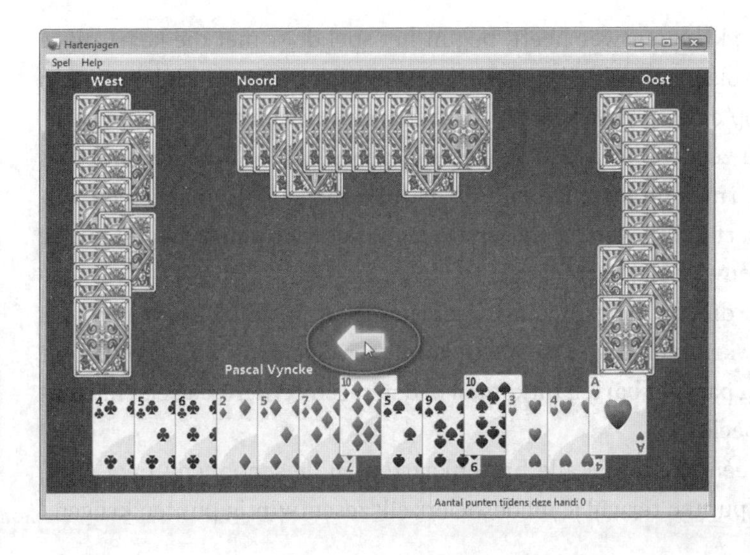

Vervolgens gaan je tegenspelers hetzelfde doen onder elkaar. Dat gaat razendsnel want het is eigenlijk je computer die dat doet. Jij krijgt dan van je rechterbuur ook drie kaarten. Je ziet deze kaarten eventjes iets omhooggestoken.

Na elke ronde worden de punten geteld van alle spelers, en dus ook van jou. Elke hartenkaart is een punt waard en de schoppenvrouw dertien punten. Wanneer een van de spelers honderd punten of meer heeft, dan is het spel afgelopen.

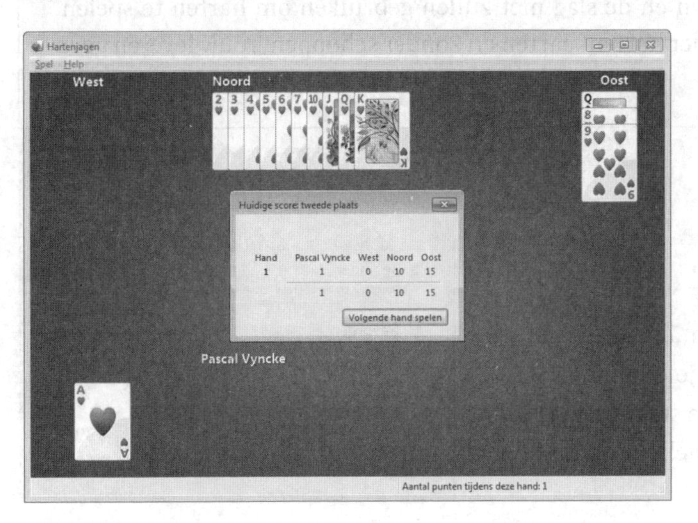

De speler die klaverentwee heeft, begint het spel door met die kaart uit te komen. Vervolgens speelt elke speler (met de wijzers van de klok mee) een kaart door op de gewenste kaart te klikken. Het is verplicht kleur te bekennen (wat wil zeggen dat je een kaart moet gebruiken in dezelfde soort als de kaart waarmee uitgekomen is). Als dat niet mogelijk is, mag je een willekeurige kaart doorgeven. In de eerste slag is het echter niet toegestaan de schoppenvrouw of een hartenkaart te spelen.

De speler die de hoogste kaart heeft gespeeld in de kleur waarmee is uitgekomen, krijgt de slag. Die speler komt vervolgens uit met een nieuwe kaart. Je mag pas met harten uitkomen nadat in een eerdere slag een hartenkaart is gespeeld.

Als je in één spelronde alle hartenkaarten en de schoppenvrouw wint, scoor je nul punten terwijl je medespelers elk zesentwintig punten krijgen.

> **Tip**
> Vermijd het halen van een slag die harten of de schoppenvrouw bevat.

> **Tip**
> Het is verstandig hoge kaarten in het begin van het spel te spelen. Het is dan nog aannemelijk dat je tegenstanders ook kaarten van die kleur hebben en de slag niet zullen gebruiken om harten te spelen. Slagen zonder hartenkaarten en zonder schoppenvrouw leveren geen punten op.

Chess Titans

Zoals de naam al zegt, is dit een schaakspel op je computer. Als je het programma start, krijg je eerst de vraag op welk niveau je wilt spelen.

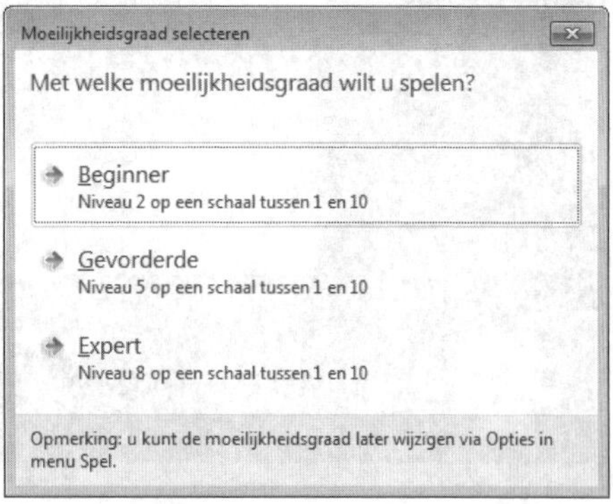

Moeilijkheidsgraad selecteren
Met welke moeilijkheidsgraad wilt u spelen?
Beginner
Niveau 2 op een schaal tussen 1 en 10
Gevorderde
Niveau 5 op een schaal tussen 1 en 10
Expert
Niveau 8 op een schaal tussen 1 en 10
Opmerking: u kunt de moeilijkheidsgraad later wijzigen via Opties in menu Spel.

Klik op de moeilijkheidsgraad die bij je past en het programma start. De kleur wit begint. Door op een van de stukken te klikken (in onderstaande afbeelding op een pion) zie je meteen aan de blauwe vakjes waar je dat stuk kunt neerzetten.

Het spel volgt verder de normale schaakregels en waarschuwt wanneer er een foute zet is gedaan. De laatste zet blijft altijd zichtbaar. Wanneer een stuk is verplaatst, zie je door middel van 4 'hoekjes' waar het stuk vandaan is gekomen.

Uiteindelijk is het natuurlijk de bedoeling om van de computer te winnen en om onderstaand venster te zien.

Met de toets F5 kun je diverse opties als weergave, geluid, moeilijkheidsgraad, kleur en dergelijke instellen en met toets F6 kun je zelfs kiezen uit verschillende soorten schaakbord en schaakstukken.

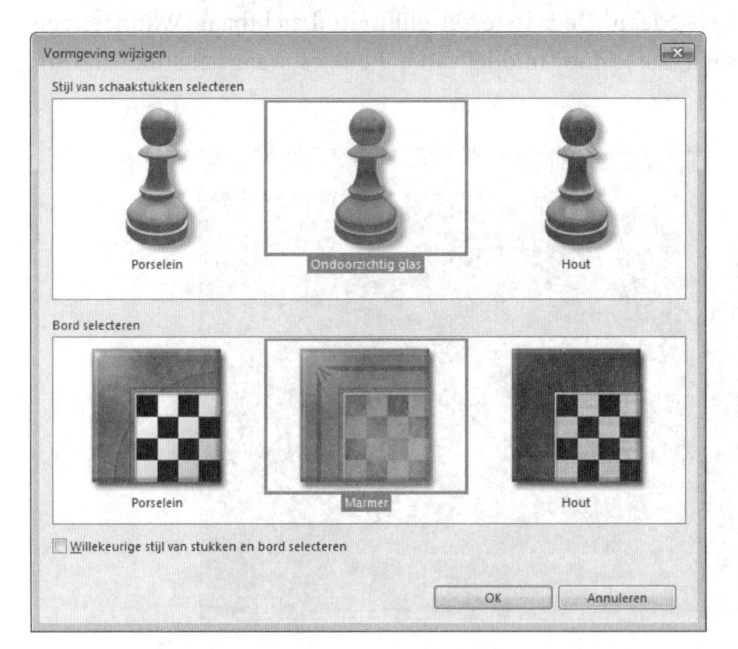

Spel afsluiten

Wat wilt u met het huidige spel doen?

Opslaan | Niet opslaan | Annuleren

Je sluit het spel door op het rode kruisje te klikken. Als je nog met een spel bezig bent, vraagt het programma of je het spel wilt opslaan.

Nadat je op 'Opslaan of 'Niet opslaan' hebt geklikt, sluit het programma af.

Spelen via internet

Je hebt ook spellen gezien die je via internet kunt spelen. Bij Windows 7 zijn dat Backgammon, Dammen en Spades. Naast deze directe links naar die spellen zie je ook een link 'Meer spellen van Microsoft'.

Om te kunnen spelen via internet heb je natuurlijk een actieve verbinding van je pc met internet nodig. Daarnaast is het sterk aan te raden (altijd wanneer je via internet werkt) om je pc te voorzien van een goede virusscanner en om je firewall goed ingesteld te hebben.

Als voorbeeld laten we zien hoe je kunt dammen via internet. Klik bij 'Ontspanning' op de link 'Dammen op internet'.

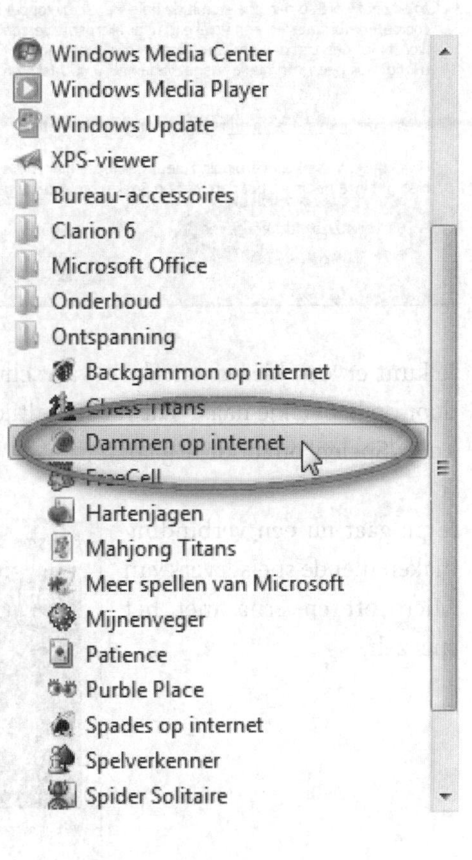

Als eerste zie je een waarschuwing van Microsoft over de informatie die je pc zo meteen naar Microsoft gaat sturen.

Je kunt ervoor kiezen om deze waarschuwing niet meer te zien te krijgen door op het vlakje naast 'Dit venster altijd weergeven' te klikken. Klik op de knop 'Spelen' om door te gaan.

Je pc gaat nu een verbinding maken met de spelservers van Microsoft en erna met het spel zelf.

Zodra de verbinding is gemaakt, wordt het spel zelf gestart.

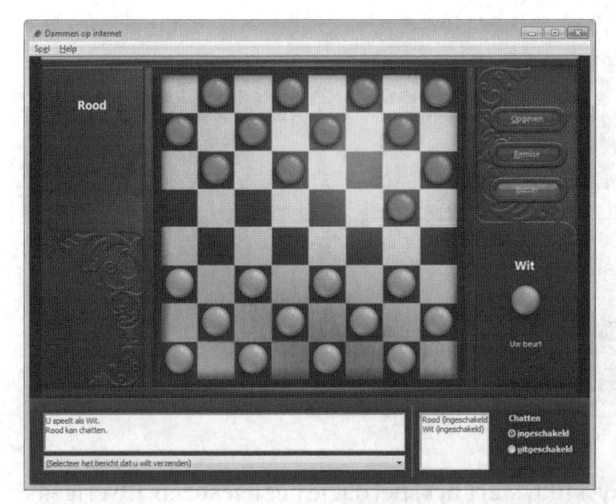

Bovenin zie je het speelveld en onderin een chatveld. Je kunt met elkaar chatten (tekst uitwisselen), tenminste, als je rechts hebt aangegeven dat je wílt chatten. Door op de optie 'uitgeschakeld' te klikken, voorkom je dat er wordt gechat.

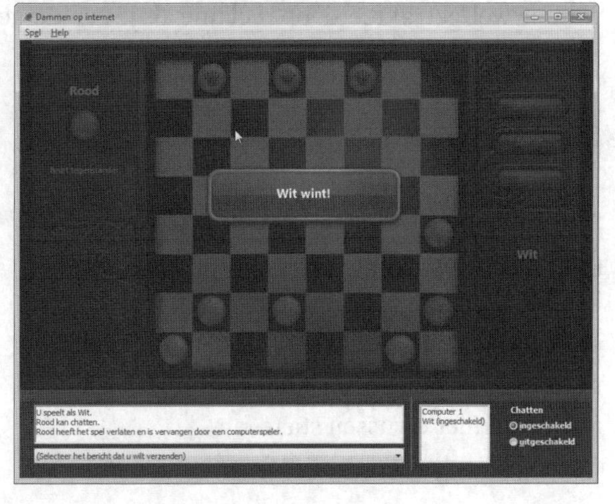

Als het zo is dat je tegenspeler het spel verlaat, wordt zijn of haar plek ingenomen door een computer, en speel je vanaf dat moment tegen een computer. In onderstaande afbeelding is dat het geval; dit staat weergegeven in het kader onder het speelveld.

Zoals altijd sluit je het spel door op het rode kruisje rechtsboven in het venster te klikken.

Naast deze spellen via internet heeft Microsoft nog een extra link in het menu 'Ontspanning' staan: 'Meer spellen van Microsoft'. Als je daarop klikt, kom je op een Engelstalige webpagina, waar nog veel meer spellen staan.

Als je nu op de knop 'Play' klikt, start het spel dat je hebt gekozen. Overigens word je wel 'getrakteerd' op reclame als je een dergelijk spel wilt spelen.

De Spelverkenner

Naast de spelletjes staat er ook een ander programma in de map 'Ontspanning': de Spelverkenner. Om dit programma te starten, klik je eerst op de knop 'Starten'. Klik dan op 'Alle programma's' en daarna op 'Ontspanning'. Je ziet de Spelverkenner ertussen staan.

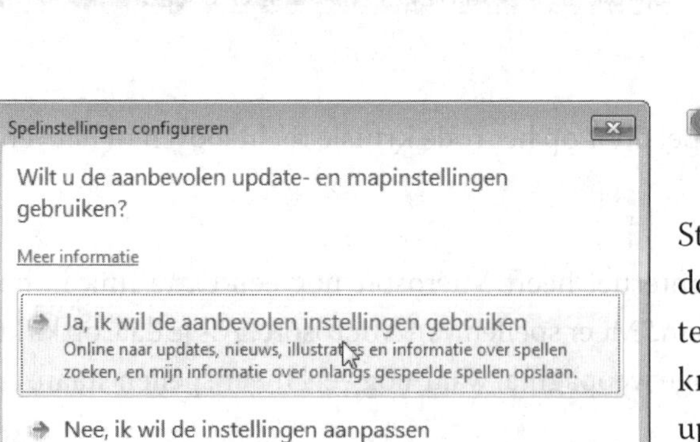

Start het programma door er met je muis op te klikken. Als eerste krijg je een vraag over de update- en mapinstellingen.

Je kunt hier kiezen uit een set standaardwaarden door op de bovenste optie te klikken, of – als je op de onderste optie klikt – alles na te lopen en aan te passen. Daarna zie je een scherm dat sterk doet denken aan de 'normale' Windows Verkenner zoals je gezien hebt in het hoofdstuk 'Werken met bibliotheken, bestanden en mappen'. Feitelijk ís dat ook zo. Het is de normale Verkenner, maar dan met speciale extra's voor de map 'Ontspanning'. Met dit programma kun je de op jouw computer aanwezige spellen beheren.

Boven in het venster zie je de bekende term 'Organiseren' staan. Rechts ernaast staan nog drie knoppen: 'Opties', 'Extra', en 'Ouderlijk toezicht'.

Met de knop 'Opties' kun je jouw computer zo instellen dat er automatisch naar extra informatie over de spellen wordt gezocht. Een voorwaarde is natuurlijk wel dat je verbinding hebt met internet. Ook kun je een geschiedenis van gespeelde spellen bijhouden.

Spelupdates en -opties instellen

Spelupdates en -opties instellen

U kunt aanvullende informatie krijgen over de spellen die op uw computer zijn geïnstalleerd, door deze informatie van internet te downloaden.

Spelupdates en nieuws

Automatisch online zoeken naar updates en nieuws, en vervolgens een melding weergeven wanneer updates en nieuws beschikbaar zijn

Nooit automatisch online zoeken naar updates of nieuws. Ik doe dit handmatig.

Opties voor map Ontspanning

Illustraties en informatie over geïnstalleerde spellen downloaden

Informatie over onlangs gespeelde spellen verzamelen

Informatie wissen

Alle items weergeven

Wij verzamelen geen informatie waarmee wij contact met u kunnen opnemen.
Lees de onlineprivacyverklaring

OK Annuleren

Onder de knop 'Extra' zit een menu met technische zaken. Je kunt hiermee extra informatie over bijvoorbeeld je beeldscherm of de videokaart in je computer krijgen. De reden hiervoor is dat sommige spellen enorm zware eisen stellen aan de videokaart in je computer. Hiermee kun je kijken of jouw computer zoiets aankan.

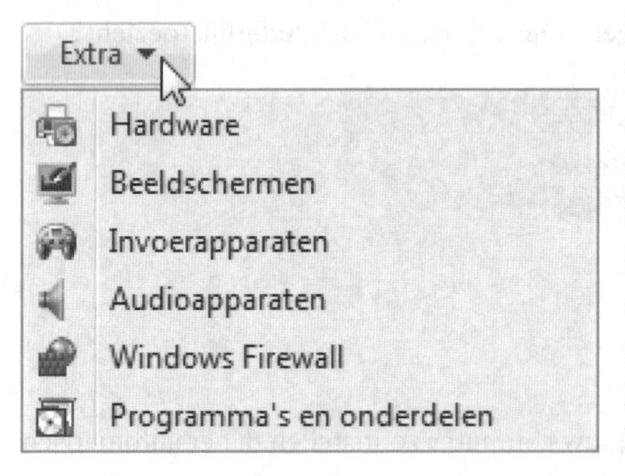

Rechts ernaast zit de knop 'Ouderlijk toezicht'. In Windows 7 kun je vrij precies instellen wie wat mag en kan op een systeem. Het Ouderlijk toezicht valt daar ook onder. Hoe je dit allemaal kunt instellen, kun je lezen in hoofdstuk 15 van dit boek. Voor nu is het handig om te weten dat je bepaalde gebruikers wel of niet een bepaald spel kunt laten spelen.

9 •• MULTIMEDIA

Geluidsvolume aanpassen

Als je een computer hebt die geluid kan maken, kun je ook het geluid instellen. Dit zorgt ervoor dat als je tot nu toe niets hebt gehoord je eindelijk wél iets gaat horen. Als je het stilaan beu werd dat de computer zo veel lawaai maakte, kun je nu het volume verlagen.

Het geluidsvolume van je computer verlagen, is bijna even eenvoudig als op je radio. Klik rechtsonder op je computerscherm op het luidsprekertje, juist naast de tijd.

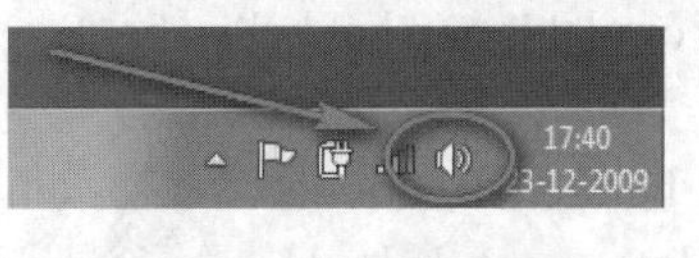

Als je het luidsprekertje niet te zien krijgt, klik dan eerst op het pijltje omhoog, zoals op de volgende foto. Dit is ook rechtsonder op je scherm te vinden. Zo maak je de luidspreker zichtbaar.

We hebben er dus op geklikt om de computer te laten weten dat we iets met zijn volume willen doen. Er verschijnt een rechthoekje met een schuifbalk. Hiermee kun je, zoals op een mengpaneel in een disco, het volume verhogen of verlagen. Het balkje geeft aan hoe luid je computer staat. Indien het helemaal bovenaan staat, staat je computer op maximaal volume. Als het helemaal onderaan staat, staat het geluid uit.

We willen dit balkje uiteraard kunnen wijzigen. Dat kan door erop te klikken met onze linkermuisknop en de muisknop ingedrukt te houden. Zo maken we aan onze computer duidelijk dat we met dit balkje iets willen doen.

Verschuif nu je muis naar boven of beneden. Je zult zien dat het balkje verandert. Laat de muisknop los als je klaar bent. Als je volume voldoende luid staat, zul je een kort geluidje horen. Dit geeft de geluidssterkte aan. (Als het volume te laag staat, doet de computer dit ook. Dan wordt dit echter zo stil afgespeeld dat je het niet hoort.)

Als je het geluid van de computer wilt dempen (gewoon wilt afzetten dus), dan kun je klikken op de knop met daarin een luidspreker weergegeven. De schuifbalk blijft op zijn positie staan, maar het geluid staat onmiddellijk af. Handig als je de geluidsbalk goed hebt geregeld om een aangenaam volume te produceren, maar je om de een of andere reden tijdelijk geen geluid wilt hebben (bijvoorbeeld omdat er iemand bij je is, of omdat je aan het bellen bent).

Om het geluidsvolume weer te herstellen, doe je het vorige opnieuw: weer op de knop met de luidspreker klikken met je linkermuisknop.

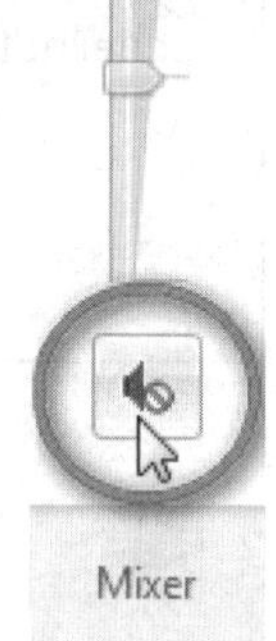

Geen geluid?
Als het volume op maximaal staat, het dempen niet aanstaat (er staat dan geen rood kruisje bij het luidsprekersymbool) en je toch geen geluid krijgt uit je computer, zul je moeten nagaan of er wel luidsprekers aanwezig zijn, of ze goed aangesloten zijn op je computer (de draden ingestoken) en of ze aanstaan. Het is mogelijk dat de luidsprekers apart kunnen worden afgezet. Het is zelfs mogelijk dat deze luidsprekers een eigen volumeknop hebben. Controleer die dus ook als dat bij jou het geval is!

Als het luidsprekertje rechts onderaan niet aanwezig is (en het is ook niet tevoorschijn te halen door op het pijltje te klikken), dan kan je computer geen geluid afspelen. Mogelijke oorzaken zijn dat je computer geen 'geluidskaart' heeft, zodat deze niet overweg kan met muziek, of dat deze geluidskaart niet goed geïnstalleerd is op je computer.

Een cd maken met je computer

Als je computer uitgerust is met een zogenaamd cd-r-station of cd-rw-station, ook wel een 'cd-writer' of 'cd-rewriter' genoemd, dan kun je zelf cd's maken met je computer. Je leert nu hoe je dit kunt doen.

Je kunt op een cd informatie zetten van je computer: foto's, video, muziek en gewone bestanden zoals documenten. Je kunt zo informatie doorgeven aan iemand anders, die dan de cd in zijn of haar computer steekt en zo de informatie kan inlezen. Je kunt een cd echter ook gebruiken om een reservekopie te maken van je persoonlijke bestanden, zodat je deze niet kunt kwijtraken.

Ga eerst via 'Computer' naar de bestanden die je op de cd wilt plaatsen. Ga dus naar de betreffende map (eerst naar 'Starten', vervolgens 'Computer' en dan de juiste harde schijf en map selecteren). Je kunt ook een complete bibliotheek selecteren en deze op een cd plaatsen.

Selecteer de bestanden die je wilt plaatsen op de cd, of selecteer de map(pen) met de bestanden erin. Klik er vervolgens op met je rechtermuisknop. In het menu selecteer je 'Kopiëren naar' door erbovenop te gaan staan.

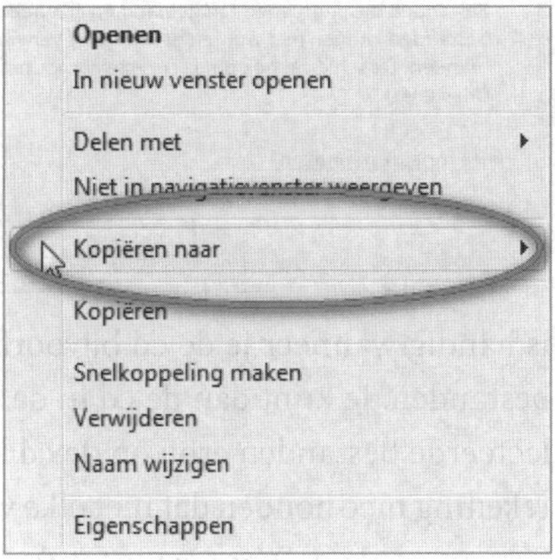

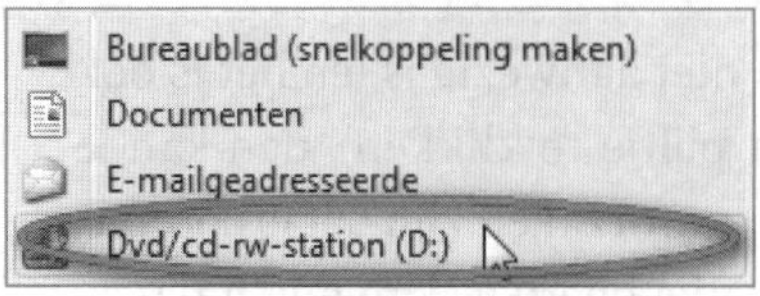

In het lijstje dat nu verschijnt, klik je met je linkermuisknop op 'Cd-rom-station' om de computer het commando te geven dat je de geselecteerde foto's naar de cd wilt kopiëren.

Heb je nog geen cd-r in je cd-brander of dvd-brander gelegd, dan krijg je een waarschuwing van Windows 7.

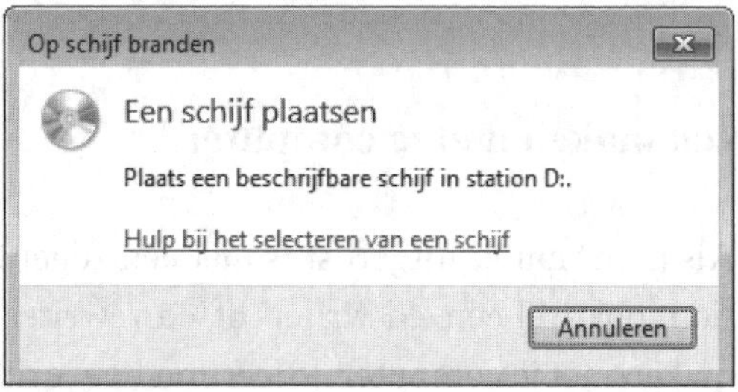

Bij het inleggen van de cd-r krijg je meteen een mededeling. De cd-r moet worden voorbereid. Dit kan op twee manieren.

Je kunt kiezen uit 'Live File System' of uit 'Gemastered'. Standaard staat de optie 'Live File System' geselecteerd, maar die keuze is lang niet altijd zinvol. Het hangt af van jouw bedoeling met de cd. Wanneer je er bijvoorbeeld muziek op gaat zetten om af te spelen op een cd-speler, is de keuze 'Gemastered' veel beter. De optie 'Live File System' is handig wanneer je de cd bijvoorbeeld wilt gebruiken als back-up voor je bestanden. Je kunt dan de cd in de cd-writer laten zitten en elke keer geselecteerde bestanden erbij op de cd kopiëren tot de cd vol is. Ook moet je er rekening mee houden dat niet elke versie van Windows het nieuwe 'Live File System' aankan. Wanneer je foto's van een reis op de cd wilt zetten en die op andere computers wilt laten zien, kan het zijn dat deze dan niet te zien zijn. Kies in zo'n situatie voor de optie Gemastered.

Behalve die keuze moet je ook een naam van de cd invoeren. Houd er rekening mee dat de naam maximaal 16 tekens lang mag zijn.

Klik op de knop 'Volgende' om door te gaan naar een overzicht van alle klaarstaande bestanden. Je zult onderaan op je scherm ook de volgende mededeling krijgen.

Er staan bestanden in de wachtrij voor de schijf
Klik op deze ballon als u de bestanden nu wilt weergeven.

Je kunt nu op twee manieren andere bestanden erbij zetten om op de cd te plaatsen. Met kopiëren en plakken kun je bestanden erbij zetten in bovenstaand venster, of je selecteert bestanden of mappen en klikt met de rechtermuisknop weer op 'Kopiëren naar' en kiest weer de cd-writer.

Je ziet weer de ballon onder in het scherm. Klik hierop om de inhoud van de cd te zien wanneer je het venster eerder had gesloten. Heb je er niet op tijd op geklikt (het verdwijnt na een tijdje automatisch), dan kun je de inhoud van de cd te zien krijgen via de knop 'Starten', dan 'Computer' en dan dubbelklikken op het cd-romstation. Door te dubbelklikken op de mappen zie je ook de inhoud van deze mappen.

Je kunt nu eventueel nog de bestanden indelen in aparte mappen (dus mappen aanmaken en dan de bestanden verplaatsen naar de gewenste mappen). Als je klaar bent, klik je boven op 'Op schijf branden'.

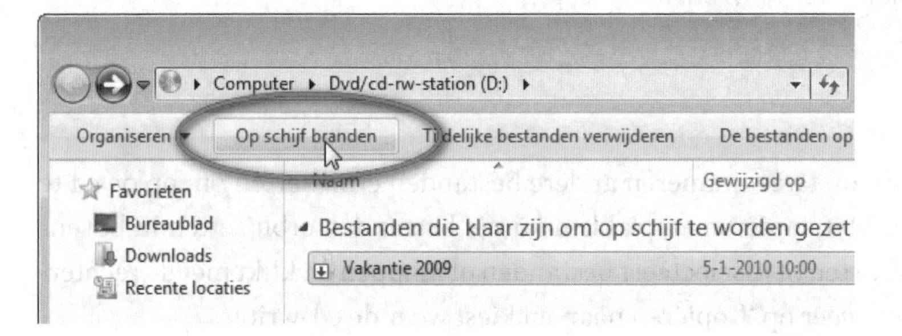

> **Tip**
> Let op dat het een cd-r is. Je mag ook een zogenaamde cd-rw gebruiken, echter geen dvd-r of dvd-rw! Windows kan deze namelijk zelf niet aan. Hiervoor zul je een apart programma moeten gebruiken.

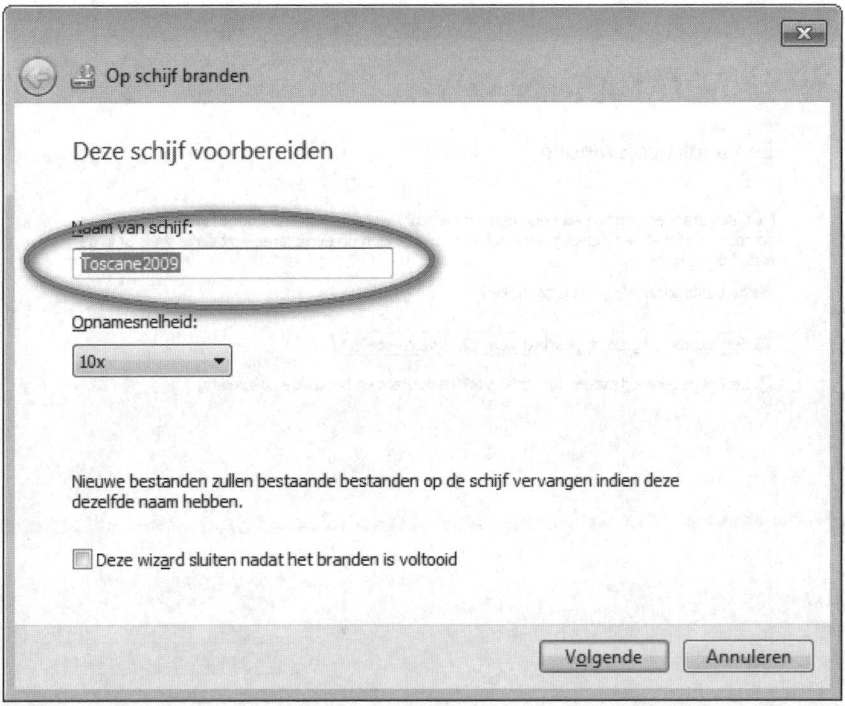

Je kunt nu de eerder gegeven naam van de cd nog aanpassen. Links onderaan kun je nog aanvinken dat nadat de bestanden op de cd zijn gezet, je de wizard wilt laten stoppen. Klik vervolgens op 'Volgende' met je linkermuisknop.

Een audio-cd maken

Je kunt met je computer een echte muziek-cd maken, die je kunt afspelen in de auto of op een andere cd-speler. Je hebt hiervoor een cd-schrijver nodig in je computer.

Een muziek-cd is eenvoudig te maken. Er moet uiteraard wel muziek staan op je computer. Deze kun je bijvoorbeeld van vrienden hebben of via internet. Muziekbestanden die je op een cd wilt zetten, worden automatisch herkend door de computer. Daardoor krijg je met muziekbestanden het volgende venster te zien.

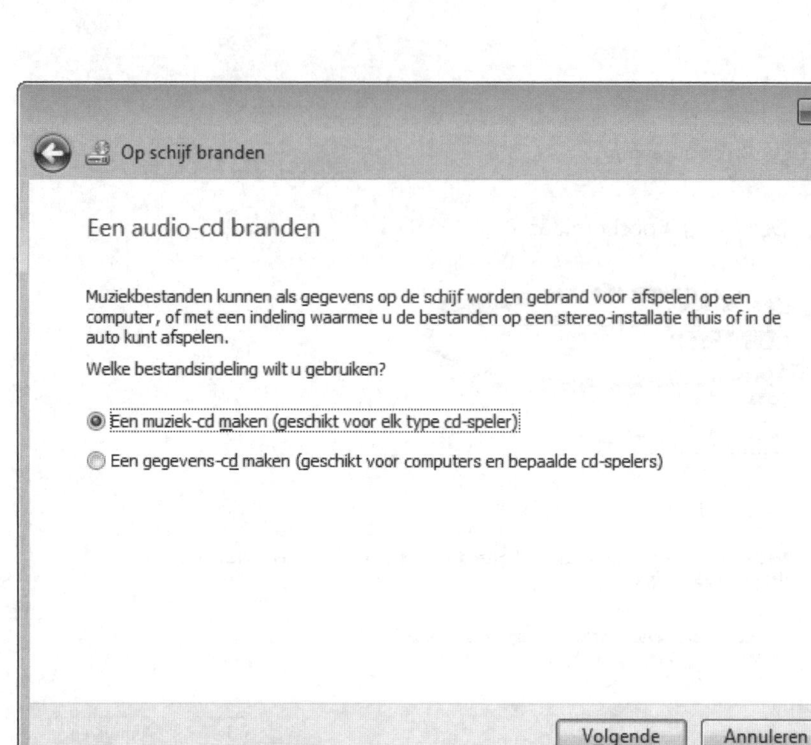

De optie 'Muziek-cd' houdt in dat je de cd in elke cd-speler kunt gebruiken. Hij is helemaal vergelijkbaar met een commerciële cd die je in een winkel koopt. De tweede optie 'Gegevens-cd' betekent dat je de bestanden direct overneemt. Wanneer het allemaal mp3-bestanden zijn, kan de cd niet op elke cd-speler worden afgespeeld, maar wel weer op cd-spelers die ook mp3-bestanden kunnen weergeven. Stel dat het een mix van verschillende soorten geluidsbestanden is (mp3, flx, avi enzovoort), dan kan de cd eigenlijk alleen op een andere computer worden afgespeeld. Je kunt je nu afvragen waarom die tweede optie er überhaupt bijzit, als het toch alleen maar lastiger is om die cd weer te geven. De reden hiervoor is dat er veel meer muziekbestanden op een cd passen wanneer je hem als gegevens-cd schrijft.

Media Player de eerste keer instellen

Wanneer je de optie Muziek-cd hebt gekozen, dan wordt Windows Media Player gestart om de muzieknummers op cd te zetten. Als Media Player nog nooit eerder is gebruikt, dan krijg je eerst enkele vragen die je moet beantwoorden.

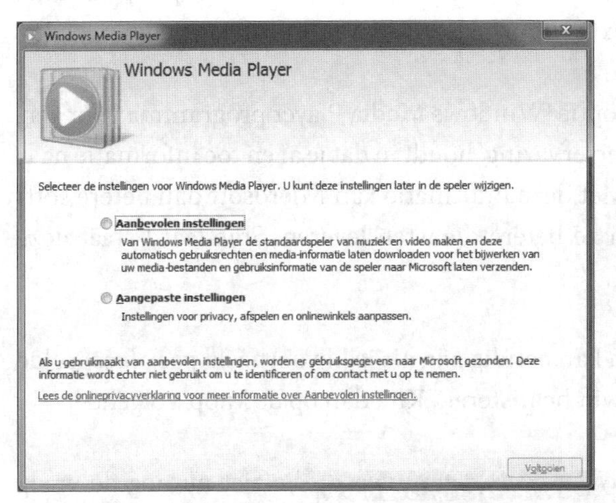

Je kunt kiezen voor de optie 'Aanbevolen instellingen', maar persoonlijk houd ik zelf graag controle over welke informatie ik over het internet stuur en wat ik weer terug krijg. Dus kies ik voor 'Aangepaste instellingen' en klik op Volgende.

Je ziet nu een lijst aan opties die je kunt in- of uitschakelen.

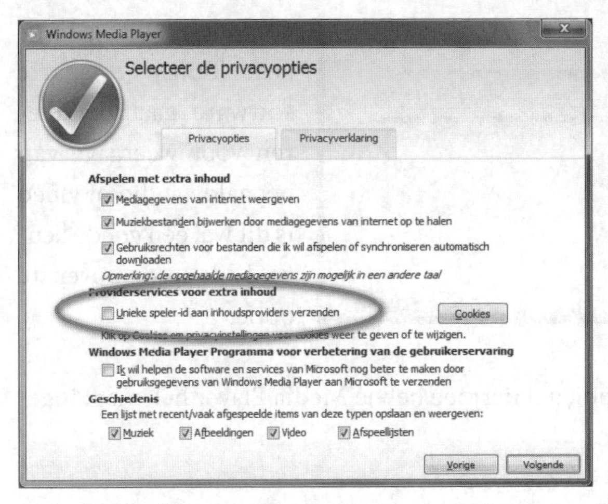

Vooral de omcirkelde optie is belangrijk. Wanneer deze optie is aangevinkt, wordt een uniek nummer van jouw cd-speler doorgestuurd naar iemand die muziek aanbiedt. Zo'n 'inhoudsprovider' zoals Microsoft dat noemt, kan dan een geschiedenis bijhouden van wie wat allemaal heeft gedownload en gericht reclame gaan sturen enzovoort. Het is sterk persoonlijk of je dit leuk vindt of niet, maar ik zorg er zelf altijd voor dat die optie niet geactiveerd is.

De bovenste optie 'Mediagegevens van internet halen' en de optie 'Muziekbestanden bijwerken door mediagegevens van internet op te halen' kunnen wel handig zijn. Stel, je hebt via internet een cd gekocht en gedownload. Inschakelen van beide opties zorgt er dan ook voor dat bijvoorbeeld de cover van de cd op je pc wordt weergegeven wanneer je de muziek op je pc aan het beluisteren bent. Deze extra informatie, de cover, wordt dan gedownload.

Het inschakelen van de optie 'Windows Media Player programma voor verbetering van de gebruikerservaring' houdt in dat je af en toe informatie naar Microsoft doorstuurt. Met deze informatie kan Microsoft dan betere software maken en kunnen ze betere diensten leveren. Standaard staat deze optie niet aan.

De geschiedenis opslaan kan handig zijn als je bijvoorbeeld pas afgespeelde nummers nog een keer wilt beluisteren. Klik dan op de knop Volgende.

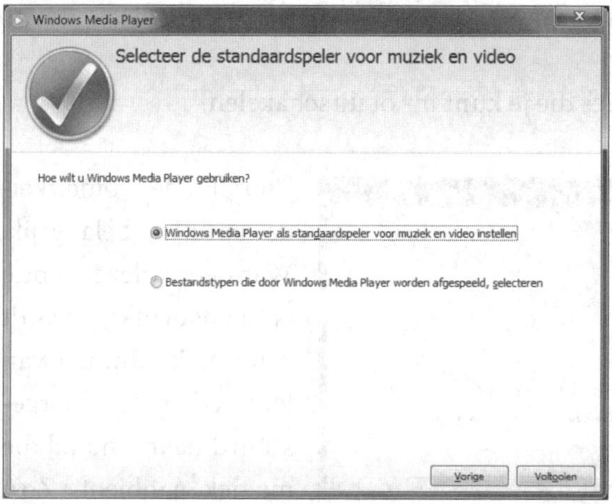

Je ziet nu nog de vraag of je de Windows Media Player als standaardspeler voor alle audio en video wilt gebruiken. Tenzij je aparte software gaat installeren voor weergave van bepaalde audio of video is dit wel een goede keuze. Klik op de bovenste optie.

Klik nu op de knop Voltooien. Hiermee heb je Media Player helemaal ingesteld zoals je dat zelf wilt.

Muziek met Media Player op cd zetten

Alle muziek- en videobestanden worden nu op het scherm weergegeven.

Boven in het venster staan een serie knoppen en drie tabbladen. Klik met de linkermuisknop op het tabblad 'Branden'.

Je ziet aan de rechterkant in het venster van Media Player een kolom met de muzieknummers die je op de cd gaat zetten. De eerste nummers die je had geselecteerd in Windows Verkenner staan er al, maar je kunt meer muziekbestanden toevoegen. Je sleept de bestanden daarvoor naar deze kolom. Klik met de linkermuisknop op een van de muziekbestanden in de middelste lijst, houd de muisknop ingedrukt en beweeg de muis naar de rechterkolom. Laat dan de muisknop los.

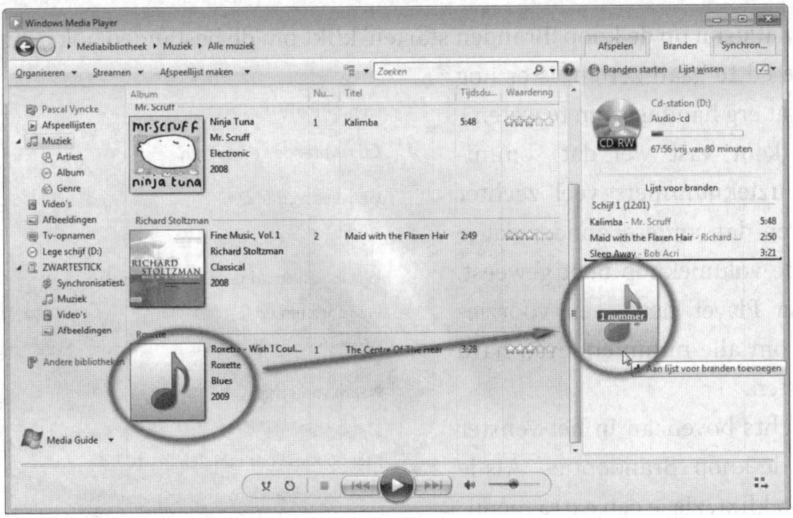

Je hebt nu een muzieknummer toegevoegd aan de lijst met nummers die je op je cd gaat zetten. Op precies dezelfde wijze zet je alle andere nummers die je op je cd wilt zetten, ook in de rechterkolom neer. Merk op dat Media Player zelf bijhoudt hoeveel ruimte er nog op de cd is voor extra nummers. Deze 'ruimte' wordt weergegeven in minuten en seconden, wat natuurlijk ook logisch is omdat je wilt weten of net dat ene nummer van 4:23 er nog op past.

Voordat je nu op de knop 'Branden starten' klikt om de bestanden ook echt op de cd te gaan zetten, is er nog iets dat erg handig is om te weten.

Je kent vast wel dat sommige muzieknummers veel zachter klinken dan andere, zonder dat je aan de volumeknop bent geweest. Media Player heeft een voorziening om alle nummers even hard te zetten.

Rechts bovenaan in het venster staat de knop 'Brandopties'. Als je hierop klikt, zie je een extra menu.

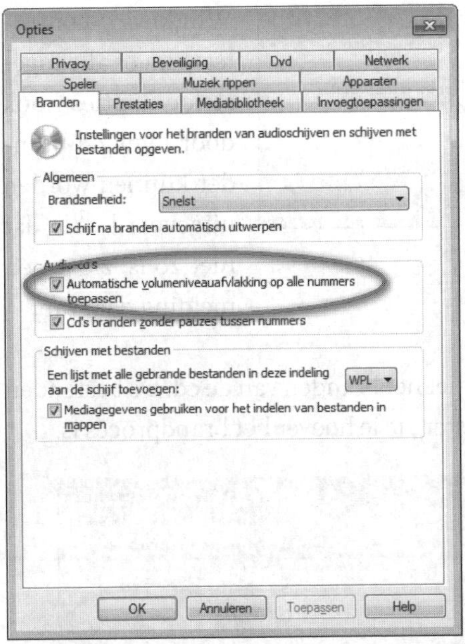

Klik in dit menu op de optie 'Meer opties voor branden'. Je ziet nu een nieuw venster met diverse tabbladen. Het tabblad 'Branden' is geopend.

In dit venster staat de functie die we nodig hebben: 'volumeniveau-afvlakking'. Wanneer je deze optie aanvinkt, worden alle nummers die je op de cd gaat zetten even hard weergegeven. Standaard staat trouwens ook de optie aan dat wanneer het branden van de cd klaar is, hij uitgeworpen wordt. Met andere woorden, de cd-lade opent wanneer alles klaar is, zodat je de cd eruit kunt halen.

Alle instellingen staan nu goed, dus is het tijd om de cd ook echt te branden. Boven de lijst met nummers die op de cd worden gezet, staat de knop 'Branden starten'. Klik hierop met de linkermuisknop en het branden van de cd gaat beginnen.

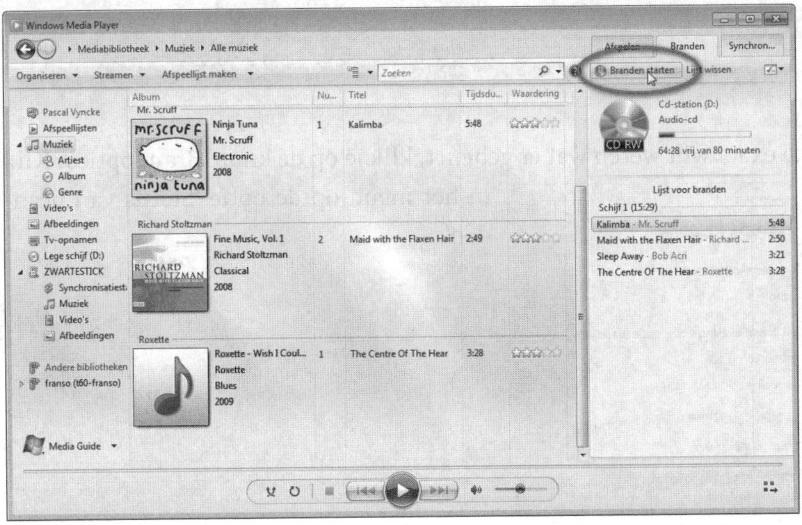

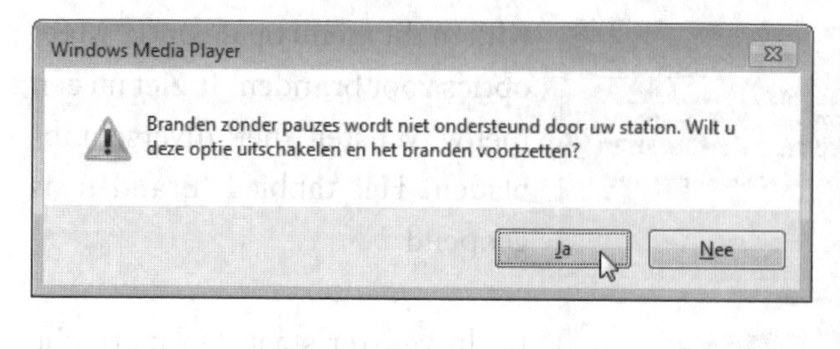

Windows 7 controleert nu of alle ingestelde opties ook door jouw cd-brander kunnen worden uitgevoerd. Als dat niet zo is, zie je een melding daarvan.

Klik op de knop 'Ja' om door te gaan met het branden van de cd. De bestanden worden nu op de cd gezet. In het venster zie je hoever het brandproces is.

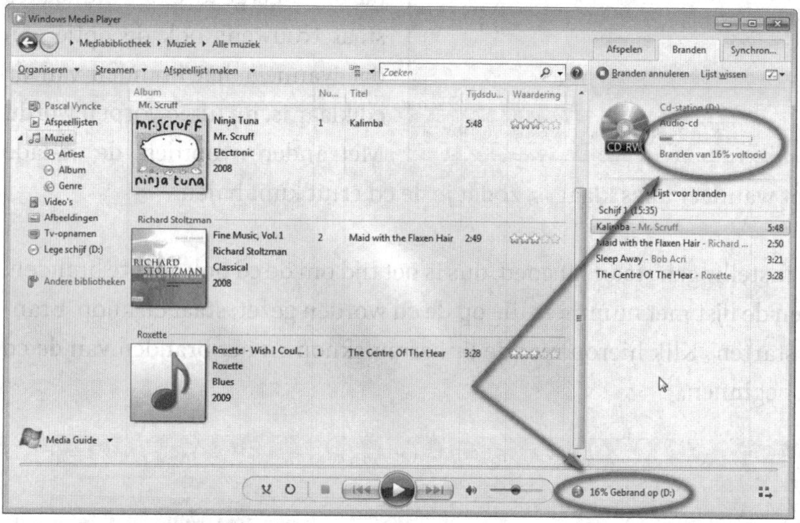

Als je exact wilt weten wat er gebeurt, klik je op de knop 'Brandopties'. Klik in het menu op de optie 'Status van branden'.

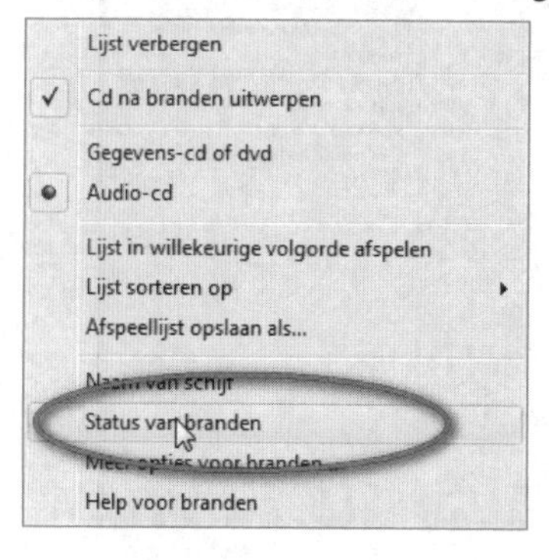

Je ziet nu een andere weergave van het brandproces. Hierbij zie je ook dat per nummer eerst een analyse (voorbereiden) wordt uitgevoerd. Deze analyse is nodig om te kijken wat het volumeniveau van het muzieknummer is, zodat dit gelijk getrokken kan worden met alle andere nummers.

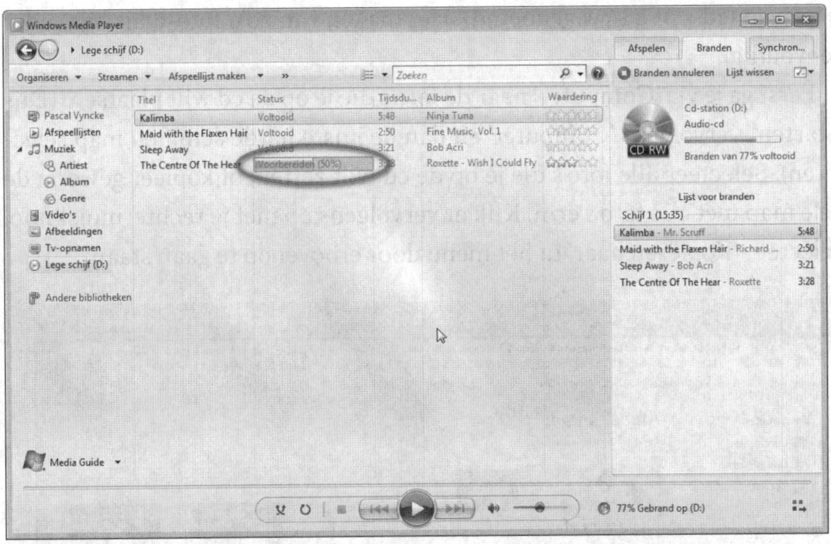

Dan wordt het nummer naar de cd geschreven. Je ziet in het venster dat nummer voor nummer netjes wordt afgewikkeld. Afhankelijk van de snelheid van de brander en van het aantal muziekbestanden dat op de cd moet komen, kan het even duren voor het branden van de cd klaar is.

Aan het eind van het brandproces wordt de cd-lade geopend en kun je de cd eruit nemen.

Een foto-cd maken en op je televisie kijken naar je foto's

De foto's die je op je computer hebt staan, kun je ook weergeven op je (grotere) televisie, gezellig in de woonkamer. Voordeel is dat de foto's op een meestal groter scherm worden weergegeven en bovendien dat je er gezellig met vrienden of familie naar kunt kijken.

Hiervoor heb je in eerste instantie een dvd-speler nodig die je aan je televisie kunt koppelen, en een 'foto-cd' (wat bij de meeste dvd-spelers het geval is).

Als je dus zo'n dvd-speler hebt – die kosten absoluut niet veel meer tegenwoordig – heb je ook nog een foto-cd nodig: een cd met daarop alle foto's die je wilt weergeven! Je computer moet uitgerust zijn om een cd te kunnen schrijven (cd-r of cd-rw genoemd). Het maken van zo'n foto-cd is bijzonder eenvoudig.

Eerst ga je via 'Computer' naar de foto's die je op de cd wilt plaatsen. (Dus 'Starten', vervolgens 'Computer' en dan de juiste harde schijf en map selecteren). Selecteer alle foto's die je op de cd wilt zetten, of kopieer gewoon de hele map met alle foto's erin. Klik er vervolgens op met je rechtermuisknop. Selecteer 'Kopiëren naar' in het menu door erbovenop te gaan staan.

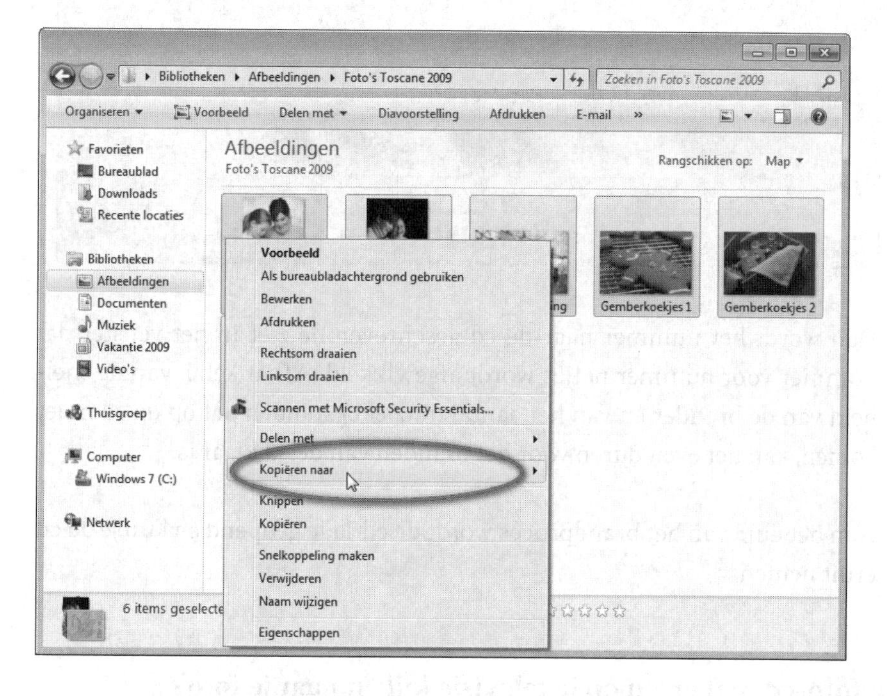

In het lijstje dat verschijnt, klik je met je linkermuisknop op 'Cd-rom-station' om de computer het commando te geven dat je de geselecteerde foto's naar de cd wilt kopiëren.

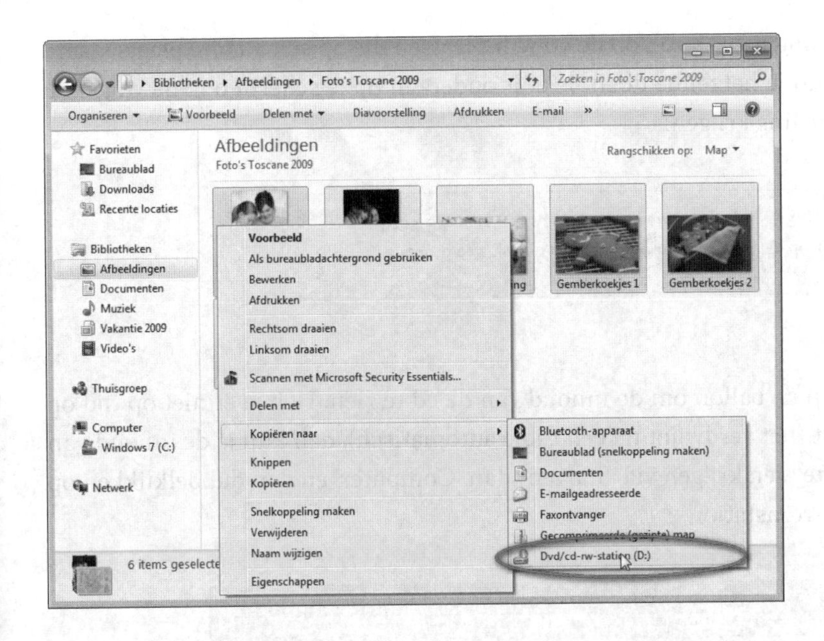

Als je nog geen beschrijfbare cd in het cd-station had gestopt, krijg je nu een herinnering dat je er een cd in moet leggen.

Tip
Let op dat het een cd-r is. Je mag ook een zogenaamde cd-rw gebruiken, echter géén dvd-r of dvd-rw! Vele dvd-lezers kunnen namelijk geen foto-dvd aan!

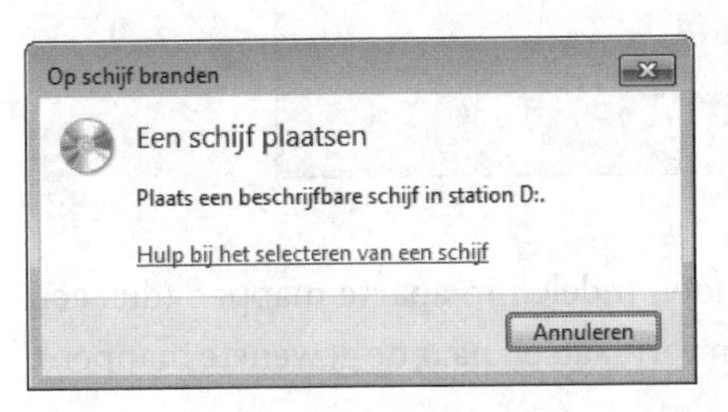

Hierna zie je de vraag welke naam je de cd wilt geven en je krijgt weer de keuze uit 'Life File System' of 'Gemastered'. Dezelfde condities als eerder met muziekbestanden gelden ook hier.

In advertenties en op de verpakking van de dvd-speler staat 'Foto-cd', 'Photo cd' of 'jpeg' om aan te geven dat dit kan worden afgespeeld.

Als je nog meer foto's op de cd wilt plaatsen die op een andere plaats staan, dan kun je hetzelfde doen. Je zult onderaan op je scherm ook de volgende mededeling krijgen.

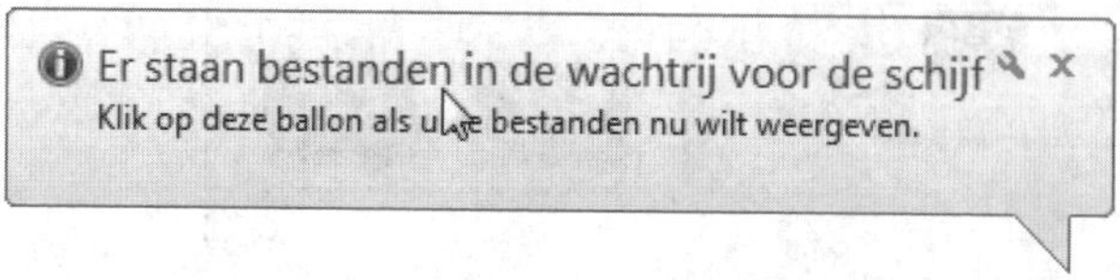

Klik op de ballon om de inhoud van de cd te zien. Heb je er niet op tijd op geklikt (het verdwijnt na een tijdje automatisch), dan kun je de inhoud van de cd te zien krijgen via 'Starten', dan 'Computer' en dan dubbelklikken op het cd-romstation.

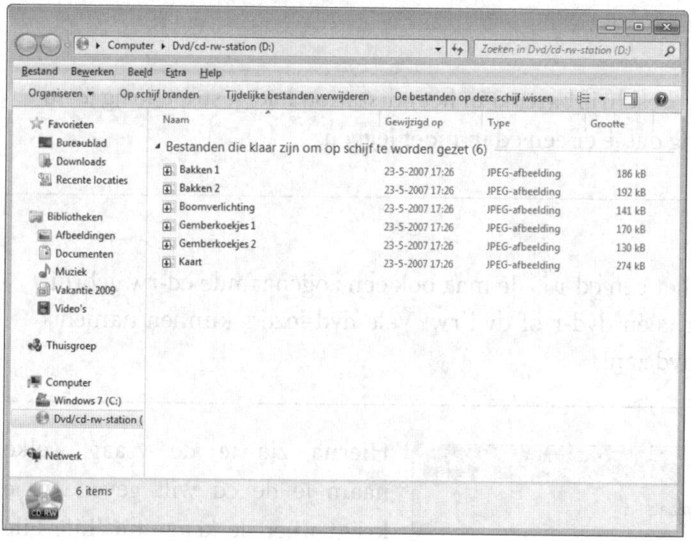

Je kunt nu eventueel nog de bestanden indelen in aparte mappen (dus een map aanmaken en dan de bestanden verplaatsen naar de gewenste mappen).

Nog een belangrijke opmerking: omdat je een FOTO-cd wilt maken, mogen er uitsluitend foto's op de cd staan. Plaats dus geen documenten, videobestanden, muziek of andere bestanden op de cd. De computer zelf gaat hierover niet klagen, maar mogelijk heeft de dvd-speler er wel problemen mee!

Als je klaar bent, klik je linksboven op 'Op schijf branden'.

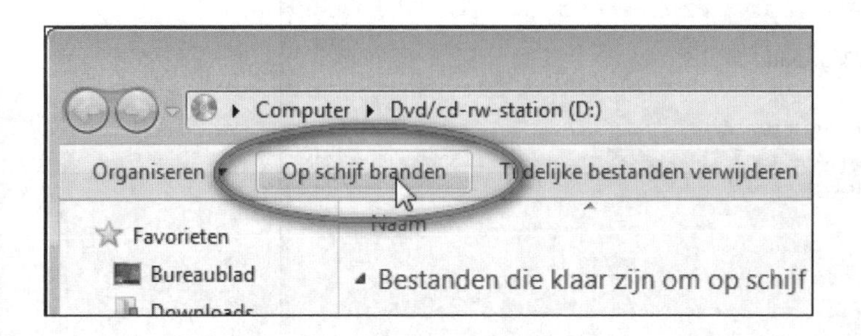

Je krijgt hierna de mogelijkheid om de naam van de cd nog aan te passen en eventueel om de schrijfsnelheid te wijzigen.

Op schijf branden
Deze schijf voorbereiden
Naam van schijf:
Jan 06 2010
Opnamesnelheid:
10x
Nieuwe bestanden zullen bestaande bestanden op de schijf vervangen indien deze dezelfde naam hebben.
Deze wizard sluiten nadat het branden is voltooid
Volgende
Annuleren

In dit venster geef je ook aan of je de wizard wilt stoppen nadat alle foto's op de cd zijn gezet. Klik dan op de knop 'Volgende'.

De foto's worden nu op de cd gebrand. In een venster zie je hoeveel tijd er nog nodig is om alle bestanden op de cd te zetten.

Op schijf branden

Een ogenblik geduld...

Gegevensbestanden op schijf branden...

Resterende tijd circa: 30 seconden

Volgende Annuleren

Wanneer je de foto's ook nog op een andere cd wilt zetten, vink je de optie 'Ja, deze bestanden op een andere schijf branden' aan.

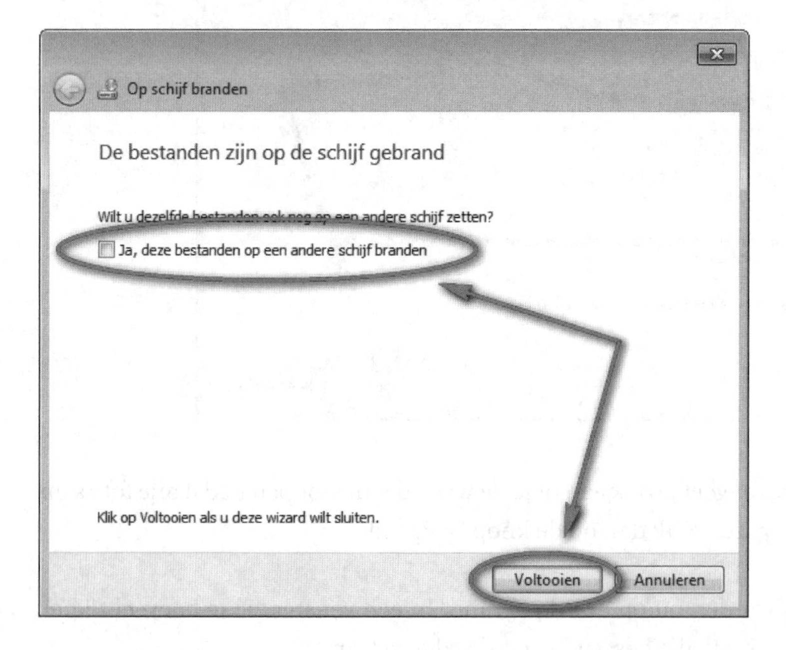

Klik op de knop 'Voltooien' om de wizard te sluiten. De foto's staan nu op de cd.

Een herschrijfbare cd weer leegmaken (wissen)

Als je herschrijfbare cd's gebruikt, aangeduid als cd-rw, dan is het leuke dat je deze weer kunt leegmaken. Je kunt ze dan opnieuw gebruiken en er iets anders op plaatsen.

Het wissen van zo'n herschrijfbare cd is vrij eenvoudig. Steek de herschrijfbare cd in je computer en open deze op je computer. Je kunt dit doen via 'Starten', waar je met je linkermuisknop op 'Computer' klikt. In het venster dat dan verschijnt, klik je met de rechtermuisknop op de cd-speler. In het menu dat dan verschijnt, klik je op 'De bestanden op deze schijf wissen', want dat is wat we willen doen.

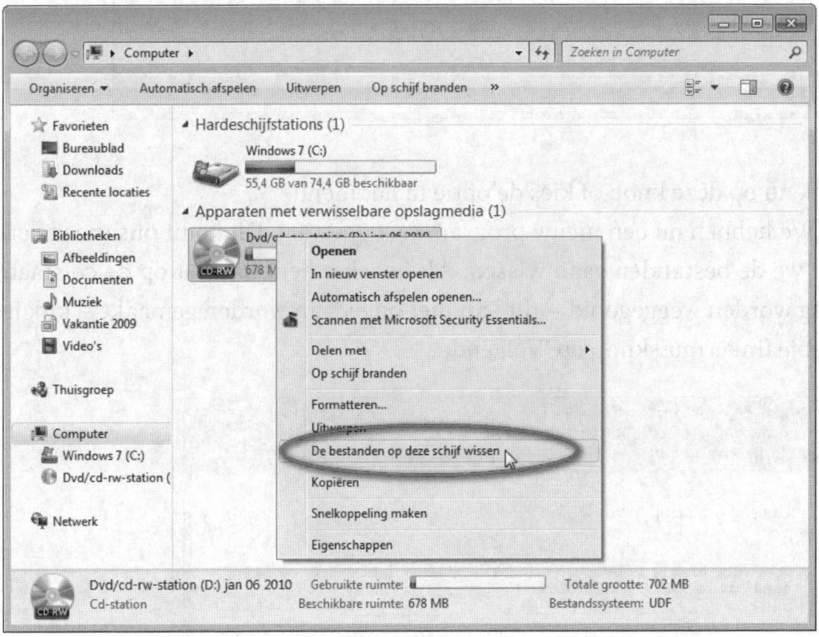

Zodra je de inhoud van de cd-rw weergeeft door met de linkermuisknop op de cd-rw te klikken, zie je boven in het scherm dezelfde optie als knop terug.

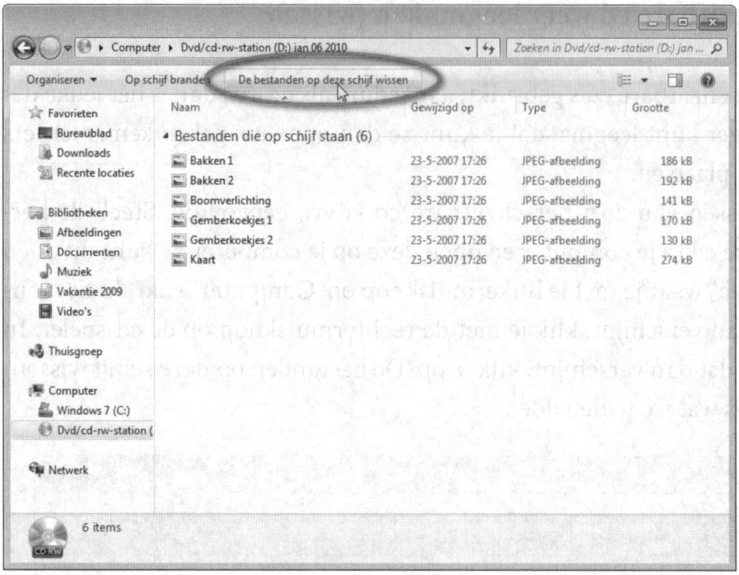

Klik nu op deze knop of kies de optie in het menu.

We hebben nu een nieuw programma opgestart. Dit komt ons meedelen dat we de bestanden gaan wissen. Als je zeker bent dat wat op de cd staat, mag worden weggegooid – dit kan niet ongedaan worden gemaakt – klik je met je linkermuisknop op 'Volgende'.

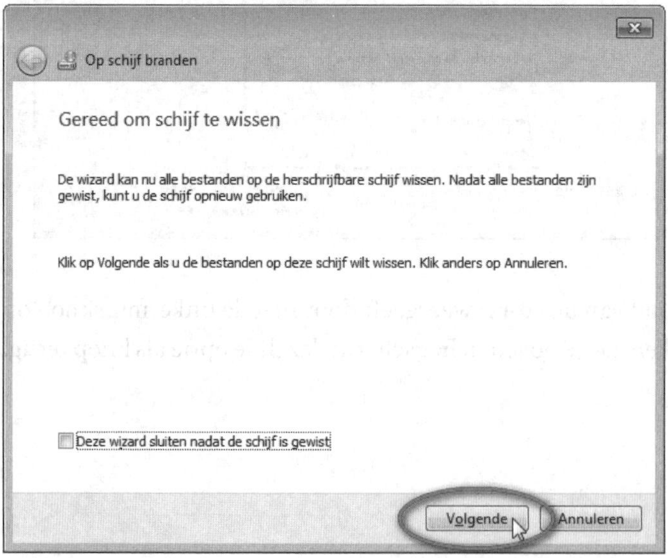

De computer gaat nu de bestanden op de cd verwijderen. Je ziet hiervan de vooruitgang op je scherm en ook hoelang de computer denkt dat dit nog gaat duren.

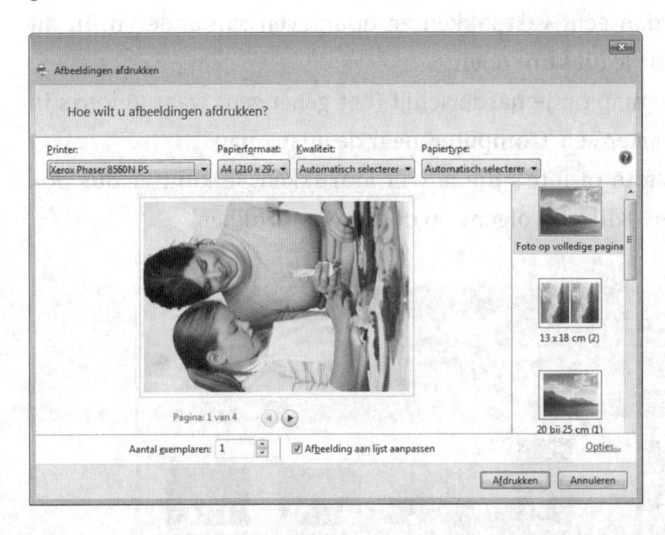

Als de computer klaar is, geeft deze een scherm weer zoals op de volgende foto. De cd is weer leeg en kan opnieuw worden gebruikt. Druk op 'Voltooien' met je linkermuisknop om het programma af te sluiten.

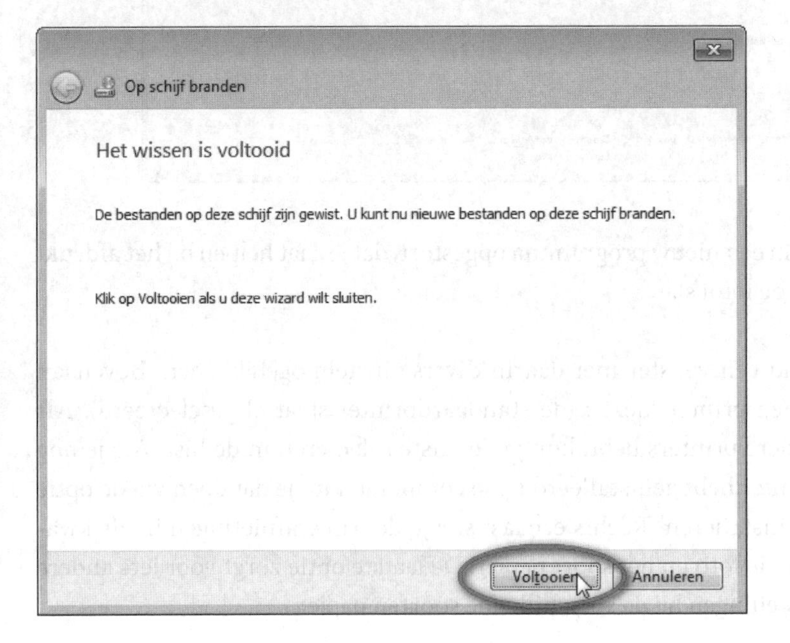

Foto's afdrukken

Foto's die op je computer staan, zou je natuurlijk ook graag afdrukken op papier. Je kunt ze dan echt vastpakken en doorgeven aan anderen. In dit hoofdstuk leer je hoe je dit kunt doen.

Ga eerst naar de map op je harde schijf (het geheugen) waar je foto's in bewaart. Ga via 'Starten', en 'Computer' naar de juiste map.

Selecteer nu de foto of foto's die je wilt afdrukken. Je kunt er dus ook meerdere selecteren. Klik vervolgens op de knop 'Afdrukken'.

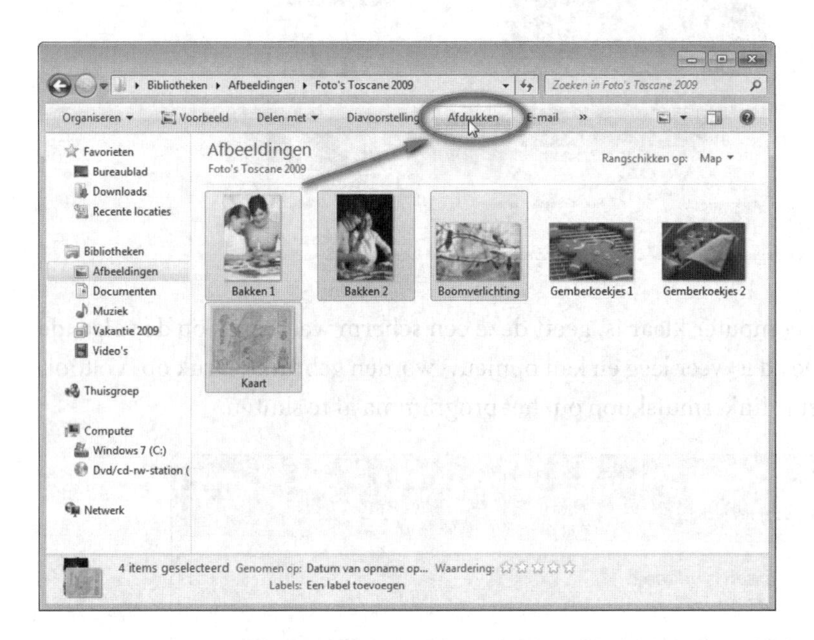

Je hebt nu een nieuw programma opgestart, dat je gaat helpen bij het afdrukken van de foto('s).

Je ziet nu een venster met daarin diverse instelmogelijkheden. Bovenaan kun je een printer kiezen (de standaardprinter staat al geselecteerd). Als je meerdere printers hebt, kun je de juiste selecteren in de lijst. Als je nog geen printer hebt geïnstalleerd op je computer, kun je dat doen via de optie 'Printer installeren'. Rechts ernaast stel je de papierafmetingen in, de kwaliteit van de foto en het soort papier. De laatste optie zorgt voor iets andere printinstellingen bij de verschillende soorten papier.

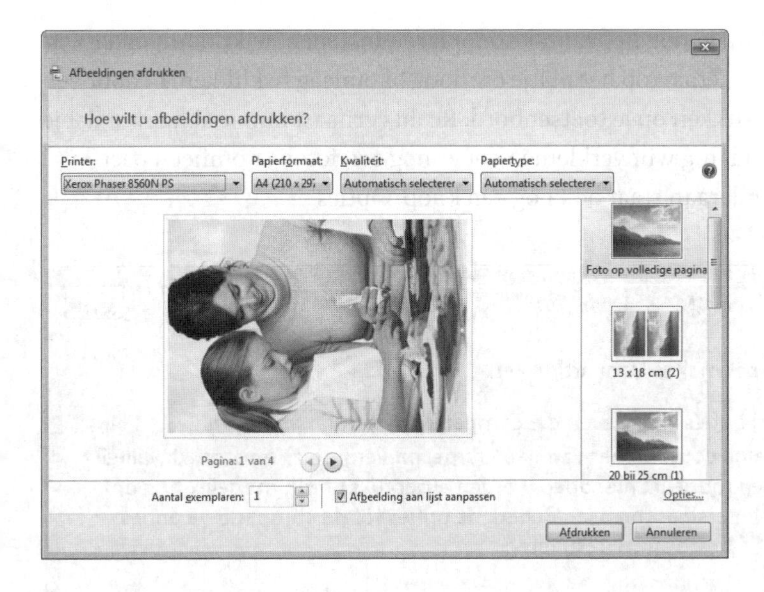

Aan de rechterkant in het venster kies je verschillende formaten van de uiteindelijke afdruk. Als je de afbeeldingen bijvoorbeeld op het standaard fotoformaat 13x18 wilt afdrukken, dan past het programma de afdruk zo aan dat er twee 13x18-foto's op een vel A4 passen. Bij de instelling 'Foto op volledige pagina' wordt de foto precies uitgelijnd op de pagina en maximaal weergegeven. Onderaan in het lijstje staat nog de optie 'Overzichtsafdrukken'. Bij deze instelling worden de foto's door de computer zodanig verkleind dat er 35 op een pagina A4 worden afgedrukt. Dit is handig als je overzichten wenst af te drukken van al je foto's. Ook wordt telkens de naam onder de foto vermeld, zodat je deze achteraf snel kunt terugvinden.

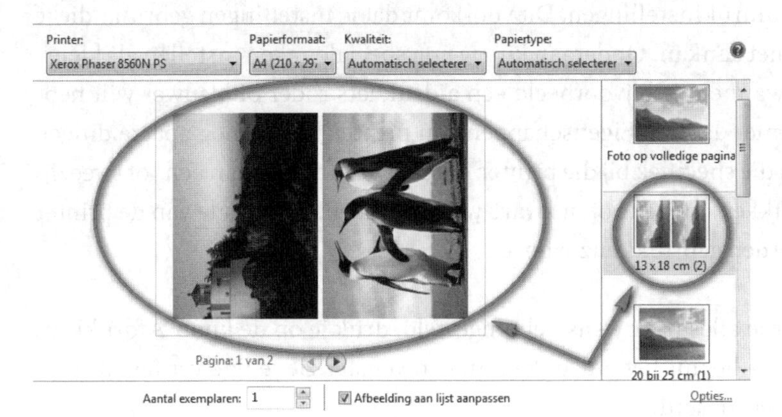

Onderaan kun je nog het aantal exemplaren instellen. Je kunt dit cijfer wijzigen door onderaan op het pijltje omhoog of omlaag te klikken, of door een cijfer in te drukken op je toetsenbord. Rechts ernaast kun je aangeven dat je de afdruk zodanig wilt verkleinen dat er nog een fotolijst omheen past.

Rechts onderaan staat ook nog een knop 'Opties'.

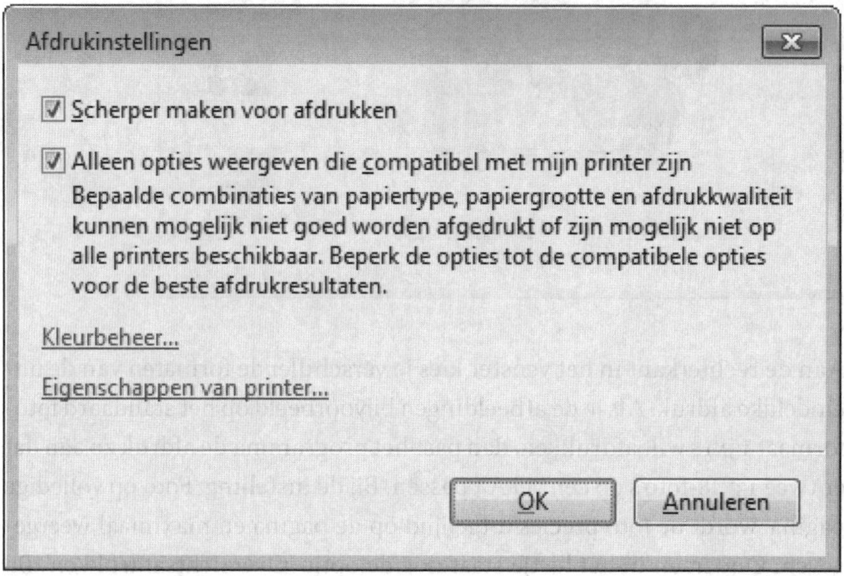

Afdrukinstellingen

Scherper maken voor afdrukken

Alleen opties weergeven die compatibel met mijn printer zijn

Bepaalde combinaties van papiertype, papiergrootte en afdrukkwaliteit kunnen mogelijk niet goed worden afgedrukt of zijn mogelijk niet op alle printers beschikbaar. Beperk de opties tot de compatibele opties voor de beste afdrukresultaten.

Kleurbeheer...

Eigenschappen van printer...

OK Annuleren

Hier staan extra instellingen waarmee je de afdruk kunt beïnvloeden. Als eerste kies je of je de afdruk scherper wilt laten afdrukken en direct eronder geef je aan of je Windows een keuze wilt laten maken uit de beste bij elkaar horende afdrukinstellingen. Dit voorkomt dat je instellingen gebruikt die je printer niet aankan. Onderaan kun je nog speciale zaken instellen als kleurbeheer (wanneer je bijvoorbeeld een afdruk iets roder of blauwer wilt hebben), en met de link 'Eigenschappen van printer' kun je nog aparte dingen instellen die specifiek bij die printer horen. Denk hierbij aan een- of tweezijdig afdrukken, in kleur of in zwart-wit afdrukken, welke lade van de printer moet worden gebruikt enzovoort.

Wanneer je alles naar wens hebt ingesteld, druk je op de knop 'Afdrukken'. Direct erna begint het afdrukken. In een venster zie je hoe ver het afdrukproces is gevorderd.

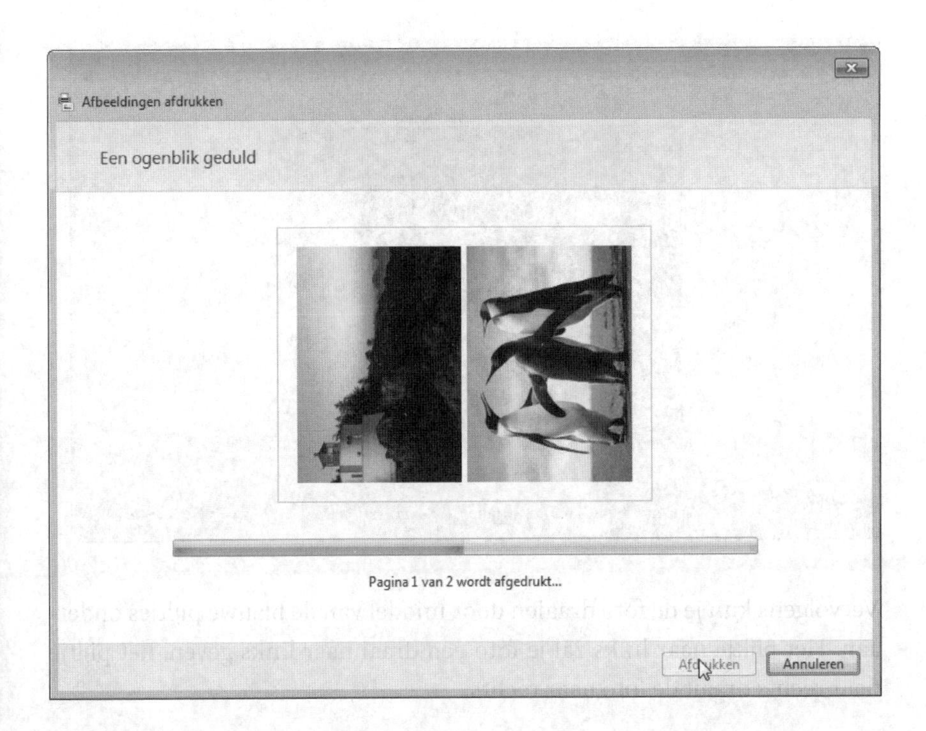

Als je printer correct aanstaat, er papier en inkt in zit, zal deze het afdrukken starten.

Foto's draaien (roteren)

Als je een digitaal fototoestel gebruikt, dan neem je waarschijnlijk geregeld een verticale (staande) foto. Je computer weet dit echter niet, waardoor de foto op zijn kant staat, wat niet echt handig is. Daarom is er een zeer eenvoudige methode om de foto te draaien.

Eerst ga je naar de foto('s) op je computer. Open dus de map waarin deze staan (via 'start', dan 'Computer', dan naar de juiste harde schijf en de juiste map gaan). Dubbelklik vervolgens op de foto die je wilt draaien, zodat deze wordt geopend. Je krijgt dan het programma Windows Photo Viewer te zien zoals op de onderstaande foto.

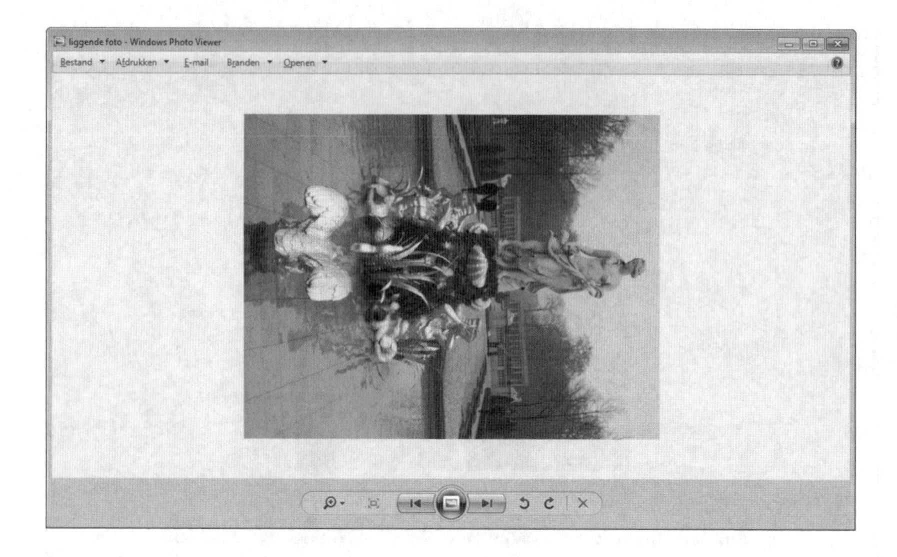

Vervolgens kun je de foto draaien door middel van de blauwe pijltjes onderaan. Het pijltje naar links zal je foto een draai naar links geven, het pijltje naar rechts draait de foto naar rechts.

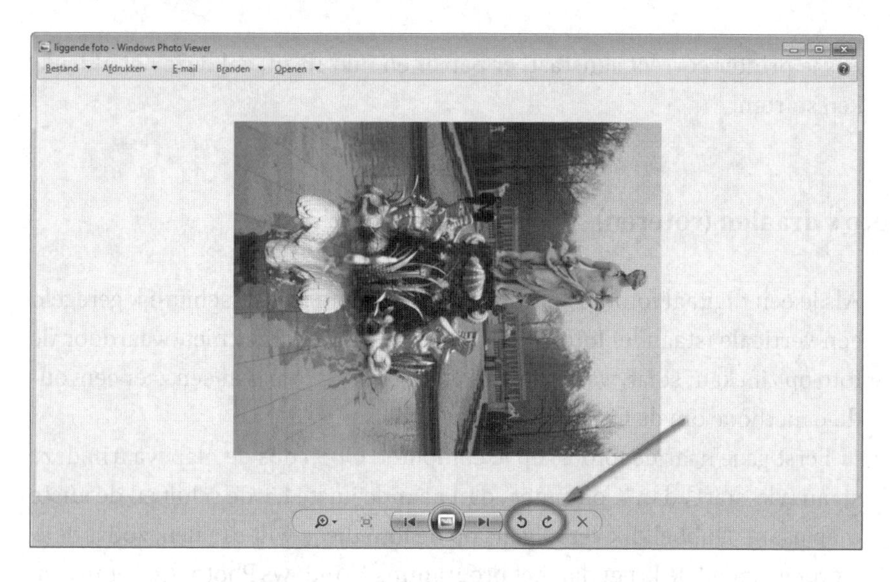

Nadat je erop hebt geklikt, zal de computer de foto draaien. Hij laat het resultaat ook onmiddellijk zien op je scherm.

Tip
Je kunt naar de volgende foto in de map gaan door ofwel het pijltje naar rechts in te drukken op je toetsenbord, ofwel op het scherm het pijltje naar rechts aan te klikken.

Hetzelfde doe je uiteraard om naar de vorige foto te gaan. Gebruik dan het pijltje naar links.

Tip
Als je de foto die nu wordt weergegeven, wenst te verwijderen, druk je met je linkermuisknop op het rode kruisje onderaan.

Vervolgens vraagt de computer of je echt zeker weet dat je de foto wilt verwijderen. Als dat het geval is, druk je met je linkermuisknop op 'Ja'.

SNELTOETSEN	
Ctrl + .	De foto rechtsom draaien
Ctrl + ,	De foto linksom draaien
Del/delete	Foto verwijderen
-	Uitzoomen
+	Inzoomen
Pijl naar links	Vorige foto
Pijl naar rechts	Volgende foto
Ctrl + P	Foto afdrukken

Met dit programma kun je nog veel meer doen. De knoppen boven in het venster geven de mogelijkheden al aan.

Met de knop 'Bestand' kun je een foto verwijderen, een andere naam geven, maar ook de eigenschappen van de foto opvragen. Alle zogenoemde meta-data worden dan ook weergegeven. Meta-data zijn gegevens die aan een bestand worden toegevoegd. In deze situatie bijvoorbeeld voegt de digitale camera extra gegevens aan de foto toe als sluitertijd, diafragma, brandpuntafstand enzovoort.

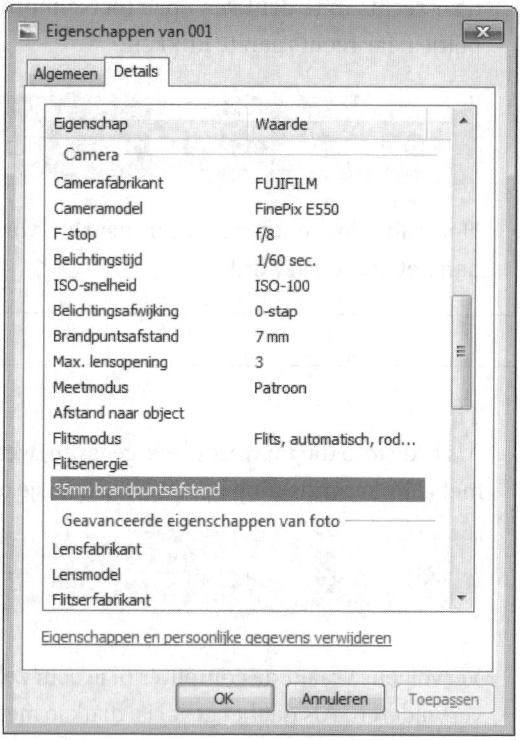

Als je klikt op de knop 'Afdrukken', zie je een kort menu.

Het afdrukken van foto's is al behandeld, maar de optie 'Afdrukken bestellen' is nieuw en erg leuk. Als je hierop klikt met de linkermuisknop, kun je via bedrijven die online afdrukservices aanbieden je foto's daarheen sturen en enkele dagen later je afgedrukte foto's in hoge kwaliteit ontvangen. Je moet hiervoor wel een werkende en actieve internetverbinding hebben.

Je komt dan in het registratiesysteem van de afdrukservice terecht en je volgt de aanwijzingen op het scherm.

Rechts daarnaast zie je de knop 'E-mail'. Hiermee kun je de foto direct naar iemand mailen. Het is wel noodzakelijk dat je eerst een mailprogramma hebt geïnstalleerd.

Via de knop 'Branden' open je een kort menu.

De optie 'Schijf met bestanden' is al besproken. Je volgt dezelfde werkwijze als een foto-cd maken die eerder is besproken. De optie 'Video-dvd' opent het programma Windows Dvd branden. Dit programma wordt later in dit hoofdstuk beschreven.

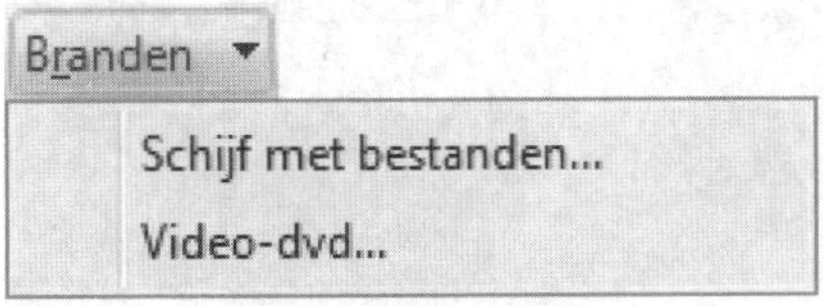

Dan is er nog een laatste optie in het menu, 'Openen'.

Als je hierop klikt, zie je een kort menu met allemaal programma's waarmee je het fotobestand dat je bekijkt in Photo Viewer kunt bewerken.

Stel, je kiest bijvoorbeeld Paint, dan wordt het bestand meteen geopend in Paint wanneer je op die menuoptie klikt.

Als je zelf software hebt geïnstalleerd waarmee je liever foto's bewerkt, klik je op de onderste optie in het menu 'Programma kiezen'. Je ziet dan een nieuw venster waarin alle bij Windows bekende programma's staan waarmee je afbeeldingen en foto's kunt openen.

Onder in het venster zie je dat er bij 'Andere programma's' nog niets staat. Als je op de knop 'Bladeren' klikt, kom je via een Verkennervenster in de map 'Program files'. Normaal gesproken staan in deze map alle op jouw pc geïnstalleerde programma's, dus loodst Windows 7 je naar deze map om hier een programma te kiezen waarmee je foto's wilt bewerken.

In het voorbeeld is een (erg gemakkelijk) programma geïnstalleerd waarmee schermafbeeldingen van het soort dat je hier in dit boek ziet, kunnen worden gemaakt. Dit programma heeft ook bepaalde bewerkingsmogelijkheden voor afbeeldingen, dus gaan we die gebruiken als voorbeeld. Aan de map alleen hebben we niet voldoende, we moeten echt een programma selecteren. Dubbelklik met de linkermuisknop op de map waarin het programma staat dat je wilt gebruiken om afbeeldingen te openen (in het voorbeeld de map FSCapture62).

Hiermee open je de map en zie je meestal het gewenste programma staan. Sommige programma's installeren de feitelijke toepassingen in submappen, maar in dit geval is dat niet aan de orde. Je ziet meteen de juiste toepassing.

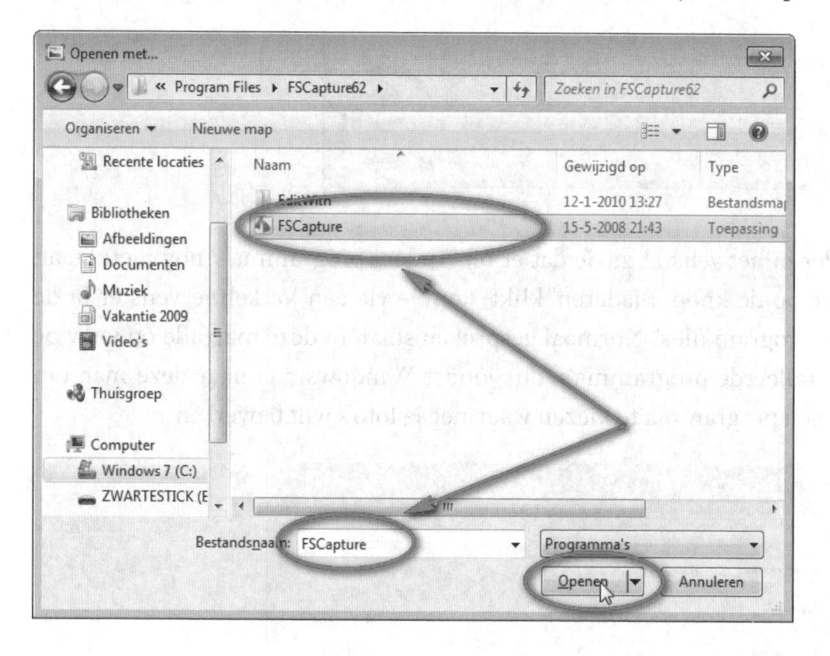

Je kunt het programma op twee manieren selecteren. Je dubbelklikt erop of je klikt één keer op het programma en klikt daarna op de knop 'Openen'.

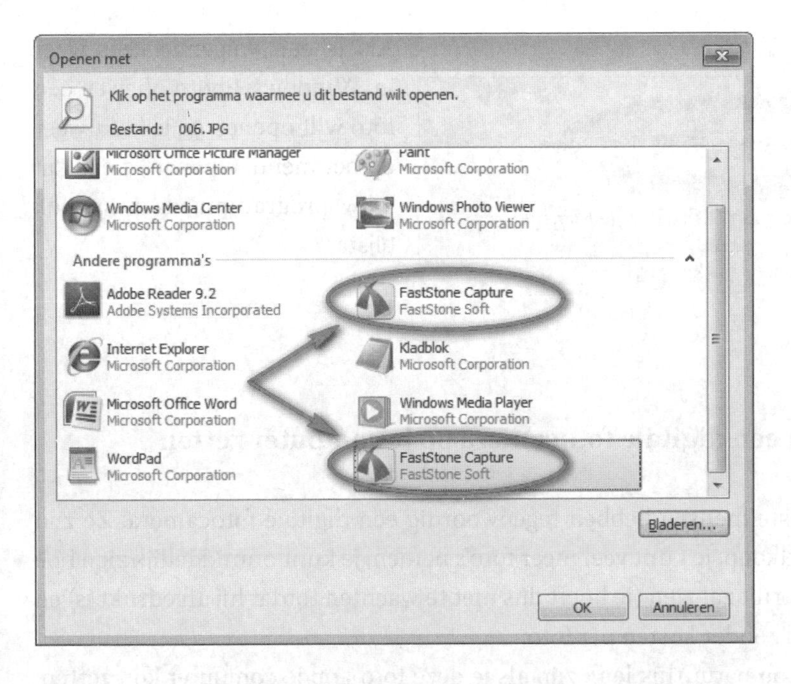

Je keert weer terug in het venster waarin alle door Windows 7 gevonden programma's staan waarmee je de foto kunt openen. Je ziet dat Windows 7 ook zelf al het programma had gevonden, het staat twee keer in de lijst.

Klik op de knop 'OK' en de foto wordt meteen geopend in het programma dat je hiervoor hebt geselecteerd.

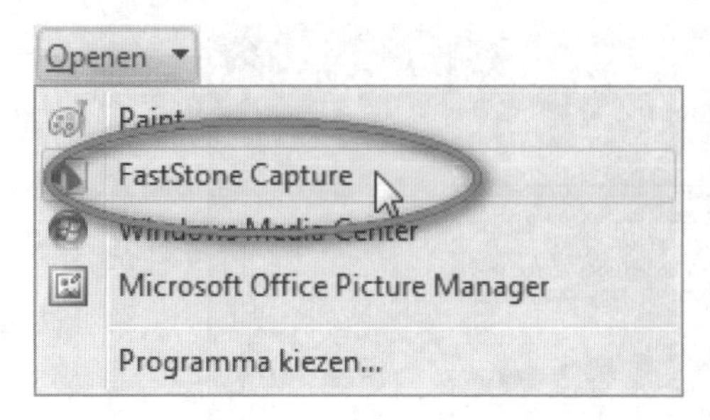

Als je een volgende keer weer in Windows Photo Viewer een foto wilt openen en je klikt weer op het menu 'Openen', zie je dat jouw programma daar nu ook bijstaat.

Foto's van een digitale fotocamera op je computer zetten

De meeste mensen hebben tegenwoordig een digitale fotocamera. Ze zijn vrij goedkoop, je kunt veel meer foto's nemen, je kunt onmiddellijk zien hoe de foto eruit zal zien (je hoeft dus niet te wachten totdat hij afgedrukt is) en dat alles zonder kosten per foto.

Het zou natuurlijk leuk zijn als je deze foto's op je computer kon zetten. Zo kun je de foto's bewaren (op je computer kun je tienduizenden foto's bewaren, terwijl er in het geheugen van je fototoestel maar enkele tientallen kunnen). Bovendien kun je de foto's bewerken (uitsnijden, draaien, rode ogen wegwerken, enzovoort) en ze afdrukken op papier, je kunt er kaartjes mee maken of ze doorsturen naar vrienden of familie.

Mogelijk is bij je fotocamera een programma meegeleverd om de foto's op je computer in te laden. Vele mensen vinden deze programma's echter niet echt eenvoudig. Het kost hun bijzonder veel moeite om de foto's echt op de computer te krijgen. Het kan eenvoudiger!

Wat je nodig hebt, is natuurlijk een digitale fotocamera, en wel een die de foto's opslaat op een geheugenkaart. Zo'n kaart kan verschillende namen hebben: MemoryStick, Flash card, SD, Smart Media, MMC, Compact Flash, CX, enzovoort. Het komt erop neer dat het een kaartje is dat kleiner is dan een speelkaart (soms is zo'n kaart zelfs niet groter dan een muntstuk van 1 euro).

Wat je verder nog nodig hebt, is een aparte kaartlezer in je computer. De meeste nieuwe computers zijn hiermee standaard uitgerust. De kaartlezer herken je doordat er een plaats is in je computer waar allerlei horizontale gleuven te zien zijn, met de namen van de verschillende kaarten erop:

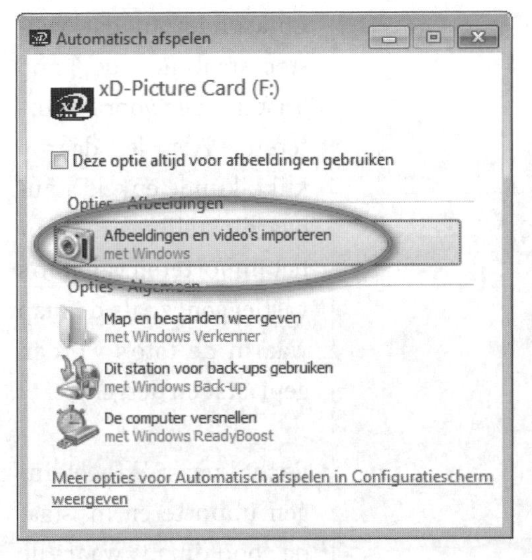

MemoryStick, Compact Flash, enzovoort.

Heb je geen kaartlezer, dan zul je de klassieke methode moeten gebruiken die de fabrikant van je digitale fotocamera aangeeft. Heb je er wel een, dan kun je verder lezen in dit hoofdstuk.

Haal de kaart uit je digitale fotocamera. Dit doe je meestal door ergens een klepje te verschuiven of door ergens op te drukken zodat het uitneembaar is. Steek vervolgens de geheugenkaart in de gepaste gleuf in je computer. Vervolgens verschijnt er een venster op je computer, zoals op de foto.

De computer vraagt nu wat je wilt doen met de geheugenkaart die je in de computer hebt gestoken. Je wilt de foto's kopiëren op onze computer, dus klik je met je linkermuisknop op 'Afbeeldingen en video's importeren'.

Als eerste zie je een venster waar je een naam kunt invoeren. De foto's worden dan in een map met deze naam (in combinatie met de datum waarop de foto's worden geïmporteerd) opgeslagen.

Foto's en video's importeren
Label aan deze foto's toevoegen (optioneel):
Huizen en inrichting
Instellingen voor importeren
Importeren

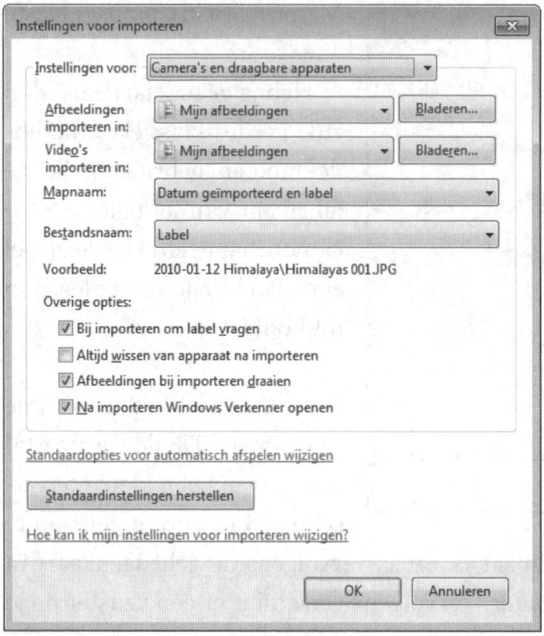

Linksonder in dat venster staat nog de knop 'Instellingen voor importeren'. Als je daarop klikt, kun je enkele standaardinstellingen voor het importeren van foto's vastleggen, zoals de map waarin de foto's worden geplaatst en dergelijke.

Rechts naast 'Afbeeldingen importeren in' staat de hoofdmap waar de afbeeldingen in worden gezet. Houd er rekening mee dat de naam die je in het vorige venster hebt ingevoerd, een deel van de naam van de map gaat worden binnen de map 'Afbeeldingen'. Met de knop 'Bladeren' kun je eventueel een andere hoofdmap kiezen en met de optie 'Mapnaam' kun je kiezen voor een andere naam voor de submap waarin de foto's worden geplaatst.

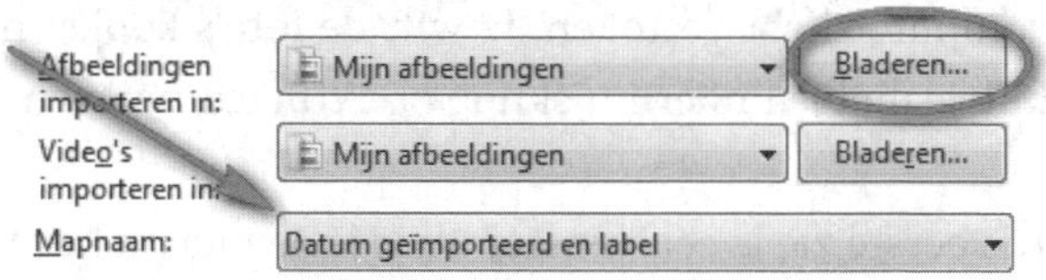

Klik op de knop 'OK' als je alles goed hebt ingesteld. Klik dan op de knop 'Importeren' om de foto's daadwerkelijk te importeren en op te slaan op je computer. De tijdsduur voor het importeren hangt af van de snelheid van je pc en van de hoeveelheid foto's. Op sommige camera's passen al meer dan 1000 foto's, houd er dan rekening mee dat het importeren even kan duren. Onder in dit venster kun je aangeven of de foto's na het importeren gewist moeten worden op de camera.

> **Tip**
> Wil je meer weten over hoe je met foto's kunt werken op de computer, hoe ze te bewerken, door te sturen, er foto-albums van te maken, te delen via internet en betere foto's van te maken? Lees dan het boek Digitaal fotograferen na 50 van Pascal Vincke. Te verkrijgen in de betere boekhandel.

Een diavoorstelling van je foto's

Inleiding

Wanneer je foto's op je computer wilt weergeven, kan dat op diverse manieren. Windows 7 heeft het programma Windows 7 Photo Viewer dat prima geschikt is voor een eenvoudige manier van weergeven van de dia's. De computer toont dan een foto op je scherm, op maximale grootte (dus je hele scherm is gevuld). Om de paar seconden toont hij een volgende foto. Zo kun je er rustig van genieten!

Aan de slag

Om aan de slag te gaan heb je natuurlijk eerst een aantal foto's nodig op je computer die samen in één map staan. Zorg er dus voor dat de foto's die je wilt weergeven met de diavoorstelling bij elkaar in een map staan.

Ga naar deze map op je computer. Je kunt dat via verschillende wegen doen. Een ervan is via 'Computer' in het startmenu. Klik dus onderaan op 'Starten', want we willen iets starten (namelijk de map met onze foto's).

Je kunt nu meteen op 'Afbeeldingen' klikken, als je daar je foto's hebt opgeslagen (wat ook het verstandigst is) of op 'Computer', wanneer je de inhoud wilt weergeven van onze computer, op zoek naar onze foto's.

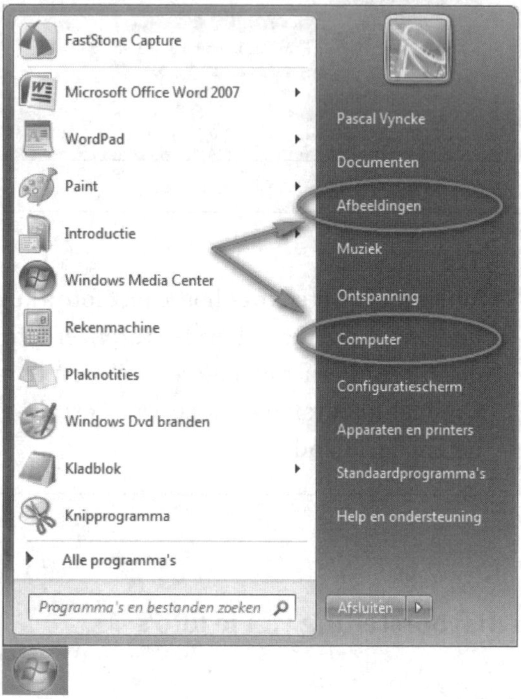

Ook als je op 'Computer' hebt geklikt, zie je de bibliotheek 'Afbeeldingen' weer staan. Waar je nu naartoe gaat, hangt dus af van waar je de foto's hebt opgeslagen. Zoals gezegd, is dat meestal in de bibliotheek 'Afbeeldingen'.

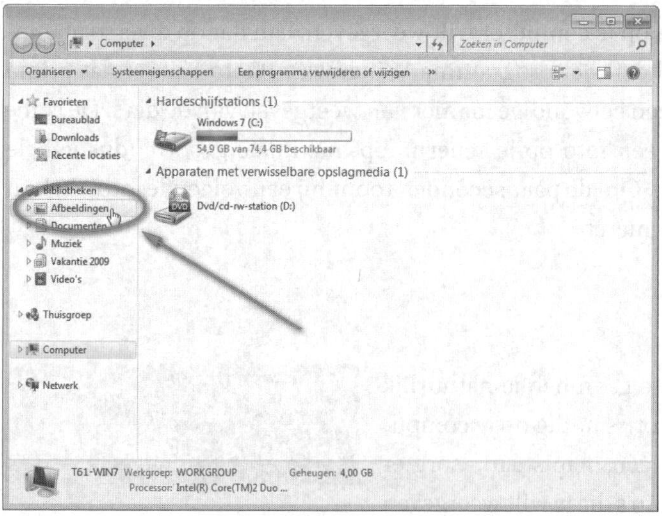

Nu moet je verder gaan naar de plaats van de foto's. Waar je die kunt vinden, hangt af van waar jij je foto's hebt bewaard. Als je niet goed weet hoe het nu verder moet, bekijk dan zeker eerst het hoofdstuk 5 waar we leren werken met 'Computer' en de mappen en bestanden.

Ben je eenmaal aangekomen bij de map waar de foto's staan die je wilt weergeven, dan kunnen we de diavoorstelling starten. Dit is bijzonder eenvoudig! Klik met de linkermuisknop op de knop 'Diavoorstelling' boven in het venster. De diavoorstelling wordt gestart. De computer toont elke foto uit de map en verandert deze elke paar seconden. Ga gemakkelijk zitten, relax en kijk naar de foto's.

Tip
Wil je een prachtige foto die voorbijkwam nog eens bekijken? Dan kun je dat doen door tijdens de diavoorstelling op het pijltje naar links te drukken op je toetsenbord (deze knop is te herkennen doordat er een pijltje naar links op getekend staat. Deze knop staat links van de 'o' van het numerieke toetsenbord of onder de entertoets bij de laptop). Zo ga je één foto terug. Druk meerdere keren op het pijltje om naar eerdere foto's te gaan.

Tip
Je kunt de voorgaande tip ook gebruiken om verder te gaan. Staat er toevallig een mislukte foto op het scherm, dan wil je misschien verder naar de volgende. Druk dan op het pijltje naar rechts, zo ga je één foto verder.

Tip
Wil je de diavoorstelling even pauzeren, druk dan op de spatiebalk van je toetsenbord. De computer laat de huidige foto staan, totdat je opnieuw op de spatiebalk drukt. Je stopt de diavoorstelling door op de Escape-toets te drukken. Deze zit meestal linksboven op je toetsenbord.

Windows Dvd branden

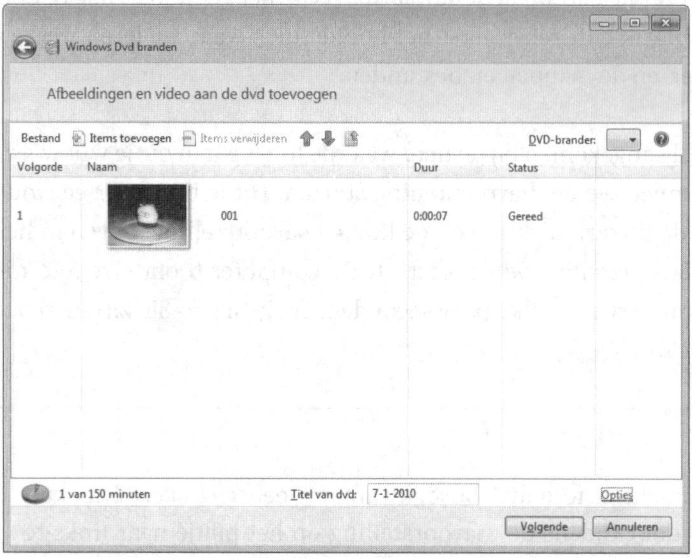

Hiervoor is besproken hoe je een eenvoudige diavoorstelling kunt maken. Naast deze functie heeft Windows 7 ook een andere mogelijkheid om onder andere dia's weer te geven: Windows Dvd branden. Echter, dit programma kan veel meer. Je kunt hiermee eigen menu's maken, overgangen tussen de diverse dia's aanpassen, muziek eraan toevoegen enzovoort. Bovendien kun je een complete zelfgemaakte diashow op dvd branden.

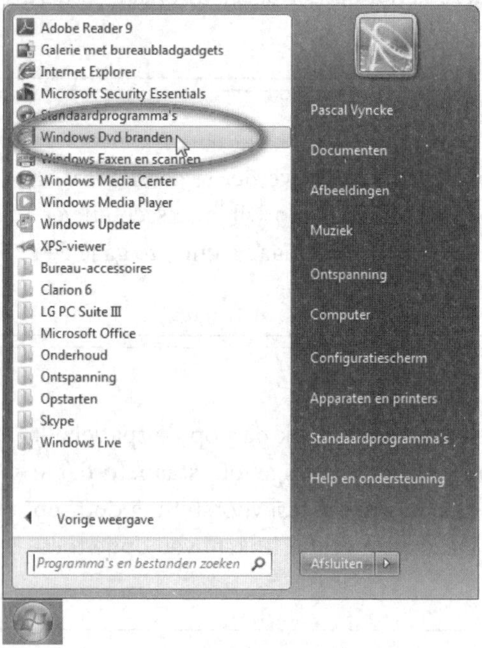

Klik op de knop 'Starten' en klik op 'Alle programma's'. Je ziet dat bovenaan in het startmenu het programma staat.

Klik op het programma om het te starten. Je ziet een nieuw venster waarin iets over het programma wordt gezegd.

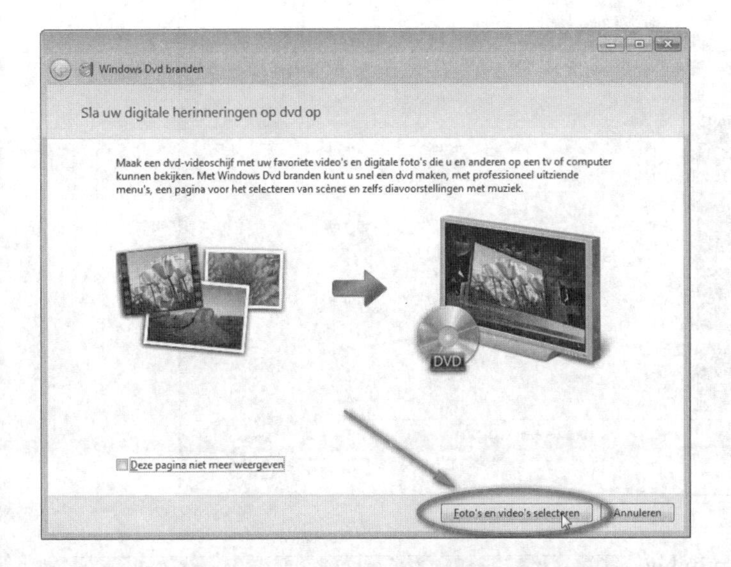

Klik op de knop 'Foto's en video's selecteren' om de gewenste foto's of video's te selecteren die je op de dvd wilt hebben. Je ziet een nieuw venster van waaruit je het project opzet.

Met de knop 'Items toevoegen' open je een nieuw Verkennervenster waarin je foto's of films of muziek uit diverse mappen kunt selecteren en toevoegen aan de lijst in Windows Dvd branden. De voortgang van het toevoegen zie je in een apart venster.

Windows Dvd branden
Items toevoegen
Item 15 van 65 toevoegen
Annuleren

Na het toevoegen zie je alle toegevoegde bestanden in de lijst staan. In het voorbeeld hebben we alleen foto's toegevoegd.

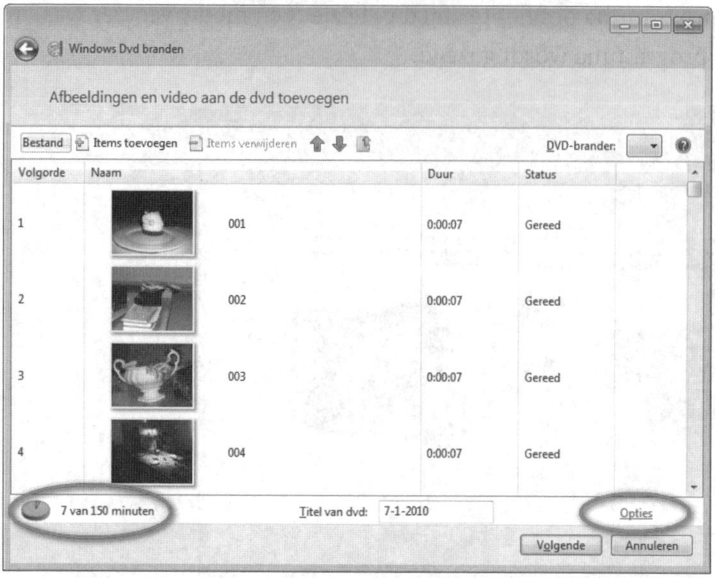

Links onderaan in het venster zie je hoeveel tijd je nog over hebt op de dvd, dus hoeveel ander materiaal je nog kunt toevoegen op de te branden dvd. In het midden zie je de naam van de dvd staan. Door daar met de linkermuisknop te klikken, kun je zelf een geschikte naam invoeren.

Rechts zie je de link 'Opties'. Hiermee open je een nieuw venster.

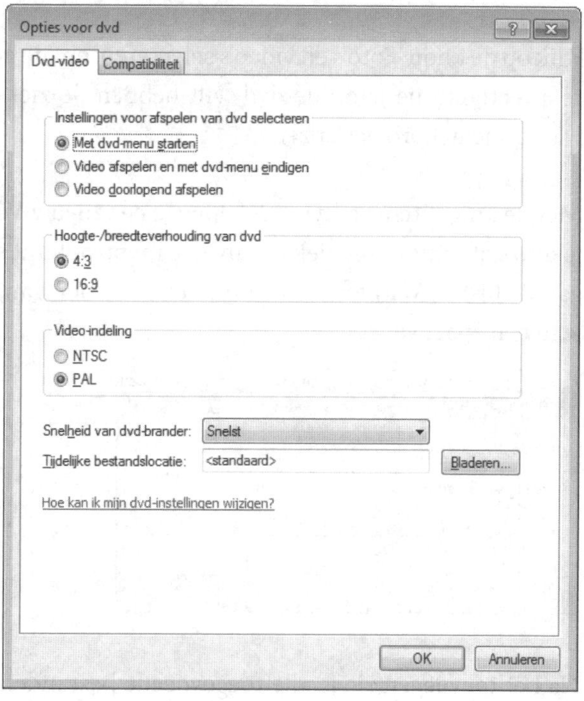

Hierin stel je in hoe je de dvd afgespeeld wilt hebben, wat de hoogte-/breedteverhouding van de weergave moet worden, of je op een PAL- of NTSC-toestel gaat afspelen (in België en Nederland is dat altijd PAL), hoe snel je de dvd gebrand wilt hebben. Via het tabblad 'Compatibiliteit' kun je bepaalde videofilters uitschakelen die door andere programma's worden geïnstalleerd. Klik op de knop 'OK' als je alles goed hebt ingesteld.

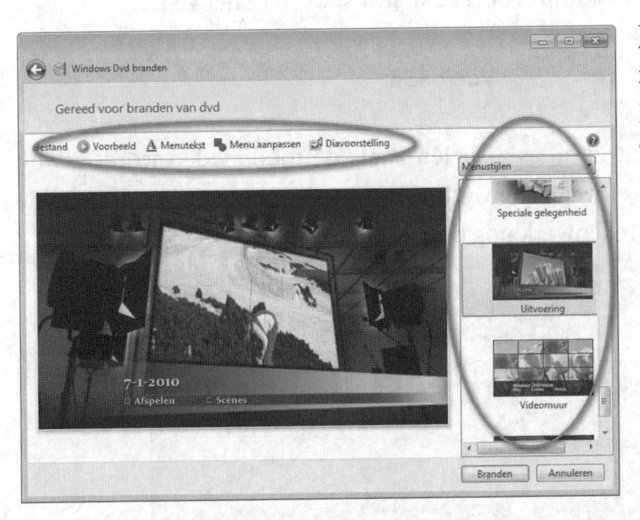

Je komt weer terug in de lijst met foto's. Klik nu op de knop 'Volgende'.

In dit venster bepaal je hoe alles wordt weergegeven. Aan de rechterkant van het venster kun je kiezen uit diverse voorinstellingen voor de menu's. Wanneer je er een hebt gevonden, kun je verdere aanpassingen via de knoppen boven in het venster doorvoeren.

De tekst van het menu kun je aanpassen door op de knop 'Menutekst' te klikken.

Windows Dvd branden
Tekst van het dvd-menu wijzigen
Voorbeeld
Lettertype: Constantia
Titel van dvd: 7-1-2010
Knop voor afspelen: Afspelen
Knop voor scènes: Scènes
Knop voor commentaar: Opmerkingen

Je kunt kiezen uit diverse lettertypen met de knop naast de tekst Lettertype. Vet en cursief stel je in met de knoppen B en I en ook kun je de kleur van de letters aanpassen door te klikken op de knop A.

Daaronder voer je de gewenste tekst in voor de knoppen in het menu. Uiteraard wil je nu bekijken of de wijzigingen goed uitkomen, of het resultaat bevalt.

Klik daarvoor op de knop 'Voorbeeld' linksboven in het venster.

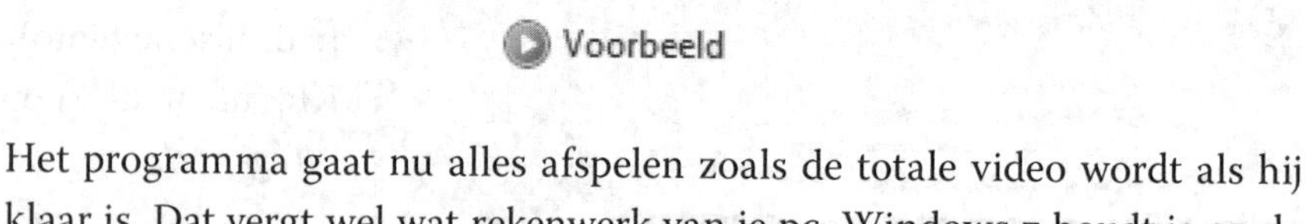

Het programma gaat nu alles afspelen zoals de totale video wordt als hij klaar is. Dat vergt wel wat rekenwerk van je pc. Windows 7 houdt je op de hoogte hoelang het rekenwerk nog duurt.

Als dat klaar is, opent een nieuw venster waarin een voorbeeld van het afspelen van je dvd wordt weergegeven.

Onder het voorbeeld staan knoppen voor het starten en stoppen van de video, maar ook om naar een vorig of volgend hoofdstuk te gaan, om weer terug naar het menu te gaan en pijltjesknoppen om te manoeuvreren in een menu.

Klik op de knop 'Tekst wijzigen' als je de wijzigingen wilt opslaan. Je komt weer terug in het venster 'Gereed voor branden van dvd'.

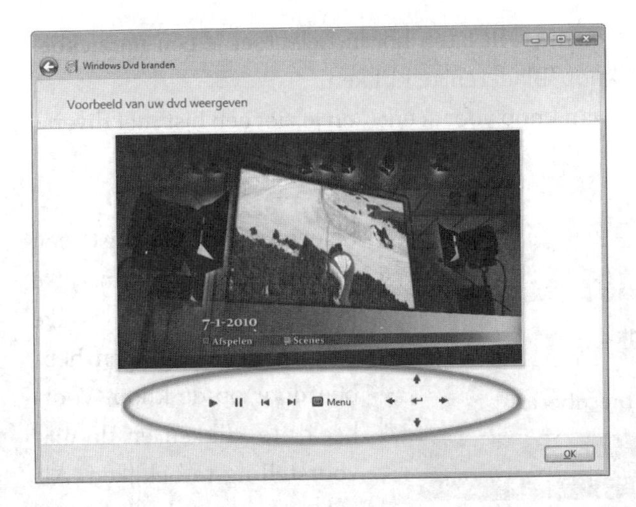

Klik op de knop 'Menu aanpassen' als je het menu wilt opbouwen uit eigen video's.

Je ziet in het nieuwe venster weer de instelmogelijkheden voor tekst. Daaronder zie je de mogelijkheid om een voorgrond- en een achtergrondvideo te gebruiken. Klik daarvoor bij beide opties op de knop 'Bladeren' en selecteer een geschikte video.

Als je muziek bij het menu wilt laten horen, selecteer je een muziekbestand door weer op de knop 'Bladeren' te klikken.

Klik op de knop 'Stijl van knop voor scènes' en je ziet een lijst met diverse stijlsoorten.

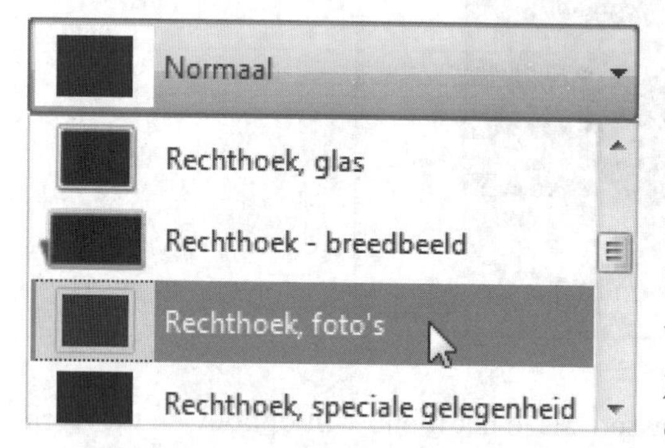

Selecteer uit die lijst een gewenste stijl. Je kunt elke keer controleren welke invloed de wijzigingen hebben door op de knop 'Voorbeeld' te klikken en de diavoorstelling te bekijken. Als je heel erg tevreden bent met een bepaalde stijl en deze vaker wilt gebruiken, kun je deze onder een eigen naam opslaan door op de knop 'Als nieuwe stijl opslaan' te klikken.

In het venster dat je nu ziet, vul je een naam voor de nieuwe stijl in en klik je op de knop 'OK'.

Deze stijl is daarna herkenbaar doordat er naast de standaard stijlen een extra optie bij is gekomen, de 'Aangepaste stijlen'. In deze lijst komen alle stijlen te staan die je zelf hebt gemaakt en opgeslagen. Uiteraard staan de standaard menustijlen er ook nog. Om deze weer te zien, klik je op de knop van deze lijst en zie je de standaard menustijlen weer.

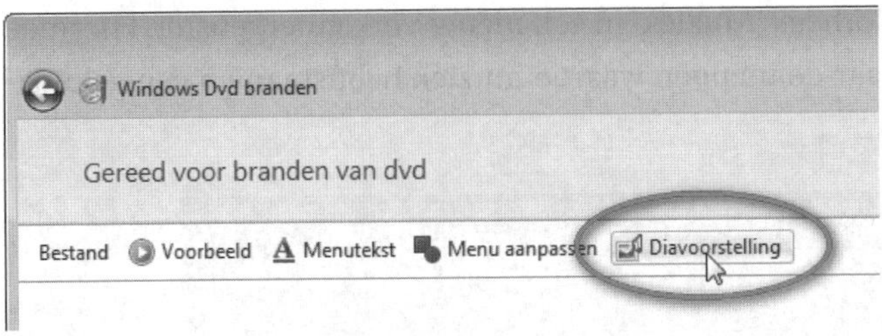

Voor je nu op de knop 'Branden' klikt, kun je de instellingen van de diavoorstelling nog wijzigen. Klik daarvoor op de knop 'Diavoorstelling'.

Je ziet nu een nieuw venster. Hierin kun je muziek toevoegen aan de diavoorstelling, bepalen hoe lang je de dia's in beeld wilt hebben en met welke overgangen je de dia's wilt weergeven.

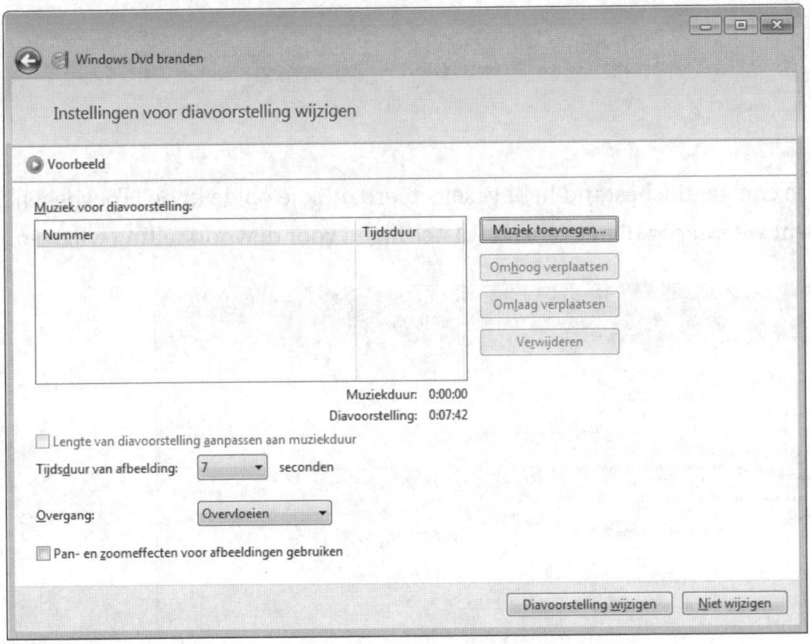

Om muziek toe te voegen, klik je op de knop 'Muziek toevoegen'.

Je ziet dan de bibliotheek 'Muziek' in een nieuw Verkennervenster. Hiermee kun je bladeren naar de mappen waar je muziek hebt staan en een geluidsbestand selecteren.

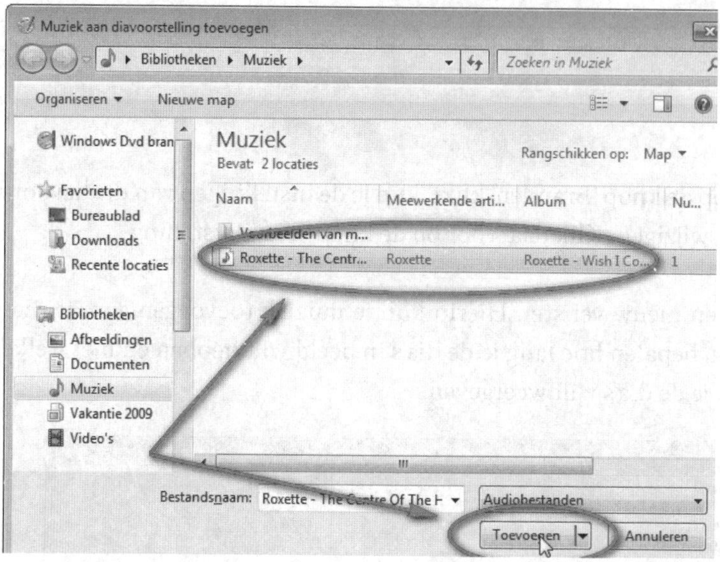

Muziek aan diavoorstelling toevoegen
Bibliotheken ▸ Muziek ▸
Zoeken in Muziek
Organiseren ▾ Nieuwe map
Windows Dvd bran
Favorieten
Bureaublad
Downloads
Recente locaties
Bibliotheken
Afbeeldingen
Documenten
Muziek
Vakantie 2009
Video's
Muziek
Bevat: 2 locaties
Rangschikken op: Map ▾
Naam | Meewerkende arti... | Album | Nu...
Voorbeelden van m...
Roxette - The Centr... | Roxette | Roxette - Wish I Co... | 1
Bestandsnaam: Roxette - The Centre Of The H
Audiobestanden
Toevoegen
Annuleren

Als je een geluidsbestand hebt geselecteerd, klik je op de knop 'Toevoegen'. Je bent weer terug in het venster 'Instellingen voor diavoorstelling wijzigen'.

Windows Dvd branden
Instellingen voor diavoorstelling wijzigen
Voorbeeld
Muziek voor diavoorstelling:
Nummer | Tijdsduur
The Centre Of The Hear | 0:03:28
Muziek toevoegen...
Omhoog verplaatsen
Omlaag verplaatsen
Verwijderen
Muziekduur: 0:03:28
Diavoorstelling: 0:07:42
Lengte van diavoorstelling aanpassen aan muziekduur
Tijdsduur van afbeelding: 7 seconden
Overgang: Overvloeien
Pan- en zoomeffecten voor afbeeldingen gebruiken
Diavoorstelling wijzigen
Niet wijzigen

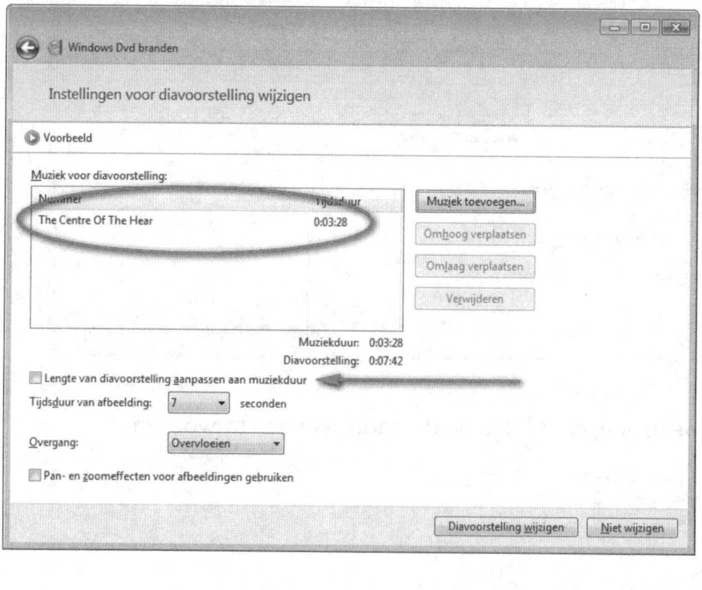

Je ziet het net toegevoegde muziekbestand staan. Je hebt nu ook de mogelijkheid om de totale tijdsduur van de diavoorstelling aan te passen aan de tijdsduur van het muziekbestand. Standaard staat de tijdsduur per dia op 7 seconden, als je klikt op het vakje links naast de optie 'Lengte van diavoorstelling aanpassen aan muziekduur', komt er een vinkje in dat vakje te staan en berekent het programma de nieuwe tijdsduur per dia, in dit geval 3,1 seconde.

Lengte van diavoorstelling aanpassen aan muziekduur

Tijdsduur van afbeelding: 3,1 seconden

Je kunt kiezen uit diverse overgangen tussen de dia's door te klikken op de knop 'Overgangen'. Je ziet dan de volgende lijst met mogelijkheden.

Kies de gewenste overgang door erop te klikken.
Je kunt altijd bekijken wat het resultaat van bepaalde effecten is door op de knop 'Voorbeeld' boven in het venster te klikken.

Als het resultaat bevalt, klik je op de knop 'Diavoorstelling wijzigen' onder in het venster. Je komt nu weer terug in het hoofdvenster van Windows Dvd branden. Als alles nu is ingesteld zoals je het wilt hebben, klik je op de knop 'Branden'.

Branden

Geluid opnemen

Met je computer kun je niet alleen geluid (bijvoorbeeld muziek) afspelen, je kunt ook geluid opnemen. Je eigen stem, het zingen van je (klein)kind of je eigen muzikale talent kun je dus vastleggen met je computer. Hiervoor bestaan zeer ingewikkelde programma's die net zoveel kunnen als de professionele studio's. Het kan echter ook eenvoudig met een klein programma dat de meeste dingen die een gewone gebruiker nodig heeft, kan uitvoeren. Dit gaan we nu leren.

Enige voorwaarde is dat je een microfoon hebt die aangesloten is op de geluidskaart van je computer, of dat je computer een ingebouwde microfoon heeft (vooral draagbare computers zijn hiermee al standaard uitgerust).

Als de microfoon aangesloten is op je computer, of er is er een ingebouwd, dan kun je aan de slag. Het openen van het geluid gaat met een apart programma dat we kunnen starten op onze computer. Dit doen via het startmenu. Klik dus links onderaan op 'Starten' met je linkermuisknop.

Adobe Reader 9
Galerie met bureaubladgadgets
Internet Explorer
Microsoft Security Essentials
Standaardprogramma's
Windows Dvd branden
Windows Faxen en scannen
Windows Media Center
Windows Media Player
Windows Update
XPS-viewer
Bureau-accessoires
Clarion 6
LG PC Suite III
Microsoft Office
Onderhoud
Ontspanning
Opstarten
Skype
Windows Live

Ga vervolgens met je muisaanwijzer staan boven 'Alle programma's', want daar moeten we het programma gaan zoeken.

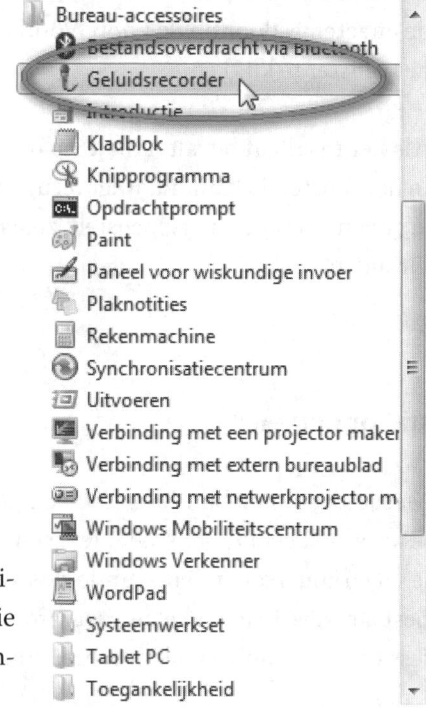

Ga vervolgens naar 'Bureau-accessoires'. Zoals de meeste programma's die gratis meegeleverd zijn met onze computer kun je dit hier terugvinden.

Zodra je op 'Bureau-accessoires' klikt, opent die map.

Nu zie je het programma staan dat we willen hebben: de geluidsrecorder. Klik erop met je linkermuisknop om het programma te starten op onze computer.

Het programma dat je nu te zien krijgt, zal eruitzien zoals op de volgende foto.

Opnemen

Nu is het eenvoudig om op te nemen. Druk met je linkermuisknop op de knop 'Opname starten' om het opnemen te starten.

Stoppen

Vervolgens begint de computer met het opnemen van het geluid. Als je klaar bent, druk je op de stopknop met de tekst 'Opname stoppen'.

Zodra je op de stopknop hebt geklikt, krijg je een Verkennervenster te zien waar je het opgenomen geluid wilt opslaan. Standaard worden de geluiden in de map Documenten opgeslagen, maar je kunt elke map kiezen die je maar wilt. Ook moet je een naam voor het geluidsbestand invoeren. Als je de juiste map hebt aangegeven en een naam voor het geluid hebt ingevuld, klik je daarna op de knop 'Opslaan'.

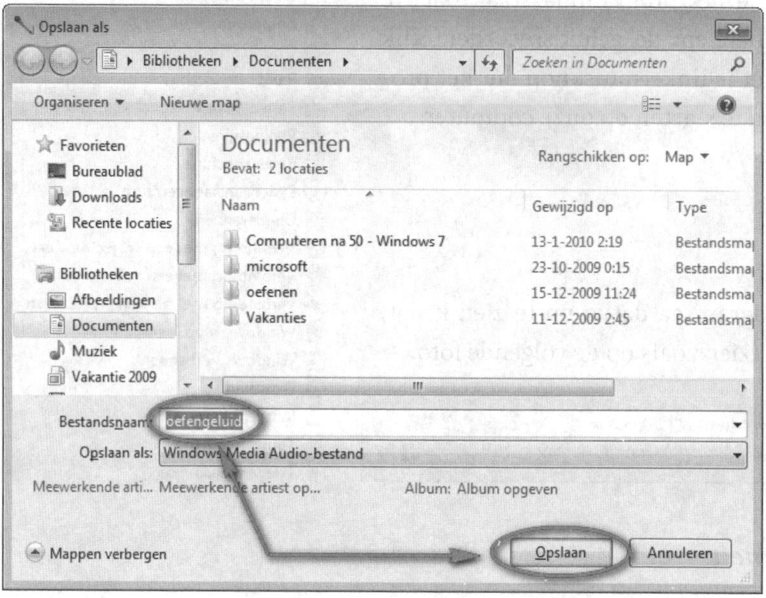

Beluisteren

Om te beluisteren wat je hebt opgenomen, ga je met de Verkenner naar de map waar je het bestand hebt opgeslagen en dubbelklik je op het bestand.

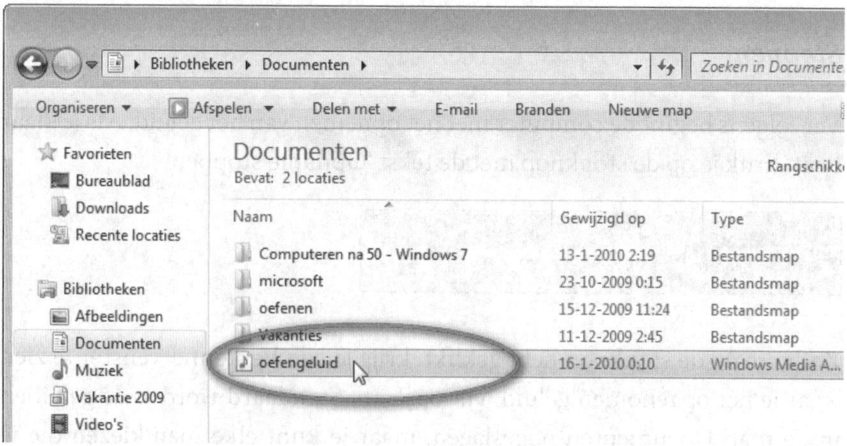

Windows Media Player start en geeft het opgenomen geluid weer.

Onder in het venster zie je een aantal knoppen waarmee je Media Player kunt bedienen.

	De grote knop in het midden dient voor het starten en stoppen met afspelen van het geluid. Wanneer Media Player wordt gestopt met deze knop staat hij in een pauzestand.
	Achteruitspoelen of naar het vorige nummer gaan.
	Vooruitspoelen of naar het volgende nummer gaan.
	Stoppen van het weergeven van de muziek.

	Weergave van het geluid van de Media Player dempen of juist weer inschakelen. Als er een klein rood verbodsbord bij het pictogram staat, dan is de geluidsweergave uitgeschakeld. Klik nogmaals op deze knop om het geluid weer in te schakelen.
	Schuifregelaar om het weergavevolume te regelen. Klik met de linkermuisknop op het rondje, houd de muisknop ingedrukt en sleep het rondje naar links om het geluid zachter te zetten of naar rechts om het geluid harder te laten klinken. Laat de muisknop los als het geluidsvolume op de gewenste stand staat.
	Schakelen naar bibliotheekweergave.

De weergave van Media Player die je hier ziet, is de zogenoemde afspeelweergave. In de volgende paragraaf zie je hoe Media Player eruitziet in de bibliotheekweergave.

Muziek afspelen

Hoe je een muziek-cd afspeelt op je computer, lees je elders in dit boek. Muziek die reeds op je computer staat (en die bijvoorbeeld van vrienden of van internet komt), kun je afspelen op dezelfde manier als hiervoor beschreven.

Eerst ga je naar de plaats op je computer waar de muziekbestanden staan (dus via 'Starten', vervolgens 'Muziek'). Je hebt nu de map met de verschillende muziekbestanden voor je.

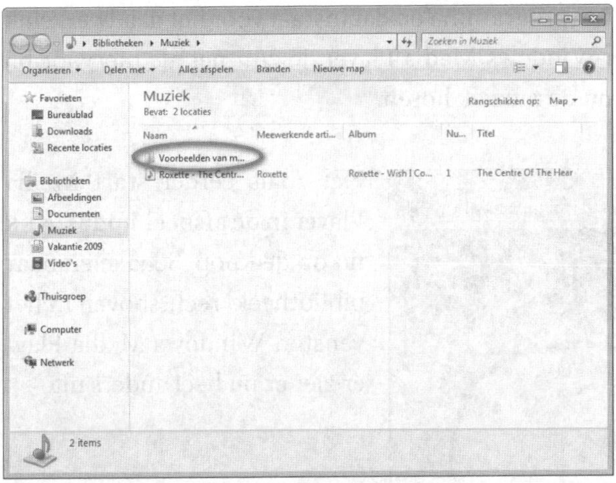

In het voorbeeld staat nog niet veel muziek op de computer. We gebruiken voor de voorbeelden de standaard bij Windows 7 meegeleverde muziekbestanden. Ze staan in de voorbeeldmap. Dubbelklik hierop en je ziet de inhoud van die map.

Eén liedje afspelen

Indien je één liedje wilt afspelen, dubbelklik je gewoon met je linkermuisknop op het gewenste liedje.

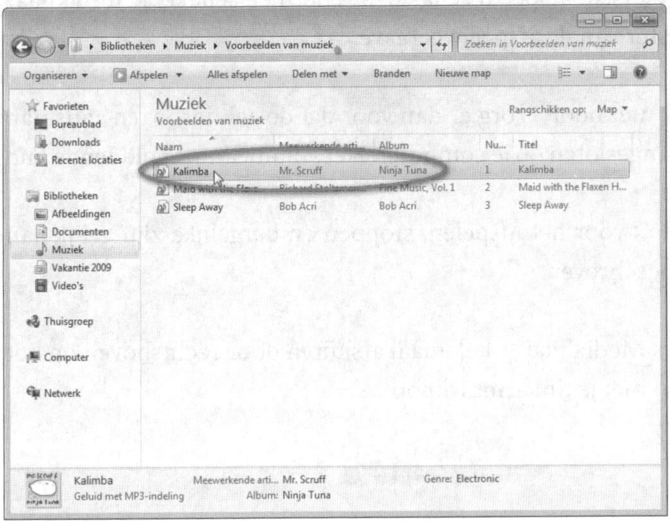

De computer start dan het programma op dat instaat voor het daadwerkelijk afspelen van dat liedje: Windows Media Player. Je zult net als hiervoor bij het opgenomen geluid nu de muziek horen.

Net zoals eerder start Media Player in de afspeelmodus. Klik nu op de knop 'Schakelen naar bibliotheek' rechtsboven in het venster. Windows Media Player ziet er nu heel anders uit.

In het rechterdeel van het venster zie je welk nummer je nu afspeelt. De bedieningsknoppen onderaan in het venster zijn gelijk aan de knoppen die je eerder zag in de afspeelweergave. Helemaal rechts onderaan in het venster zie je de knop 'Naar Nu afspelen schakelen'. Hiermee schakel je terug naar het kleinere venster van de afspeelweergave.

Als je de muziek niet hoort, zorg er dan voor dat de geluidsboxen aanstaan en correct zijn aangesloten op je computer. Het volume moet voldoende luid staan.

De commando's voor het afspelen, stoppen en dergelijke zijn gelijk aan wat hiervoor is beschreven.

Je kunt Windows Media Player helemaal afsluiten door rechtsboven op het kruisje te klikken met je linkermuisknop.

Een hele reeks liedjes afspelen

Als je meerdere liedjes in dezelfde map hebt staan, kun je deze allemaal achter elkaar laten afspelen. Zo hoef je de liedjes niet een voor een aan te vragen om af te spelen.

Selecteer hiervoor de gewenste liedjes. Je kunt ze natuurlijk ook allemaal selecteren. Klik er vervolgens op met je rechtermuisknop om extra opties te verkrijgen. Klik dan met je linkermuisknop op 'Afspelen'.

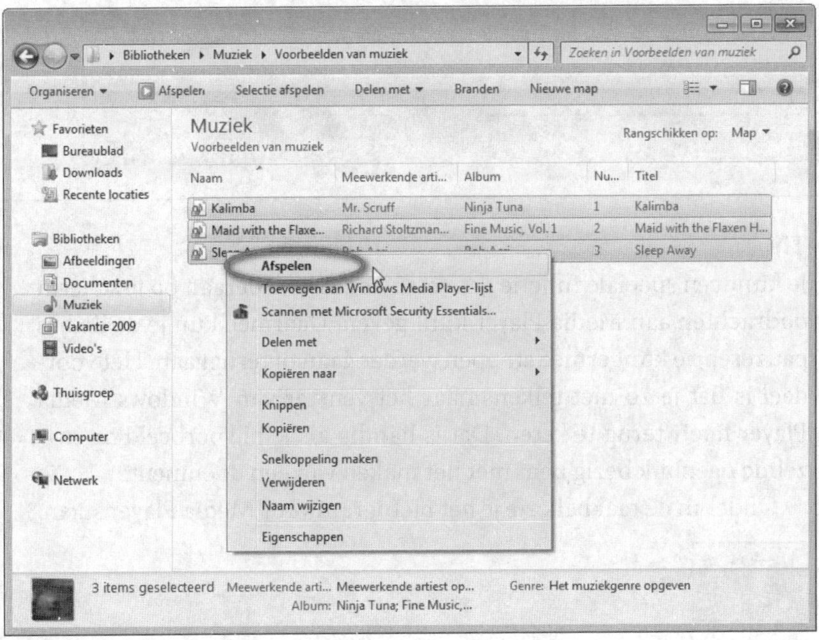

De computer registreert nu dat je al deze liedjes wilt afspelen. Hij begint het eerste liedje te spelen, zal daarna het volgende liedje starten, enzovoort. Media Player start altijd weer in de afspeelweergave. Als je omschakelt naar de bibliotheekweergave, zie je in de rechterkolom de liedjes die afgespeeld gaan worden.

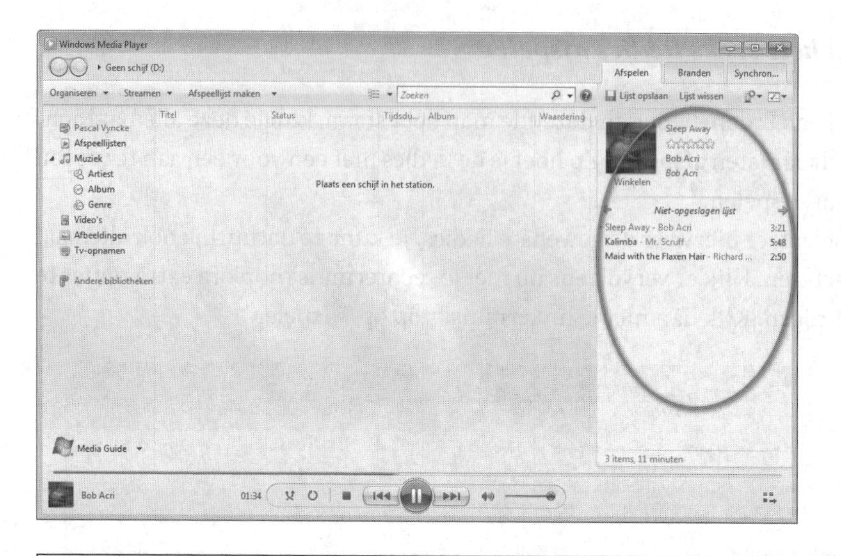

Tip

Je kunt een speciale functie activeren zodat je onderaan op je scherm opdrachten aan Media Player kunt geven. Daarmee kun je de liedjes pauzeren, je kunt ermee stoppen, verder gaan of teruggaan. Het voordeel is dat je zo niet telkens naar het venster van Windows Media Player hoeft terug te keren. Dat is handig als je bijvoorbeeld op hetzelfde ogenblik bezig bent met het maken van een document.

Onder in de taakbalk zie je het pictogram voor Media Player staan.

Ga er met de muis boven staan en je ziet een klein venster direct boven het pictogram.

Door op de knoppen te klikken, kun je commando's zoals stoppen, doorgaan, verder gaan of teruggaan aan Media Player geven.

10 •• IETS ZOEKEN (EN VINDEN) OP JE COMPUTER

Inleiding

Als je met een computer werkt, zul je weleens iets willen zoeken op je computer: een bepaald document, een bepaalde foto, een bepaald muzieknummer, enzovoort. Zoeken is natuurlijk niet genoeg, je wilt het natuurlijk ook graag vinden. Net zoals in het echt is orde altijd het best om snel iets terug te vinden. Dat werkt beter dan alles moeten afzoeken.

Als alle computerbestanden die je maakt (foto's, documenten, enzovoort) goed georganiseerd zijn in mappen op je computer, die allemaal een duidelijke naam hebben, dan is het vinden van een bepaald bestand in de meeste gevallen niet zo moeilijk. Het kan echter voorkomen dat je het niet vindt, terwijl je er toch zeker van bent dat het op je computer staat!

We gaan dan onze computer laten zoeken in zijn eigen geheugen. Leuk is dat de computer veel sneller kan zoeken dan wij en zo het bestand voor ons kan vinden in een vrij korte tijd.

Aan de slag

Je kunt op verschillende manieren zoeken in Windows 7. De gebruikte manier hangt af van waar je zoekt en wat je zoekt.

Als je weet in welke map je moet zoeken, is de zoekmethode via het zoekveld dat je in elk Verkennervenster ziet de beste optie.

We nemen als voorbeeld de afbeeldingenbibliotheek. Hierin staan diverse submappen die automatisch worden meegenomen bij de zoekopdracht.

Rechtsboven in het venster zie je het zoekveld. Wanneer je hierop klikt met de muis, verdwijnt de tekst 'zoeken' en kun je zelf een zoekterm invoeren. Vul bijvoorbeeld als zoekterm de letter 'b' in.

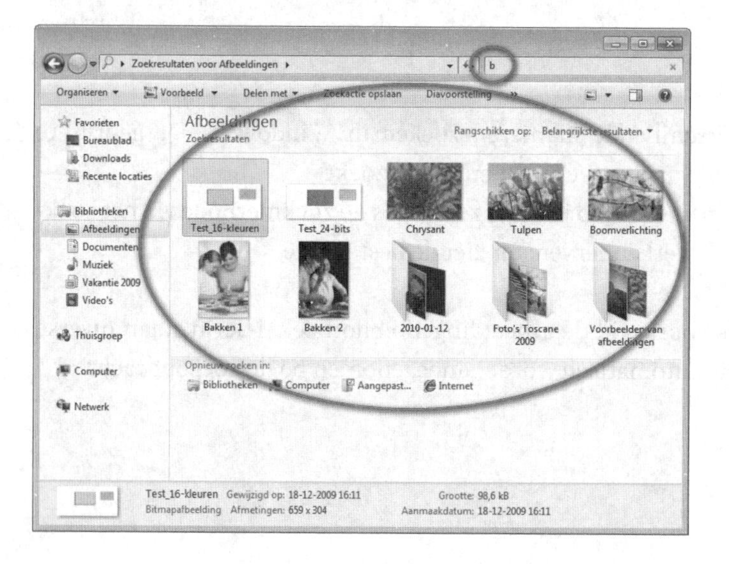

De gevonden bestanden met een 'b' worden meteen weergegeven. Je hoeft niet extra op de entertoets te drukken. Je ziet dat bij sommige bestanden de 'b' is gemarkeerd en bij andere bestanden niet. Dit komt doordat Windows 7 niet alleen zoekt op bestandsnamen, maar ook op de labels die bij de bestanden horen. Wanneer je bijvoorbeeld doorgaat met typen en je maakt het zoekwoord 'bloem', zie je dat Windows 7 nog maar twee bestanden vindt waarbij het woord bloem niet in de bestandsnaam staat.

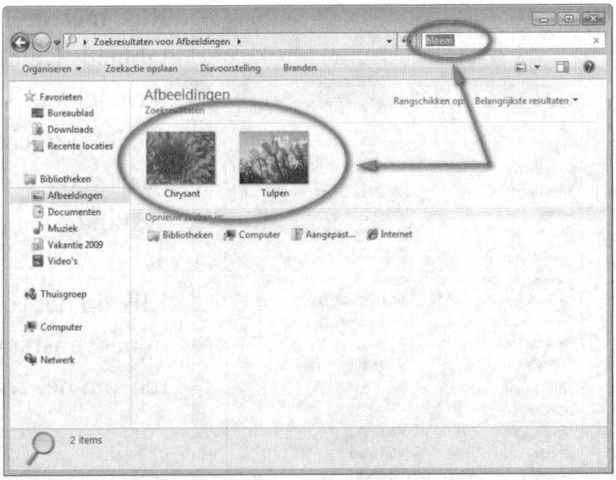

Het gevonden bestand 'Chrysant' heeft in de bestandsnaam nergens het woord 'bloem' staan, maar als je gaat kijken bij de eigenschappen snap je meteen waarom het bestand ook als resultaat van de zoekterm 'bloem' wordt weergegeven.

Klik met de rechtermuisknop op het bestand 'Chrysant' en kies de optie 'Eigenschappen'.

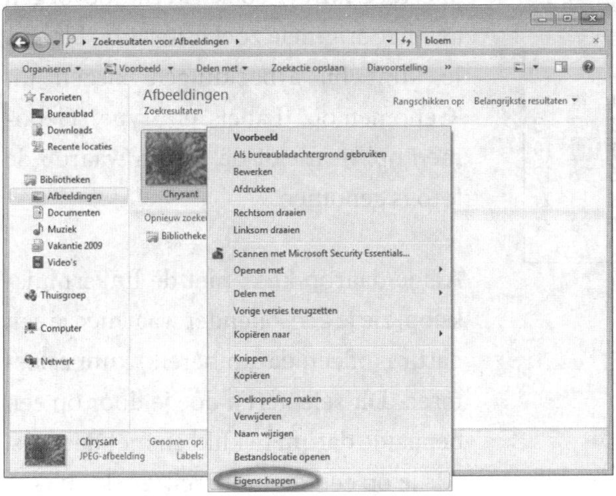

Klik met de linkermuisknop op het tabblad 'Details'. Bij labels zie je de term 'bloem' staan:

Het gezochte woord 'bloem' komt daar voor, dus vond Windows 7 dit bestand.

Klik op het rode kruisje rechtsboven in het venster of op de knop 'Annuleren' om het venster te sluiten.

Je bent nu weer terug in het zoekvenster. Hierin staan nog enkele handige zaken. Allereerst zie je onder de zoekterm een klein venster staan, wanneer je met de muis in het zoekvak klikt.

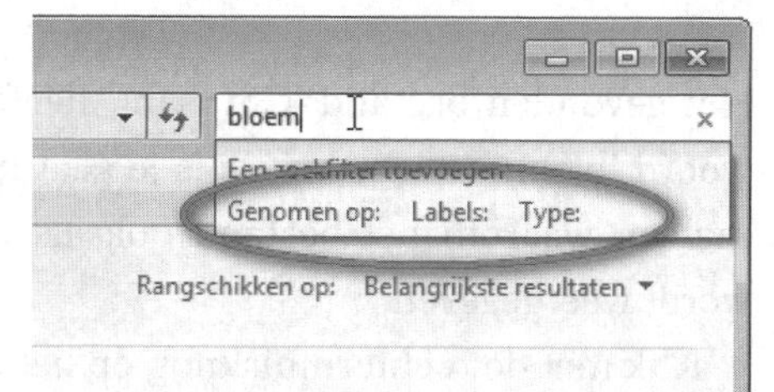

Hiermee kun je zoekcriteria toevoegen aan het originele zoekcriterium 'bloem'. Je kunt bij afbeeldingen kiezen uit 'Genomen op', 'Labels' en 'Type'. 'Genomen op' vermeldt de datum waarop de foto is genomen.

Als je daarop klikt met de linkermuisknop, zie je een kalender waarmee je een datum (of een datumbereik) kunt selecteren. Dit selecteren doe je door op een bepaalde datum te klikken met de muis. Als je op een datumbereik zoekt, klik je op de eerste datum en sleep je de muis met ingedrukte linkermuisknop naar de einddatum. In het voorbeeld hieronder is het bereik 4 januari 2010 tot en met 9 januari 2010 geselecteerd. Je ziet in het zoekveld een weergave van wat je net hebt geselecteerd.

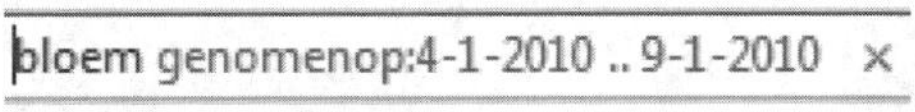

bloem genomenop:4-1-2010 .. 9-1-2010 ×

Doordat je nu dit criterium hebt toegevoegd, verdwijnt het uit de lijst met toe te voegen selectiecriteria en zie je weer nieuwe mogelijkheden om op te zoeken.

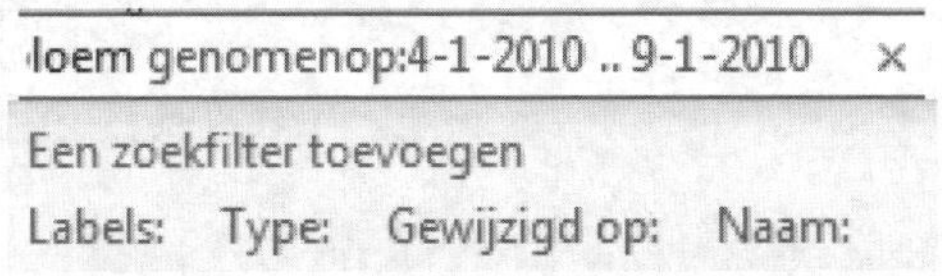

loem genomenop:4-1-2010 .. 9-1-2010 ×

Een zoekfilter toevoegen

Labels: Type: Gewijzigd op: Naam:

Door hiervan gebruik te maken kun je steeds verder verfijnen wat je precies zoekt. Windows 7 houdt rekening met de bibliotheek waar je zit door suggesties te geven die bij de bibliotheek passen. Bij de bibliotheek 'Muziek' zie je bijvoorbeeld de zoekcriteria 'Album', 'Artiesten' en 'Genre' die je bij de bibliotheek 'Afbeeldingen' niet zult tegenkomen.

Dan is er nog een laatste handige optie. Stel, je bent in een bibliotheek aan het zoeken, maar je weet niet zeker of dat wat je zoekt ook echt in die bibliotheek is opgeslagen. Het zou kunnen zijn dat bepaalde bestanden in een volledig andere map zijn opgeslagen en niet in de juiste bibliotheek.

Klik in dat geval met de linkermuisknop op de optie 'Aangepast' onder de zoekresultaten.

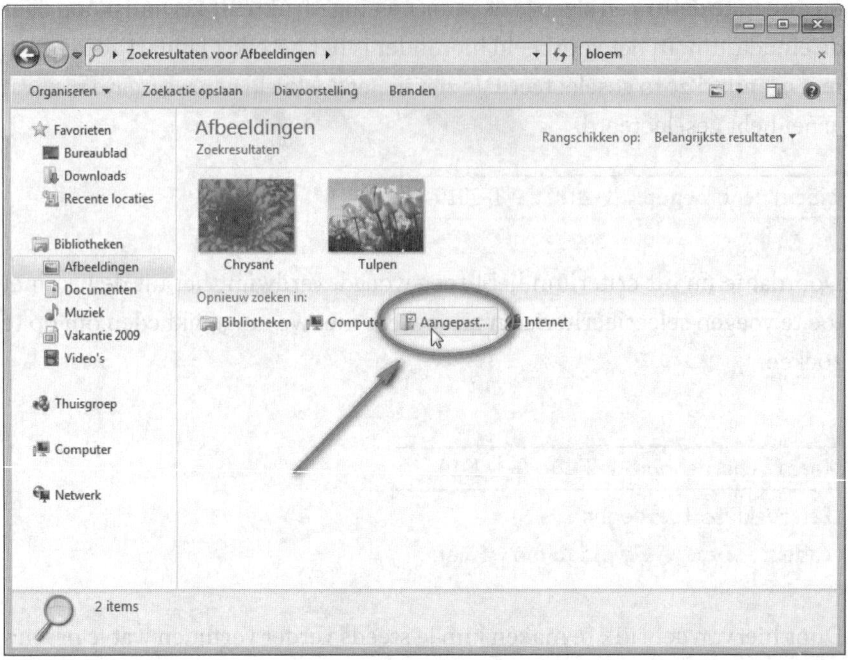

Zoekresultaten voor Afbeeldingen
bloem
Organiseren
Zoekactie opslaan
Diavoorstelling
Branden
Favorieten
Bureaublad
Downloads
Recente locaties
Bibliotheken
Afbeeldingen
Documenten
Muziek
Vakantie 2009
Video's
Thuisgroep
Computer
Netwerk
Afbeeldingen
Zoekresultaten
Rangschikken op: Belangrijkste resultaten
Chrysant
Tulpen
Opnieuw zoeken in:
Bibliotheken
Computer
Aangepast...
Internet
2 items

Je ziet nu een nieuw venster waarmee je extra zoeklocaties kunt toevoegen.

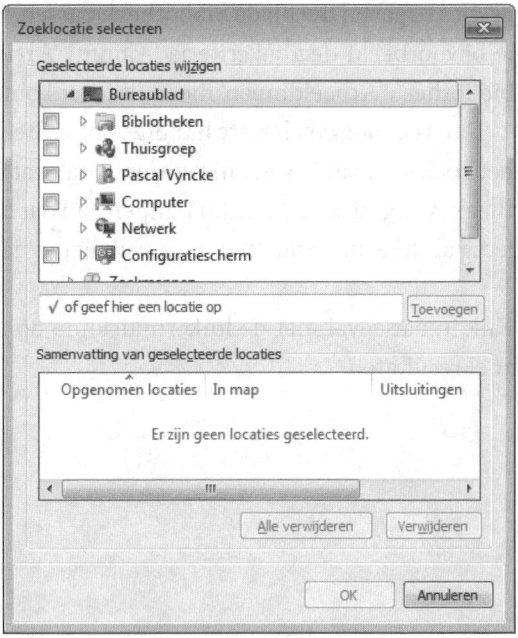

Zoeklocatie selecteren
Geselecteerde locaties wijzigen
Bureaublad
Bibliotheken
Thuisgroep
Pascal Vyncke
Computer
Netwerk
Configuratiescherm
√ of geef hier een locatie op
Toevoegen
Samenvatting van geselecteerde locaties
Opgenomen locaties
In map
Uitsluitingen
Er zijn geen locaties geselecteerd.
Alle verwijderen
Verwijderen
OK
Annuleren

Stel dat je helemaal niet meer weet waar de door jou gezochte bestanden staan en over de hele computer wilt zoeken. Klik dan in de bovenste lijst op 'Computer'. Er komt een vinkje voor 'Computer' te staan en je ziet in de onderste lijst dat 'Computer' is toegevoegd als te doorzoeken locatie.

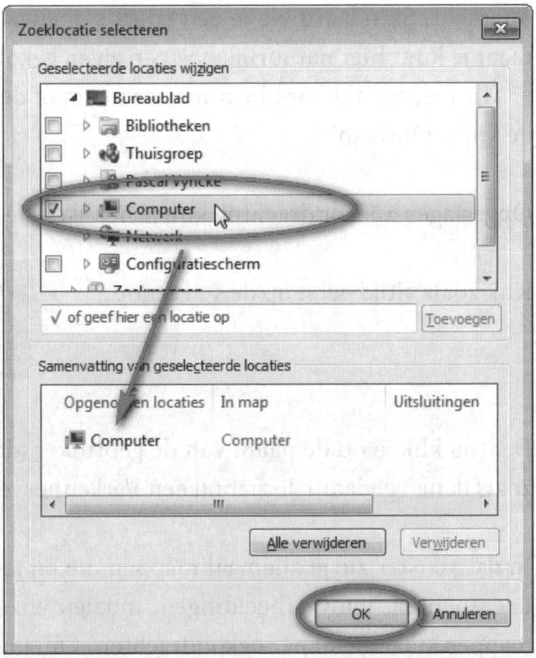

Als je op een verkeerde locatie hebt geklikt, kun je deze selecteren in de onderste lijst en op de knop 'Verwijderen' klikken. Alle extra zoeklocaties verwijder je door op de knop 'Alles verwijderen' te klikken.

Als je de juiste zoeklocatie hebt toegevoegd, klik je op de knop 'OK' of op 'Annuleren' als je geen extra zoeklocaties wilt toevoegen.

Soms komt een bepaalde zoekopdracht vaker voor. Bijvoorbeeld als je alle documenten in één map bewaart en je vaak alleen de documenten van de zeilvereniging als overzicht wilt hebben, of alleen de mail van een verzekeringsmaatschappij.

Voor zulke situaties, vaker voorkomende en gelijke zoekopdrachten, kun je een zoekopdracht opslaan.

Om jouw zoekcriteria op te slaan, klik je met de linkermuisknop op de knop 'Zoekactie opslaan'. Je ziet dan een venster 'Opslaan als' waarin je een bestandsnaam kunt invoeren. Deze bestandsnaam staat dan voor de zoekopdracht. Standaard zie je een soort samenvatting van jouw zoekcriteria, maar je kunt hier natuurlijk ook een eigen gekozen naam invoeren.

Wanneer je akkoord bent met de naam of deze hebt gewijzigd, klik je op de knop 'Opslaan'.

Opgeslagen zoekopdrachten kun je bekijken. Je handelt dan als volgt.

Klik zoals altijd eerst op de startknop.

Daarna klik je op de naam van de gebruiker (doorgaans je eigen naam, net zoals ik heb gedaan). Je ziet nu een Verkennervenster.

In dat venster zie je allemaal mappen die bij jou als gebruiker horen: jouw documenten, jouw afbeeldingen, muziek enzovoort. Onderaan dat rijtje mappen staat de map 'Zoekopdrachten'. Om jouw zoekopdrachten te bekijken, dubbelklik je met de linkermuisknop op die map.

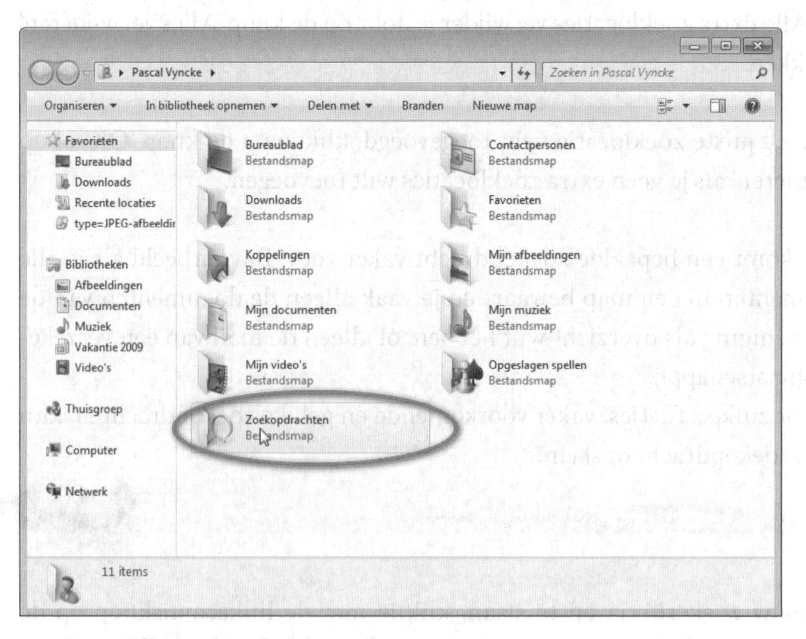

Je ziet nu alle zoekopdrachten die er op jouw computer op dat moment zijn opgeslagen.

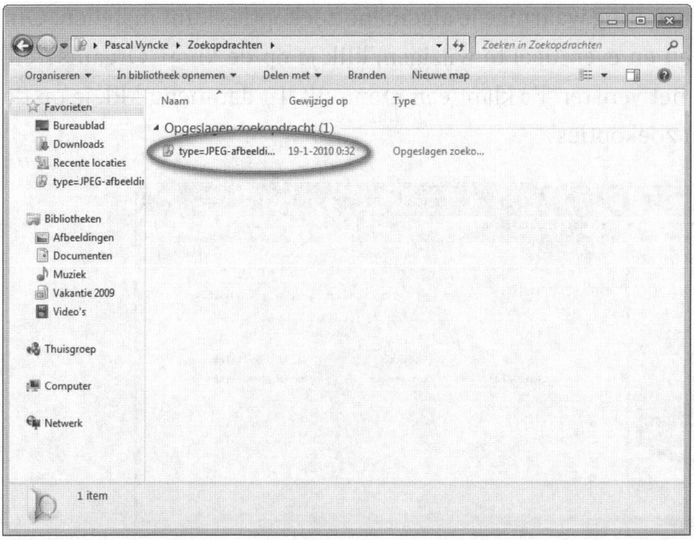

Boven in het venster zie je dat het een map met zoekopdrachten is. Je ziet meteen een bekende. Het is de net door jou opgeslagen zoekopdracht.

Als je nu dubbelklikt op de net opgeslagen zoekopdracht, zie je weer de eerder gevonden afbeelding in het venster verschijnen. Boven in het venster staat de naam die aan die zoekopdracht is gegeven.

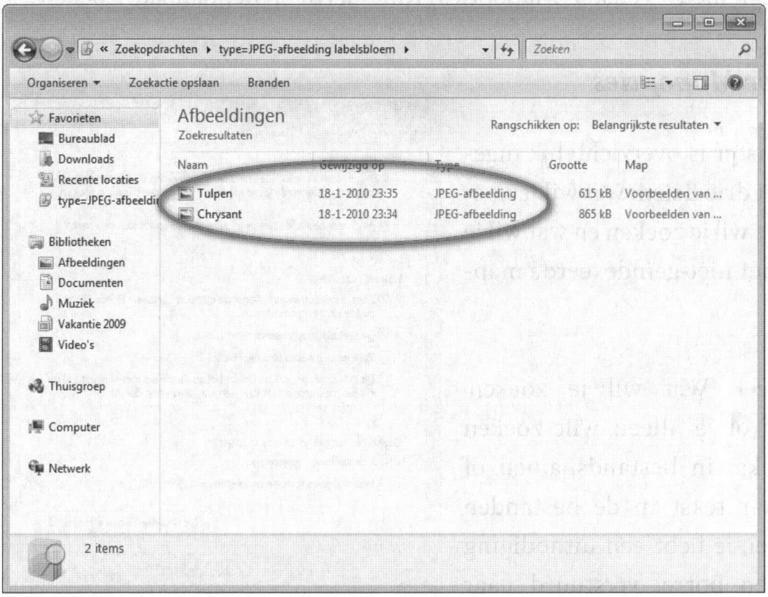

Er is nog een instelling waarmee je algemene zoekopties kunt instellen. Om deze te bekijken en eventueel te wijzigen, klik je op de knop 'Organiseren' linksboven in het venster. Er klapt een menu uit. In dat menu klik je op de optie 'Map- en zoekopties'.

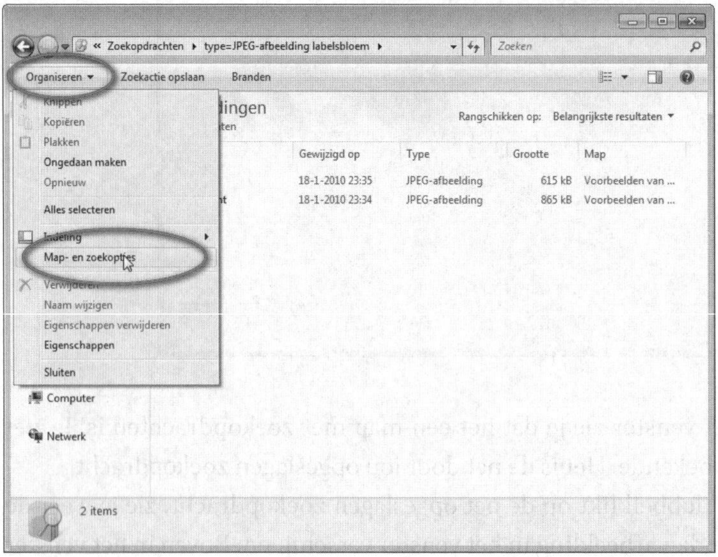

Je ziet een nieuw venster 'Mapopties'. Klik hierin op het tabblad 'Zoeken'.

Venster Mapopties

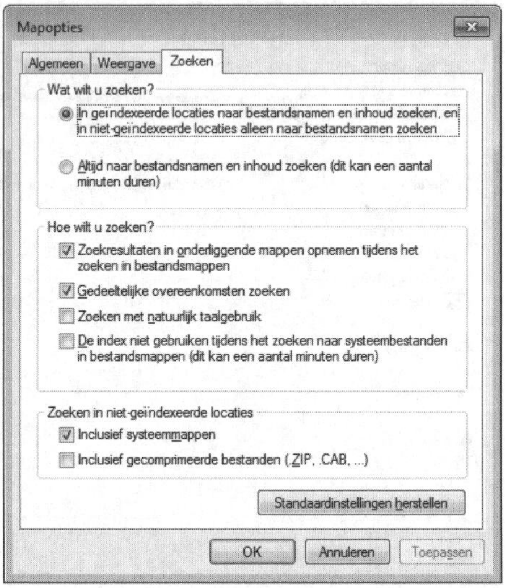

Het venster is overzichtelijk ingedeeld in drie delen: wat wil je zoeken, hoe wil je zoeken en wat wil je doen met niet-geïndexeerde mappen.

Het deel 'Wat wil je zoeken' bepaalt of je alleen wilt zoeken naar tekst in bestandsnamen of ook naar tekst in de bestanden zelf. Stel, je hebt een uitnodiging voor een borrel verstuurd naar diverse mensen. In de tekst van die uitnodiging staat vast het woord 'borrel'. De naam waarmee je die uitnodiging op je harde schijf hebt opgeslagen, is 'uitnodiging 5 juni'.

Veel later wil je die uitnodiging weer even doorlezen, maar je bent vergeten wat de naam van het bestand was. Je weet alleen nog dat het een erg geslaagde borrel was. Als je alleen in de bestandsnamen zou zoeken naar het woord borrel, vind je die uitnodiging nooit meer terug want in de naam van het bestand staat het woord borrel niet. Als je nu de pc ook laat zoeken in de bestanden zelf, in plaats van alleen in de bestandsnamen, vindt je pc de borreluitnodiging wél weer terug.

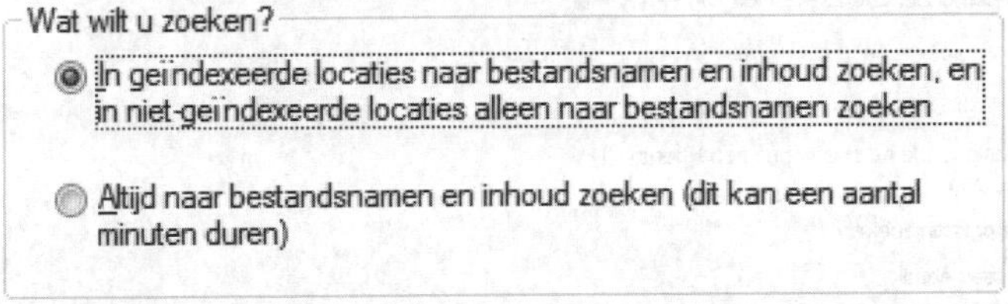

Wat wilt u zoeken?

In geïndexeerde locaties naar bestandsnamen en inhoud zoeken, en in niet-geïndexeerde locaties alleen naar bestandsnamen zoeken

Altijd naar bestandsnamen en inhoud zoeken (dit kan een aantal minuten duren)

In het deel 'Hoe wil je zoeken' geef je aan of de pc al moet beginnen met zoeken nadat je de eerste letter (of cijfer) van het zoekwoord hebt getypt. Je kunt ook aangeven of je wilt zoeken naar volledige namen die exact overeenkomen, of dat je naar delen van namen gaat zoeken. Wij hebben daar bij onze eigengemaakte zoekopdracht gebruik van gemaakt. We zochten op de letter 'b' terwijl de volledige bestandsnaam 'bosbloemen' was (er wordt geen onderscheid gemaakt tussen hoofdletters en kleine letters).

De optie 'Zoeken met natuurlijk taalgebruik' is een vrij geavanceerde optie waarmee je op een andere wijze naar bestanden kunt zoeken. Bij de onderste optie van dat deel bepaal je of de index wel of niet wordt gebruikt tijdens het zoeken. Houd er rekening mee dat zoeken zonder gebruik te maken van de index erg lang kan duren.

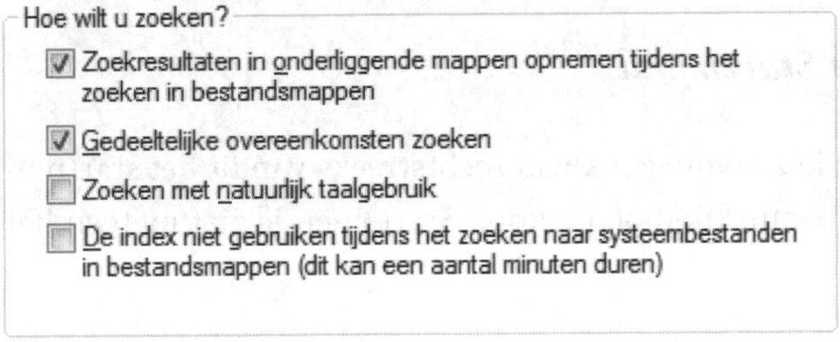

Hoe wilt u zoeken?

Zoekresultaten in onderliggende mappen opnemen tijdens het zoeken in bestandsmappen

Gedeeltelijke overeenkomsten zoeken

Zoeken met natuurlijk taalgebruik

De index niet gebruiken tijdens het zoeken naar systeembestanden in bestandsmappen (dit kan een aantal minuten duren)

In het onderste blokje met twee opties bepaal je of je ook in de systeembestanden wilt laten zoeken en of je ook in gecomprimeerde mappen wilt zoeken zoals zip-bestanden.

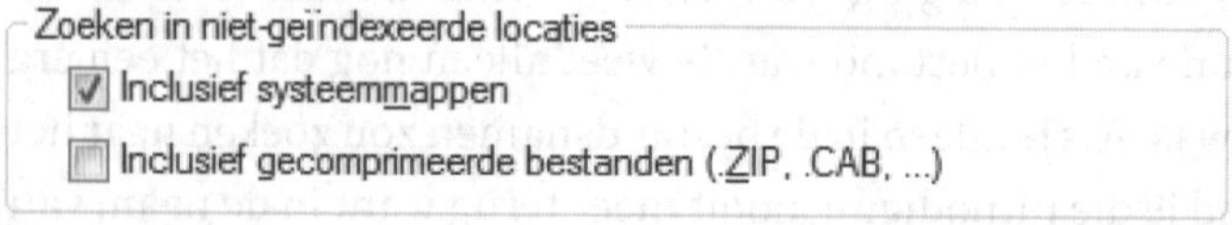

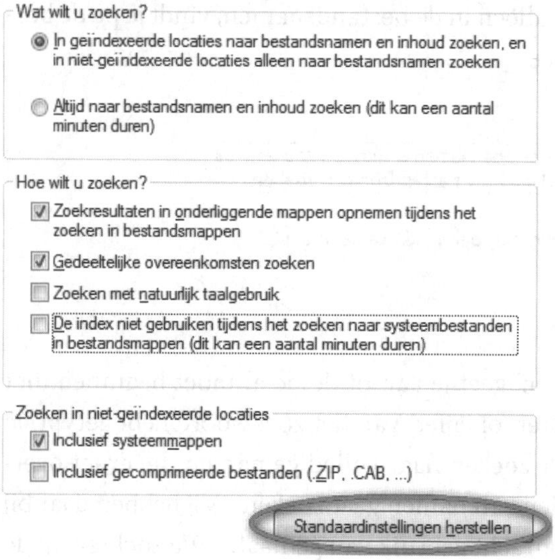

Wil je alle instellingen in dit venster weer terugzetten naar de standaardwaarden, klik dan op de knop 'Standaardinstellingen herstellen'.

Wanneer je alles naar tevredenheid hebt ingesteld, klik je op de knop 'OK' of op de knop 'Annuleren', wanneer je wilt stoppen zonder een instelling te wijzigen.

Zoeken vanuit het Startmenu

Je hebt nog een tweede zoekmogelijkheid rechtstreeks vanuit het startmenu. Klik met de linkermuisknop op de knop Starten en je ziet meteen het zoekveld.

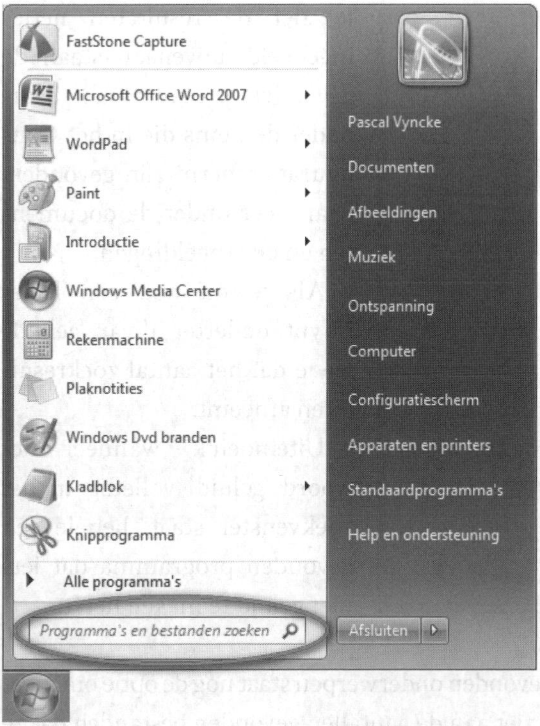

Deze zoekmogelijkheid gebruik je om programma's te zoeken, maar je zoekt dan ook in alle geïndexeerde mappen en in je internethistorie. Laten we een voorbeeld bekijken.

Stel, je wilt zoeken welke programma's je op je pc hebt waarmee je iets met geluid kunt doen.

Klik met de muis op de startknop en begin het woord 'geluid' in het zoekveld te typen. Typ langzaam zodat je ziet welke zoekresultaten Windows 7 allemaal geeft. Wanneer je bijvoorbeeld nog maar twee letters hebt ingetypt, 'ge', dan zie je de volgende zoekresultaten van Windows 7 gepresenteerd.

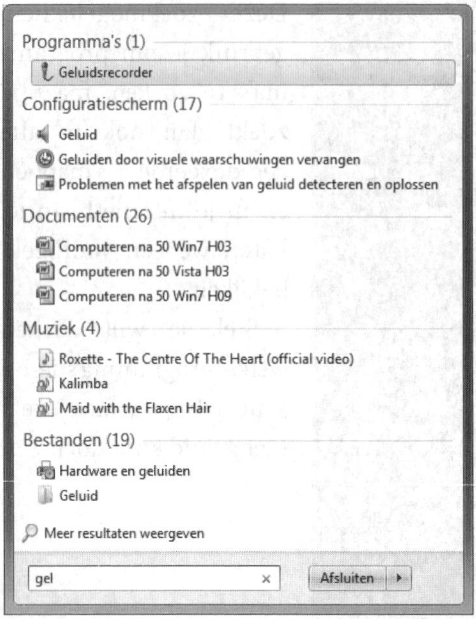

Je ziet de resultaten netjes ingedeeld, bovenaan staan de gevonden programma's, daaronder de items die in het Configuratiescherm zijn gevonden, daar weer onder de documenten en de afbeeldingen.

Als je nu nog een letter intypt, de letter 'l' van 'geluid', zie je dat het aantal zoekresultaten afneemt.

Uiteindelijk, wanneer het woord 'geluid' volledig in het zoekvenster staat, heb je een gevonden programma dat iets met geluid te maken heeft.

Onderaan in het lijstje van gevonden onderwerpen staat nog de optie om meer resultaten weer te geven. Je ziet aan de aantallen gevonden bestanden dat ze niet allemaal in het venster passen. Als je op de link 'Meer resultaten weergeven' klikt, zie je een nieuw venster waarin álle gevonden bestanden staan.

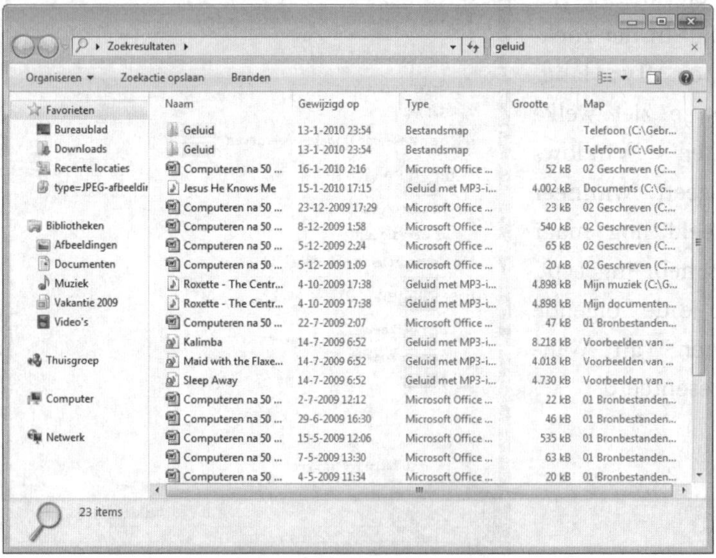

Als je met de schuifbalk rechts helemaal naar onderen scrolt, zie je de bekende knoppen die je eerder bij de zoekvensters zag. Hier staat nog een erg handige knop bij.

Opnieuw zoeken in:
Bibliotheken Computer Aangepast... Internet

We hebben net gezocht op 'geluid'. Door nu op de knop 'Internet' te klikken, opent Internet Explorer en zoekt met de standaard ingestelde zoekmachine verder op internet naar 'geluid'.

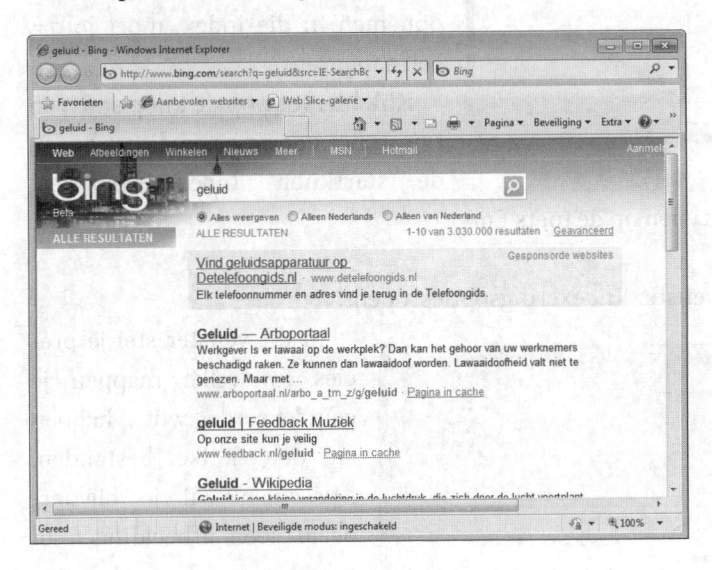

Een stukje 'ondergrondse' techniek

Windows 7 maakt gebruik van een speciale techniek zodat gebruikers, jij en ik, snel kunnen zoeken. Deze techniek heet indexeren. Standaard indexeert Windows 7 alle mappen die bij een bepaalde gebruiker horen, alle documenten, afbeeldingen, muzieknummers enzovoort. Daardoor is het niet nodig dat alle bestanden stuk voor stuk doorgezoch t moeten worden, maar kan er snel in de – door Windows 7 aangemaakte – index worden gezocht. Dit gaat stukken sneller dan wanneer zonder die index wordt gezocht. Je kunt een index ongeveer zien als een register in een boek. Je hoeft niet alle pagina's door te bladeren om iets te zoeken, maar je kijkt in het register, vindt het

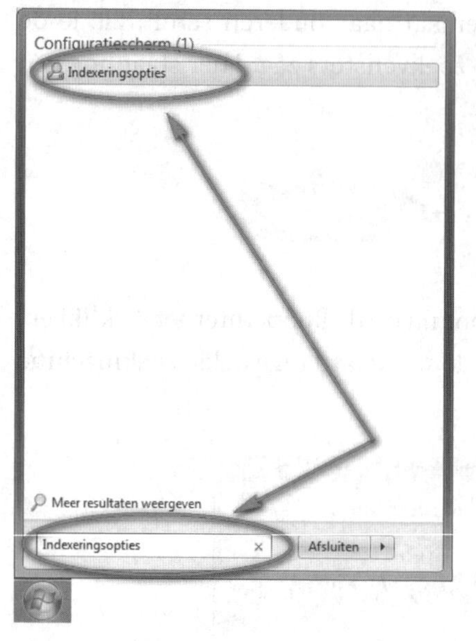

woord dat je zoekt en meteen het paginanummer erbij. Je opent het boek meteen op dat paginanummer en je hebt gevonden wat je zocht.

Zoals gezegd, alleen jouw mappen en bestanden worden geïndexeerd, niet van andere gebruikers van je pc of van apart aangemaakte mappen in de hoofdmap van de computer. Wanneer je ook andere mappen wilt opnemen in die index, moet je dat zelf aangeven.

Klik hiervoor op de knop start, en typ in het zoekvenster direct boven de startknop 'Indexeringsopties'. Druk na het intypen op de toets Enter.

Je ziet dat het venster 'Indexeringsopties' opent.

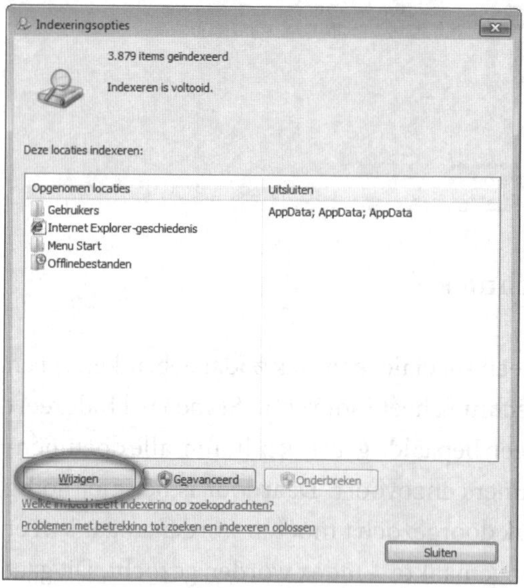

In dit venster stel je precies in welke mappen je geïndexeerd wilt hebben en ook welke bestanden. Misschien wil je bijvoorbeeld geen afbeeldingen of geluidsbestanden in de index opnemen, maar enkel tekstbestanden.Om te bepalen welke mappen er wel en niet moeten worden geïndexeerd, klik je op de knop 'Wijzigen'. Een nieuw venster opent.

Je ziet nu geen extra mappen staan, alleen de mappen die in het vorige venster al zichtbaar waren. Boven in het venster staan de mappen die geïndexeerd worden. Als je wilt, kun je door op de grijze vlakjes te klikken die mappen wel of niet laten indexeren. Je hebt de mogelijkheid om de hele schijf te laten indexeren, maar dat is doorgaans niet zinvol. Het kost veel processortijd en meestal zoek je bestanden in je eigen gebruikersomgeving en niet in bijvoorbeeld systeembestanden van Windows die in zo'n situatie ook geïndexeerd zouden worden. Als je in detail wilt aangeven welke mappen geïndexeerd moeten worden, klik je op de knop 'Alle locaties weergeven'. Merk op dat deze knop is voorzien van een schildachtig pictogram. Dat houdt in dat je jouw keuze extra moet bekrachtigen om aan te geven dat je zeker die keuze wilt maken.

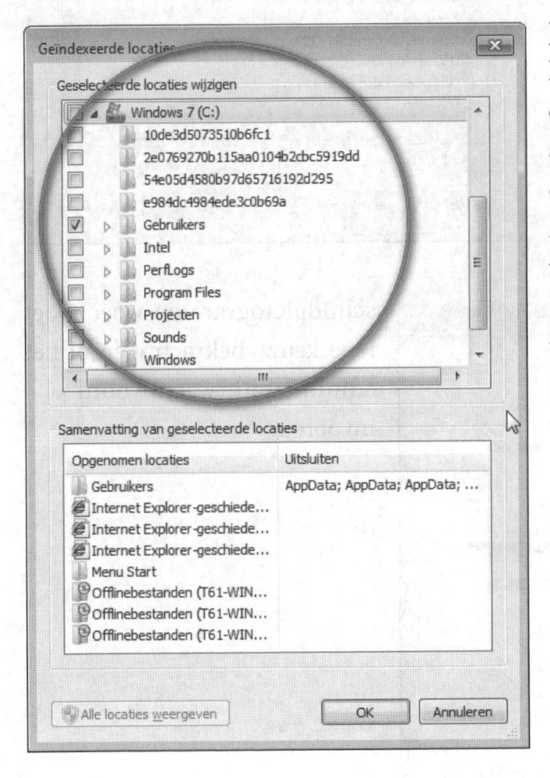

Je ziet nu in detail welke mappen worden geïndexeerd onder andere van alle gebruikers die op de computer zijn aangemeld. Als je nu mappen wilt toevoegen, klik je op het driehoekje rechts van het grijze vakje om de mappen van de C-schijf zichtbaar te maken.

Je ziet dat de map gebruikers inderdaad wordt geïndexeerd; er staat een vinkje voor die map. Stel, we willen de map Projecten ook opnemen in de index. Je klikt dan met de linkermuisknop in het grijze vakje links naast de mapnaam Projecten. Meteen zie je in het onderste vak dat de map Projecten in de index is opgenomen.

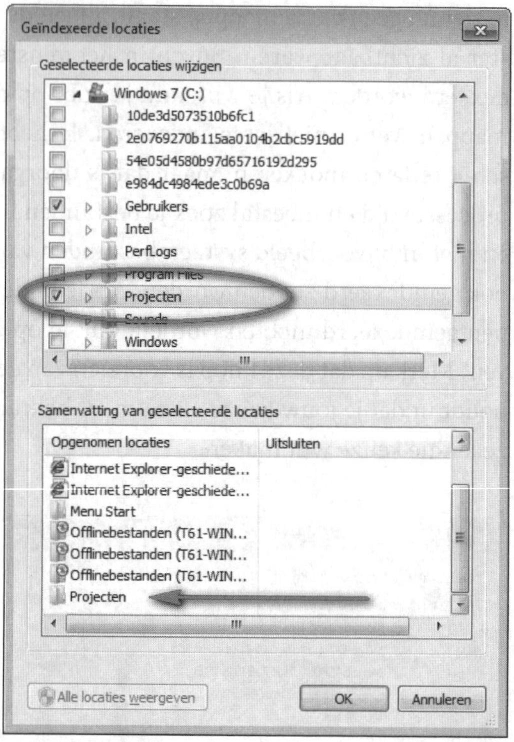

Geïndexeerde locaties
Geselecteerde locaties wijzigen
Windows 7 (C:)
10de3d5073510b6fc1
2e0769270b115aa0104b2cbc5919dd
54e05d4580b97d65716192d295
e984dc4984ede3c0b69a
Gebruikers
Intel
PerfLogs
Program Files
Projecten
Sounds
Windows
Samenvatting van geselecteerde locaties
Opgenomen locaties | Uitsluiten
Internet Explorer-geschiede...
Internet Explorer-geschiede...
Menu Start
Offlinebestanden (T61-WIN...
Offlinebestanden (T61-WIN...
Offlinebestanden (T61-WIN...
Projecten
Alle locaties weergeven
OK
Annuleren

Klik nu op de knop 'OK' om jouw keuze vast te leggen. Je komt dan weer in het venster 'Indexeringsopties' terug. Klik nu op de knop 'Geavanceerd'. Ook deze knop is voorzien van het schildpictogram en weer moet je je keuze bekrachtigen of het administratorwachtwoord invoeren.

Geavanceerde opties
Instellingen voor indexeren | Bestandstypen
Bestandsinstellingen
Versleutelde bestanden indexeren
Identieke woorden die alleen verschillen in leestekens als aparte woorden behandelen
Probleemoplossing
Index verwijderen en opnieuw samenstellen
Opnieuw samenstellen
Problemen met betrekking tot zoeken en indexeren oplossen
Locatie indexeren
Huidige locatie:
C:\ProgramData\Microsoft
Nieuwe locatie, nadat de service opnieuw is gestart:
Nieuwe locatie
Meer informatie over indexeren
OK
Annuleren

In dit venster kun je extra opties aangeven. Meestal volstaat het om de standaardwaarden hier gewoon over te nemen. Wat wel handig kan zijn, is het tabblad 'Bestandstypen' bovenaan in het venster. Klik daarop met de muis.

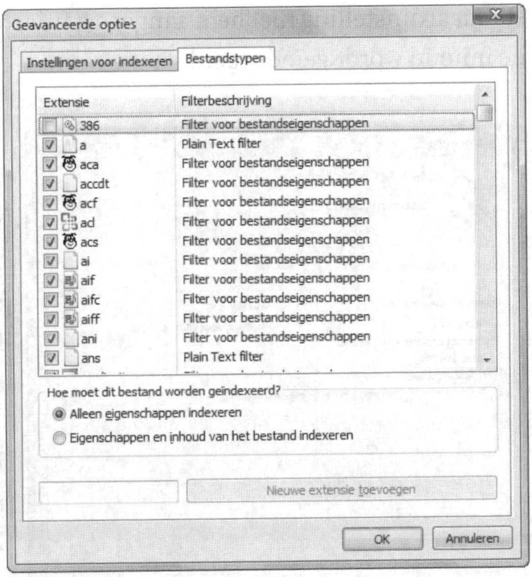

Je ziet nu een lijst met alle bekende bestandstypen. Bij sommige bestandstypen staat een vinkje, bij andere niet. Elk bestandstype waar een vinkje voor staat, wordt opgenomen in de index.

Onder de lijst staan twee opties die je per bestand kunt aangeven.

De optie 'Eigenschappen en inhoud van het bestand indexeren' is vooral voor tekstdocumenten erg handig. Als je de lijst doorbladert en op sommige bestandstypen klikt, zul je zien dat voor tekstbestanden het doorzoeken van de inhoud ook altijd aan staat.

Praktisch gesproken betekent het dat als je zoekt op bijvoorbeeld het woord 'vergaderverslag', je alle bestanden zult vinden waarin dat woord voorkomt. Als je tenminste de standaardinstelling niet hebt aangepast waarbij van alle tekstbestanden ook de inhoud wordt geïndexeerd.

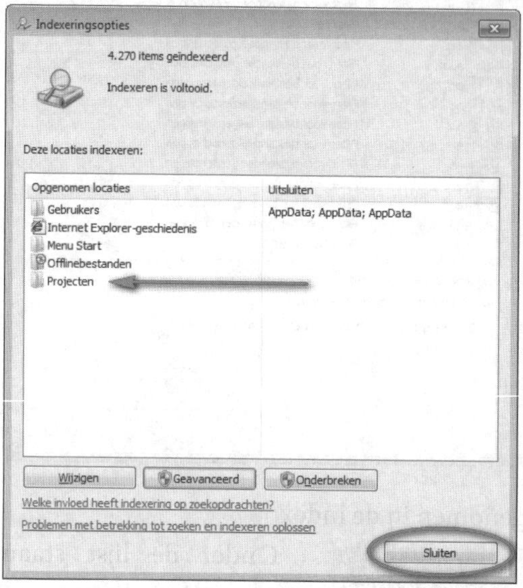

Klik op de knop 'OK' wanneer je een wijziging hebt doorgevoerd of op de knop 'Annuleren' wanneer je gewoon wilt stoppen met dit venster. Je komt weer terug in het venster 'Indexeringsopties'.

Je ziet dat de map Projecten nu is opgenomen in de index. Klik op Sluiten om het venster te sluiten.

Een laatste woord over het indexeren. In eerste instantie denk je misschien dat je alles wilt indexeren. Altijd snelle zoekacties! Er zit echter een negatief aspect aan om alles te laten indexeren.

Net als dat het maken van een register in een boek tijd kost, kost het de computer ook tijd om alle bestanden te indexeren. Wanneer je dus heel veel bestanden laat indexeren, wordt je computer navenant trager.

Wees dus heel selectief met wát je wilt opnemen in de index. Windows 7 heeft ook de mogelijkheid om zonder een index te zoeken op tekst en dergelijke. Zoeken op niet-geïndexeerde locaties heet dat dan. Deze vorm van zoeken duurt wel veel langer dan in geïndexeerde mappen zoeken, maar er staat tegenover dat de computer niet steeds bezig is met de index bijwerken.

11 •• REKENEN MET DE COMPUTER

Inleiding

Het kan soms handig zijn om je computer te gebruiken als rekenmachine, ook al heb je thuis ongetwijfeld wel ergens een aparte rekenmachine liggen. Met de computer heb je er steeds een bij de hand. Bovendien is de rekenmachine van de computer krachtiger dan een gewone rekenmachine.

Aan de slag

De rekenmachine van onze computer openen, doen we als volgt. Klik links onderaan op de knop 'Starten', want we willen een programma starten: de rekenmachine.

Nu willen we 'Alle programma's' openen, want via die weg kunnen we de rekenmachine op onze computer vinden. Ga dus met je muisaanwijzer staan boven op 'Alle programma's'.

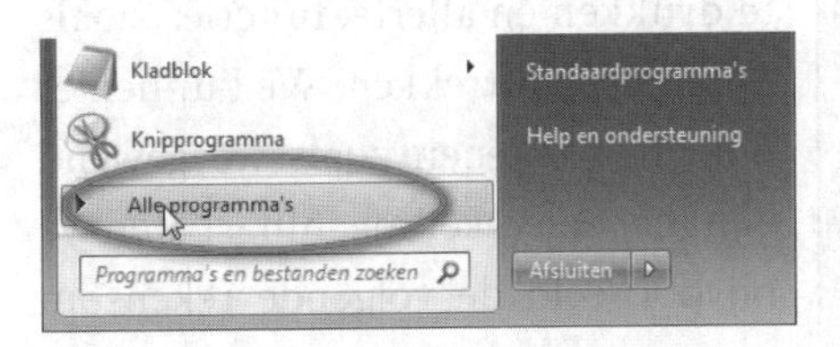

In het menu dat we nu te zien krijgen, ga je naar 'Bureau-accessoires', want de rekenmachine ligt in de 'lade' van de bureau-accessoires op je computer.

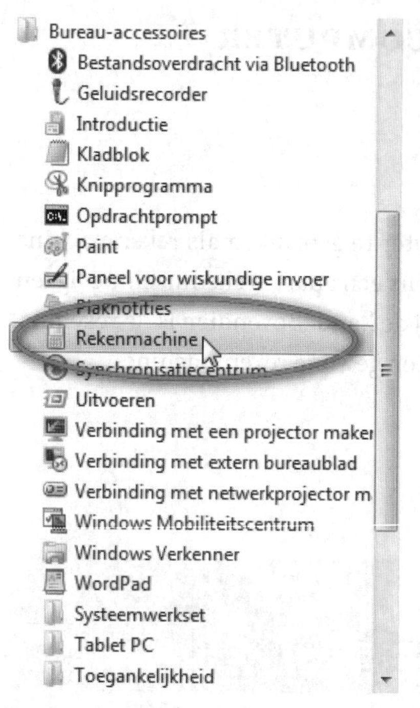

In het menu dat nu verschijnt, klik je met je linkermuisknop op 'Rekenmachine'.

Het programma opent nu op je computer. Het zal eruitzien zoals op de volgende foto.

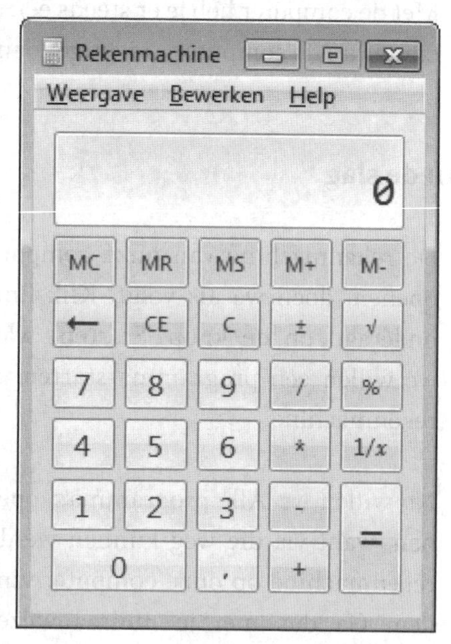

Je ziet de rekenmachine nu voor je. Ze ziet eruit als een klassieke rekenmachine: verschillende cijfers om op

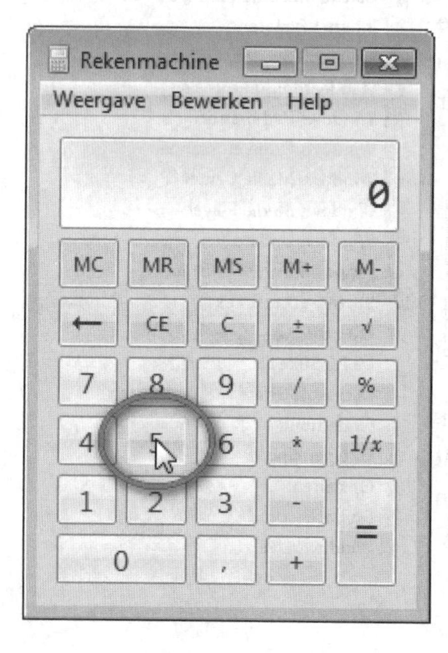

te drukken en allerlei functies, zoals optellen en aftrekken. We kunnen er ook mee rekenen zoals we gewend zijn met een rekenmachine. Laten we bijvoorbeeld de volgende rekensom oplossen: 55 - 12 + 3 = ?

We doen dit door eerst 55 in te geven. Je kunt dit op twee manieren doen: ofwel druk je twee keer de 5 in op je toetsenbord, ofwel klik je met je muis twee keer op de 5 op de rekenmachine.

Je ziet in het witte tekstvak '55' verschijnen. We willen er nu 12 van aftrekken. Net zoals op een gewone rekenmachine druk je nu het minteken in. Je kunt dit opnieuw op twee manieren ingeven:

AZERTY	QWERTY
Via het toetsenbord met het koppelteken – dat helemaal rechts bovenaan op je toetsenbord zit, rechts boven de 9. Soms op een laptop ook wel te vinden op de knop van het cijfer 6 of naast de Backspace-knop. Ofwel door op het scherm op het teken – te klikken met je linkermuisknop.	Via het toetsenbord met het koppelteken – dat helemaal rechts bovenaan op je toetsenbord zit, rechts boven de 9 of naast de knop met het cijfer 0. Ofwel door op het scherm op het teken – te klikken met je linkermuisknop.

Nu drukken we de 12 in die we ervan willen aftrekken. Druk de 12 dus in via je toetsenbord, of klik op de 1 en de 2 op het scherm.

Nu willen we er nog 3 bij optellen. Je geeft nu het plusteken in. Ook dit kun je via twee wegen doen:

AZERTY	QWERTY
Ofwel via het teken + op je toetsenbord (rechts op je toetsenbord, naast de 6), ofwel door met je muis op de + te klikken op het scherm.	Ofwel via het teken + op je toetsenbord (rechts op je toetsenbord, naast de 9 ofwel links van de knop 'Backspace'), ofwel door met je muis op de + te klikken op het scherm.

Druk dan de 3 in: ook weer via je toetsenbord of via het scherm.

AZERTY	QWERTY
Om de uitkomst te krijgen, druk je op het scherm op het teken = (of op je toetsenbord rechts onderaan op de entertoets).	Om de uitkomst te krijgen, druk je op het scherm op het teken = (of op je toetsenbord op de entertoets; te vinden op de derde rij onderaan of rechts op het numerieke toetsenbord).

Je ziet nu de uitkomst bovenaan staan, 46 in ons voorbeeld.

Je kunt naast aftrekken en optellen nog andere dingen doen met de rekenmachine, vermenigvuldigen bijvoorbeeld. Je gebruikt hiervoor het sterretje op het scherm (ofwel het sterretje op je toetsenbord, rechtsboven, boven de 9).

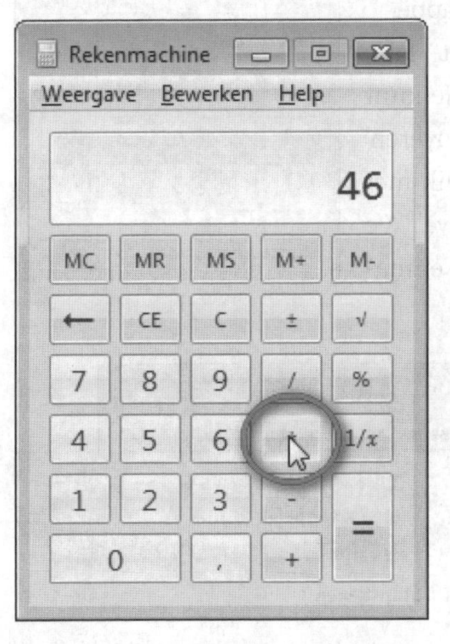

Je kunt ook deelsommen maken met je computer. We schrijven meestal een dubbelpunt om te delen, bijvoorbeeld 6:2. Op de computer wordt daarvoor echter een schuine streep gebruikt: het teken /.

AZERTY	QWERTY
Om dus twee getallen te delen, gebruik je de toets / op het scherm, of de toets / op je toetsenbord (rechtsboven, boven de 8; ofwel op de knop waar ook het dubbelpunt op staat).	Om dus twee getallen te delen, gebruik je de toets / op het scherm, of de toets / op je toetsenbord (direct links van de rechtse Shift-toets en op dezelfde toets waar het ?-teken op staat).

Om het scherm weer leeg te maken, druk je op de 'C'-toets op je scherm, of op de 'Esc'-toets op je toetsenbord (helemaal links bovenaan op je scherm, er staat 'Esc' of 'Escape' op).

Wil je meer functies van de rekenmachine gebruiken, meer wetenschappelijke? Dat kan, ook daarvoor is je computer uitgerust. Je kunt namelijk meer functies tevoorschijn 'toveren' door de volgende actie uit te voeren. Klik met je linkermuisknop op het menu 'Weergave'. We willen namelijk de weergave van onze rekenmachine veranderen.

Druk nu met je linkermuisknop op 'Wetenschappelijk' in het menu dat verschijnt. Je wilt namelijk de uitgebreide versie van de rekenmachine zien: de wetenschappelijke rekenmachine met vele extra functies.

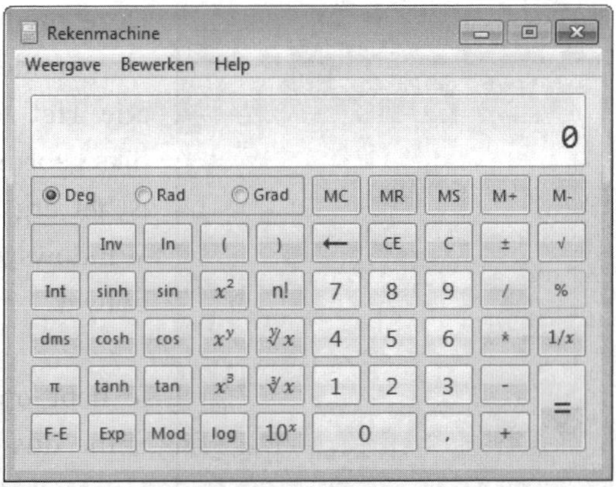

Je krijgt nu de wetenschappelijke modus van de rekenmachine te zien. Je kunt hiermee ook rekenen met de cosinus (cos), tangens (tan) en sinus (sin). Je kunt de faculteit (n!) gebruiken, logaritmen en het getal pi, je kunt rekenen in radialen, graden, gradiÎnten, enzovoort. Zelfs hexadecimaal, octaal of binair rekenen, is mogelijk en je kunt ook statistische berekeningen maken. Uiteraard kun je nog steeds eenvoudige berekeningen als optellen en aftrekken blijven doen.

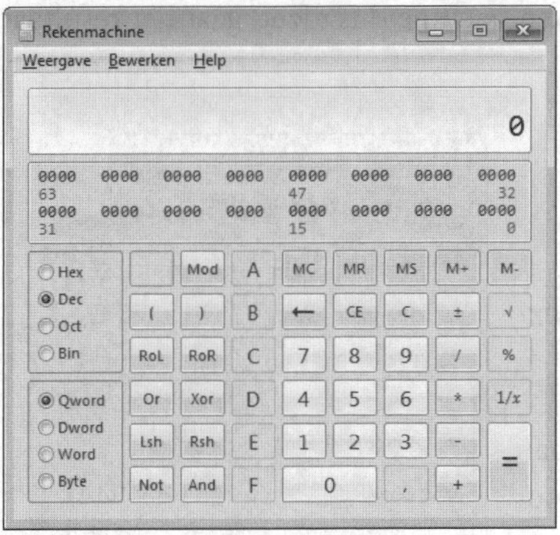

Behalve de wetenschappelijke modus zag je net al in het menu dat je nog meer mogelijkheden hebt. Klik weer op het menu 'Weergave' en daarna op de optie 'Programmeren'.

Met deze functies kun je als programmeur goed uit de voeten. Je hebt mogelijkheden om getallen binair, octaal, decimaal en hexadecimaal in te voeren en om tussen de talstelsels om te rekenen. Ook zie je functies als Or, Xor enzovoort staan.

Er is nog een vierde modus van de rekenmachine ingebouwd, de statistische modus. Klik weer op het menu 'Weergave' en dan op de optie 'Statistieken'. Je ziet nu compleet andere functies.

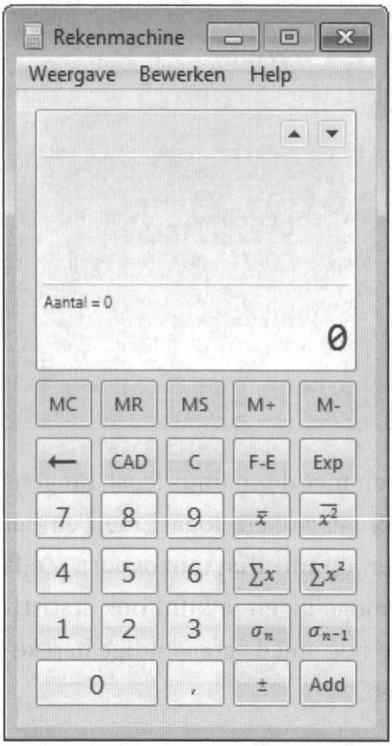

Deze modus bevat statistische functies als gemiddelde, som en standaarddeviatie. Het zijn geen functies die je dagelijks gebruikt, maar als je ze nodig hebt, is het erg handig dat ze standaard met Windows 7 in de rekenmachine zijn ingebouwd.

Je hebt opgemerkt dat je de rekenmachine dus zowel met de computermuis als met het toetsenbord kunt gebruiken. De ene persoon vindt het eenvoudiger met het toetsenbord, de andere met het scherm. Je kunt het dus zelf kiezen, beide zijn evenwaardig. Je kunt de rekenmachine weer afzetten door rechtsboven op het kruisje te klikken. Let op: de uitkomsten van je berekening worden niet door de computer opgeslagen, als je de rekenmachine dus afzet, gaat het resultaat van je berekening verloren.

Extra's

Terug naar de 'gewone' weergave

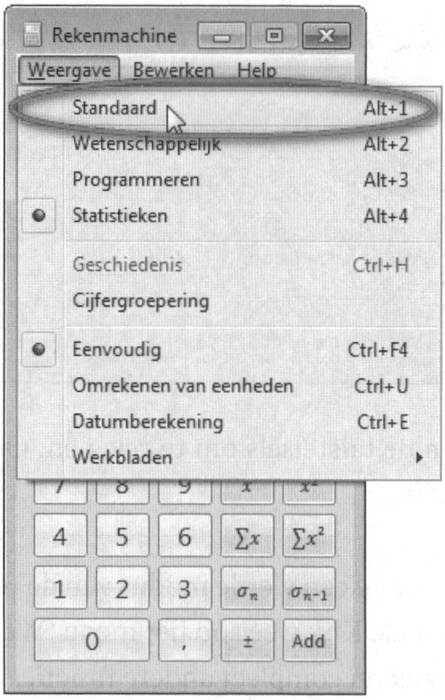

Wil je de andere modi weer ongedaan maken en teruggaan naar de eenvoudige rekenmachine? Doe dan het volgende. Klik met je linkermuisknop bovenaan op 'Weergave'. Klik in het menu dat verschijnt op 'Standaard'.

Cijfers groeperen

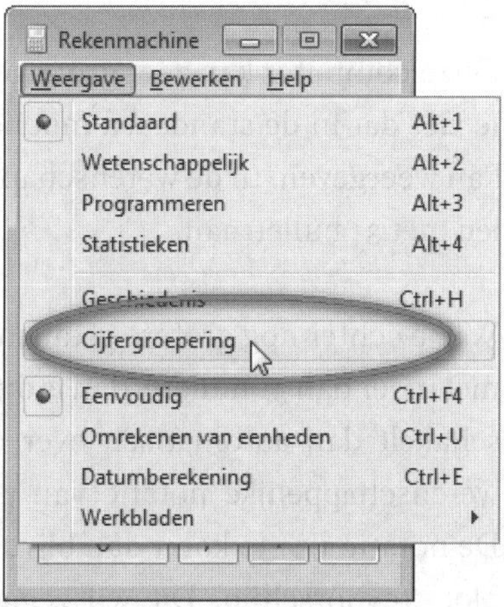

Als we een groot getal schrijven, zoals 1000000, dan is dat eenvoudiger te lezen als het wordt geschreven als 1.000.000. Zo zien we in ÈÈn oogopslag dat we een miljoen bedoelen, terwijl we bij de eerste schrijfwijze de nullen moeten gaan tellen.

Ook onze rekenmachine op de computer kan dit groeperen van cijfers eenvoudig voor je doen. Je stelt het als volgt in. Klik met je linkermuisknop bovenaan op 'Weergave'. Klik vervolgens in het menu dat verschijnt op 'Cijfergroepering'.

Het geheugen gebruiken

Net als met een gewone rekenmachine kun je de computer even iets laten onthouden. Zo kunnen we een bepaalde uitkomst even bewaren, intussen iets anders berekenen en daarna de gevonden uitkomsten combineren met elkaar. Eenvoudiger dan het getal te gaan opschrijven op papier of zo.

- Druk op 'MS' om het getal dat op dat ogenblik in het witte tekstvak is weergegeven, te bewaren voor later gebruik (MS komt van 'memory save').
- Druk op 'MR' om het getal dat je in het geheugen hebt opgeslagen opnieuw op te roepen en weer te geven in het witte tekstvak (MR komt van 'memory recall').
- Druk op 'MC' om het getal dat in het geheugen zit weer te wissen en dus het geheugen leeg te maken (MC komt van 'memory clear').
- Dan heb je nog een laatste toets: 'M+'. Die kun je gebruiken om het getal dat je op dat ogenblik op je scherm hebt staan, op te tellen bij het getal dat reeds in het geheugen zit.

Tip

Als je iets in het geheugen van je rekenmachine hebt zitten, zie je boven de knop 'MC' een 'M' verschijnen (M komt van 'Memory', er zit dus iets in).

Grote getallen

Onze computer kan zeer grote getallen aan. Kijk maar eens naar deze foto. Je ziet dat in de standaard modus de rekenmachine getallen met 15 nullen kan weergeven. In de wetenschappelijke modus kan de rekenmachine getallen met 31 nullen aan.

Wil je echter nog grotere getallen gebruiken (en dan spreken we over cijfers met meer dan 31 nullen), dan is dit nog steeds perfect mogelijk. De computer schakelt dan automatisch over naar de wetenschappelijke notatie van getallen. De notatie 1,e+32 komt dan bijvoorbeeld plots tevoorschijn. Dit wil zeggen: een 1 met 32 nullen erachter. Zo kun je verder rekenen, tot astronomisch grote getallen! Een getal met een 1 en 380.000 nullen erachter is bijvoorbeeld geen probleem! De computer geeft dan het getal weer als bijvoorbeeld 1,e+9096, zoals op de foto te zien is.

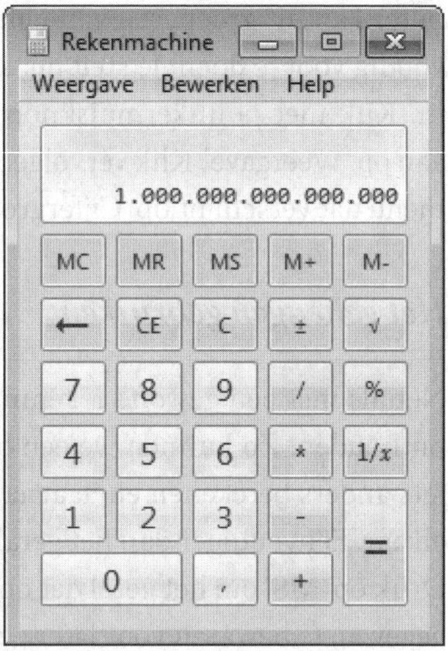

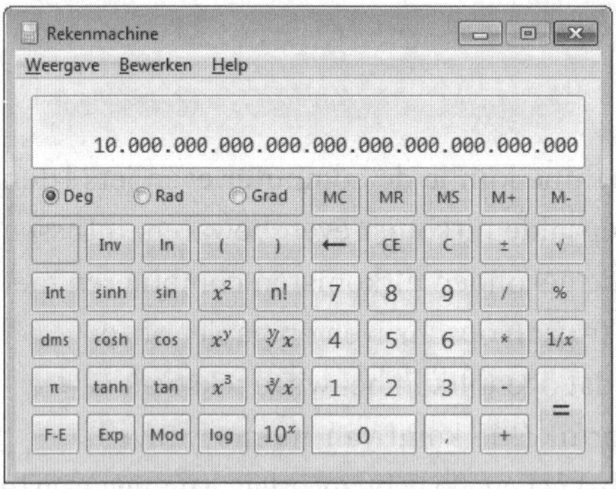

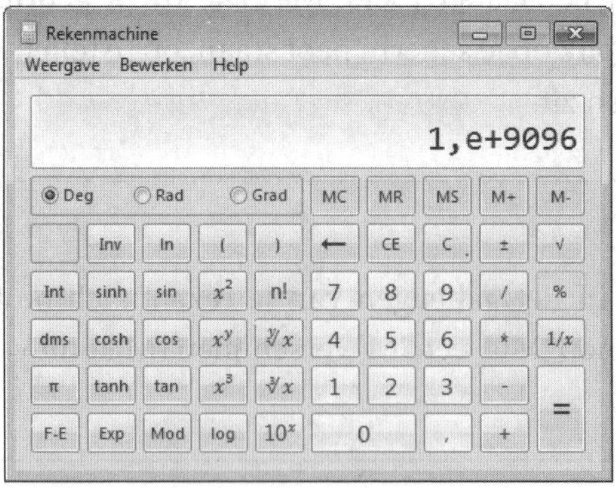

Je computer is dus een gigantisch krachtige rekenmachine, waarmee je dingen kunt doen die met vrijwel geen enkele andere rekenmachine mogelijk zijn!

Zelf wetenschappelijke getallen ingeven

Zelf kun je (in de standaard modus) maar een getal met maximaal 16 cijfers ingeven (bijvoorbeeld een 1 met 15 nullen). Indien je een groter getal wilt ingeven, moet je dus overgaan op wetenschappelijke modus.

Doe dit als volgt. Klik met je linkermuisknop eerst op 'Weergave', en vervolgens op 'Wetenschappelijk' in het menu. Zo krijgen we onze rekenmachine in wetenschappelijke notatie te zien.

Nu kun je een getal met maximaal 32 cijfers invoeren (bijvoorbeeld een 1 met 31 nullen). Wil je nog grotere getallen invoeren, dan voer je de getallen meteen in wetenschappelijke notatie in.

Stel dat we 1,e+244 willen ingeven, dan druk je eerst de 1 in. Druk nu op de knop 'Exp'. Nu kun je de 244 ingeven en zie je 1,e+244 op de rekenmachine verschijnen, waarna je verder kunt rekenen met deze grote getallen.

De rekenmachine heeft nog een paar handige features. Klik weer op het menu 'Weergave'. Klik nu op de optie 'Omrekenen van eenheden'. Je ziet dat de rekenmachine er anders gaat uitzien. Hij vouwt naar rechts uit met drie brede knoppen.

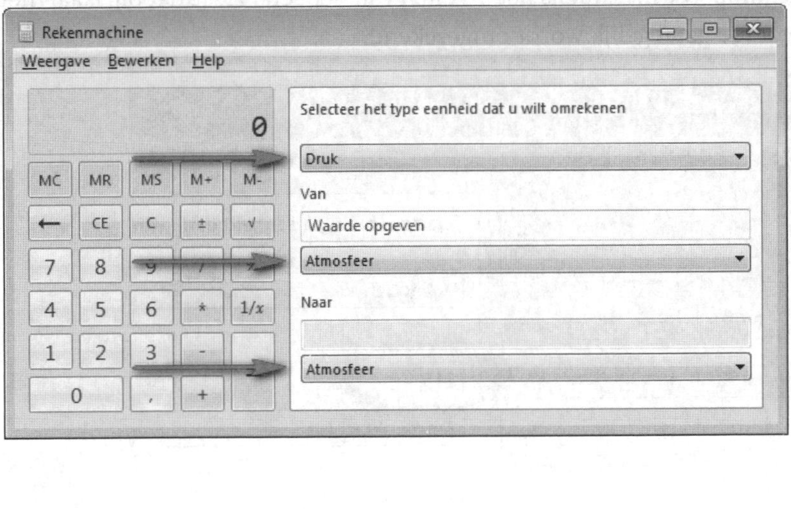

Met deze functie kun je diverse eenheden omrekenen. Klik op de bovenste knop om te zien uit welke eenheden je allemaal kunt kiezen. Als je op die knop klikt, vouwt er een lijst uit.

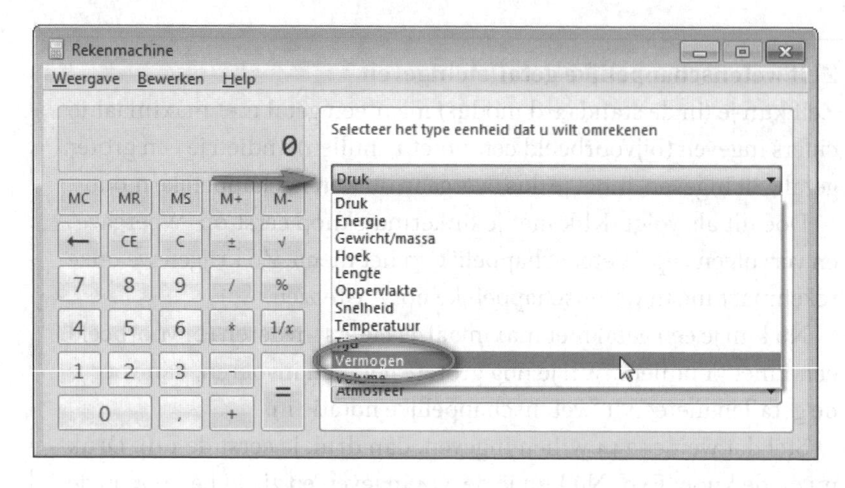

Je kunt onder meer kiezen uit druk, massa en vermogen. Klik met de linkermuisknop op deze optie. Je ziet dat de knoppen eronder nu andere waarden hebben gekregen die bij het begrip vermogen passen. We gaan als voorbeeld het vermogen in paardenkracht omrekenen in kilowatt. Klik op beide knoppen en selecteer de optie 'Paardenkracht' voor de middelste knop en 'Kilowatt' voor de onderste knop. Dan vul je bij 'Van' direct boven de middelste knop '115' in. Tijdens het invullen van het getal zie je dat bij 'Naar' het ingevoerde getal gelijk wordt omgerekend.

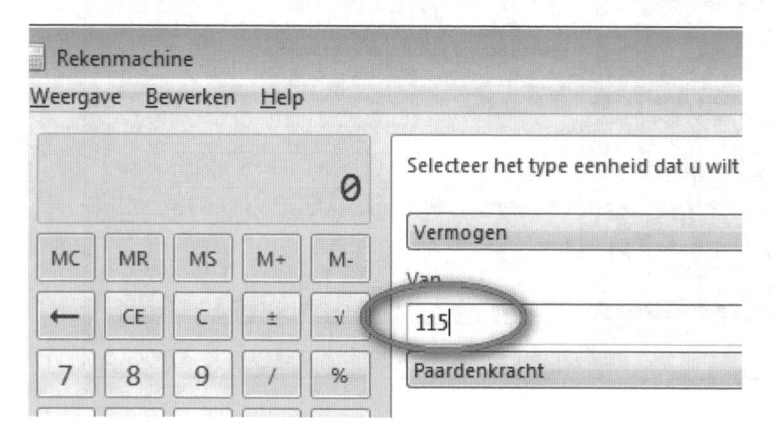

Op dezelfde manier kun je alle andere eenheden omrekenen. Kies eerst bij de bovenste knop wat je wilt omrekenen, dan daaronder welke eenheden en vul de waarden in.

Klik nu weer op het menu 'Weergave' en klik op de optie 'Datumberekening'.

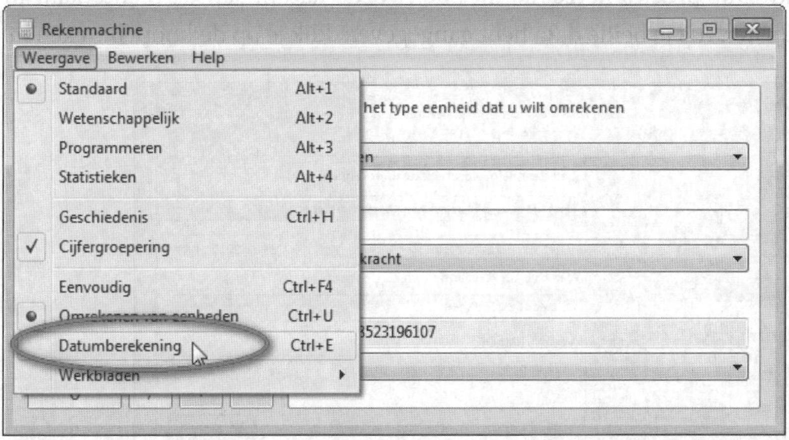

Met deze functie kun je met datums rekenen. Stel dat je bijvoorbeeld wilt weten hoeveel dagen er tussen twee verjaardagen liggen. Voer in de linker datumweergave de eerste datum in via het toetsenbord of klik op het pijltje er rechts naast. In het laatste geval zie je een kalender.

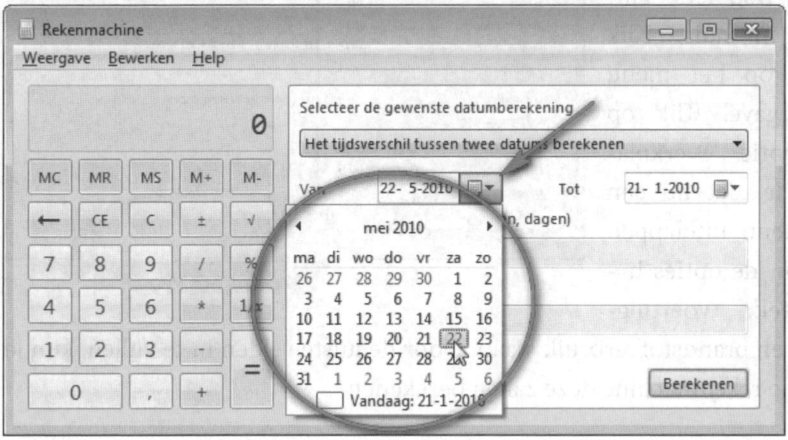

In de kalender kun je wisselen tussen de maanden door op de twee kleine pijltjes naast de maandweergave te klikken.

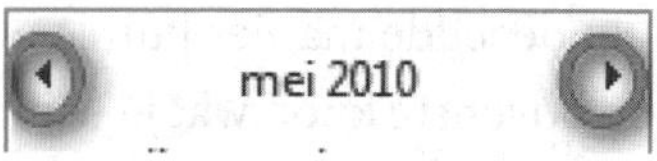

Selecteer nu de juiste maand en klik met de muis op de juiste dag in die maand. Doe precies hetzelfde met de tweede datum aan de rechterkant in het venster. Als je beide data hebt aangegeven, klik je op de knop 'Berekenen'.

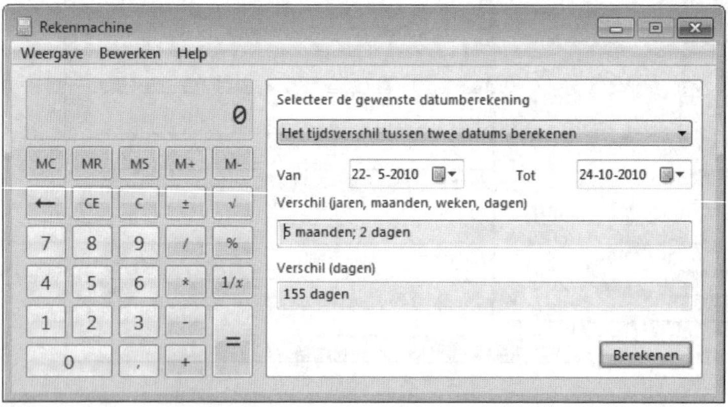

Je ziet het verschil in maanden en dagen, en in aantal dagen.

De rekenmachine heeft nog iets handigs in huis. Klik weer op het menu 'Weergave'. Klik op de optie 'Werkbladen'. Je ziet nu een submenu uitklappen waarin de opties hypotheek, voertuiglease en brandstofverbruik staan. Door de juiste velden in te vullen, kun je met de rekenmachine deze zaken berekenen.

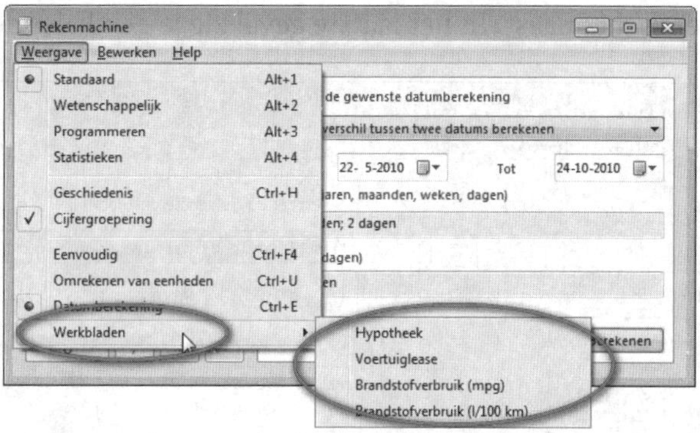

Als je weer terug wilt naar de 'normale' rekenmachine, klik je weer op het menu 'Weergave' en op de optie 'Eenvoudig'.

12 •• ONDERHOUD VAN DE COMPUTER

Datum en tijd juist zetten

Je computer heeft een eigen klok, dat heb je ongetwijfeld al gemerkt. Die bevindt zich rechts onderaan op je computerscherm. Mogelijk staat deze klok niet helemaal juist. We kunnen de tijd echter zo instellen dat hij wel juist is. Als je beschikt over internet, zal je computer zelfs automatisch goed kunnen worden ingesteld!

Om de tijd van je computer te kunnen instellen, moet je rechts onderaan op de tijd klikken met je linkermuisknop. Hiermee openen we meer gegevens over de tijd van onze computer.

Op het scherm dat nu verschijnt, zien we de datum en tijd van onze computer.

In dit venster is niets in te stellen, het geeft alleen informatie weer over tijd en datum. Onder in dit venster zie je de knop 'Instellingen voor datum en tijd wijzigen'. Als je hierop klikt met de linkermuisknop, kun je wel diverse instellingen aanpassen.

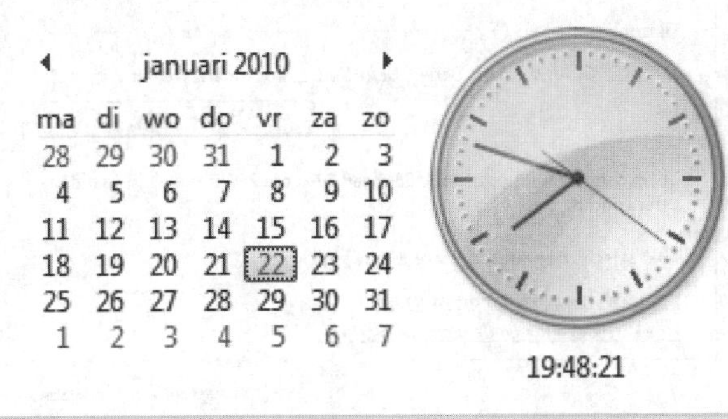

Tijd automatisch goed zetten

De datum en de tijd door je computer automatisch goed laten zetten – we

noemen dit ook wel 'synchroniseren' – gaat als volgt. Een werkende internetverbinding is wel vereist. Klik met je linkermuisknop op 'Internettijd', we willen de tijd namelijk aanpassen.

Je ziet nu een venster dat je meedeelt dat jouw pc automatisch op vaste tijden met de tijdserver 'time.windows.com' wordt gesynchroniseerd. Een tijdserver is een computer ergens in deze wereld die de exacte datum en tijd heeft ingesteld. Deze computers lopen meestal precies gelijk met de atoomklok, die de perfecte datum en tijd geeft tot op een fractie van een seconde. Zo ben je echt zeker van de juiste tijd. Dit instellen is uiteraard kosteloos.

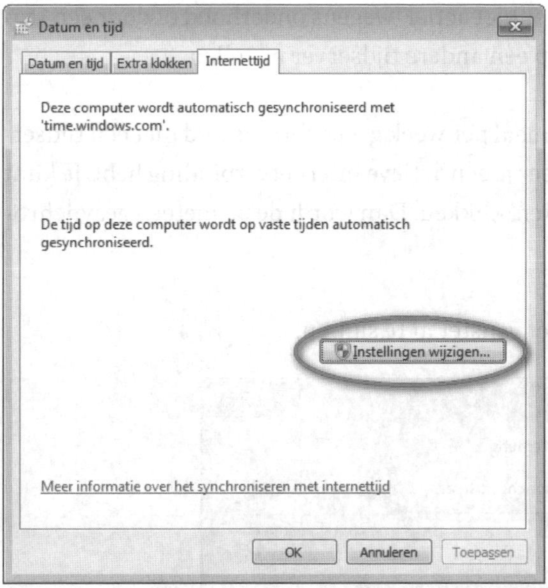

In principe staat alles al helemaal goed en hoef je niets te doen als je de tijd van je pc automatisch goed wilt laten zetten. Je kunt nog wel kijken wat je nog meer kunt instellen. Klik daarvoor op de knop 'Instellingen wijzigen'. Je ziet aan de knop al dat je om een bevestiging wordt gevraagd. Je kunt dat zien aan het schildje, links naast de tekst. Zodra je zo'n schildje ziet, word je om een bevestiging gevraagd of je zeker weet dat je dat wilt doen. En uiteraard weten we dat zeker.

Linksboven in het venster zie je dat er een vinkje staat in het vlakje 'Klok met een internettijdserver synchroniseren'. Als je op dat vlakje klikt, haal je het vinkje weg en wordt je pc niet meer automatisch gesynchroniseerd.

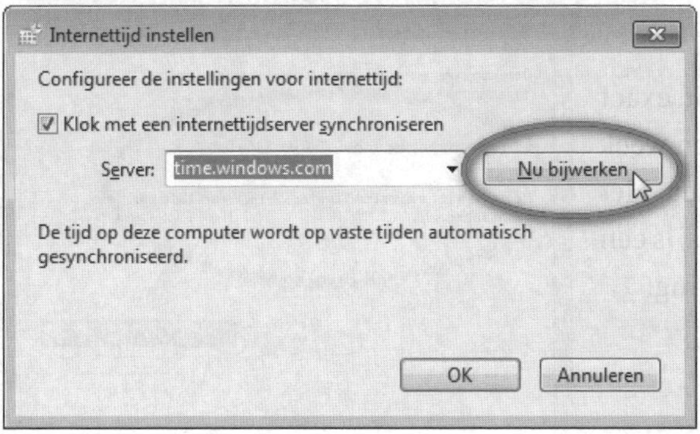

Schuin rechts eronder zie je de lijst met verschillende tijdservers. Je ziet die lijst door op het pijltje rechts naast de naam van de tijdserver te klikken.

Heel af en toe is er een server niet actief (wegens onderhoud of door een storing) en kun je hier je pc op een andere tijdserver instellen.

Standaard wordt de pc eenmaal per week gesynchroniseerd met een tijdserver. Uiteraard alleen wanneer je een actieve internetverbinding hebt. Je kunt ook op de knop 'Nu bijwerken' klikken. Dan wordt de pc meteen gesynchroniseerd.

Klik op de knop 'OK' om het venster af te sluiten.

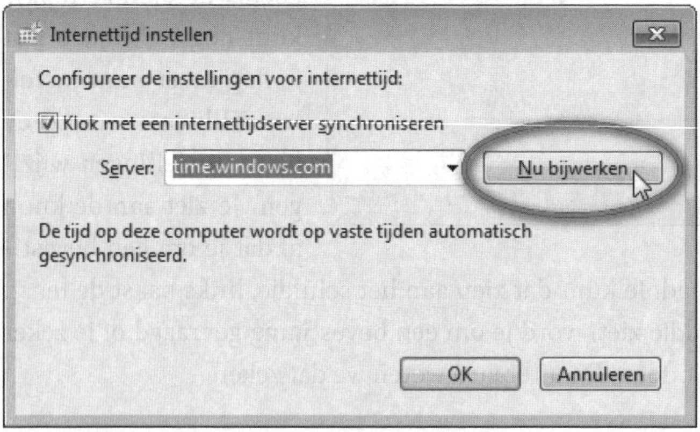

Je komt nu weer in het vorige venster terug en je ziet meteen een bevestiging dat je net hebt gesynchroniseerd.

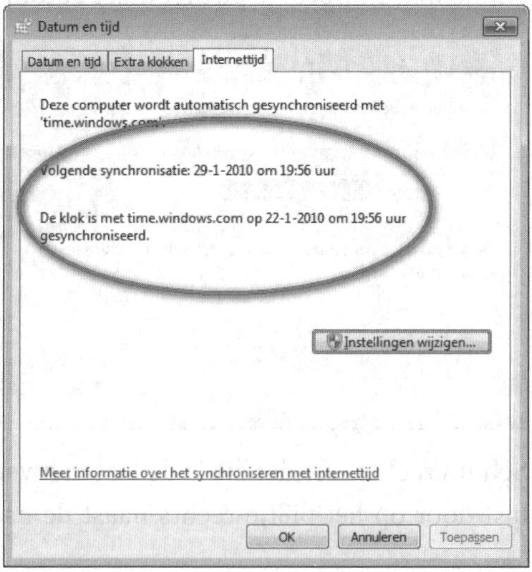

De klok van je pc staat nu exact op tijd en wordt over een week weer exact op tijd gezet. Het enige dat ervoor nodig is, is een actieve internetverbinding.

Links naast het tabblad 'Internettijd' staat het tabblad 'Extra klokken'. Hiermee kun je extra klokken op je pc weergeven uit andere landen of werelddelen. Stel, een vriendin gaat op vakantie naar Tasmanië en je wilt haar af en toe bellen. Dan is het handig om exact te weten hoe laat het daar is. Door het tijdsverschil bel je iemand al snel uit z'n bed als je niet oppast.

Klik met de linkermuisknop op het tabblad 'Extra klokken'.

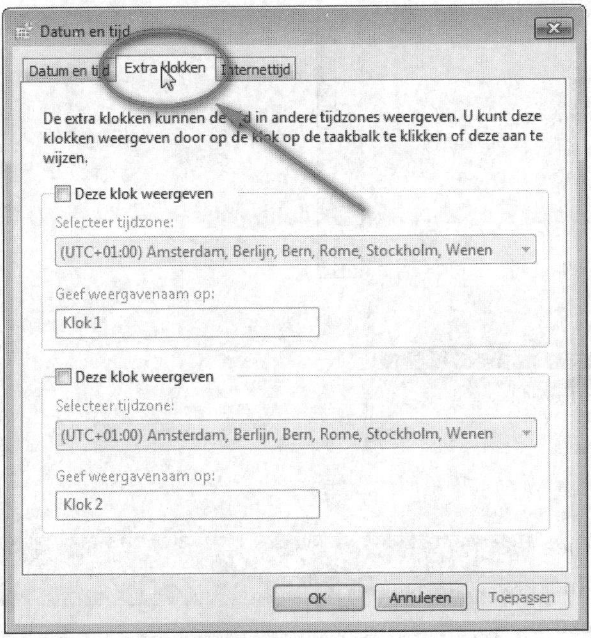

Je ziet dat je twee extra klokken kunt weergeven. We gaan er een instellen. Klik als eerste op het grijze vlakje links naast de tekst 'Deze klok weergeven'. Je ziet dat er nu een vinkje in het vlakje staat. Dat wil zeggen dat die optie dan actief is.

Klik op de grijze balk onder 'Selecteer tijdzone'. Een lange lijst klapt uit. Blader door de lijst met de schuifbalk tot je Hobart tegenkomt en klik erop.

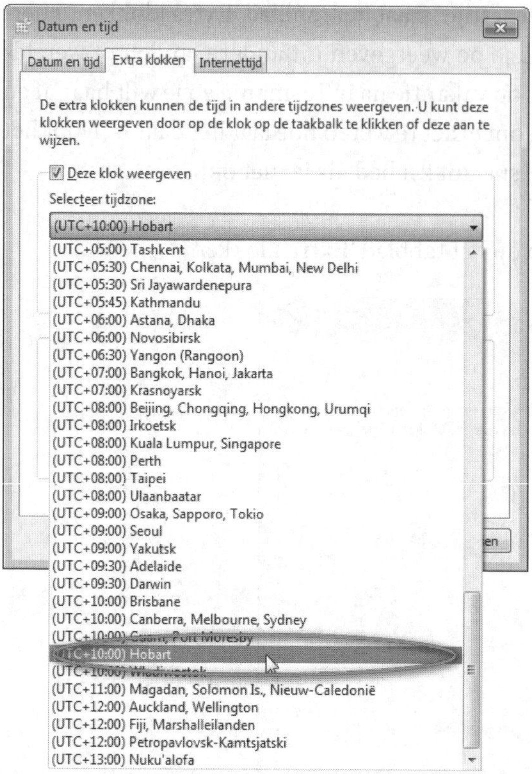

Datum en tijd

Datum en tijd | Extra klokken | Internettijd

De extra klokken kunnen de tijd in andere tijdzones weergeven. U kunt deze klokken weergeven door op de klok op de taakbalk te klikken of deze aan te wijzen.

Deze klok weergeven

Selecteer tijdzone:

(UTC+10:00) Hobart

(UTC+05:00) Tashkent
(UTC+05:30) Chennai, Kolkata, Mumbai, New Delhi
(UTC+05:30) Sri Jayawardenepura
(UTC+05:45) Kathmandu
(UTC+06:00) Astana, Dhaka
(UTC+06:00) Novosibirsk
(UTC+06:30) Yangon (Rangoon)
(UTC+07:00) Bangkok, Hanoi, Jakarta
(UTC+07:00) Krasnoyarsk
(UTC+08:00) Beijing, Chongqing, Hongkong, Urumqi
(UTC+08:00) Irkoetsk
(UTC+08:00) Kuala Lumpur, Singapore
(UTC+08:00) Perth
(UTC+08:00) Taipei
(UTC+08:00) Ulaanbaatar
(UTC+09:00) Osaka, Sapporo, Tokio
(UTC+09:00) Seoul
(UTC+09:00) Yakutsk
(UTC+09:30) Adelaide
(UTC+09:30) Darwin
(UTC+10:00) Brisbane
(UTC+10:00) Canberra, Melbourne, Sydney
(UTC+10:00) Guam, Port Moresby
(UTC+10:00) Hobart
(UTC+10:00) Wladiwostok
(UTC+11:00) Magadan, Solomon Is., Nieuw-Caledonië
(UTC+12:00) Auckland, Wellington
(UTC+12:00) Fiji, Marshalleilanden
(UTC+12:00) Petropavlovsk-Kamtsjatski
(UTC+13:00) Nuku'alofa

In het vak eronder geef je een herkenbare naam in, zodat je weet waar deze tijd geldt.

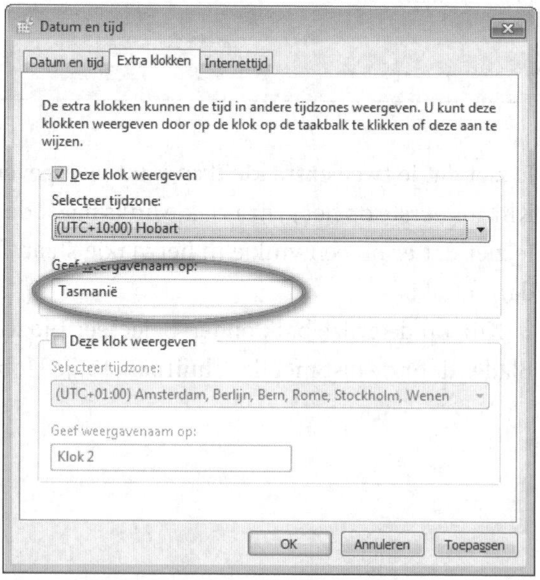

Datum en tijd

Datum en tijd | Extra klokken | Internettijd

De extra klokken kunnen de tijd in andere tijdzones weergeven. U kunt deze klokken weergeven door op de klok op de taakbalk te klikken of deze aan te wijzen.

Deze klok weergeven

Selecteer tijdzone:

(UTC+10:00) Hobart

Geef weergavenaam op:

Tasmanië

Deze klok weergeven

Selecteer tijdzone:

(UTC+01:00) Amsterdam, Berlijn, Bern, Rome, Stockholm, Wenen

Geef weergavenaam op:

Klok 2

OK | Annuleren | Toepassen

Klik op de knop 'OK' om het venster te sluiten.

Als je nu de muis boven de tijd in de taakbalk plaatst, zie je een klein venster waar beide tijden wordt weergegeven.

Wanneer je op de tijd in de taakbalk klikt, zie je nu twee klokken. Eentje van de tijd in eigen land én een van de tijd in Hobart.

Tijd handmatig aanpassen

Als je geen internet hebt of je wilt de tijd handmatig aanpassen in plaats van automatisch, dan doe je dit als volgt.

Je klikt op de tijd rechtsonder in de taakbalk.

In het scherm dat je ziet, klik je op 'Instellingen voor datum en tijd wijzigen'.

Datum en tijd
Datum en tijd | Extra klokken | Internettijd
Datum:
vrijdag 22 januari 2010
Tijd:
21:55:12
Datum en tijd wijzigen...
Tijdzone
(UTC+01:00) Amsterdam, Berlijn, Bern, Rome, Stockholm, Wenen
Tijdzone wijzigen...
De zomertijd begint op zondag 28 maart 2010 om 2:00 uur. De tijd gaat dan 1 uur vooruit.
Waarschuwen als de tijd wordt gewijzigd
Meer tijdzonegegevens downloaden
Hoe kan ik de klok en de tijdzone instellen?
OK | Annuleren | Toepassen

Je klikt nu op de knop 'Datum en tijd wijzigen'. Door het schildsymbool op de knop weet je al dat je nog een keer extra om bevestiging wordt gevraagd.

In dit venster kun je zowel jaar als maand als dag instellen, en uiteraard ook de tijd. In het linkerdeel van het venster, bij de kalender, stel je dag, maand en jaar in. In het rechterdeel de tijd.

januari 2010

ma	di	wo	do	vr	za	zo
28	29	30	31	1	2	3
4	5	6	7	8	9	10
11	12	13	14	15	16	17
18	19	20	21	22	23	24
25	26	27	28	29	30	31
1	2	3	4	5	6	7

Je verandert de dag door met de muis op een willekeurige datum te klikken. Je ziet aan het gekleurde vakje welke datum je hebt geselecteerd.

januari 2010

ma	di	wo	do	vr	za	zo
28	29	30	31	1	2	3
4	5	6	7	8	9	10
11	12	13	14	15	16	17
18	19	20	21	22	23	24
25	26	27	28	29	30	31
1	2	3	4	5	6	7

Om van maand te veranderen heb je twee mogelijkheden. Wanneer je bijvoorbeeld snel naar de vorige of de volgende maand wilt stappen, kun je op de twee zwarte pijltjes links- en rechtsboven klikken.

Er is echter nog een andere manier om van maand te veranderen. Klik met de linkermuisknop op de maandweergave in het kalenderkader. Je ziet nu een overzicht van alle maanden en kunt nu, net als bij het veranderen van de dag, gewoon op een maand naar keuze klikken om daar de dagen van te zien.

Op soortgelijke wijze kun je van jaar wisselen. Klik met de linkermuisknop op de maand in het kalenderkader en je ziet nu diverse jaren. Ook nu weer kun je met de muis op een willekeurig jaar klikken, zodat je kunt wisselen van jaar.

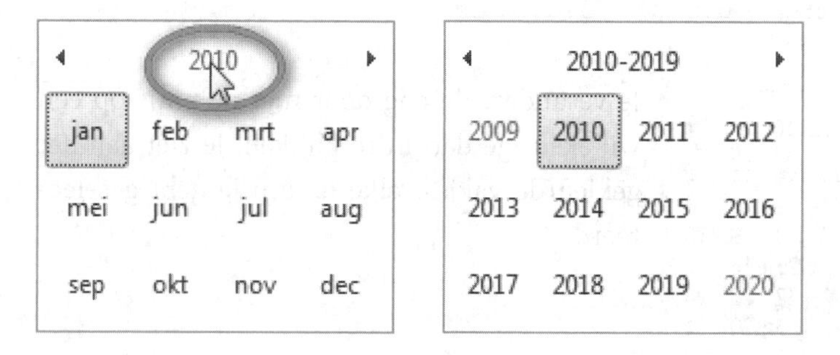

Je kunt gebruikmaken van de zwarte pijltjes boven in het kalenderkader als je andere jaren wilt bekijken.

De tijd stel je iets anders in. Je ziet onder de grote analoge klok een klein kader met daarin de tijd digitaal weergegeven in uren, minuten en seconden. Rechts ernaast zie je twee pijltjes, naar boven en naar beneden.

Als je de tijd wilt aanpassen, klik je in dat kleine kader. Stel, je wilt de tijd een uur vooruit zetten. Klik dan met de linkermuisknop op de uurtijd (in dit voorbeeld 22). Je kunt de tijd nu veranderen door de tekst aan te passen met de toets Delete (Del) of met de toets Backspace en dan het juiste getal in te voeren of je klikt op de pijltjes rechts ernaast. Het pijltje omhoog verzet de tijd vooruit en het pijltje omlaag verzet de tijd terug.

Op soortgelijke wijze verander je ook de minuten en de seconden. Klik op OK wanneer je alles goed hebt ingesteld.

Als je altijd een internetverbinding hebt, is het overigens veel handiger om de tijd helemaal door Windows zelf te laten uitzoeken via een tijdserver. Bij het installeren van Windows heb je moeten aangeven in welke tijdzone je zit. Door het invoeren daarvan weet Windows ook wanneer de zomertijd en de wintertijd ingaan, dus je hoeft eigenlijk nooit zelf de datum- en tijdinstelling te wijzigen. Je ziet ook wanneer de zomer- en wintertijd ingaan.

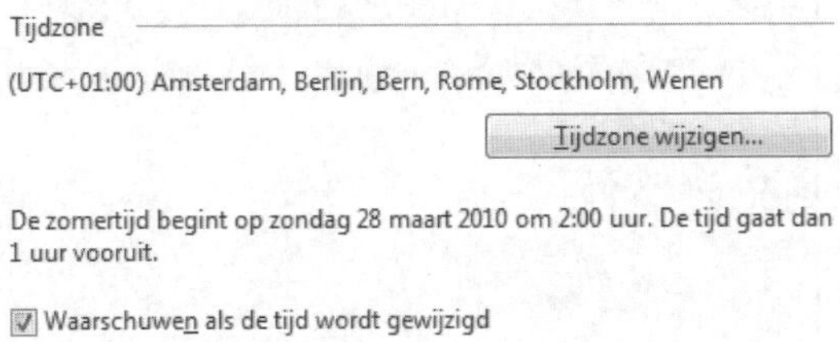

Tijdzone

(UTC+01:00) Amsterdam, Berlijn, Bern, Rome, Stockholm, Wenen

Tijdzone wijzigen...

De zomertijd begint op zondag 28 maart 2010 om 2:00 uur. De tijd gaat dan 1 uur vooruit.

☑ Waarschuwen als de tijd wordt gewijzigd

Je computer bijwerken (Windows Update)

Het programma dat je computer volledig bestuurt, is het besturingssysteem Windows. Zo'n programma bestaat uit tientallen miljoenen regels aan instructies, die gemaakt zijn door de mensen van het bedrijf dat Windows maakt: Microsoft. Er zitten echter fouten in dit programma, juist omdat het over zo'n gigantische hoeveelheid commando's gaat. Dit is niet alleen bij Windows zo; fouten komen in elk programma voor.

Als het programma wordt verkocht, beginnen vele mensen ermee op de computer te werken. Er komen dan nog fouten naar boven die niet gezien werden bij het uitgebreid testen vooraf. Dergelijke fouten worden in de meeste gevallen opgelost. Die nieuwe versie van het programma kan zo'n bedrijf niet zomaar aan je geven. Je moet er zelf om vragen. Dat is eenvoudig én gratis.

Dit gaat via de zogenaamde 'Windows Update'. Een update is een nieuwe versie van een programma. Door het starten van 'Windows Update' gaan we de laatste nieuwe versie van ons besturingssysteem (gratis) afhalen van het internet en zo onze computer bijwerken.

Windows Update

We willen 'Windows Update' starten, dus klik onderaan op de knop 'Starten'.

Klik vervolgens op 'Alle programma's'.

Nu zie je in dit lijstje met alle mogelijke programma's 'Windows Update' staan. Klik hierop met je linkermuisknop, om zo dit programma op te starten. Let erop dat dit bijwerken via internet gaat. Je computer moet dus voorzien zijn van een correct werkende internetverbinding.

Je krijgt nu een nieuw scherm te zien.

In het voorbeeld is de pc helemaal up-to-date wat betreft de belangrijke updates, maar zijn er wel 35 optionele updates.

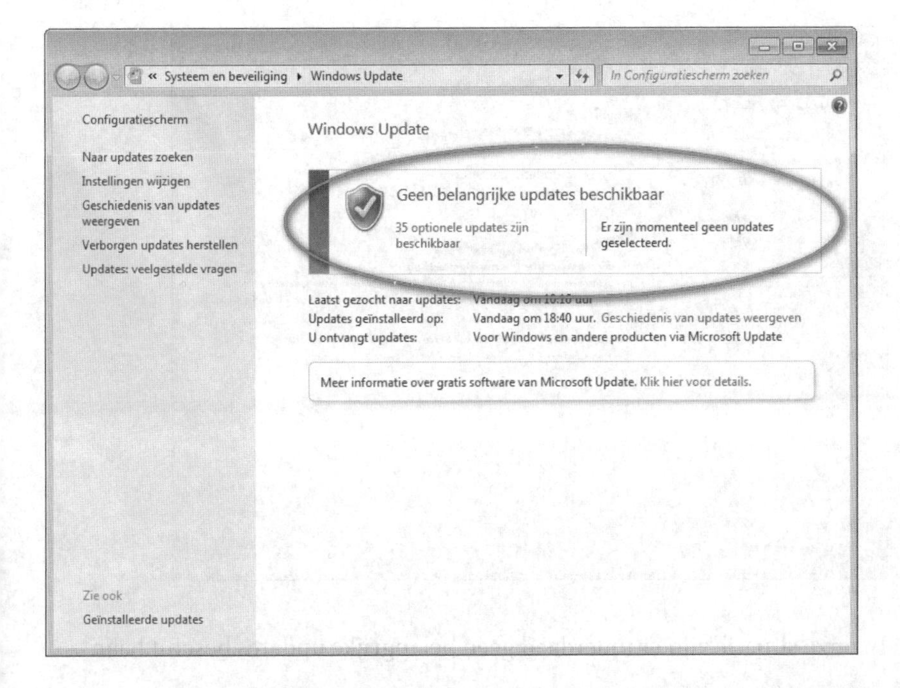

We laten eerst de computer zoeken of er nieuwe updates te vinden zijn. Klik hiervoor op de link linksboven 'Naar updates zoeken'.

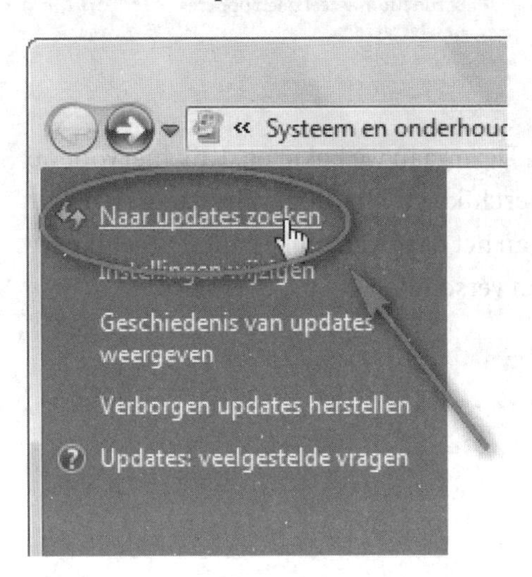

Je ziet nu dat Windows aan het zoeken is of er soms nieuwe updates klaarstaan. Dit zoekproces kan even tijd in beslag nemen. Wacht rustig af tot je een melding van Windows terugkrijgt.

In onze situatie zijn er inderdaad geen belangrijke updates beschikbaar.

Wel zijn er de 35 optionele updates. Deze gaan we bekijken. Klik hiervoor op de link '35 optionele updates zijn beschikbaar'. In dit geval staat er 35, maar dit aantal is uiteraard afhankelijk van het daadwerkelijke aantal beschikbare updates en kan per keer controleren verschillen.

Je ziet een overzicht van de beschikbare updates. Let op: niet alle updates zijn per se nodig. In het voorbeeld zie je erg veel taalpakketten. Je kunt, als je wilt, een andere taal installeren zodat jouw Windows-versie Frans of Hebreeuws wordt. Welke update je nu wel en welke niet noodzakelijk moet installeren, is lastig uit te leggen. Microsoft maakt het je voor een deel gemakkelijk door zelf al aan te geven of het belangrijke updates zijn of niet. De belangrijke hebben meestal met de stabiliteit of de veiligheid van Windows te maken. Deze moet je altijd installeren. De zogenoemde optionele updates zijn lastiger in te delen. Je kunt op het internet zoeken naar ervaringen van andere gebruikers of je kunt kijken of jouw computer op dat gebied die update wel nodig heeft. Kort gezegd, werkt je computer goed zonder die extra's, verander er dan niets aan.

Voor het voorbeeld ga ik de bovenste update in het venster installeren, de Office live-invoegtoepassing. Om een update te selecteren, klik je op het grijze vakje links naast de naam van de update. Je ziet dan een vinkje in het vakje. Wanneer je die update wilt installeren, klik je op de knop 'OK'.

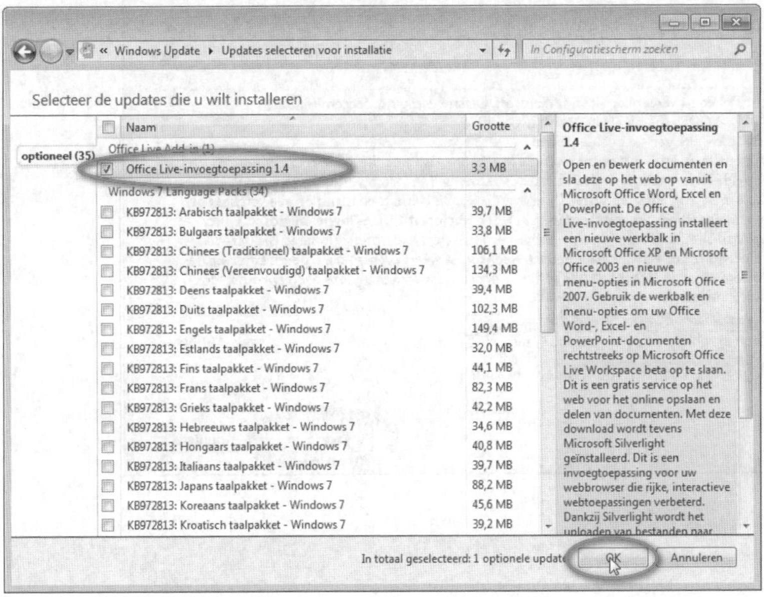

Je komt nu weer terug in het vorige venster. Windows 7 geeft aan dat je één update hebt geselecteerd.

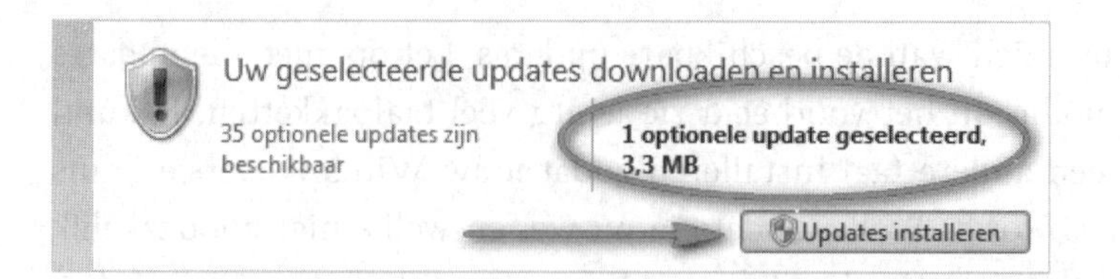

Klik nu met de linkermuisknop op de knop 'Updates installeren'. Deze knop is weer voorzien van een schildje, dus je weet dat je weer om een bevestiging wordt gevraagd. Hierna wordt de update gedownload. Je wordt op de hoogte gehouden van de diverse stappen. Soms word je nog gevraagd om een licentieverklaring goed te keuren. Klik dan op 'Ik ga akkoord met de licentievoorwaarden' en erna op de knop 'Voltooien'.

Daarna begint de feitelijke download.

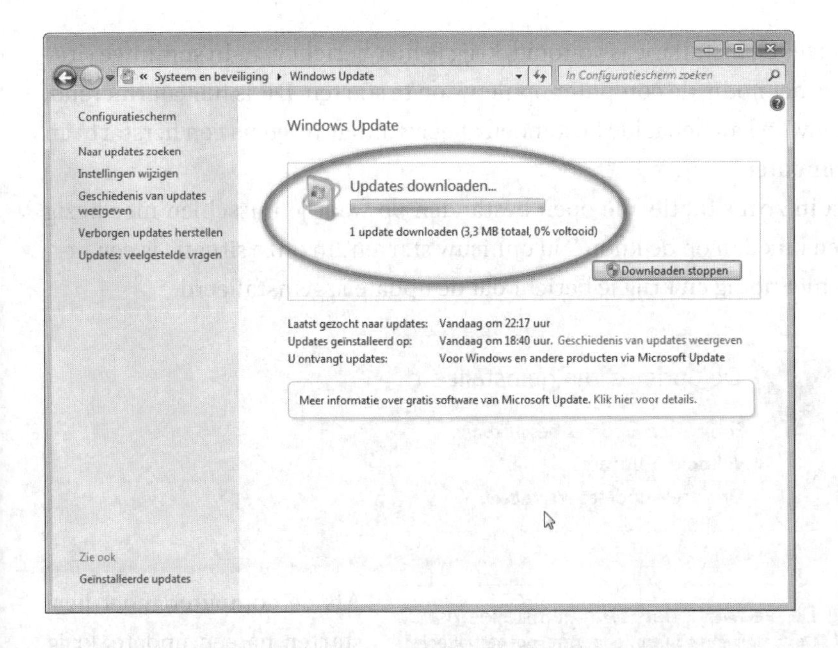

Wanneer de update is gedownload, begint Windows 7 met de installatie. Je hebt altijd de mogelijkheid om de installatie te stoppen door op de knop 'Installatie stoppen' te klikken.

Wanneer de installatie is voltooid, krijg je hier bericht van. In sommige situaties is het nodig de computer opnieuw op te starten. Dit is niet alarmerend, Windows 7 kan bepaalde bestanden alleen configureren na een herstart van de computer.

Sla in zo'n situatie alle open bestanden op waar je misschien mee bezig was en klik dan op de knop 'Nu opnieuw starten'. In onze situatie is een herstart niet nodig en krijg je bericht dat de update is geïnstalleerd.

Als de computer moet herstarten na een update, krijg je een bericht dat je nieuwe updates hebt geïnstalleerd.

Door op die melding te klikken, open je een nieuw venster met daarin alle updates die je al hebt geïnstalleerd op je computer. De bovenste regel is de laatst geïnstalleerde update.

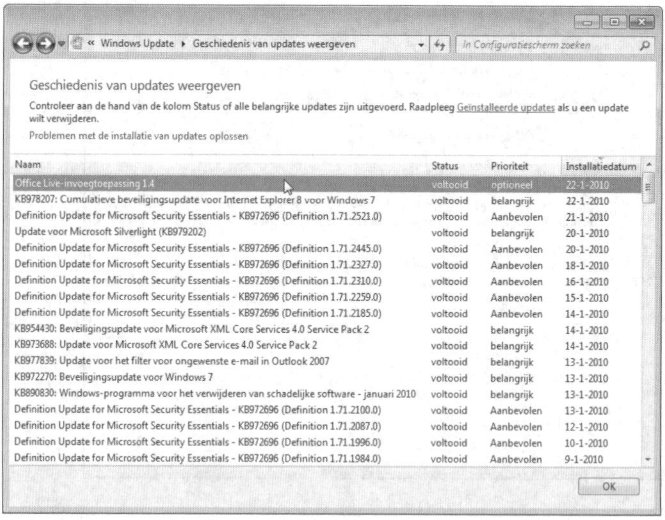

De kolom 'Status' geeft aan of de update correct is geïnstalleerd. In ons geval staat er 'Voltooid', dus is alles goed verlopen. Klik op de knop 'OK' om dit venster te sluiten.

Je bent weer terug in het venster 'Windows Update'. We hebben net een handmatige update uitgevoerd. Het is natuurlijk véél makkelijker om alles door Windows zelf uit te laten zoeken. Laat Windows automatisch zoeken naar updates en net zo automatisch alles installeren.

Bij de installatie van Windows is de vraag of je updates automatisch wilt laten installeren al aan de orde geweest. In de meeste gevallen staat je computer dan ook al ingesteld op automatisch zoeken naar updates.

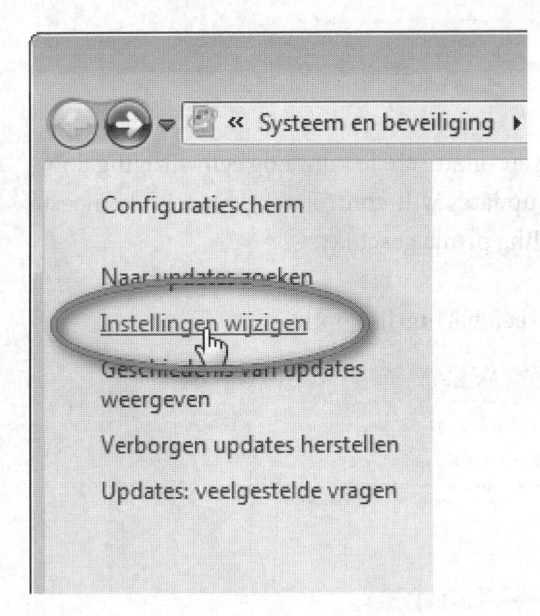

Voor de zekerheid gaan we dit controleren. Klik hiervoor op de link 'Instellingen wijzigen' linksboven in het venster.

Je komt nu in een venster waar je alles over updates exact kunt instellen. Zoals gezegd, staan de meeste Windows 7-computers al standaard op automatisch en in de meeste gevallen zie je het volgende venster.

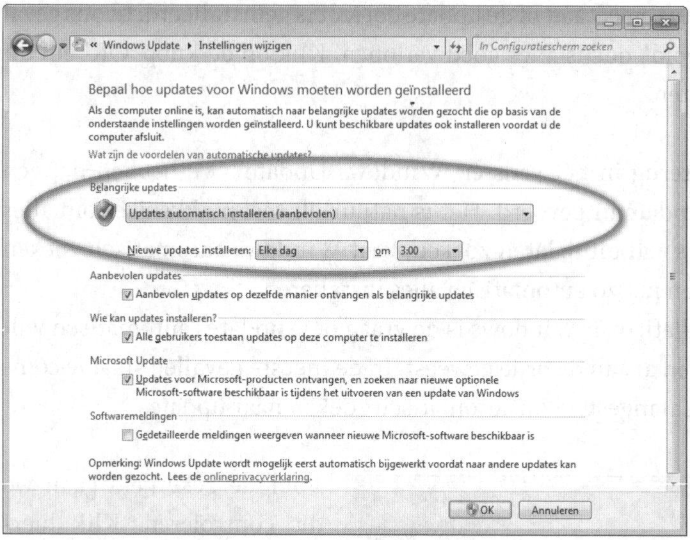

« Windows Update ▸ Instellingen wijzigen

In Configuratiescherm zoeken

Bepaal hoe updates voor Windows moeten worden geïnstalleerd

Als de computer online is, kan automatisch naar belangrijke updates worden gezocht die op basis van de onderstaande instellingen worden geïnstalleerd. U kunt beschikbare updates ook installeren voordat u de computer afsluit.

Wat zijn de voordelen van automatische updates?

Belangrijke updates

Updates automatisch installeren (aanbevolen)

Nieuwe updates installeren: Elke dag om 3:00

Aanbevolen updates

☑ Aanbevolen updates op dezelfde manier ontvangen als belangrijke updates

Wie kan updates installeren?

☑ Alle gebruikers toestaan updates op deze computer te installeren

Microsoft Update

☑ Updates voor Microsoft-producten ontvangen, en zoeken naar nieuwe optionele Microsoft-software beschikbaar is tijdens het uitvoeren van een update van Windows

Softwaremeldingen

☐ Gedetailleerde meldingen weergeven wanneer nieuwe Microsoft-software beschikbaar is

Opmerking: Windows Update wordt mogelijk eerst automatisch bijgewerkt voordat naar andere updates kan worden gezocht. Lees de onlineprivacyverklaring.

OK Annuleren

De computer staat op volledig automatisch. Je kunt nog een wijziging doorvoeren op welk tijdstip je op updates wilt controleren, maar in de meeste gevallen is de standaardinstelling prima geschikt.

Onder in het venster staat nog een belangrijke optie.

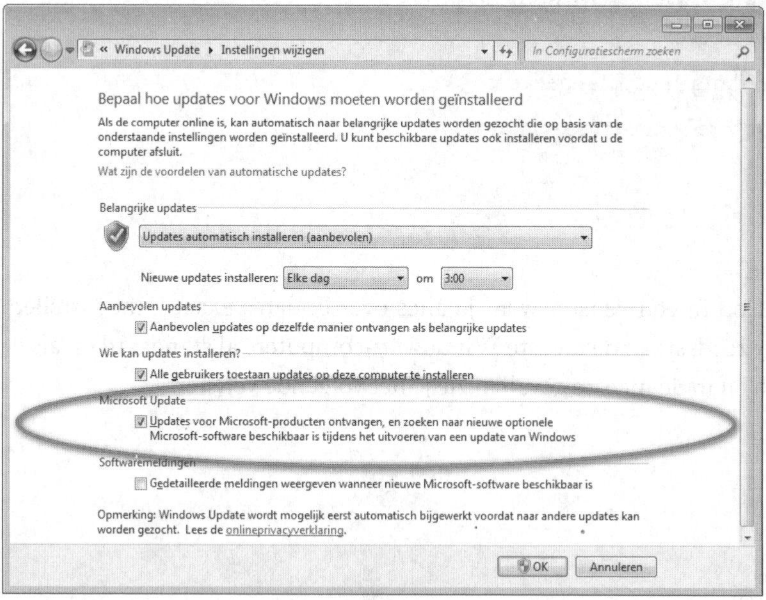

« Windows Update ▸ Instellingen wijzigen

In Configuratiescherm zoeken

Bepaal hoe updates voor Windows moeten worden geïnstalleerd

Als de computer online is, kan automatisch naar belangrijke updates worden gezocht die op basis van de onderstaande instellingen worden geïnstalleerd. U kunt beschikbare updates ook installeren voordat u de computer afsluit.

Wat zijn de voordelen van automatische updates?

Belangrijke updates

Updates automatisch installeren (aanbevolen)

Nieuwe updates installeren: Elke dag om 3:00

Aanbevolen updates

☑ Aanbevolen updates op dezelfde manier ontvangen als belangrijke updates

Wie kan updates installeren?

☑ Alle gebruikers toestaan updates op deze computer te installeren

Microsoft Update

☑ Updates voor Microsoft-producten ontvangen, en zoeken naar nieuwe optionele Microsoft-software beschikbaar is tijdens het uitvoeren van een update van Windows

Softwaremeldingen

☐ Gedetailleerde meldingen weergeven wanneer nieuwe Microsoft-software beschikbaar is

Opmerking: Windows Update wordt mogelijk eerst automatisch bijgewerkt voordat naar andere updates kan worden gezocht. Lees de onlineprivacyverklaring.

OK Annuleren

Hier geef je aan of je alleen op updates van Windows wilt controleren of dat je op alle software van Microsoft wilt controleren. Stel, je hebt ook Microsoft Office op je computer staan. Je wilt dan graag dat ook die software wordt gecontroleerd op updates. Door het aanvinken van die optie laat je op updates controleren van alle Microsoft software.

Klik op 'OK' wanneer je iets hebt gewijzigd of op 'Annuleren' om zonder doorgevoerde wijziging dit venster te verlaten. Je komt weer terug in het venster 'Windows Update'. Sluit dit venster door op het rode kruisje te klikken.

> Het bijwerken van je computer is niet alleen handig om (irritante) fouten weg te krijgen waardoor je computer dingen doet die hij niet zou mogen doen, of juist dingen niet wil doen die hij wel moet doen. Het zorgt ook voor de veiligheid van je computer. Meer hierover kun je lezen in het hoofdstuk 'Veiligheidslekken' van het boek *Veilig op het internet*, van auteur Pascal Vyncke (ISBN 90 209 6362 7).

Je computer herstellen (systeemherstel)

Na een tijdje zul je allerlei dingen met je computer gaan doen. Zo zul je er misschien een nieuw programma opzetten. Dergelijke wijzigingen houden echter een risico in voor de werking van je computer. Normaal gezien mag het niet, maar het kan gebeuren dat bij het plaatsen van een programma op je computer, dit een bepaald vitaal bestand op je computer gaat vervangen door bijvoorbeeld een oudere versie. Resultaat? Je computer gaat vreemde dingen doen of plots zullen meerdere programma's hun medewerking weigeren.

Je lost dit op door telkens als je een programma plaatst op je computer, een zogenaamd 'herstelpunt' te maken van je computer. Hiermee wordt allerlei informatie opgeslagen van de huidige toestand van je computer, zodat je achteraf kunt terugkeren naar de huidige toestand. Mocht er dus iets mislopen, dan kun je de wijzigingen ongedaan maken en verder werken met je computer, zonder dat allerlei zaken mislopen. Ik moet er wel bij vermelden dat dit niet altijd 100% werkt. Maar uiteraard is het altijd beter dan helemaal niets...

Je computer maakt automatisch op regelmatige tijdstippen zo'n herstelpunt, zonder dat je hiervoor iets hoeft te doen. In de meeste gevallen maakt hij zelf een herstelpunt als je een nieuw programma plaatst op je computer of als je het juist gaat verwijderen. De computer helpt je hiermee dus al een heel eind op weg. Het is bijzonder nuttig om zo'n herstelpunt te gebruiken als je plots allerlei fouten krijgt op je computer.

Het is ook mogelijk om zelf een herstelpunt te maken. Zo ben je er zeker van dat je computer er een maakt en dat je later kunt terugkeren naar de situatie van het moment waarop je het herstelpunt maakte. Erop rekenen dat je computer vanzelf wel een herstelpunt zal maken, zou immers weleens kunnen tegenvallen.

Herstelpunt maken

Zelf een herstelpunt maken is zeer eenvoudig. We gaan dit doen via het startmenu. Klik dus met je linkermuisknop onderaan op 'Starten'.

Vul in het zoekveld linksonder in het Startmenu de tekst 'herstelpunt' in. Je ziet wat Windows 7 allemaal vindt.

Klik nu op de koppeling 'Een herstelpunt maken'. Je ziet nu een nieuw venster.

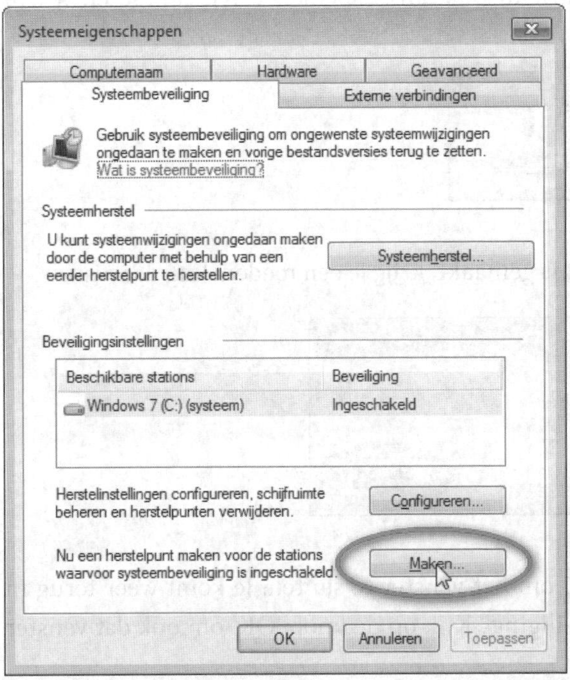

Onder in dit venster staat de knop 'Maken'. Als je hierop klikt, opent zich een tweede venster. Hierin geef je een naam op van het herstelpunt. Zorg voor een duidelijke omschrijving van de reden waarom je een herstelpunt maakt. Als voorbeeld: je wilt nieuwe software installeren, maar je bent niet helemaal zeker van een goede werking van die software. Het kan zijn dat je de software weer wilt verwijderen als het niet bevalt. Voor de zekerheid maak je dan een herstelpunt, zodat je weer terug kunt keren naar de staat van de computer vóór de installatie van die software.

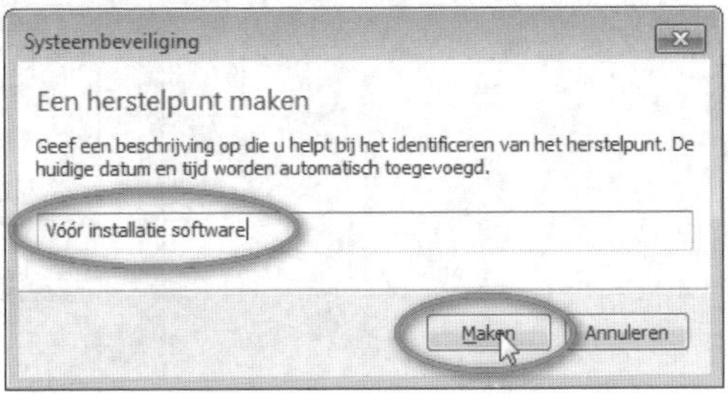

Je kiest dan als omschrijving 'Vóór installatie software', zodat je later altijd kunt herkennen waar dat herstelpunt voor diende.

Klik dan op de knop 'Maken'. Je ziet nu een klein venster dat weergeeft dat een herstelpunt wordt gemaakt. Dit maken van een herstelpunt kan enige tijd duren, onder andere afhankelijk van de snelheid van je computer. Wacht rustig af.

Wanneer het herstelpunt is gemaakt, krijg je een mededeling daarvan.

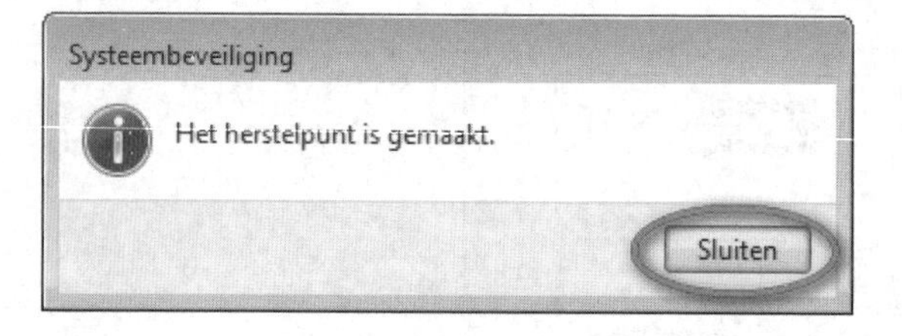

Klik op de knop 'Sluiten' om het venster te sluiten. Je komt weer terug in het venster 'Systeembeveiliging'. Klik op de knop 'OK' om ook dat venster te sluiten.

Om nu te controleren of het herstelpunt ook daadwerkelijk is gemaakt, klik je op de knop 'Systeemherstel'.

Je ziet dan het venster 'Systeemherstel'. Klik in dit venster op de knop 'Volgende'.

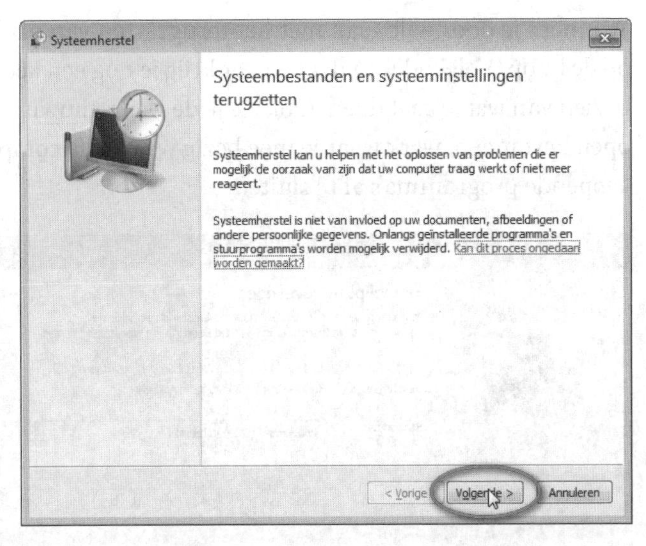

Je ziet nu een venster met daarin de aanwezige herstelpunten. Dit kan voor jou een andere lijst zijn (zeer waarschijnlijk zelfs) omdat het aantal herstelpunten onder andere afhangt van de hoeveelheid beschikbare schijfruimte. In dit voorbeeld staan zeven herstelpunten. De bovenste is het laatst aangemaakt. Dit is het herstelpunt dat we net hebben gemaakt.

Systeemherstel

Herstel uw computer naar de toestand van vóór de geselecteerde gebeurtenis

Een herstelpunt selecteren

Huidige tijdzone: West-Europa (standaardtijd)

Datum en tijd	Beschrijving	Type
23-1-2010 0:24:21	Vóór installatie software	Handmatig
22-1-2010 23:33:31	Windows Update	Essentiële update
22-1-2010 18:40:04	Windows Update	Essentiële update
21-1-2010 21:36:14	Windows Update	Essentiële update
20-1-2010 21:06:20	Windows Update	Essentiële update
20-1-2010 12:53:04	Windows Update	Essentiële update
18-1-2010 0:30:59	Windows Update	Essentiële update

Meer herstelpunten weergeven

Zoeken naar programma's die worden beïnvloed

< Vorige | Volgende > | Annuleren

Wanneer je door wilt gaan met het terugzetten van dat herstelpunt, klik je op de knop 'Volgende'. In dat venster krijg je nog een keer een samenvatting te zien van wat je gaat doen. Ook zie je de waarschuwing om nu je eventuele open bestanden, werk waar je mee bezig was op de computer, op te slaan en geopende programma's af te sluiten.

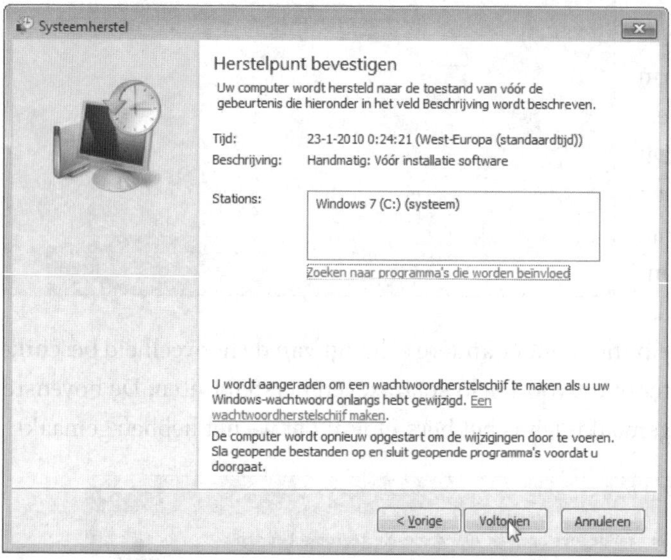

Klik op de knop 'Voltooien' om je computer terug te zetten naar het moment van het herstelpunt.

Nadat de pc opnieuw is gestart, ben je weer terug op het moment dat je dat herstelpunt maakte. Het kán natuurlijk voorkomen dat er iets fout is gegaan, dus heb je zelfs de mogelijkheid om het herstellen weer ongedaan te maken.

Klik op de knop 'Starten', 'Alle programma's', 'Bureau-accessoires', 'Systeemwerkset' en daarna op het programma 'Systeemherstel'. Je start weer het programma 'Systeemherstel'.

Klik weer op de knop 'Volgende'.

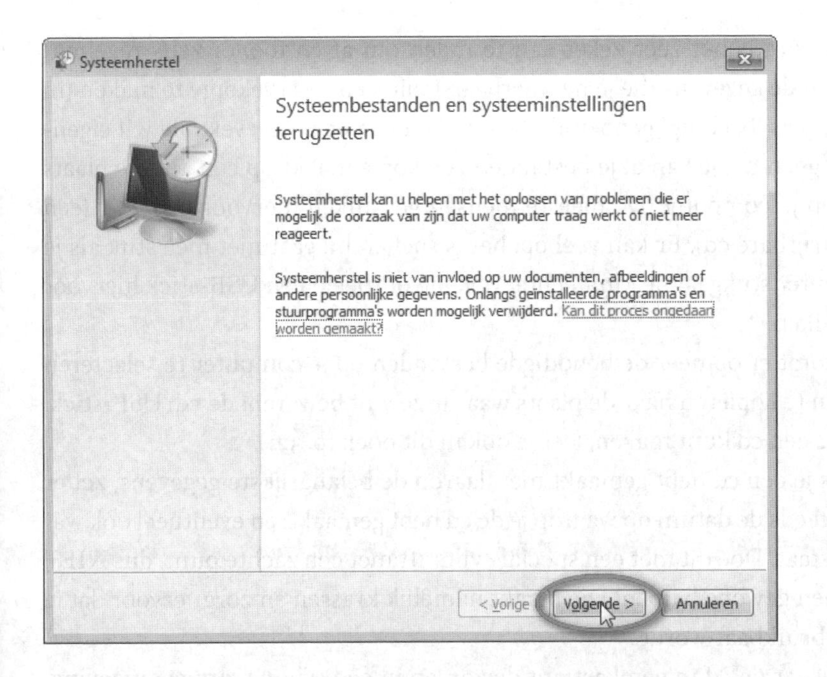

Selecteer in de lijst nu het herstelpunt 'Herstelbewerking – Ongedaan maken'. Door weer op de knop 'Volgende' te klikken, doorloop je dezelfde handelingen als je eerder deed. Windows 7 heeft voor het teruggaan naar het oude herstelpunt eerst een nieuw herstelpunt gemaakt, zodat je deze mogelijkheid van ongedaan maken hebt.

In ons geval loopt alles goed en sluiten we af door op de knop 'Annuleren' te klikken.

De reservekopie (back-up)

Na verloop van tijd staan er heel wat gegevens op je computer. Documenten, brieven, foto's, muziek, e-mails, noem maar op. Je bent er geregeld mee bezig en je wilt waarschijnlijk niet dat ze verloren kunnen gaan.

Een computer is een betrouwbaar toestel, maar toch kan het gebeuren dat je gegevens verloren gaan. Je computer kan stukgaan, bijvoorbeeld door een blikseminslag, een kop koffie die omgegooid wordt of een ernstige fout van het besturingssysteem. Allemaal mogelijkheden waarbij van het ene op het andere moment alles weg is. Dat zou niet leuk zijn!

Daarom is het zeer zeker aan te raden om af en toe, of zelfs regelmatig, van de gegevens die je het dierbaarst zijn een reservekopie te maken (in het Engels 'back-up' genoemd). Het maken van een reservekopie wil eigenlijk zeggen dat je van al je bestanden een kopie maakt op een andere plaats dan op je computer. De meeste mensen gebruiken hiervoor een cd-r (een beschrijfbare cd). Er kan veel op, het is snel en hij gaat niet mee stuk als je computer stukgaat. Je kunt echter ook bijvoorbeeld een USB-stick hiervoor gebruiken.
Het komt er op neer de benodigde bestanden op je computer te selecteren en dan te kopiëren naar de plaats waar je ze wilt bewaren: de cd, USB-stick. Hoe je een cd kunt maken, lees je ook in dit boek (p. 321).

Als je een cd hebt gemaakt met daarop de belangrijkste gegevens, zet er dan steeds de datum op waarop je de cd hebt gemaakt, en eventueel ook wát erop staat. Doe dit met een speciale viltstift met een zachte punt, dus NIET met een gewone balpen! Die maakt namelijk krassen en zorgt ervoor dat je cd onbruikbaar wordt.

Bewaar de cd in een kast, uit de zon en in een schone, droge omgeving. Als je computer ooit raar doet en er gegevens verloren gaan, dan kun je terug naar de gegevens van de dag waarop je de reservekopie hebt gemaakt.

Te weinig mensen maken echter reservekopieën. 'Het zal mij wel niet overkomen', zeggen ze dan. Spijtig genoeg kan het je wél overkomen. Nu enkele minuten werk en een cd eraan opofferen, kan je later bijzonder veel ellende en verlies van gegevens besparen!

Voor het maken van een back-up heeft Windows 7 een speciaal programma: 'Back-up maken en terugzetten'.

Klik op de knop 'Starten' en daarna op 'Alle programma's'. Klik dan op de map 'Onderhoud'.

Klik dan op het programma 'Back-up maken en terugzetten'.

Je ziet nu een venster waarin je zowel een reservekopie kunt maken als terugzetten. Uiteraard kan dat pas wanneer je de Back-up ook hebt ingesteld. Dat is in ons geval het eerste dat we gaan doen. Klik op de link 'Back-up instellen'.

Je ziet nu het eerste venster van de wizard 'Back-up instellen'. Hier kies je waar je de back-up wilt opslaan. In het voorbeeld hebben we een externe vaste schijf op de pc aangesloten, Backup (E:). Deze gaan we gebruiken voor de reservekopie. Klik op deze schijf met de linkermuisknop zodat die regel blauw kleurt.

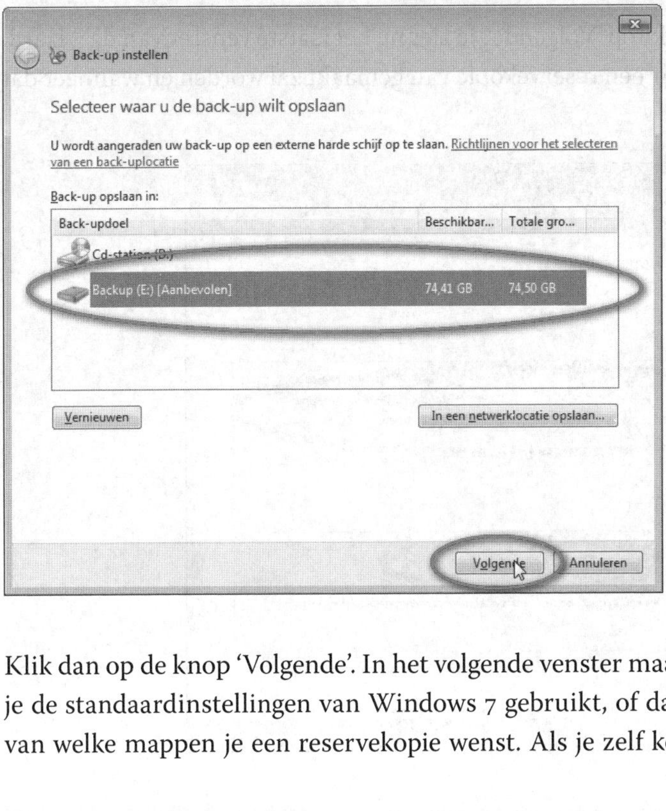

Klik dan op de knop 'Volgende'. In het volgende venster maak je de keuze of je de standaardinstellingen van Windows 7 gebruikt, of dat je zelf bepaalt van welke mappen je een reservekopie wenst. Als je zelf keuzes maakt, ga je mappen selecteren via een Verkennerachtig venster. Voor het voorbeeld gebruiken we de standaardinstellingen van Windows 7.

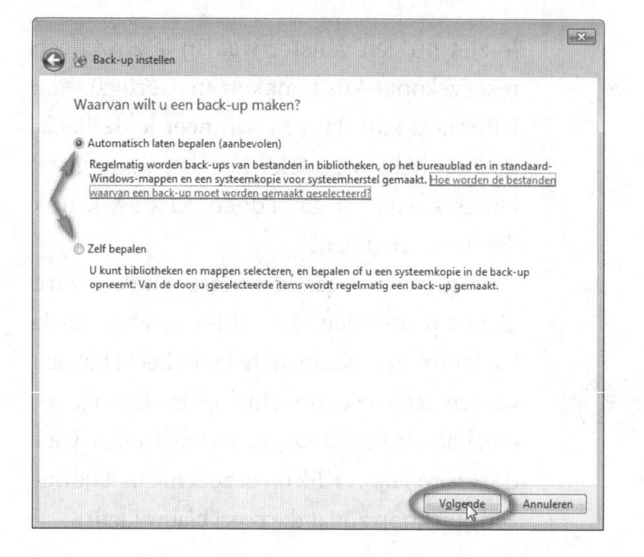

Klik weer op de knop 'Volgende'. Je ziet nu het laatste venster van de wizard. Hierin staat waar een reservekopie van gemaakt zal worden en wanneer dat gaat gebeuren.

Je ziet dat de reservekopie automatisch start elke zondag om 19:00 uur. Als je een andere tijd wilt instellen, klik je op de link 'Schema wijzigen'.

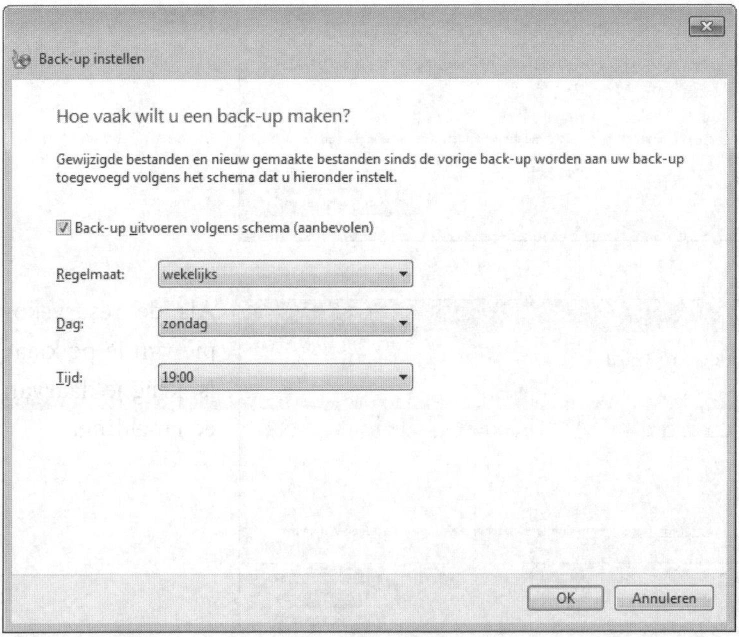

Back-up instellen

Hoe vaak wilt u een back-up maken?

Gewijzigde bestanden en nieuw gemaakte bestanden sinds de vorige back-up worden aan uw back-up toegevoegd volgens het schema dat u hieronder instelt.

☑ Back-up uitvoeren volgens schema (aanbevolen)

Regelmaat: wekelijks

Dag: zondag

Tijd: 19:00

OK Annuleren

In dit venster wijzig je de intervaltijd, de dag en het uur waarop de back-up moet beginnen.

In ons voorbeeld laten we de standaardinstellingen staan en klikken op de knop 'OK'. Je bent weer terug in het laatste venster van de wizard 'Back-up instellen'. Als alles goed is ingesteld, klik je met de muis op de knop 'Instellingen opslaan en back-up uitvoeren'.

Instellingen opslaan en back-up uitvoeren

Er wordt nu een eerste back-up van je pc gemaakt. Afhankelijk van de hoeveelheid gegevens en de snelheid van je computer kan dit even duren. Als je op de knop 'Details weergeven' klikt, zie je de voortgang in een apart venster.

Windows Back-up: 20% voltooid

Windows Back-up wordt momenteel uitgevoerd

C:\Users\Frans\AppData\LocalLow\Sun\Java\Deployment\cache\6.0\45\4f710eed-6a7717a9.idx

Ga naar Back-up maken en terugzetten van Configuratiescherm als u de instellingen van de back-up wilt weergeven.

Back-up stoppen

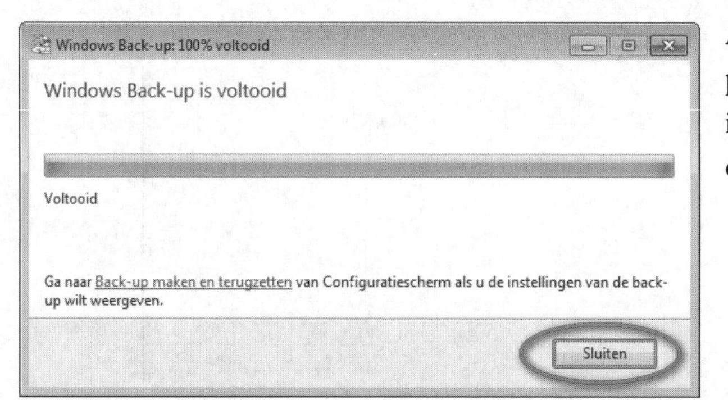
Windows Back-up: 100% voltooid
Windows Back-up is voltooid
Voltooid
Ga naar Back-up maken en terugzetten van Configuratiescherm als u de instellingen van de back-up wilt weergeven.
Sluiten

Als de reservekopie van je pc klaar is, krijg je daarvan een melding.

Klik op de knop 'Sluiten' om dit venster te sluiten. Je komt nu terug in het venster 'Back-up maken en terugzetten'.

« Systeem en beveiliging ▸ Back-up maken en terugzetten

In Configuratiescherm zoeken

Configuratiescherm

Schema verwijderen

Een systeemkopie maken

Een systeemherstelschijf maken

Back-up van uw bestanden maken of terugzetten

Back-up

Locatie: Backup (E:)

60,95 GB van 74,50 GB beschikbaar

Back-upgrootte: 12,37 GB

Schijfruimte beheren

Nu back-up maken

Volgende back-up: 24-1-2010 19:00

Laatste back-up: 23-1-2010 3:23

Inhoud: Bestanden in bibliotheken en persoonlijke mappen voor alle gebruikers en systeemkopiebestand

Schema: Elke zondag om 19:00

Instellingen wijzigen

Terugzetten

U kunt de bestanden waarvan een back-up is gemaakt op de huidige locatie terugzetten.

Mijn bestanden terugzetten

Bestanden van alle gebruikers terugzetten

Bestanden vanuit een andere back-up terugzetten

Systeeminstellingen of de computer herstellen

Zie ook

Onderhoudscentrum

Windows Easy Transfer

Je ziet dat er net een back-up is gemaakt en wanneer de volgende is gepland.

We gaan nu bestanden terugzetten. Om dit te doen heb je een paar opties. Je kunt ervoor kiezen om alle bestanden van alle gebruikers op jouw pc terug te zetten of om de bestanden van een andere back-up terug te zetten. Ook, in geval van een systeemstoring, kun je kiezen om de instellingen van de pc terug te zetten.

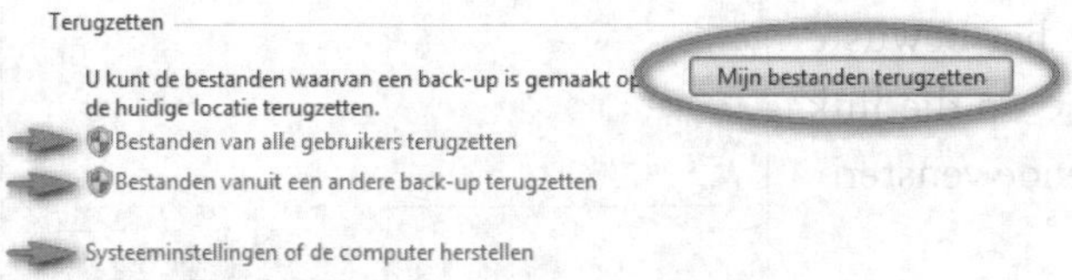

Als laatste kun je er ook voor kiezen om in de back-up te zoeken naar de bestanden die je terug wilt zetten. Klik in dat geval op de knop 'Mijn bestanden terugzetten'. Je ziet dan een nieuw venster waarin je op diverse manieren kunt zoeken naar bestanden en mappen.

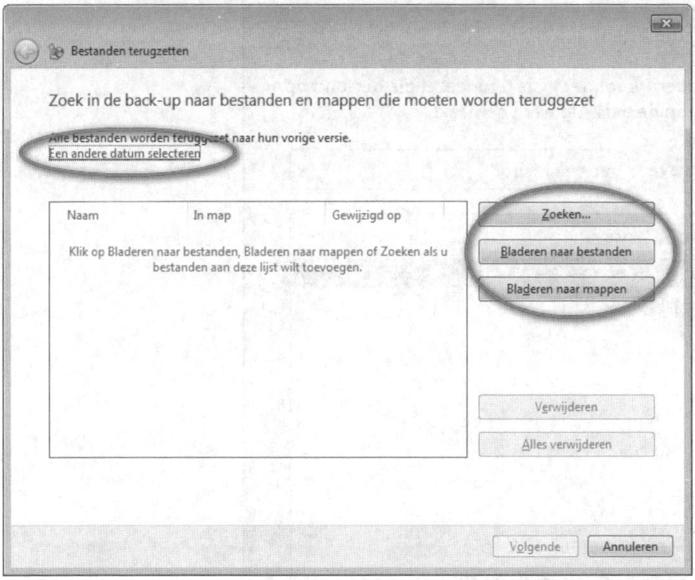

Links bovenaan zie je een link waarmee je kunt kiezen vanuit welke back-up je bestanden wilt terugzetten. Stel bijvoorbeeld dat je een bestand bent kwijtgeraakt waarvan je zeker weet dat je het twee weken geleden nog had. Klik dan op die link om de back-up te selecteren dat het bewuste bestand bevat. Als je op die link klikt, zie je het volgende venster.

Kies als eerste de periode van de back-ups. Dit doe je door op de knop rechtsboven te klikken. Een lijstje vouwt dan open waarin je op de gewenste periode kunt klikken. Nadat je dat hebt gedaan, selecteer je de gewenste back-up door in het venster op de back-up met de juiste datum te klikken.

Klik op de knop 'OK' om het venster te sluiten en om weer terug te komen in het venster 'Bestanden terugzetten'. Je hebt nu de juiste back-up geselecteerd waarin je naar het bewuste bestand gaat zoeken.

Het zoeken zelf kun je op twee manieren doen. Je kunt zoeken op de naam van het bestand dat je wilt vinden, of je kunt bladeren door de diverse mappen om het gewenste bestand of map te traceren.

Als je de naam van het bestand nog weet, kun je Windows 7 laten zoeken naar dat bestand. Klik daarvoor op de knop 'Zoeken'. Je ziet nu een nieuw venster waarin je de naam van het bestand in kunt voeren. In ons voorbeeld zoeken we naar het oefengeluid dat we in een vorig hoofdstuk hebben opgenomen met de pc.

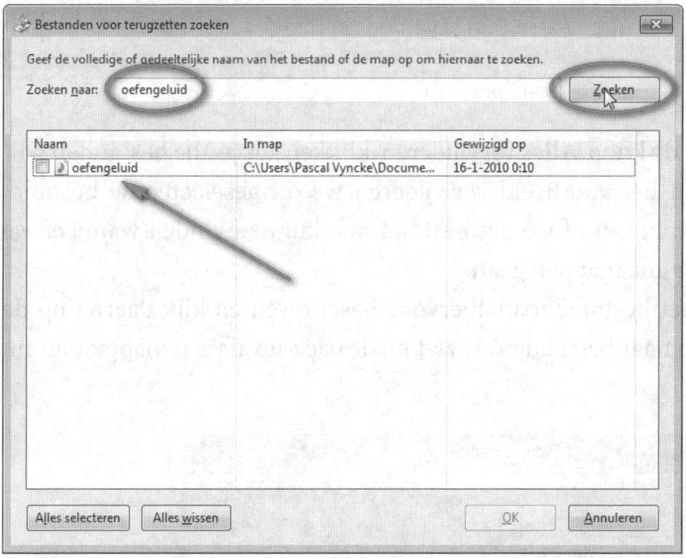

Vul de naam 'oefengeluid' in het vak 'Zoeken naar' en klik op de knop 'Zoeken'. Je ziet dat Windows 7 het bestand in de back-up heeft gevonden. Als je nu in het grijze vakje links van het gevonden bestand klikt, selecteer je het om te worden teruggezet. Klik op de knop 'OK' om het venster te sluiten.

Terug in het venster 'Bestanden terugzetten', zie je dat het zonet geselecteerde bestand is toegevoegd in het midden om te worden teruggezet. Als je het verkeerde bestand hebt geselecteerd en het wilt verwijderen zodat het niet wordt teruggezet, klik je eerst op het bestand en dan op de knop 'Verwijderen'.

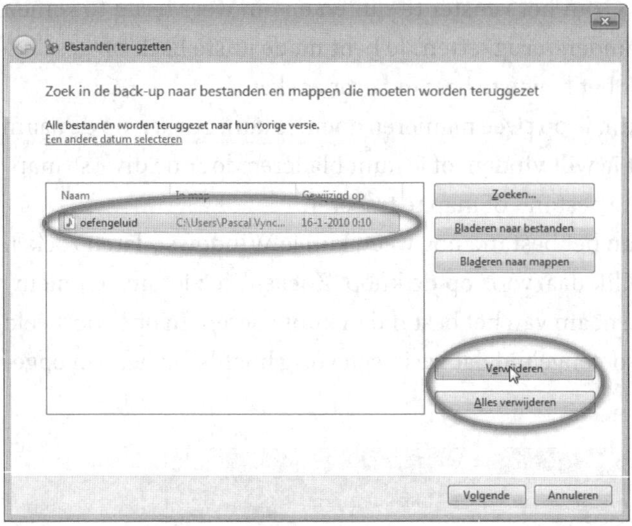

Je kunt ook op de knop 'Alles verwijderen' klikken, als je alle bestanden wilt verwijderen. In het voorbeeld verwijderen we dit geselecteerde bestand, want we willen kijken of we het bestand ook kunnen vinden wanneer we bladerend door alle mappen gaan.

Verwijder het bestand zoals hiervoor beschreven en klik daarna op de knop 'Bladeren naar bestanden'. Je ziet nu de back-up als een mappictogram staan.

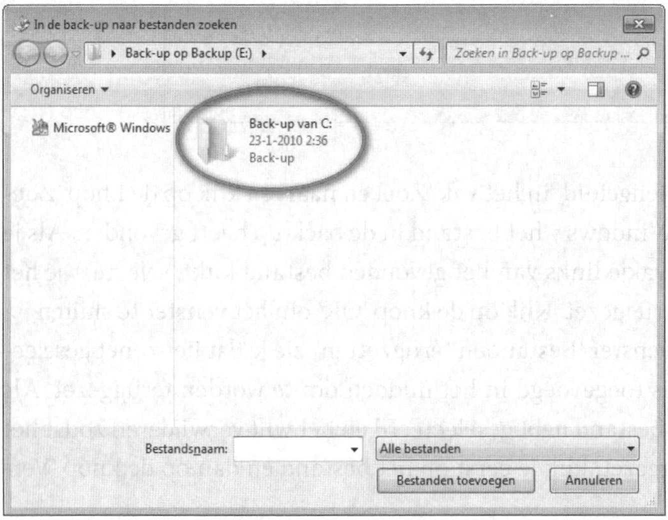

Dubbelklik nu op dat symbool om de back-up te bekijken. Als eerste zie je de map 'Users' staan.

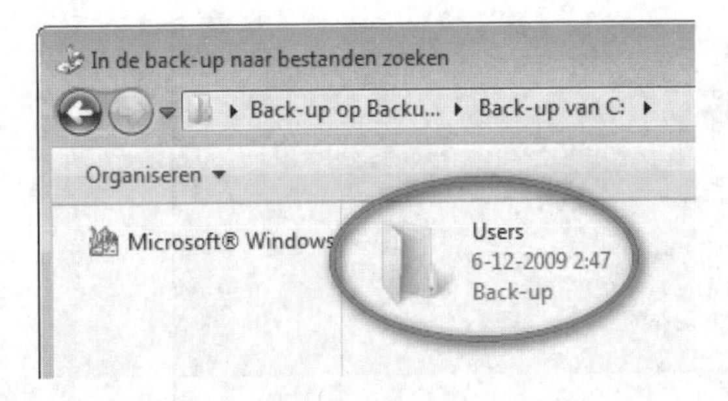

Net als hiervoor dubbelklik je weer op dat mappictogram. Je ziet nu de op jouw computer aanwezige gebruikers inclusief je eigen naam (tenminste, als je deze hebt ingevuld bij het installeren van Windows 7). De map 'Public' is een algemene map en op dit moment niet van belang.

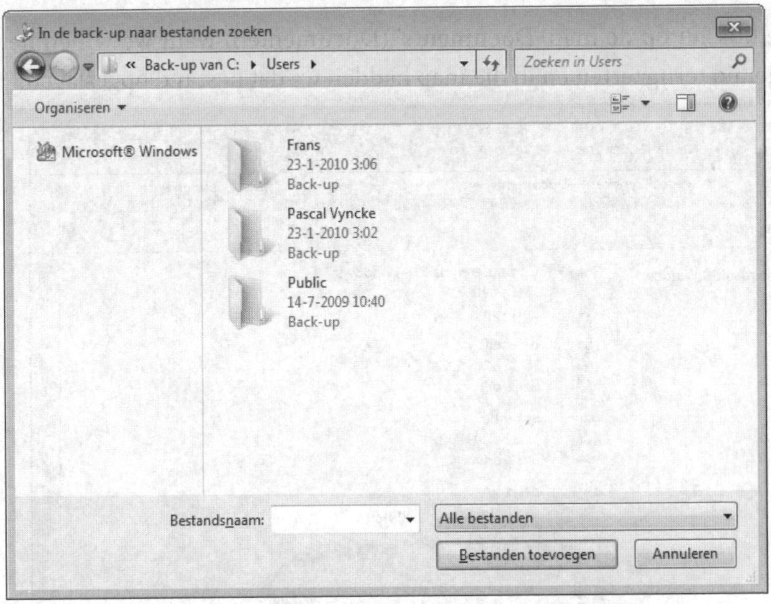

Dubbelklik nu op de map met je eigen naam. Je ziet daarna alle mappen die bij jou horen. Een verschil is er wel. Je ziet nu alle mappen Engelstalig staan. Bureaublad is bijvoorbeeld Desktop en Afbeeldingen is Pictures.

In de back-up naar bestanden zoeken
« Users ▸ Pascal Vyncke ▸
Zoeken in Pascal Vyncke
Organiseren
Microsoft® Windows
Back-up
Contacts
6-12-2009 2:47
Back-up
Desktop
6-12-2009 2:47
Back-up
Documents
16-1-2010 0:17
Back-up
Downloads
6-12-2009 2:47
Back-up
Favorites
6-12-2009 2:47
Back-up
Bestandsnaam:
Alle bestanden
Map openen
Annuleren

Dubbelklik nu op de map 'Documents' (Documenten) want we willen het oefengeluid terugzetten en in die map hadden we dat bestand opgeslagen.

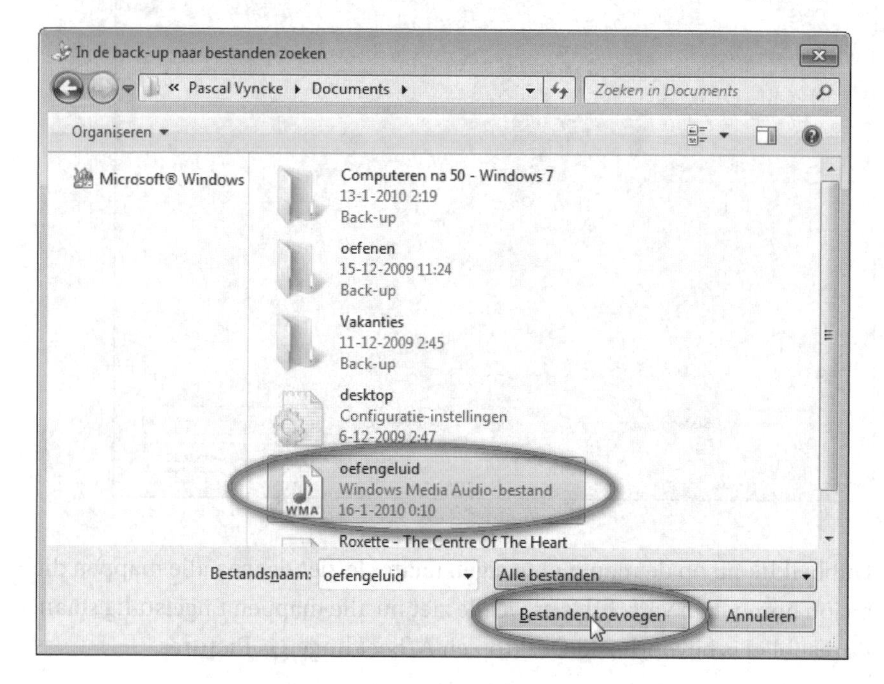

Klik nu op het oefenbestand en daarna op de knop 'Bestanden toevoegen' om dat bestand terug te zetten. Het venster sluit en je komt weer terug in het venster 'Bestanden terugzetten'. Je ziet dat het bestand op dezelfde manier is toegevoegd om terug te zetten als eerder.

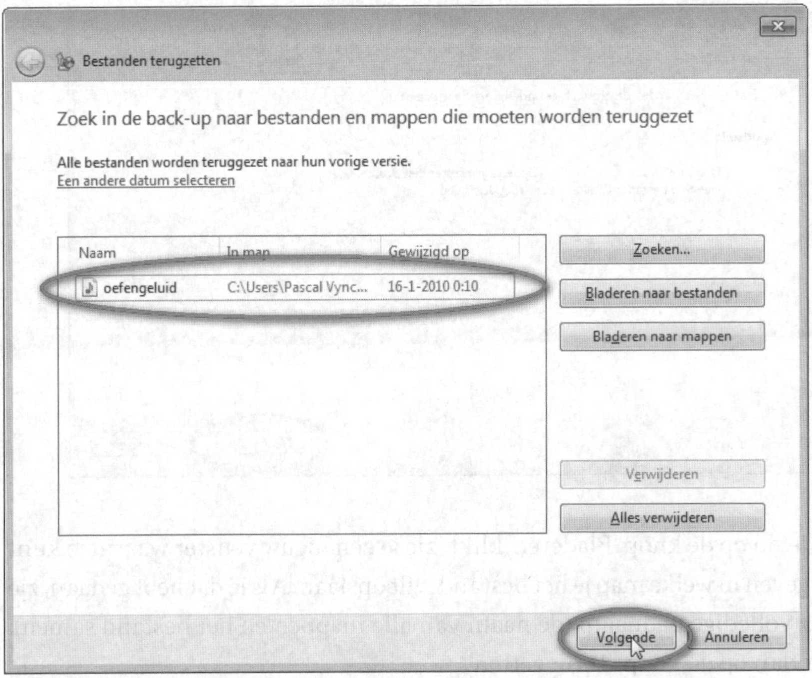

Klik nu op de knop 'Volgende' om het bestand terug te zetten. Je ziet nu een nieuw venster waarin je wordt gevraagd wáár je dat bestand terug wilt zetten. Doorgaans is het zo dat je de bestanden op dezelfde plek waar ze stonden terug wilt zetten, maar je hebt de keuze. Er is niets op tegen om het bestand ergens anders op te slaan. Klik daarvoor op het rondje 'In de volgende locatie'.

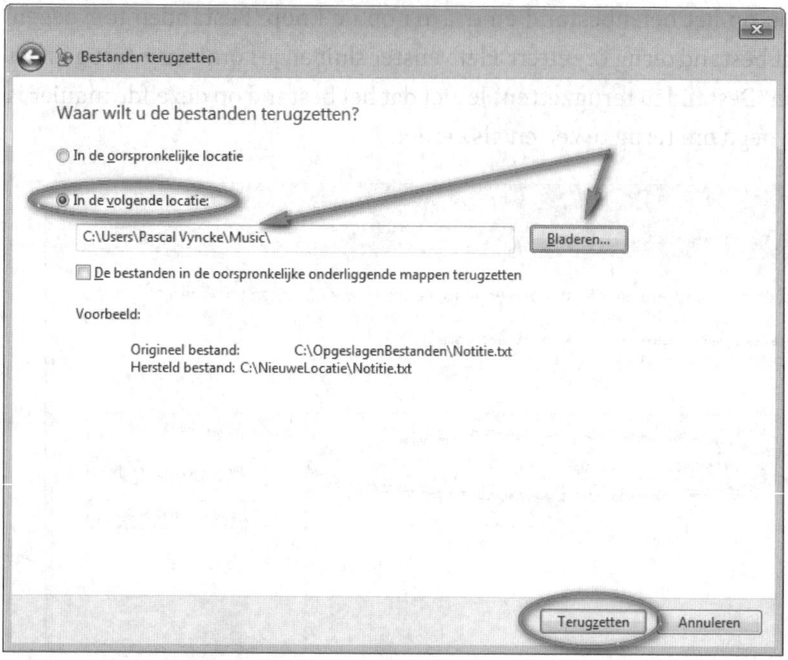

Bestanden terugzetten

Waar wilt u de bestanden terugzetten?

In de oorspronkelijke locatie

In de volgende locatie:

C:\Users\Pascal Vyncke\Music\

Bladeren...

De bestanden in de oorspronkelijke onderliggende mappen terugzetten

Voorbeeld:

Origineel bestand: C:\OpgeslagenBestanden\Notitie.txt
Hersteld bestand: C:\NieuweLocatie\Notitie.txt

Terugzetten Annuleren

Als je nu op de knop 'Bladeren' klikt, zie je een nieuw venster waarin je kunt aangeven in welke map je het bestand wilt opslaan. Als je dat hebt gedaan, zie je de volledige padnaam (de naam van alle mappen en het bestand samen). Klik dan op de knop 'Terugzetten'.

Afhankelijk van de hoeveelheid bestanden die je terugzet, kan het even duren voor de computer klaar is. In het voorbeeld gaat het maar om één bestand dat binnen een seconde op z'n plek stond. Je ziet nu een nieuw venster waar wordt aangegeven dat de bestanden zijn teruggezet. Je ziet nog de link 'Teruggezette bestanden weergeven' in dat venster.

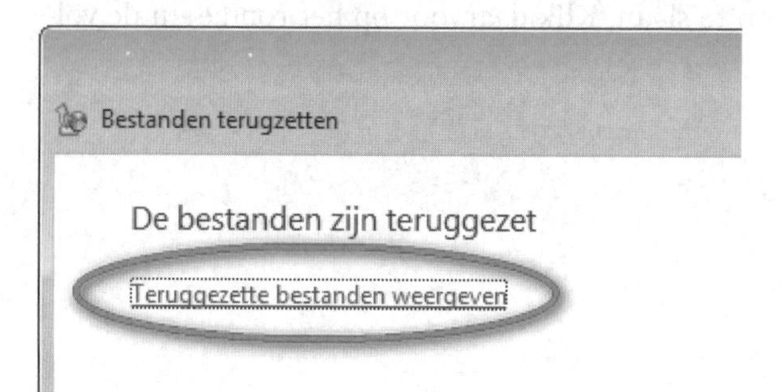

Als je daarop klikt, opent een Verkennervenster met de map in beeld waar het bestand is teruggezet. Sluit dat venster door op het rode kruisje te klikken en klik op de knop 'Voltooien' om het venster 'Bestanden terugzetten' te sluiten.

Je bent weer terug in het venster 'Back-up maken en terugzetten'. Sluit dit venster door op het rode kruisje te klikken.

Het startmenu opruimen

In de lijst van 'Alle programma's' in het startmenu van je computer staat misschien bijzonder veel. Soms is dit wat onoverzichtelijk. De bedoeling is dat hier zowat alles staat wat je op je computer hebt (vandaar ook de naam 'Alle programma's'). Als je echter wat wilt opruimen omdat je bepaalde programma's toch nooit via dit startmenu oproept (maar bijvoorbeeld rechtstreeks vanaf je bureaublad of door rechtstreeks een bestand te openen), dan kun je dit startmenu opschonen. We gaan dus de zaken die we weg willen hebben eruit verwijderen.

Je doet dit als volgt. Klik met je linkermuisknop op de knop 'Starten'. In het menu dat nu verschijnt, ga je naar 'Alle programma's'. We krijgen nu dus de lijst met programma's te zien die we willen opschonen.

Adobe Reader 9
FSCapture
Galerie met bureaubladgadgets
Internet Explorer
Microsoft Security Essentials
Standaardprogramma's
Windows Dvd branden
Windows Faxen en scannen
Windows Live ID
Windows Media Center
Windows Media Player
Windows Update
XPS-viewer
Bureau-accessoires
Clarion 6
LG PC Suite III
Microsoft Office
Microsoft Office Live Add-in
Onderhoud
Ontspanning
Opstarten
Skype

Klik met je rechtermuisknop op een programma om een extra functie op te roepen, namelijk het verwijderen. In het menu dat verschijnt, klik je met je linkermuisknop op 'Verwijderen'.

De computer vraagt nu of je zeker weet dat je dit wilt verwijderen uit het startmenu. Klik met je linkermuisknop op 'Ja' om het verwijderen te bevestigen.

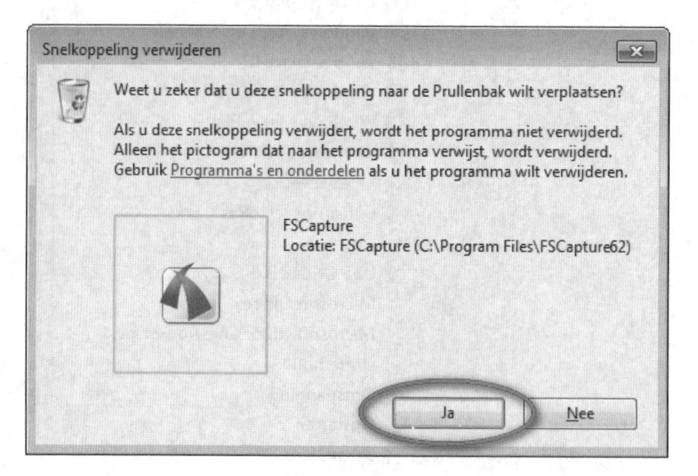

Als je voorgaande melding niet krijgt, maar een melding zoals op de volgende foto, dan klik je daar gewoon op 'Doorgaan'. Het verschil is dat op je computer meerdere gebruikers geregistreerd zijn, waardoor hij een andere melding geeft. Het verwijderen heeft namelijk betrekking op alle gebruikers van je computer.

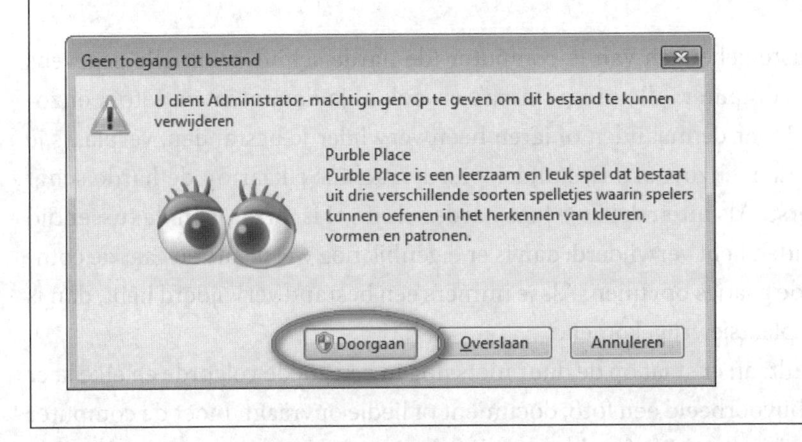

Je kunt voorgaande handeling (het met de rechtermuisknop aanklikken van het programma in het startmenu om het te verwijderen) herhalen totdat alles wat je wilt verwijderen weg is.

Het verwijderen van een programma uit het startmenu wil NIET zeggen dat dit programma ook van je computer is! Dit is uitsΔluitend om je startmenu op te schonen. Indien je een programma daadwerkelijk van je computer wilt verwijderen, kijk dan in het hoofdstuk 'Programma's weer van je computer verwijderen' elders in dit boek (p..563)!

Je computer onderhouden (en sneller maken!)

Dit hoofdstuk is niet nuttig als je nog maar net een computer hebt, maar wordt nuttig als je er al enkele maanden of jaren mee werkt. Je brengt je nieuwe auto ook niet onmiddellijk naar de garage voor onderhoud!

Naarmate de tijd voorbijgaat, zal je computer trager wordt. Er zijn hiervoor twee boosdoeners: je hebt te veel programma's op je computer staan – hier kun je weinig aan doen – en het geheugen van je computer is vertraagd. Dit laatste kun je wél verhelpen!

Defragmenteren

Het vaste geheugen van je computer (de harde schijf) bevat alle gegevens van je computer: alle programma's en ook al je documenten, foto's, enzovoort. Door de maanden of jaren heen verwijder je bestanden, verplaats je bestanden, enzovoort. Bestanden worden achter elkaar op de harde schijf geplaatst. Als uiteindelijk je hele harde schijf vol is, maar je in de tussentijd bestanden hebt verwijderd, dan is er eigenlijk nog wel plaats en gaat de computer de gaatjes opvullen. Als je immers een bestand verwijderd hebt, dan is er een plaatsje vrijgekomen.

Resultaat: er staat op de duur niets nog in een goede volgorde en elke keer dat je bijvoorbeeld een foto, document of liedje opvraagt, moet de computer de hele harde schijf afzoeken om alle stukjes bij elkaar te rapen om je zo het gewenste bestand te tonen. Het is duidelijk dat dit de computer vertraagt. Gezegd wordt dan dat de gegevens zeer 'gefragmenteerd' zijn: ze staan in vele verschillende fragmenten op je harde schijf.

Leuk is echter dat je de computer zelf weer kunt laten opruimen. Je kunt hem vragen om zijn hele geheugen opnieuw goed te ordenen. Zo komt er weer meer structuur in alle bestanden in je geheugen en komen de verschillende fragmenten van bestanden bij elkaar te staan. Dit proces wordt 'defragmenteren' genoemd.

Tip
Het defragmenteren van je computer is iets dat een hele tijd duurt. Je kunt dit dus het best 's avonds starten en je computer de hele nacht laten aanstaan, zodat deze de volgende ochtend klaar is.

Het is aan te raden om eerst alle programma's die actief zijn op je computer te sluiten, zodat niets nog openstaat. Het sluiten kun je steeds doen door met je linkermuisknop rechtsboven op het kruisje te klikken.

Je start het defragmenteren door naar 'Computer' gaan. Klik dus links onderaan op de knop 'Starten', want je wilt 'Computer' starten, en klik vervolgens met je linkermuisknop op 'Computer'.

Je krijgt nu het scherm te zien met het geheugen van je computer, de verschillende harde schijven (indien je er meerdere hebt) en ook het cd-station, dvd-station, enzovoort. Klik met je rechtermuisknop op je harde schijf, deze wordt 'Lokaal station (C:)' (in dit voorbeeld 'Windows 7') genoemd. We willen immers een extra mogelijkheid oproepen voor onze harde schijf. Klik vervolgens met je linkermuisknop op 'Eigenschappen' in het menu.

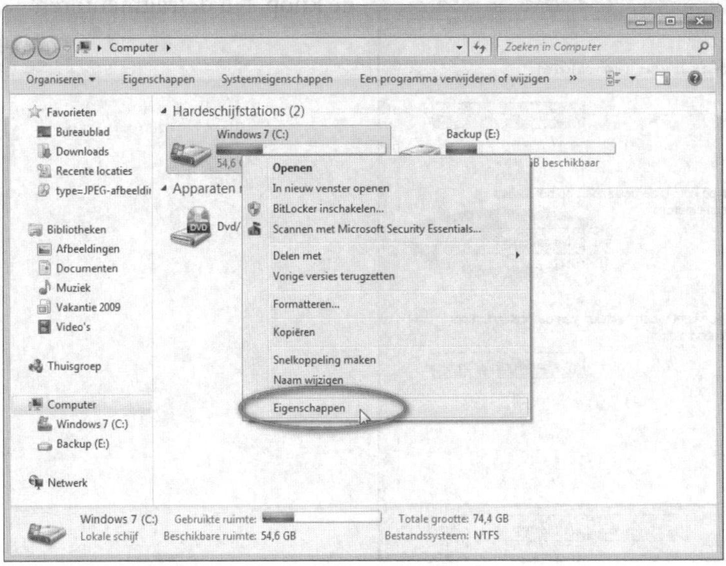

Je krijgt nu een nieuw scherm te zien met allerlei gegevens over je harde schijf. We zijn vooral geïnteresseerd in de mogelijkheid om onze computer te defragmenteren (dus dat de computer weer orde schept in zijn geheugen). Hiervoor klikken we op het tabblad 'Extra' met onze linkermuisknop.

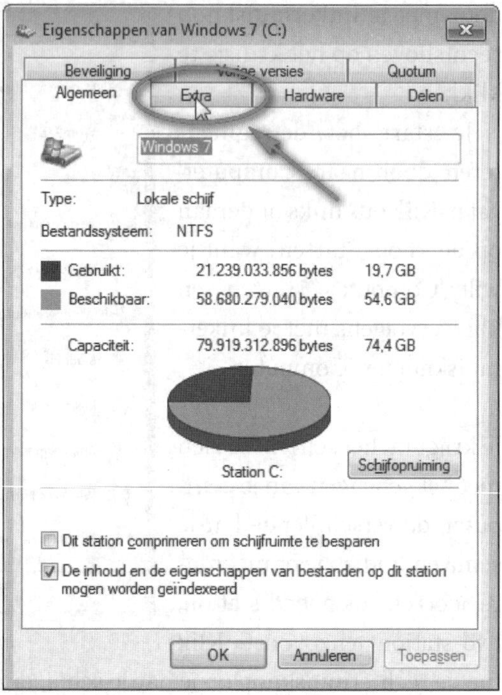

We willen defragmenteren, klik dus met je linkermuisknop op de knop 'Nu defragmenteren'.

Je ziet nu het venster 'Schijfdefragmentatie'. Bovenin zie je dat Windows 7 al een schema heeft om alle schijven te defragmenteren.

Als je het schema wilt aanpassen, klik je op de knop 'Schema instellen'. Standaard defragmenteert Windows 7 de harde schijven een keer per week. Daaronder zie je de op jouw computer aanwezige schijven staan.

Je ziet ook dat alle schijven 0 % zijn gefragmenteerd en dus in orde zijn. Om dat te controleren, klik je op de schijf die je wilt controleren en dan op de knop 'Schijf analyseren'. Je ziet meteen dat de analyse wordt gestart.

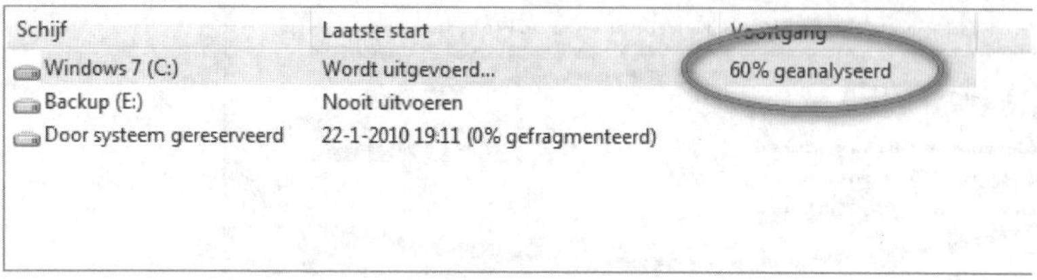

Schijf	Laatste start	Voortgang
Windows 7 (C:)	Wordt uitgevoerd...	60% geanalyseerd
Backup (E:)	Nooit uitvoeren	
Door systeem gereserveerd	22-1-2010 19:11 (0% gefragmenteerd)	

Aan het eind van de analyse zie je wat het fragmentatiepercentage is. In ons geval is de schijf 1 % gefragmenteerd en dus laten we defragmenteren. Klik daarvoor op de knop 'Schijf defragmenteren'. In verschillende fasen wordt de schijf nu gedefragmenteerd.

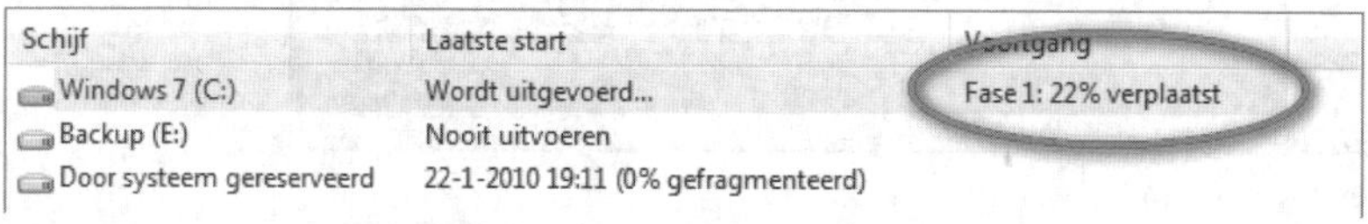

Schijf	Laatste start	Voortgang
Windows 7 (C:)	Wordt uitgevoerd...	Fase 1: 22% verplaatst
Backup (E:)	Nooit uitvoeren	
Door systeem gereserveerd	22-1-2010 19:11 (0% gefragmenteerd)	

Afhankelijk van de grootte en de snelheid van de harde schijf en ook van de mate van fragmentatie kan het meerdere uren duren voor de computer klaar is.

Let erop dat je computer bijzonder hard moet werken voor het defragmenteren. Het beste is NIETS meer te doen aan je computer tot deze helemaal klaar. Werk intussen dus niet verder aan een document en ga niet op het internet surfen. Laat je computer rustig werken, des te sneller is het werk gedaan en is het goed gedaan. Als de computer bezig is orde te scheppen in zijn geheugen en jij vraagt juist op dat ogenblik het document op waarmee hij bezig is, dan kan het mislopen.

Als de computer klaar is, wat lang kan duren, zie je dit doordat hij geen statusmelding meer geeft met welke fase hij bezig. Sluit vervolgens de schermen af door rechtsboven op het kruisje of op de knop 'Sluiten' te klikken.

Foutcontrole

Het geheugen van je computer, de harde schijf, is een mechanische schijf waarop alle informatie van je computer staat. Hier kunnen echter fouten op voorkomen. Dit kan doordat de computer niet goed werd afgesloten, er een fout is voorgekomen in een programma of gewoon door het feit dat je harde schijf niet helemaal perfect is.

Het werken met een schijf waarop fouten staan, kan echter problemen geven. Stel je voor dat er een programma staat op je harde schijf, juist op een stukje dat fouten bevat, dan loop je het risico dat dit programma zich vreemd gaat gedragen.

Positief is dat je computer dit voor je kan uitzoeken. De computer gaat heel de harde schijf controleren op fouten, zodat hij zich ervan kan verzekeren dat alles in orde is. Als er fouten voorkomen, gaat hij de stukken bovendien proberen te herstellen. Als dat niet lukt, houdt hij bij dat bepaalde stukken beschadigd zijn en zal die in de toekomst niet meer gebruiken.

De foutcontrole starten we op bijna dezelfde manier als het defragmenteren. Dus via 'Computer', dan met de rechtermuisknop op de harde schijf, 'Eigenschappen' kiezen en vervolgens het tabblad 'Extra'. Klik op de knop 'Nu controleren' met je linkermuisknop.

Je krijgt nu een scherm te zien waarbij je nog enkele zaken kunt aanduiden. Klik met je linkermuisknop op de twee witte vakjes die staan voor 'Fouten in bestandssysteem automatisch corrigeren' en voor 'Beschadigde sectoren zoeken en repareren'. Let op dat het selecteren van de tweede optie kan resulteren in een foutcontrole die erg lang kan duren.

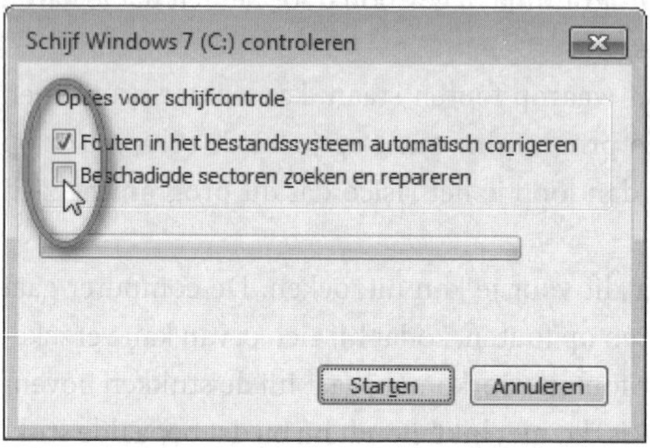

Klik vervolgens op 'Starten' met je linkermuisknop om het controleren te starten.

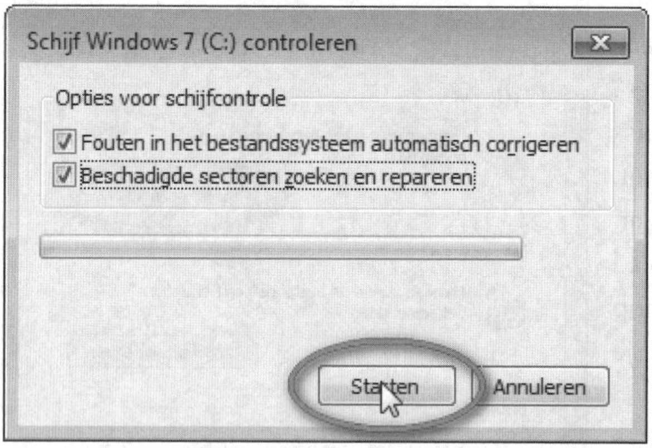

Dit controleren kan een hele tijd duren, afhankelijk van het aantal bestanden op je computer. Tijdens het controleren mag je de computer NIET gebruiken. Ook moeten alle programma's gesloten zijn op je computer.

Als niet alles vrijgegeven is, zal de computer dit melden en je voorstellen om de schijfcontrole pas te doen bij de volgende keer dat je de computer opstart. Bevestig dit positief door te klikken op 'Schijfcontrole plannen' met je linkermuisknop en herstart dan je computer, zodat je hem kunt laten controleren op fouten.

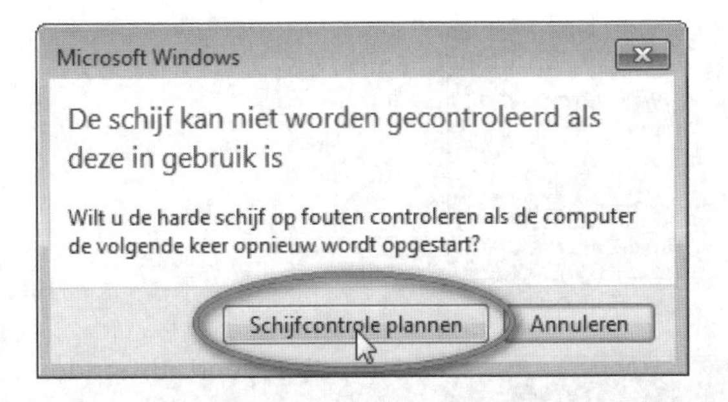

Als de computer klaar is met de foutcontrole, dan krijg je hiervan melding. Bevestig door op de knop te klikken met je linkermuisknop.

Schijfopruiming

In het geheugen van je computer, de harde schijf, staat meestal informatie die niet meer nodig is. Het gaat om tijdelijke bestanden en gegevens die inmiddels overbodig geworden zijn. Je kunt deze opruimen, zodat er meer geheugen vrijkomt op je computer. Als je deze schijfopruiming start, gaat je computer in zijn eigen geheugen zoeken wat er allemaal weg kan.

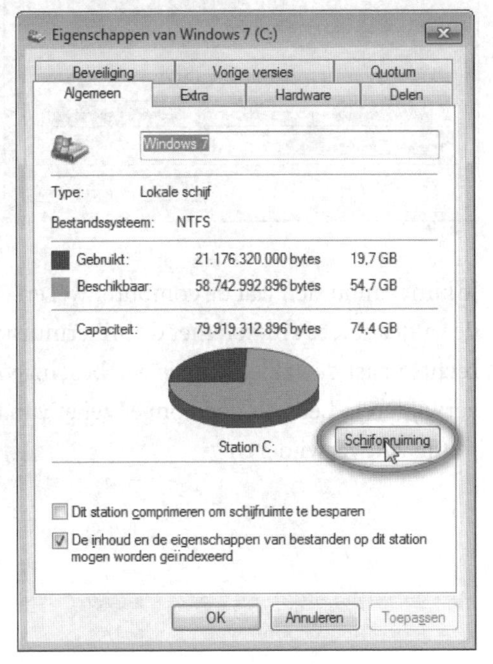

Voor het opruimen van de schijf klik je op de knop 'Starten', vervolgens 'Computer', dan met de rechtermuisknop op '(C:)' en vervolgens op 'Eigenschappen'. Net zoals we deden bij het defragmenteren en de foutcontrole dus. Blijf op het tabblad 'Algemeen' en klik met je linkermuisknop op de knop 'Schijfopruiming'.

De computer gaat nu uitzoeken wat hij allemaal kan opruimen. Even geduld hiervoor.

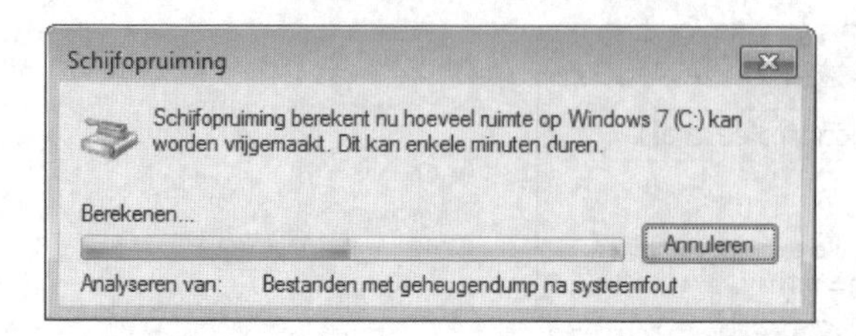

Schijfopruiming voor Windows 7 (C:)
Schijfopruiming
Met Schijfopruiming kan op Windows 7 (C:) in totaal 43,6 MB aan schijfruimte worden vrijgemaakt.
Te verwijderen bestanden:
Gedownloade programmabestanden 0,98 MB
Tijdelijke internetbestanden 4,50 MB
Offlinewebpagina's 325 kB
Spelnieuwsbestanden 1,40 kB
Spelstatistiekenbestanden 22,0 kB
Schijfruimte die hiermee wordt gewonnen: 40,5 MB
Beschrijving
Gedownloade programmabestanden zijn ActiveX-besturingselementen en Java-applets die automatisch worden gedownload van het Internet als u bepaalde pagina's bekijkt. Deze worden tijdelijk opgeslagen in de map met gedownloade programmabestanden.
Systeembestanden opschonen
Bestanden weergeven
Hoe werkt Schijfopruiming?
OK
Annuleren

De computer geeft uiteindelijk een nieuw scherm weer, waarop staat wat er kan worden leeggemaakt. Je ziet achter 'Schijfruimte die hiermee wordt gewonnen' hoeveel ruimte de computer kan winnen door het opruimen.

Je kunt aanduiden wat de computer wel en wat hij niet mag verwijderen door de vakjes aan te klikken met de linkermuisknop. Door te klikken op de regel rechts naast de vakjes krijg je een beschrijving van de bestanden die je kunt verwijderen. Lees dit goed om er zeker van te zijn dat je ook echt verwijderd wat je wílt verwijderen.

Als je klaar bent met aanduiden, druk je op de knop 'OK' om het opruimen te starten.

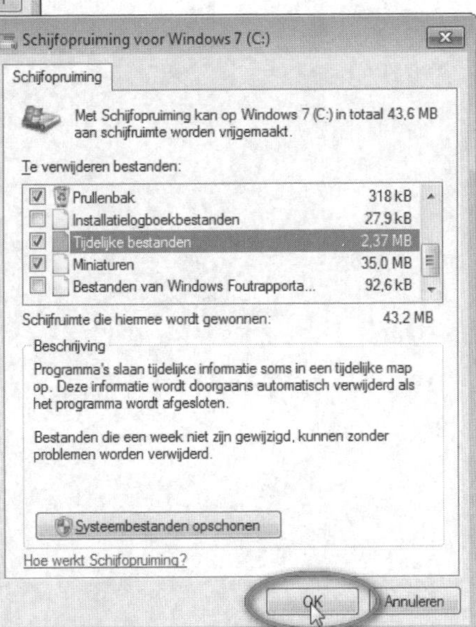

De computer vraagt nu nog eens extra of je er zeker van bent, je gaat tenslotte gegevens verwijderen. Weet je het zeker, bevestig dit dan door te klikken op 'Bestanden verwijderen' met je linkermuisknop.

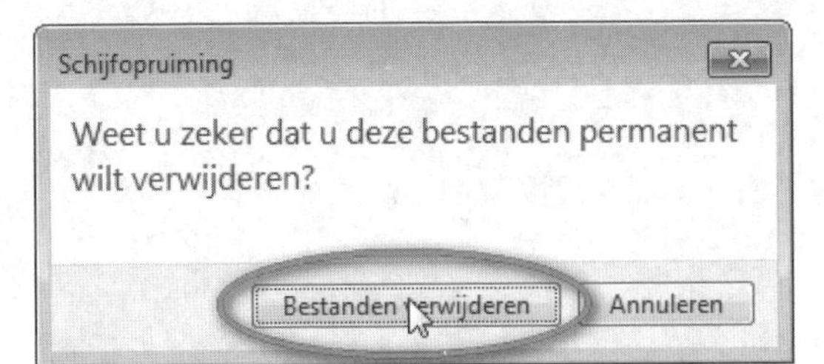

De computer gaat nu de aangeduide bestanden verwijderen. Je ziet de vooruitgang op je scherm.

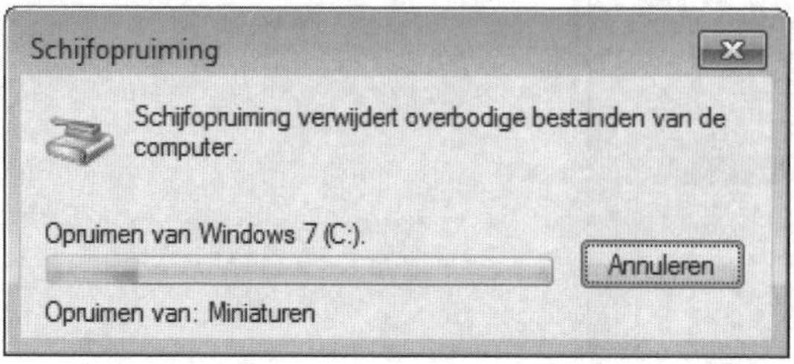

Als de computer klaar is, verdwijnt het voorgaande scherm. De schijf is nu opgeruimd!

13 •• JE COMPUTER PERSOONLIJKER MAKEN

Een koffiezetapparaat of een televisie kun je niet echt persoonlijk maken. Die zijn zoals ze zijn en veel kun je er niet aan veranderen. Je zou ze hoogstens een likje verf kunnen geven, al lijkt me dat ook niet zo interessant.

Je computer kun je echter wel persoonlijker maken. Je kunt de kleuren veranderen, je bureaublad veranderen, de grootte van de letters, enzovoort. Veel dingen kun je aanpassen, allemaal om het jou aangenamer en gemakkelijker te maken. In dit deel leren we de verschillende mogelijkheden om je computer aan je persoonlijke voorkeuren te laten voldoen.

Schermbeveiliging

Je hebt waarschijnlijk al wel gezien dat als je een tijdje niet achter je computer zit, er automatisch iets anders op het scherm komt. Dit wordt de 'schermbeveiliging' of 'screensaver' genoemd. Die is uitgevonden om te voorkomen dat je scherm beschadigd raakt door inbranden. De schermbeveiliging zorgt ervoor dat er iets anders op je computerscherm verschijnt, meestal iets dat op regelmatige tijdstippen verandert of iets dat beweegt. Zo blijft niet heel de tijd hetzelfde op het scherm zichtbaar en kan het niet inbranden.

De schermbeveiliging kun je aanpassen aan je eigen behoeften. Het is leuk om een mooie schermbeveiliging te hebben. Als je niet aan je computer werkt, loop je er misschien weleens langs. Het is leuk als je dan iets moois (of leuks) in beeld krijgt.

Het instellen van de schermbeveiliging doen we via het bureaublad. Ga dus naar het bureaublad van je computer en klik erop met je rechtermuisknop om extra mogelijkheden te zien. In het lijstje klik je op 'Aan persoonlijke voorkeur aanpassen'.

Beeld
Sorteren op
Vernieuwen
Plakken
Snelkoppeling plakken
Naam wijzigen ongedaan maken Ctrl+Z
Grafische Eigenschappen...
Grafische opties
Intel® Wizard Tv
Nieuw
Schermresolutie
Gadgets
Aan persoonlijke voorkeur aanpassen

Klik nu op de optie 'Schermbeveiliging' met je linkermuisknop, we willen immers de schermbeveiliging instellen.

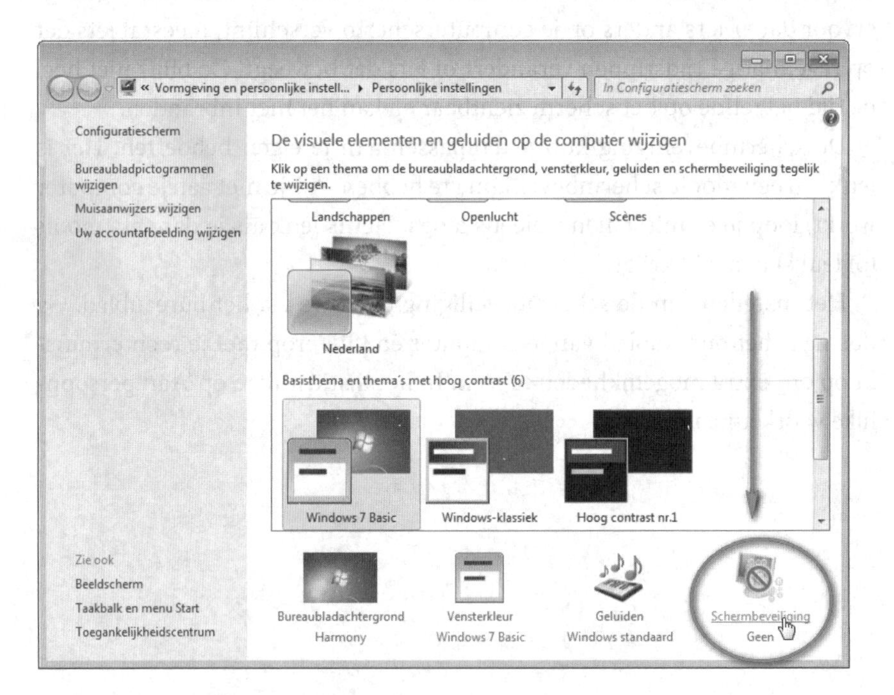

Op het scherm dat je nu te zien krijgt, zie je een gesimuleerd computerscherm. Dit geeft weer wat je huidige schermbeveiliging is. In ons geval is dat nog niets, er staat (terecht) ook 'Geen'.

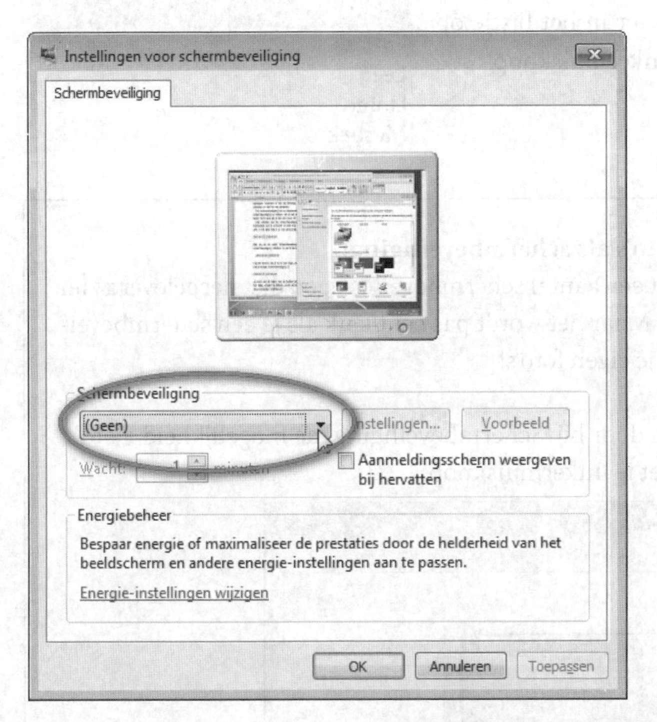

Je kunt ook de naam van de huidige schermbeveiliging zien (in ons geval 'Geen'). Door met je linkermuisknop op het pijltje ernaast te klikken, wordt de lijst zichtbaar met alle mogelijke schermbeveiligingen die je computer ondersteunt.

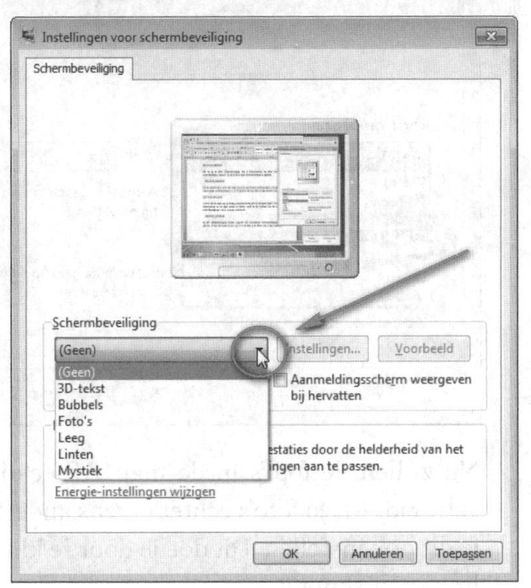

Bij een standaardcomputer worden ongeveer zes verschillende schermbeveiligingen gratis geleverd. Je kunt een andere kiezen door er in het lijstje op te klikken met je linkermuisknop.

Tip: je eigen foto's als schermbeveiliging!
Je hebt keuze uit een aantal schermbeveiligingen die meegeleverd zijn bij je computer. Maar het wordt pas echt leuk als je een schermbeveiliging hebt met je eigen foto's!

Je kunt dit doen door bij 'Schermbeveiliging' de mogelijkheid 'Foto's' te selecteren met je linkermuisknop.

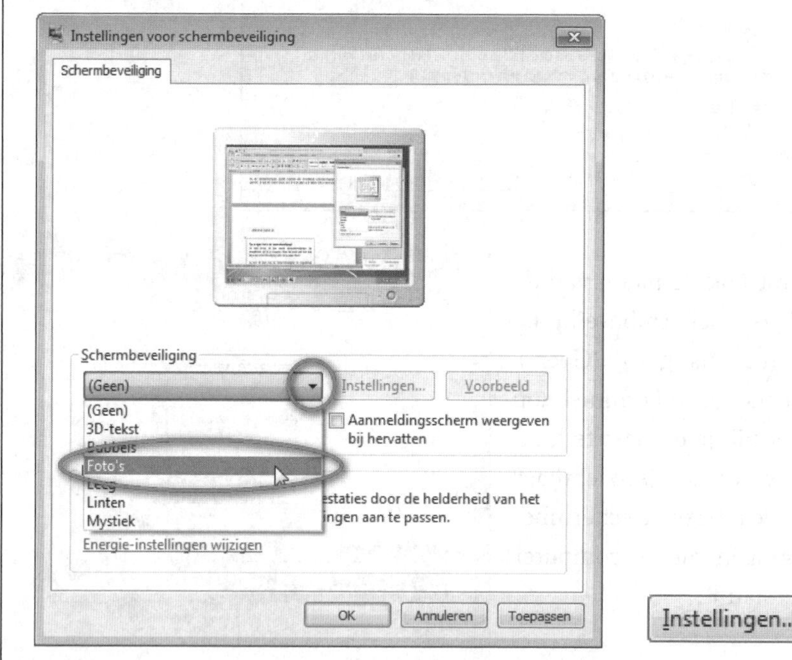

Nu zullen de foto's in de map 'Afbeeldingen' automatisch worden getoond. Als je foto's echter ergens anders op je computer staan, kun je dit ook instellen. Dit doe je door te klikken op 'Instellingen' met je linkermuisknop.

Klik vervolgens op 'Bladeren' met je linkermuisknop.

Instellingen...

Map selecteren

Selecteer een map met afbeeldingen die u in schermbeveiliging Foto's wilt opnemen en klik vervolgens op OK.

Bureaublad
Bibliotheken
Afbeeldingen
Mijn afbeeldingen
2010-01-12
Foto's Toscane 2009
Openbare afbeeldingen

Map: 2010-01-12

OK Annuleren

Nu geef je de locatie op waar de foto's staan die je wilt gebruiken. Klik de map aan met je linkermuisknop en bevestig door op 'OK' te klikken.

Op het scherm dat je nu ziet, kun je nog enkele zaken wijzigen: de snelheid van de foto's en of je de foto's in willekeurige volgorde wilt weergeven. Vervolgens klik je nog eens op 'OK' om de gewijzigde locatie van de foto's te bevestigen aan je computer.

Je kunt ook instellen hoelang je computer moet wachten voordat hij deze schermbeveiliging start. Dus, hoelang de computer moet wachten vanaf de laatste keer dat je iets met de computer hebt gedaan (iets met het toetsenbord of de muis), alvorens die schermbeveiliging weer te geven. Dat kan 10 minuten zijn, maar evengoed 180 minuten, precies zoals je zelf wenst. In het voorbeeld stel ik 5 minuten in.

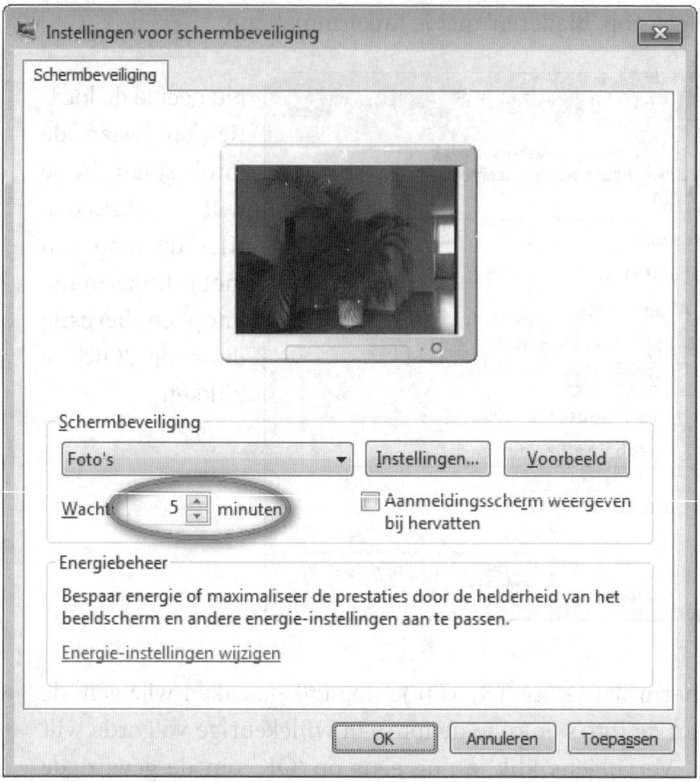

Als je wilt zien hoe de schermbeveiliging eruit zal zien, druk je met je linkermuisknop op 'Voorbeeld'. De computer laat nu de schermbeveiliging zien. Beweeg met de computermuis of druk op een toets op het toetsenbord om de schermbeveiliging weer te doen verdwijnen.

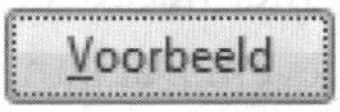

Voorbeeld

Via de knop 'Instellingen' kun je trouwens ook nog enkele zaken instellen van de schermbeveiliging die je hebt gekozen: kleur, snelheid, enzovoort.

Instellingen...

Tip
Bescherm je schermbeveiliging met een wachtwoord.

Je schermbeveiliging is gemaakt om je computerscherm te beschermen tegen het inbranden. Het beveiligt dus je scherm.

We kunnen de schermbeveiliging echter nog voor een tweede zaak gebruiken: voorkomen dat iemand zomaar op je computer kan werken als je even weg bent. Dit is vooral handig op je werk of een andere plaats waar mogelijk mensen ongemerkt aan je computer kunnen komen.

We kunnen onze schermbeveiliging zodanig instellen dat men een geheim codewoord (wachtwoord genoemd) moet opgeven alvorens de schermbeveiliging verdwijnt. Je kunt dus alleen met de computer werken als je het wachtwoord kent. Als je dus na een tijdje later terug aan je computer gaat zitten, geef je het wachtwoord in, en kun je onmiddellijk verder werken. Als er echter iemand achter je rug (een collega, vriend...) aan je computer gaat zitten, en hij kent het wachtwoord niet, dan kan hij niets met je computer doen.

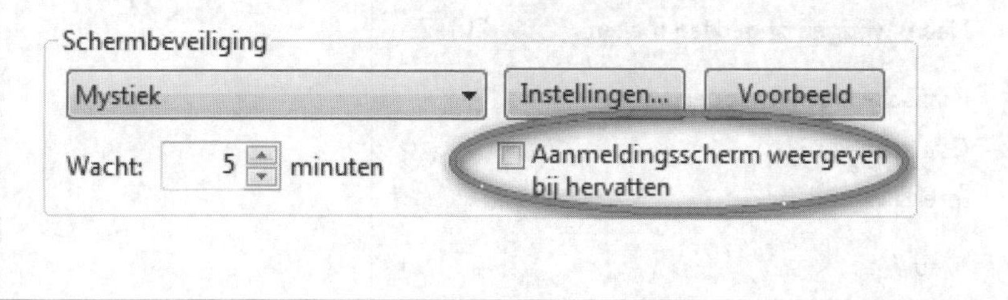

Wachtwoord instellen
Indien je het wachtwoord wilt instellen, dan doe je dit als volgt.

Als je het scherm met de instellingen voor je schermbeveiliging hebt openstaan, klik je met je linkermuisknop op het vierkantje dat staat voor 'Aanmeldingsscherm weergeven bij hervatten'; ofwel 'Met wachtwoord beveiligen'. Dit is afhankelijk van hoe je computer geïnstalleerd is.

Druk onderaan op de knop 'OK' met je linkermuisknop om de nieuwe instellingen te bevestigen aan je computer.

Achtergrond van je bureaublad

Het bureaublad is dat wat je steeds te zien krijgt als je start met je computer. Je krijgt het ook geregeld te zien als je aan het werken bent, want van daar af kun je snel starten. Het is dus logisch dat we ook dit bureaublad kunnen aanpassen aan onze wensen. Een gewone egale kleur, een speciaal patroon en een prachtige foto horen tot de mogelijkheden.

We willen ons bureaublad aanpassen, het is dus logisch om naar het bureaublad te gaan, er met onze rechtermuisknop op te klikken om de mogelijkheden te zien en vervolgens in het lijstje op 'Aan persoonlijke voorkeur aanpassen' te klikken met de linkermuisknop.

Beeld
Sorteren op
Vernieuwen
Plakken
Snelkoppeling plakken
Naam wijzigen ongedaan maken Ctrl+Z
Grafische Eigenschappen...
Grafische opties
Intel® Wizard Tv
Nieuw
Schermresolutie
Gadgets
Aan persoonlijke voorkeur aanpassen

We willen ons bureaublad aanpassen, klik dus met je linkermuisknop op de link 'Bureaubladachtergrond'.

Je ziet een venster met diverse standaard Windows-achtergronden. Met de schuifbalk aan de rechterkant kun je de aanwezige afbeeldingen bekijken en eventueel één daaruit kiezen.

« Persoonlijke instellingen ▸ Bureaubladachtergrond
In Configuratiescherm zoeken
Selecteer uw bureaubladachtergrond
Klik op een afbeelding om deze in te stellen als uw bureaubladachtergrond, of selecteer meer dan één afbeelding om een diavoorstelling te maken.
Locatie van afbeelding: Windows-bureaubladachtergronden
Bladeren...
Alles selecteren
Alles wissen
Architectuur (6)
Afbeeldingspositie:
Vullen
Wijzigingen opslaan
Annuleren

Als je op de grijze balk rechts naast 'Locatie' klikt, klapt een lijst open met nog meer opties. Je hebt de keuze om een foto uit je eigen map 'Afbeeldingen' te selecteren, maar uit ook de voorbeeldmap van Windows zelf. Of je kiest gewoon een standaardkleur.

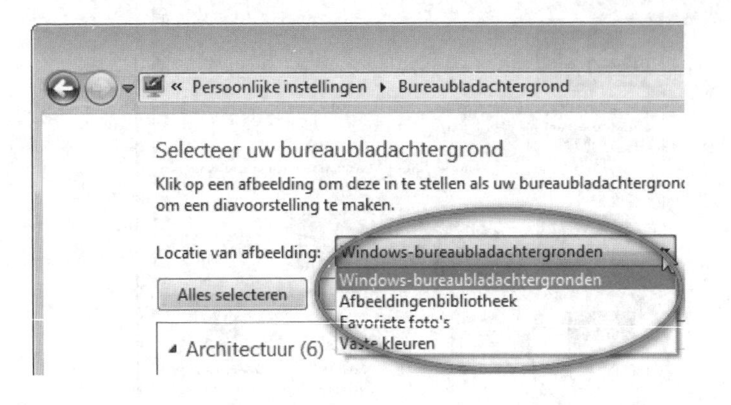

Een eigen foto op je bureaublad

Als je een bepaalde foto hebt die je wilt plaatsen op je bureaublad, dan klik je met je linkermuisknop op 'Bladeren'.

In het venster dat nu verschijnt, ga je naar de map op je harde schijf waar de foto staat. Je selecteert hier alleen een map, nog geen foto.

Klik op de knop 'OK' als je de juiste map hebt geselecteerd. Je komt nu terug in het venster 'Bureaubladachtergrond'. Je ziet de foto's weergegeven, die in de net geselecteerde map staan. Ook zie je in elke linkerbovenhoek een grijs vakje met een vinkje erin. Nadat je een map hebt geselecteerd, worden alle foto's in die map gebruikt als bureaubladachtergrond. Windows 7 zal ze als diavoorstelling weergeven. Het blijft een persoonlijke smaak, maar om als achtergrond een diavoorstelling te hebben... Rustiger is het als je één foto selecteert. Haal de vinkjes weg van de foto's die je niet wilt zien door in het grijze vakje te klikken. Zorg ervoor dat er één foto overblijft waar wel een vinkje bijstaat. Deze foto zal als bureaubladachtergrond worden gebruikt.

Je ziet in het overzichtsvenster met alle foto's een voorbeeld van hoe het eruit gaat zien. Als je tevreden bent, klik je onderaan op de knop 'OK' met je linkermuisknop.

Tip

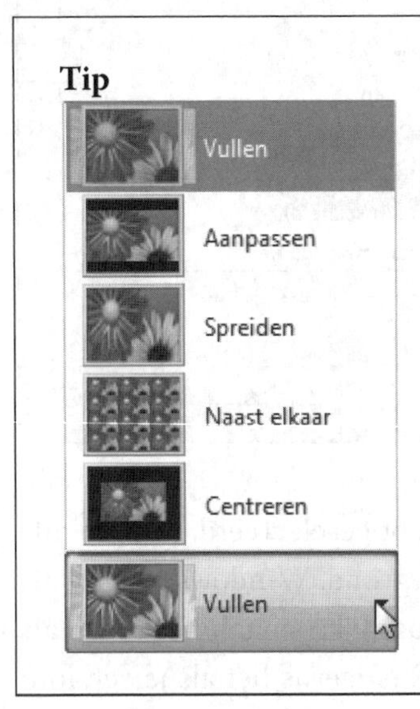

De foto die je geselecteerd hebt, kan kleiner of juist groter zijn dan je beeldscherm. Je kunt je computer meedelen wat hij er dan mee moet doen. Klik op het pijltje naast de foto onder 'Afbeeldingspositie'. Je ziet een lijstje met keuzes waarin je aangeeft hoe Windows 7 de foto moet weergeven.
Je hebt vijf mogelijkheden: vullen, aanpassen, spreiden, naast elkaar en centreren. De foto's links naast de tekst geven duidelijk weer wat het effect van die keuzes is.

Beeldschermresolutie

Op je computer kun je instellen hoeveel er tegelijk zichtbaar dient te zijn op je beeldscherm. Hiermee bepaal je dus eigenlijk hoe groot de letters zijn op je scherm. Dit wordt de beeldschermresolutie genoemd. Hoe hoger je deze beeldschermresolutie instelt, hoe meer er op je beeldscherm zichtbaar zal zijn, maar hoe kleiner alles wordt afgebeeld. Hoe lager de resolutie, hoe minder er tegelijk op je beeldscherm kan, maar hoe groter de letters.

Een zeer hoge resolutie wordt gebruikt voor films en voor mensen die zeer veel bezig zijn met foto's, beeldbewerking of video. Een zeer lage resolutie wordt gebruikt voor computers die niet beter aankunnen (oude computers) en in vele gevallen voor mensen die moeite hebben om kleine letters te zien.

We willen onze beeldschermresolutie aanpassen. We gaan hiervoor naar ons bureaublad en klikken erop met onze rechtermuisknop om de mogelijkheden te zien. Klik in het lijstje met je linkermuisknop op 'Schermresolutie'.

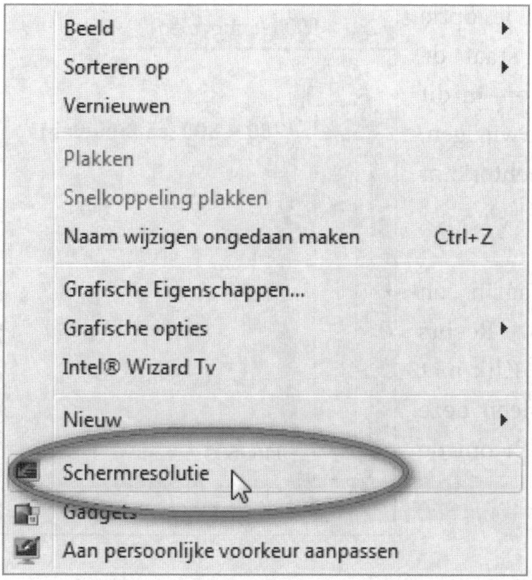

Beeld
Sorteren op
Vernieuwen
Plakken
Snelkoppeling plakken
Naam wijzigen ongedaan maken Ctrl+Z
Grafische Eigenschappen...
Grafische opties
Intel® Wizard Tv
Nieuw
Schermresolutie
Gadgets
Aan persoonlijke voorkeur aanpassen

Je ziet een nieuw venster waarin je onder andere de resolutie van je scherm kunt instellen.

« Beeldscherm ▸ Schermresolutie
In Configuratiescherm zoeken
De weergave van uw beeldscherm wijzigen
Detecteren
Identificeren
Beeldscherm: 1. ThinkPad Display 1280x800
Resolutie: 1280 × 800 (aanbevolen)
Schermstand: Liggend
Geavanceerde instellingen
Verbinding met een projector maken (u kunt ook de toets ingedrukt houden en op P klikken)
Tekst en andere items groter of kleiner maken
Wat zijn de beste beeldscherminstellingen?
OK Annuleren Toepassen

Midden in het venster zie je optie 'Resolutie'. Rechts ernaast staat de huidige resolutie weergegeven, in dit geval 1280 x 800. Om deze te wijzigen, klik je op het pijltje aan de rechterkant van die knop.

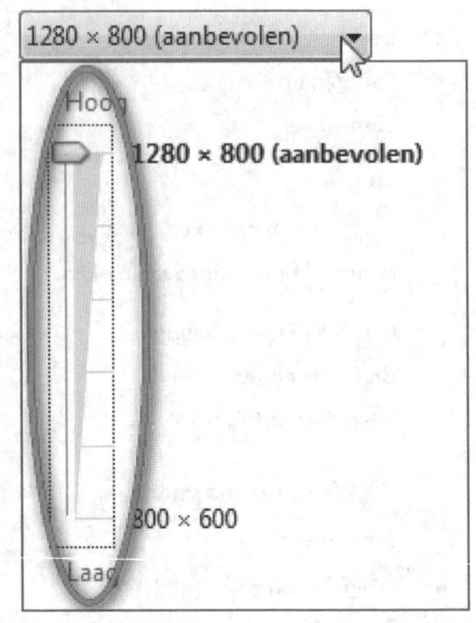

Je ziet een klein venster waarin een schuif staat weergegeven. Rechts ernaast staan de resoluties. Klik met de muis op de schuif en sleep deze naar boven en naar beneden om de resolutie aan te passen.

Mogelijk vraagt je computer nu of je zeker weet dat je deze wilt wijzigen. Het kan namelijk zijn dat je de resolutie zodanig hebt ingesteld dat je beeldscherm of je computer het niet aankan. In dat geval krijg je nu een zwart scherm te zien, of een flikkerend of sterk vervormd scherm. Alleen als het er goed uitziet, bevestig je de vraag van de computer (door te klikken op 'Ja' met je linkermuisknop). In het andere geval wacht je rustig vijftien seconden en zal de computer zich herstellen door weer de vorige instelling te nemen die zeker werkte.

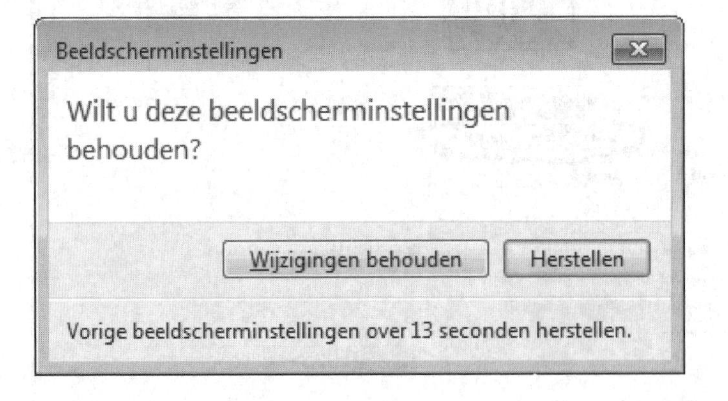

Een punt dat je wel in gedachten moet houden, is dat bij een TFT-scherm je te maken hebt met een duidelijk optimale resolutie. De reden hiervoor is simpel. Een TFT-scherm is opgebouwd uit allemaal losse puntjes (pixels). In een fabriek worden bijvoorbeeld TFT-schermen gemaakt met 1200 pixels horizontaal en 800 pixels verticaal. De instelling voor de beste weergave van zo'n scherm is dan ook precies 1200 bij 800. Voor die specifieke resolutie is hij gemaakt. Als je zo'n scherm op een andere resolutie gaat zetten, kun je je voorstellen dat de weergave een stuk minder mooi en duidelijk wordt. Windows 7 waarschuwt ook dat je het beeldscherm in zo'n situatie niet optimaal hebt ingesteld.

Melding over optimale resolutie
Dit is niet de optimale schermresolutie voor het primaire beeldscherm. De optimale resolutie is 1280 x 800. Klik op deze melding voor meer informatie.

Als je klaar bent met de instelling van je schermresolutie, klik je onderaan met je linkermuisknop op 'OK'.

OK

Tip
Als je het aantal kleuren wilt wijzigen dat je computer mag gebruiken op het beeldscherm, dan is dit eenvoudig te doen. Indien je computer foutief is ingesteld, kun je bijvoorbeeld maar gebruikmaken van 256 kleuren, wat bijzonder weinig is. Je kunt de instelling wijzigen door weer naar het venster 'Schermresolutie' te gaan en op de link 'Geavanceerde instellingen' te klikken.

In het nieuwe venster klik je op het tabblad 'Beeldscherm'. Onderaan zie je de instellingsmogelijkheid om de hoeveelheid kleuren in te stellen. Als je op het pijltje aan de rechterkant klikt, zie je welke keuzes je hebt. 65.000 kleuren (16 bit) is goed, maar foto's en filmbeelden zullen er nog onnatuurlijk uitzien.

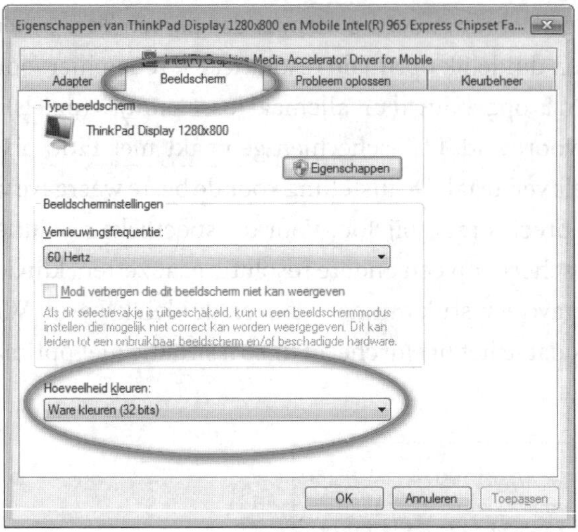

De instelling van 16.000.000 kleuren (24 bit) is zeer aan te raden, meer kleuren kan het menselijk oog niet onderscheiden. Je kunt eventueel kiezen voor 32 bit kleuren, ofwel ongeveer 4,2 miljard kleuren, al is dit vrij nutteloos aangezien onze ogen het verschil niet kunnen zien en dit alleen maar voor extra belasting zorgt voor de computer (ter informatie, in werkelijkheid kan het menselijke oog maar enkele honderdduizenden kleuren onderscheiden, 65.000 kleuren is dus te weinig om een natuurlijk beeld weer te geven, de instelling van 16 miljoen kleuren is duidelijk meer dan genoeg om een reëel beeld weer te geven). Let op dat niet alle instellingen bij elke monitor aanwezig zijn. Bij bijvoorbeeld de pc waarop ik de afbeeldingen maak, zijn alleen de 16-bits- en de 32-bitsinstelling aanwezig.

Tip

Bij de nieuwere computers heb je nog een hele reeks extra mogelijkheden om je scherm aan te passen. Je kunt bijvoorbeeld de helderheid veranderen, de snelheid waarmee de beelden worden vernieuwd (hoeveel keer per seconde) en de positie van het beeld op het scherm.

Je kunt deze instellingen vinden door te klikken met je linkermuisknop op 'Geavanceerde instellingen'.

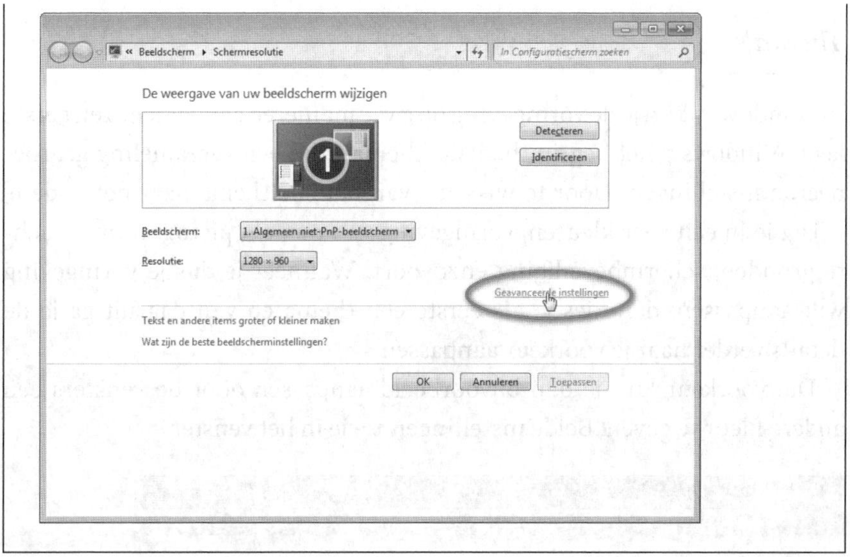

Vormgeving

Heel het uiterlijk van Windows wordt de vormgeving genoemd. Ik bedoel dan niet het uiterlijk van je computer zelf (de kast, draden, enzovoort), maar dat wat je op het scherm ziet. Je computer heeft bijvoorbeeld onderaan telkens een gekleurde knop 'start' staan en de vensters hebben een blauwe balk bovenaan. Deze uiterlijke kenmerken kunnen gewijzigd worden, en dat is de vormgeving aanpassen.

We willen onze vormgeving aanpassen. Hiervoor gaan we naar ons bureaublad en klikken erop met onze rechtermuisknop om de mogelijkheden te zien. Klik dan in het lijstje met je linkermuisknop op 'Aan persoonlijke voorkeur aanpassen'.

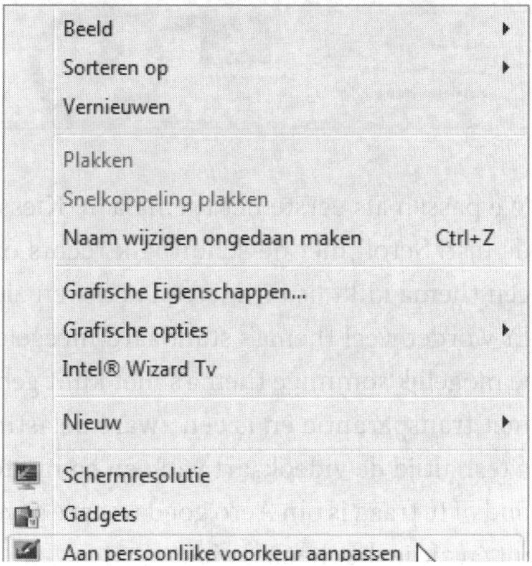

Thema's

In Windows 7 kun je de vormgeving op twee manieren aanpassen. Ten eerste kent Windows 7 het begrip thema's. Thema's zijn een verzameling gegroepeerde instellingen. Door te wisselen van het ene thema naar het andere, wijzig je in een keer kleuren, vormgeving van menu's, pictogrammen, achtergronden, schermbeveiliging enzovoort. Wanneer je dus je vormgeving wilt aanpassen, dan kies je als eerste een thema en van daaruit ga je de details verder naar je voorkeur aanpassen.

Die voorkeur kun je dan bijvoorbeeld aanpassen door de vensters een andere kleur te geven. Beide instellingen zie je in het venster.

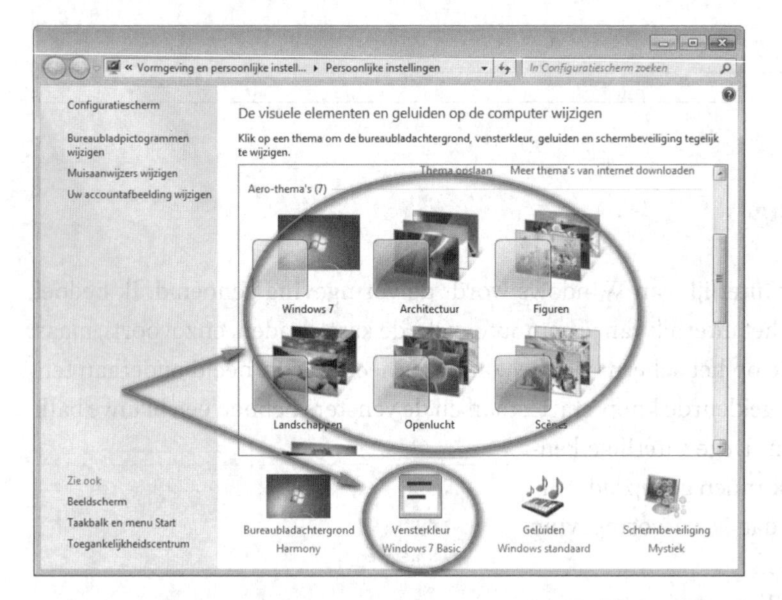

We passen als eerste het thema aan. Kies een van de aanwezige thema's in de lijst. Scroll met de schuifbalk rechts om alle thema's te zien. Als je op een thema klikt, is dit meteen actief en zie je ook welke effecten het heeft. Er worden veel thema's standaard meegeleverd. Houd er rekening mee dat je mogelijk sommige thema's niet kunt gebruiken. De Aero-interface werkt met transparantie en is een zware belasting voor de videokaart. Windows 7 test altijd de videokaart van een computer. Als blijkt dat de videokaart te oud of te traag is om Aero goed weer te geven, dan schakelt Windows 7 Aero uit en zie je die thema's niet.

Je kunt zelf ook thema's maken. Wanneer je eigen achtergronden hebt ingesteld, zelf kleurcombinaties van de vensters hebt gemaakt, andere pictogrammen hebt ontworpen enzovoort, dan kun je die opslaan als een thema. Stel eerst alles naar wens in en klik dan op de link 'Thema opslaan'.

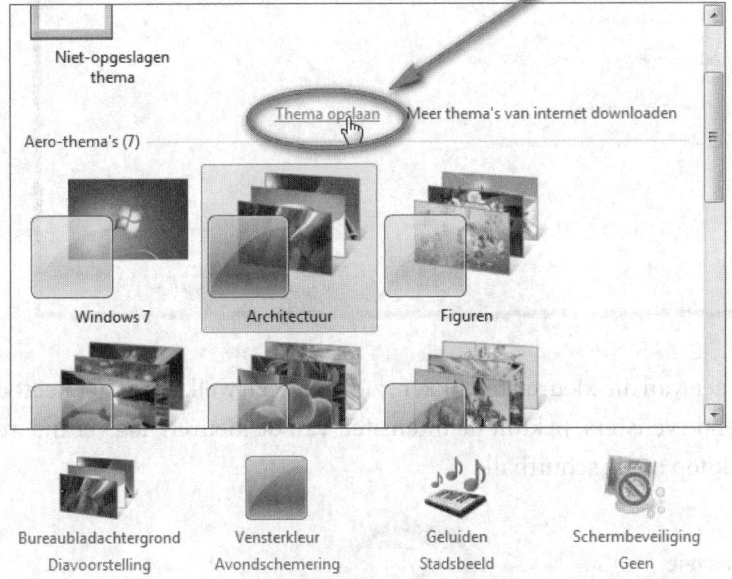

Voer een naam in en klik dan op de knop 'Opslaan'.

Je hebt je eigen thema gemaakt!

Kleur en uiterlijk van vensters

Als tweede manier om de vormgeving in te stellen, klik je op de link 'Vensterkleur'. Er opent een nieuw venster waar je de basiskleur van je vensters kunt aangeven. Bovenaan zie je een serie vast ingestelde kleuren. Deze instellingen zie je alleen wanneer je Aero-weergave hebt ingeschakeld. Als je Aero hebt uitgeschakeld, zie je een andere manier van kleur instellen.

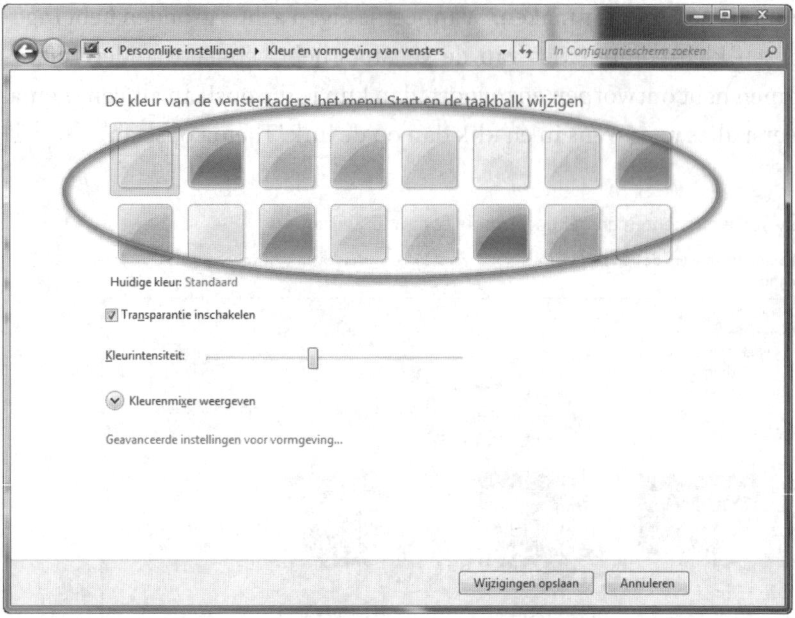

« Persoonlijke instellingen ▸ Kleur en vormgeving van vensters

In Configuratiescherm zoeken

De kleur van de vensterkaders, het menu Start en de taakbalk wijzigen

Huidige kleur: Standaard

Transparantie inschakelen

Kleurintensiteit:

Kleurenmixer weergeven

Geavanceerde instellingen voor vormgeving...

Wijzigingen opslaan

Annuleren

Door op een van die kleuren te klikken, zie je meteen welk effect het heeft op de geopende vensters. Je kunt de intensiteit van de kleuren nog veranderen met een knop op de schuifbalk.

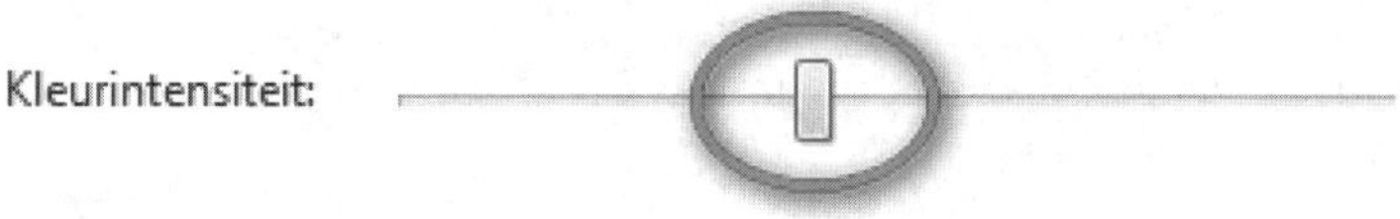

Kleurintensiteit:

Klik met je linkermuisknop op het blokje op de schuifbalk en houd de muisknop ingedrukt. Schuif deze naar links en naar rechts tot je de gewenste kleursterkte hebt.

Mocht je de kleuren zelf willen wijzigen, dan kan dat ook. Met de kleurenmixer kun je helemaal je eigen kleur instellen. Klik op het rondje met de pijl naar beneden en de kleurenmixer wordt zichtbaar.

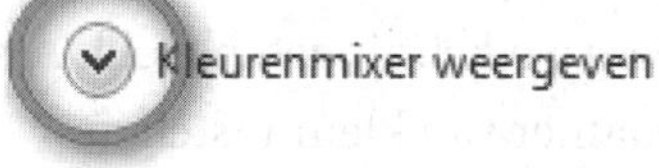

Kleurenmixer weergeven

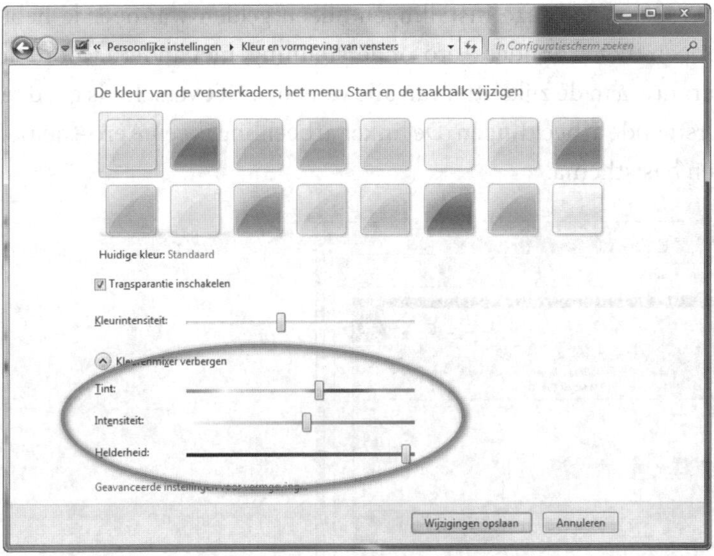

Klik met de muis op de blokjes van de schuifregelaars en schuif ze naar links en rechts tot je de juiste kleur hebt gevonden.

Onderaan staat nog de link 'Geavanceerde instellingen voor vormgeving'. Wanneer je daarop klikt, zie je het volgende venster.

Je ziet in dit venster dat deze instellingen alleen gelden wanneer je hebt gekozen voor een thema zonder Aero-ondersteuning, met andere woorden geen transparantie aan de zijkanten van alle vensters. Het verschil is goed te zien bij onderstaande afbeeldingen. De linker afbeelding is een Aero-thema, de rechter een basisthema.

Kleur en vormgeving van vensters

Kleur en vormgeving van vensters

Inactief venster

Actief venster

Standaard Uitgeschakeld Geselecteerd

Venstertekst

Berichtvenster

Berichttekst

OK

Als u Windows Aero wilt inschakelen, selecteert u een Windows-thema. De hier geselecteerde kleuren en formaten worden alleen toegepast als u het thema Windows 7 Basic of een Toegankelijkheid-thema hebt geselecteerd.

Item: Grootte: Kleur 1: Kleur 2:

Bureaublad

Lettertype: Grootte: Kleur:

B I

OK Annuleren Toepassen

Kleur en vormgeving van vensters

Kleur en vormgeving van vensters

Inactief venster

Actief venster

Standaard Uitgeschakeld Geselecteerd

Venstertekst

Berichtvenster

Berichttekst

OK

Als u Windows Aero wilt inschakelen, selecteert u een Windows-thema. De hier geselecteerde kleuren en formaten worden alleen toegepast als u het thema Windows 7 Basic of een Toegankelijkheid-thema hebt geselecteerd.

Item: Grootte: Kleur 1: Kleur 2:

Bureaublad

Lettertype: Grootte: Kleur:

B I

OK Annuleren Toepassen

In dit venster kun je elk onderdeel van Windows een aparte kleur geven, helemaal naar je eigen smaak. Selecteer eerst een onderdeel van Windows uit de lijst door op een item te klikken.

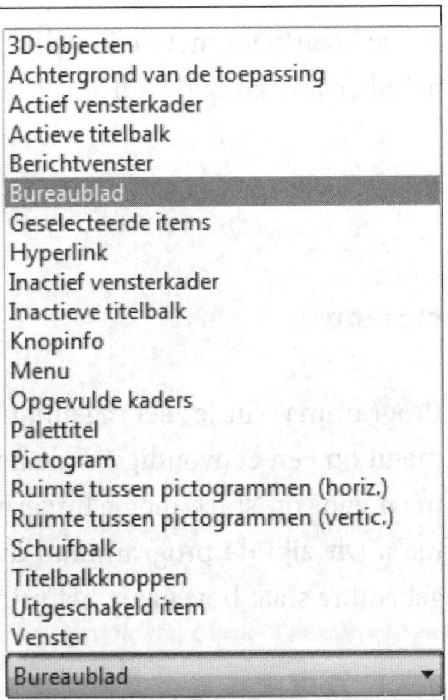

Daarna geef je daar een kleur aan, of stel je de grootte of het lettertype in. Afhankelijk van het item dat je hebt gekozen om aan te passen, zie je andere instelmogelijkheden.

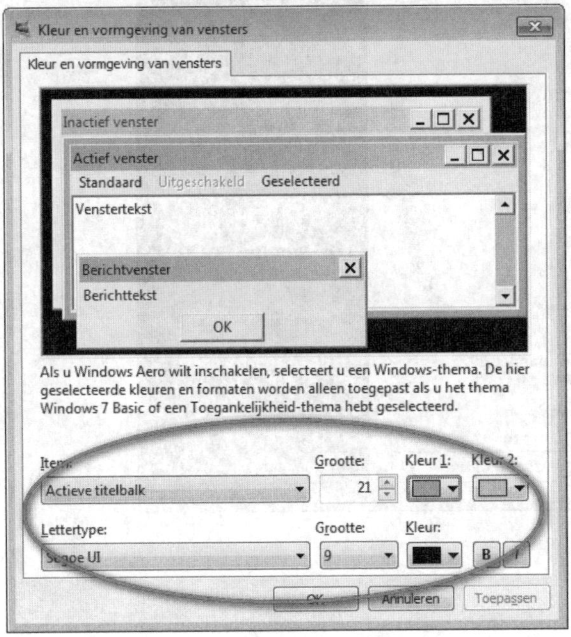

Als je klaar bent met de instelling van je vormgeving, klik je onderaan met je linkermuisknop op 'OK'.

OK

Startmenu

Programma's die je zeer regelmatig gebruikt zullen automatisch in het startmenu op een eenvoudigere plaats verschijnen. Had je dat al gemerkt? Klik maar eens op 'start' met je linkermuisknop. Links staat een zestal programma's. Dit zijn de programma's die je het meest hebt opgestart, het meest gebruikte staat bovenaan, het minst gebruikte onderaan.

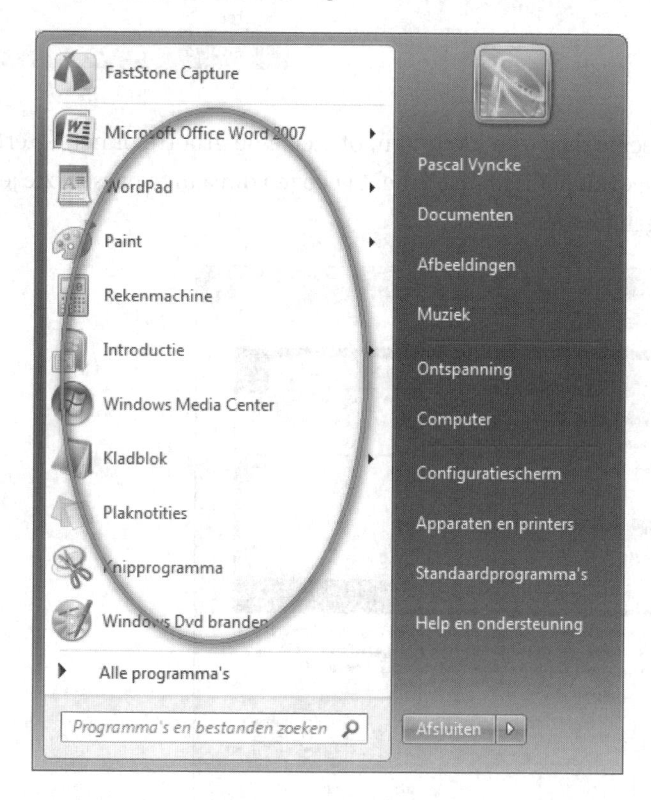

Zo hoef je het programma niet telkens bij 'Alle programma's' te gaan zoeken!

Als je echter nog meer programma's op deze eenvoudige plaats wilt zetten in het startmenu, maar het gewenste programma staat niet in de top zes, dan kun je dit eenvoudig toevoegen.

Ga in het startmenu naar het programma dat je wenst toe te voegen en klik erop met je rechtermuisknop. Klik in het lijstje van mogelijke taken met je linkermuisknop op 'Aan het menu Start vastmaken'. In dit voorbeeld doe ik dat met het programma 'Paint'.

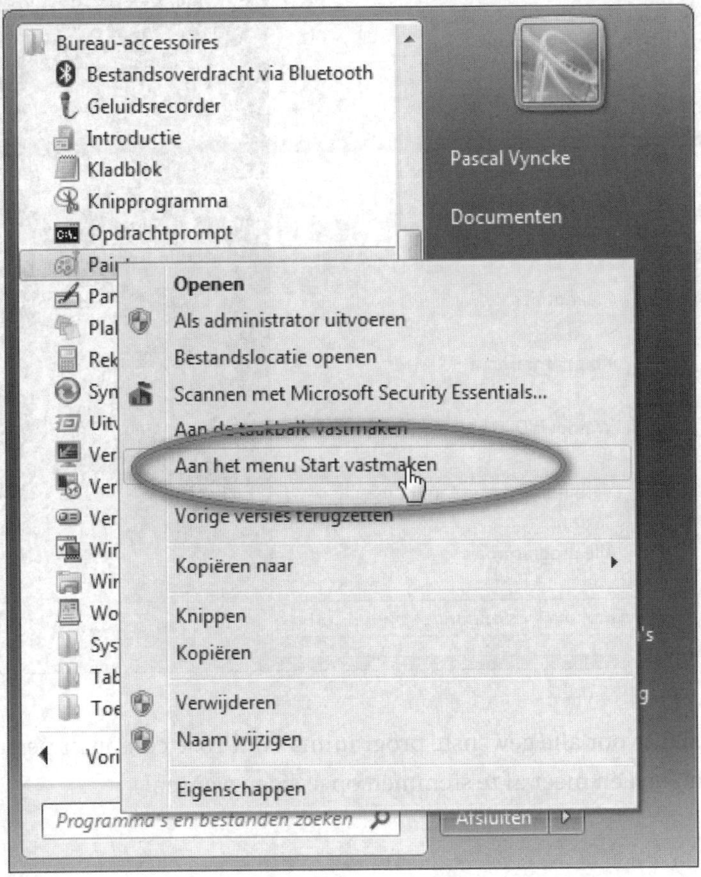

Je ziet nu het gekozen programma verschijnen op een handige plaats in het startmenu.

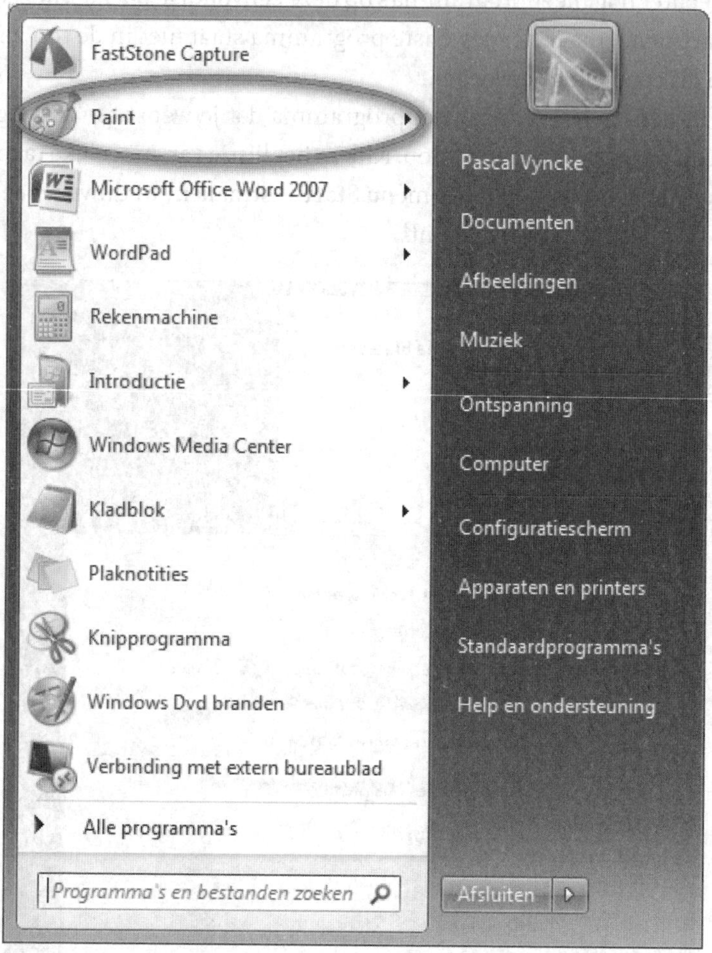

Herhaal dit voor alle gewenste programma's om zo je computer persoonlijker te maken en meer af te stemmen op je eigen wensen!

Tip
Als je een programma weer wilt verwijderen uit het lijstje, klik er dan op met je rechtermuisknop. Klik vervolgens op 'Van het menu Start losmaken' met je linkermuisknop.

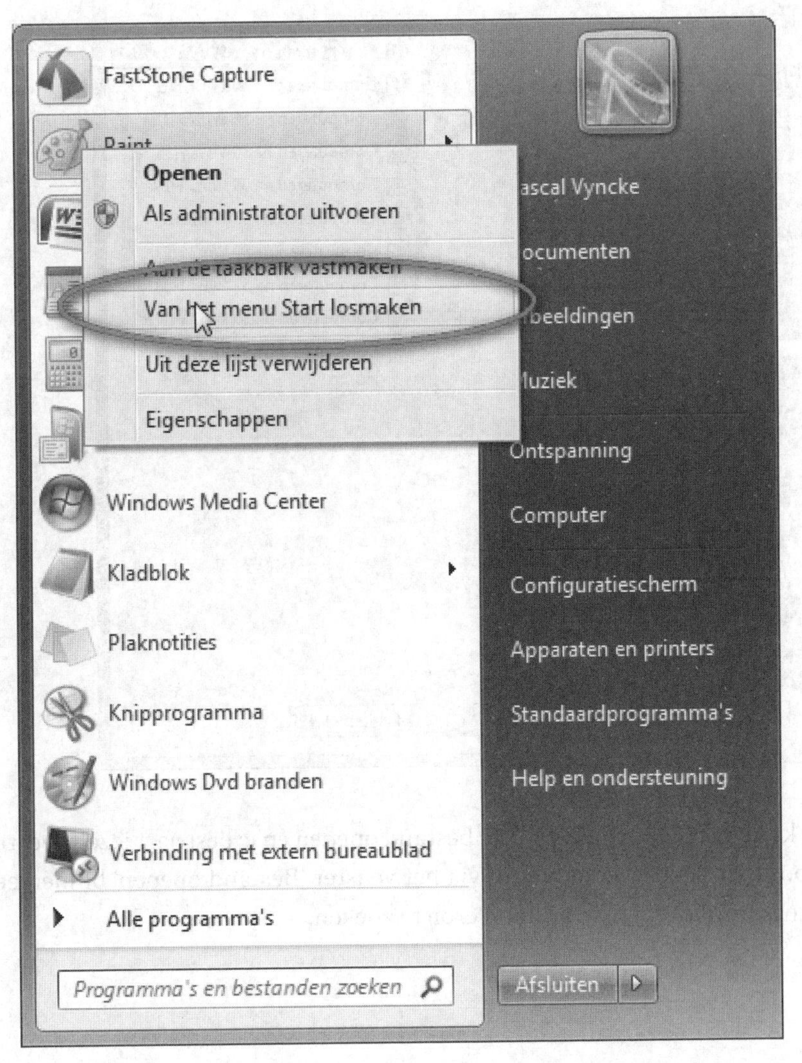

Het programma wordt nu verwijderd uit het lijstje. Het is echter niet weg van je computer, maar nog steeds te openen via de klassieke manier in het startmenu.

Het menu Start biedt nog een handige feature. Je ziet in het menu alle door jou gebruikte programma's zoals hiervoor is besproken. Rechts naast sommige programma's zie je een klein driehoekje. Als je daarop klikt, zie je rechts een lijst met de laatste, door jou gebruikte bestanden staan.

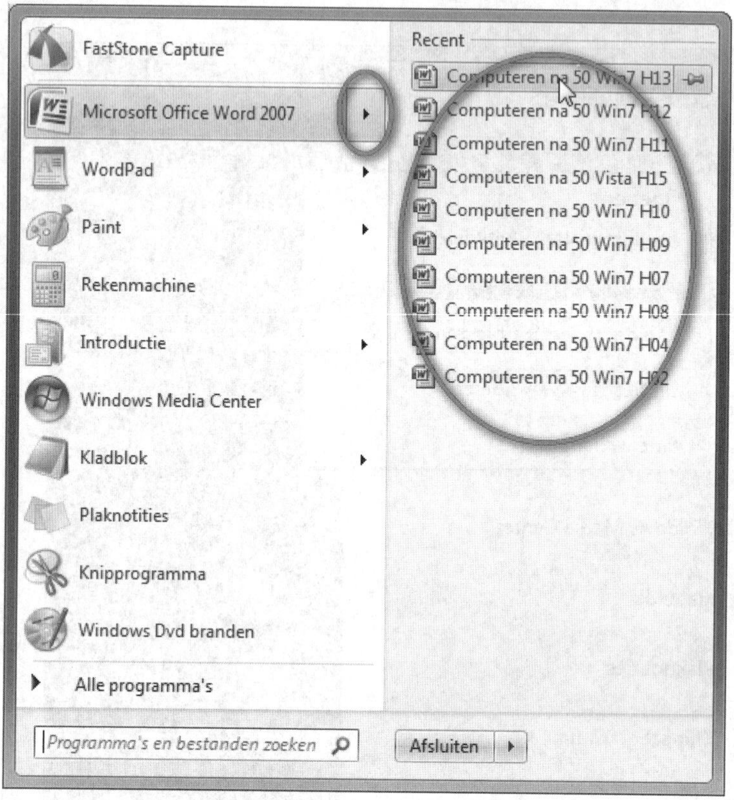

Je kunt in één moeite het juiste bestand openen en je bespaart jezelf veel tijd door niet via de Verkenner of via het venster 'Bestand openen' binnen een programma het juiste bestand erbij te zoeken.

14 •• MAAK HET JEZELF GEMAKKELIJKER

Aangeven wat de computer automatisch moet doen

Als je een cd, dvd, USB-stick of geheugenkaartje in je computer steekt, gaat hij steeds vragen wat je eigenlijk wilt doen. Je kunt de computer eenmalig opgeven wat hij moet doen. Dan vraagt hij dit niet nog een keer.

Als je bijvoorbeeld een cd vol met foto's in je computer steekt, kun je opgeven dat de computer automatisch een diashow moet starten. Of als je een muziek-cd in je computer steekt, dat hij de cd automatisch moet gaan afspelen. Het kan ook zijn dat indien je het geheugenkaartje van je digitale fotocamera in je computer steekt, je graag hebt dat hij al automatisch weet dat hij de foto's moet inladen op je computer. Dit alles kun je eenvoudig instellen zodat het werken sneller en eenvoudiger gaat.

We gaan in dit voorbeeld instellen dat indien we een muziek-cd in de computer steken, hij automatisch de muziek moet afspelen. Ga onderaan naar 'Starten' en klik erop met je linkermuisknop.

In het menu dat nu verschijnt, klik je op 'Standaardprogramma's'.

Je ziet een overzicht van diverse mogelijkheden om binnen Windows zaken te standaardiseren. En dat is precies wat we willen. We willen dat bij het in de computer stoppen van een muziek-cd automatisch Media Player wordt gestart en de muziek-cd gaat afspelen. We stellen dus automatisch afspelen in.

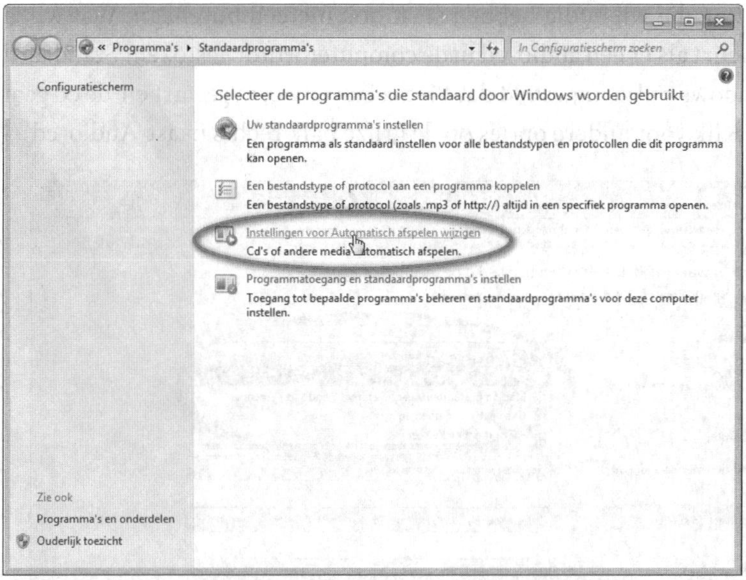

« Programma's ▸ Standaardprogramma's
In Configuratiescherm zoeken

Configuratiescherm

Selecteer de programma's die standaard door Windows worden gebruikt

Uw standaardprogramma's instellen
Een programma als standaard instellen voor alle bestandstypen en protocollen die dit programma kan openen.

Een bestandstype of protocol aan een programma koppelen
Een bestandstype of protocol (zoals .mp3 of http://) altijd in een specifiek programma openen.

Instellingen voor Automatisch afspelen wijzigen
Cd's of andere media automatisch afspelen.

Programmatoegang en standaardprogramma's instellen
Toegang tot bepaalde programma's beheren en standaardprogramma's voor deze computer instellen.

Zie ook
Programma's en onderdelen
Ouderlijk toezicht

Klik nu op de link 'Instellingen voor automatisch afspelen instellen'. Je ziet een uitgebreid overzicht met diverse instelmogelijkheden, van muziek-cd tot films op HD-dvd. En alles ertussen. Bovenaan zie je meteen dat 'Automatisch afspelen' aanstaat.

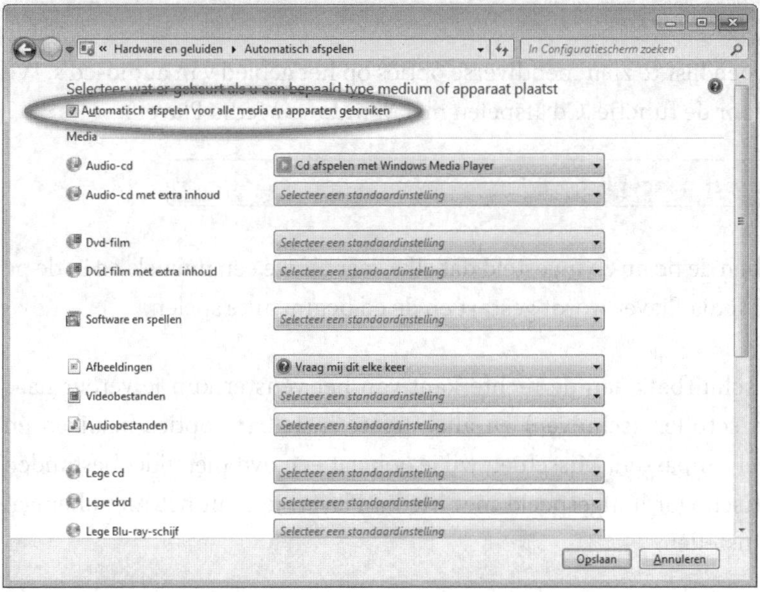

« Hardware en geluiden ▸ Automatisch afspelen
In Configuratiescherm zoeken

Selecteer wat er gebeurt als u een bepaald type medium of apparaat plaatst
☑ Automatisch afspelen voor alle media en apparaten gebruiken

Media

Audio-cd	Cd afspelen met Windows Media Player
Audio-cd met extra inhoud	Selecteer een standaardinstelling
Dvd-film	Selecteer een standaardinstelling
Dvd-film met extra inhoud	Selecteer een standaardinstelling
Software en spellen	Selecteer een standaardinstelling
Afbeeldingen	Vraag mij dit elke keer
Videobestanden	Selecteer een standaardinstelling
Audiobestanden	Selecteer een standaardinstelling
Lege cd	Selecteer een standaardinstelling
Lege dvd	Selecteer een standaardinstelling
Lege Blu-ray-schijf	Selecteer een standaardinstelling

Opslaan Annuleren

De instelling die wij nodig hebben staat ook meteen bovenaan. Wat wil je dat er gebeurt als er een audio-cd in de computer wordt gestoken? Standaard staat Windows 7 al zo ingesteld dat Media Player wordt gestart en de cd gaat afspelen. Klik voor andere opties op de grijze balk rechts naast 'Audio-cd'.

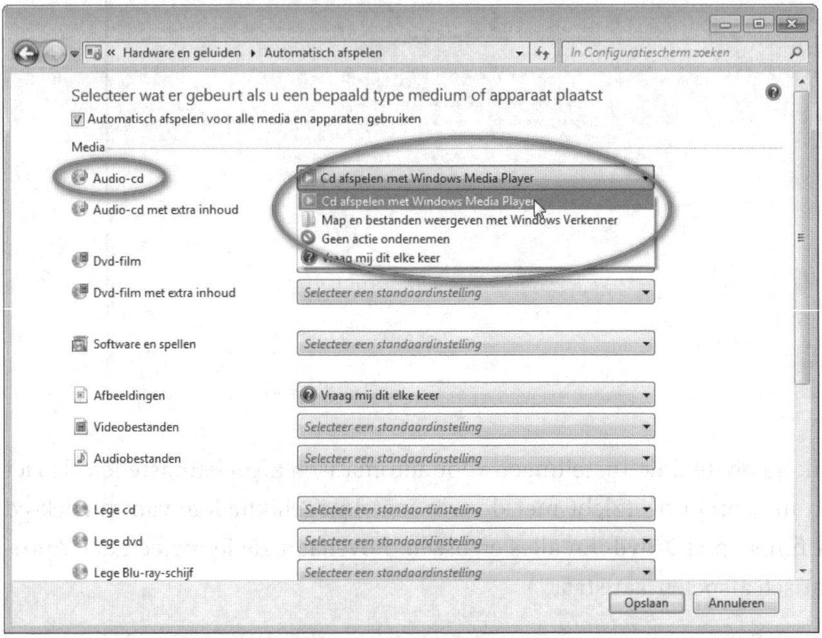

Je krijgt een lijst te zien met diverse opties op het gebied van audio-cd's. We kiezen voor de functie 'Cd afspelen met Windows Media Player'.

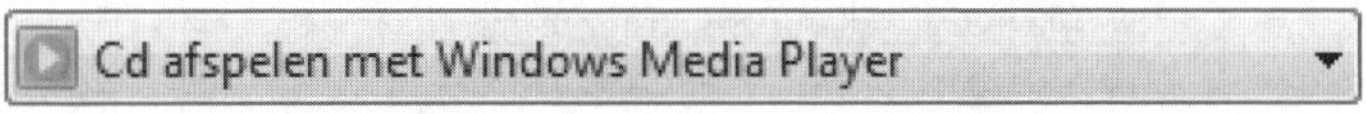

We hebben de pc nu zo ingesteld dat elke keer als we een muziek-cd in de pc steken, Media Player wordt gestart en de cd begint af te spelen.

Met de schuifbalk aan de rechterkant van het venster kun je verder naar beneden scrollen (schuiven) en alle andere instelbare opties bekijken én eventueel aanpassen. Misschien wil je ook dat een dvd met videobestanden automatisch wordt afgespeeld met Media Player. Je kunt het hier allemaal precies instellen.

Om de nieuwe instellingen vast te leggen, moet je nog wel alles opslaan.

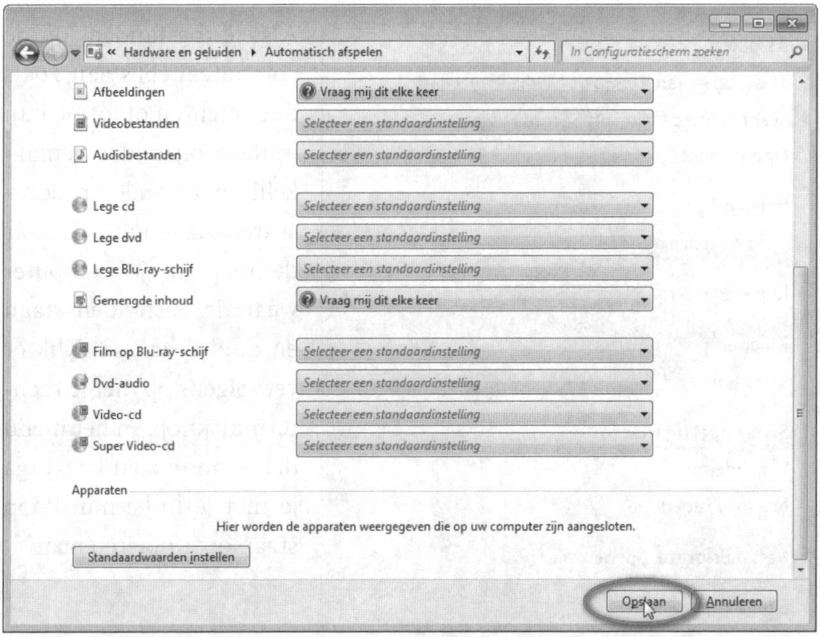

Klik nu op de knop 'Opslaan'. Het venster sluit en de nieuwe instellingen zijn actief. Je bent nu weer terug in het venster 'Standaardprogramma's'. Klik op het rode kruisje om dit venster te sluiten.

Tip

Indien je een cd of dvd met een programma erop in je computer steekt, dan wordt het programma meestal automatisch gestart. Het kan gebeuren dat je dit helemaal niet wilt. Een tip is om nadat je de cd of dvd in je computer hebt gestoken, de Shift-toets in te drukken en deze een aantal seconden ingedrukt te houden. De computer zal het programma nu niet opstarten!

Bestanden eenvoudig e-mailen of doorsturen

Als je bestanden op je computer hebt staan, zoals documenten of foto's, kun je deze bijzonder gemakkelijk naar anderen doorsturen via e-mail. Ga naar de map op je computer waar de bestanden staan en duid deze aan. Klik er vervolgens op met je rechtermuisknop. In het menu dat je nu te zien krijgt, ga je met je linkermuisknop staan op 'Kopiëren naar'.

Vervolgens verschijnt een lijstje met mogelijkheden. Om de bestanden te e-mailen, klik je met je linkermuisknop op 'E-mailontvanger'. Vul vervolgens het e-mailadres in van wie ze dient te ontvangen en verstuur het bericht.

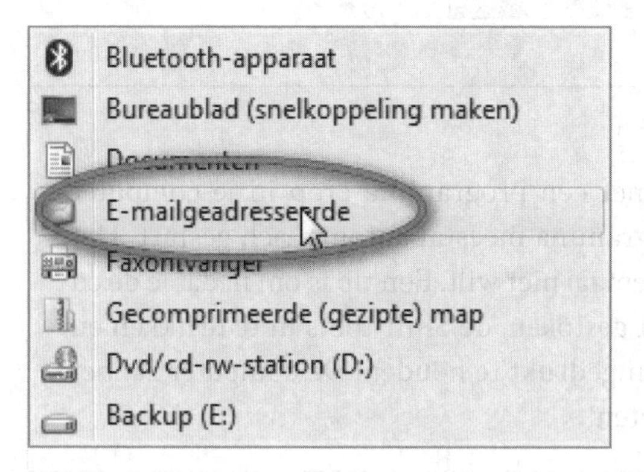

Tip
Je kunt deze methode ook gebruiken om bijvoorbeeld bestanden naar een diskette, cd of USB-stick te kopiëren! Selecteer het gewenste uit het lijstje en de computer zal vervolgens doen wat je vroeg!

Bestanden inpakken, uitpakken en verkleinen

Bestanden inpakken/verkleinen

Als je een aantal bestanden of zelfs een hele map naar iemand anders wilt doorsturen, dan kun je deze inpakken in één bestand. Het voordeel is dat je vervolgens maar één bestand hoeft door te geven in plaats van vele aparte. Dit 'inpakken' heeft bovendien als voordeel dat de bestanden worden verkleind, daardoor samen minder plaats innemen en dus eenvoudiger zijn door te sturen. Dit proces wordt ook wel 'zippen' genoemd, een van het Engels afgeleid woord dat 'bij elkaar ritsen' betekent. We noemen het ook wel 'comprimeren', wat een moeilijk woord is voor 'verkleinen'.

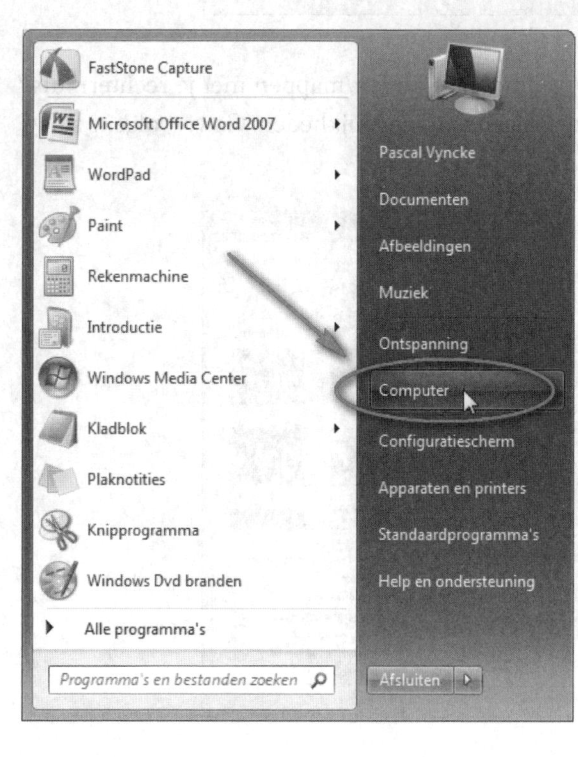

Het bij elkaar brengen van meerdere bestanden of mappen in één bestand is bijzonder eenvoudig. Eerst ga je naar de betreffende bestanden of map via 'Computer' in het statrmenu of via de Verkenner in de taakbalk.

Selecteer nu de map, mappen of bestanden die je samen wilt inpakken. Merk op dat je meerdere bestanden/mappen tegelijk kunt selecteren door de Ctrl-toets ingedrukt te houden en intussen de verschillende bestanden/mappen aan te klikken met de linkermuisknop.

Klik nu op een van de aangeduide bestanden/mappen met je rechtermuisknop om een extra lijstje te krijgen van mogelijkheden. Ga vervolgens staan op 'Kopiëren naar'.

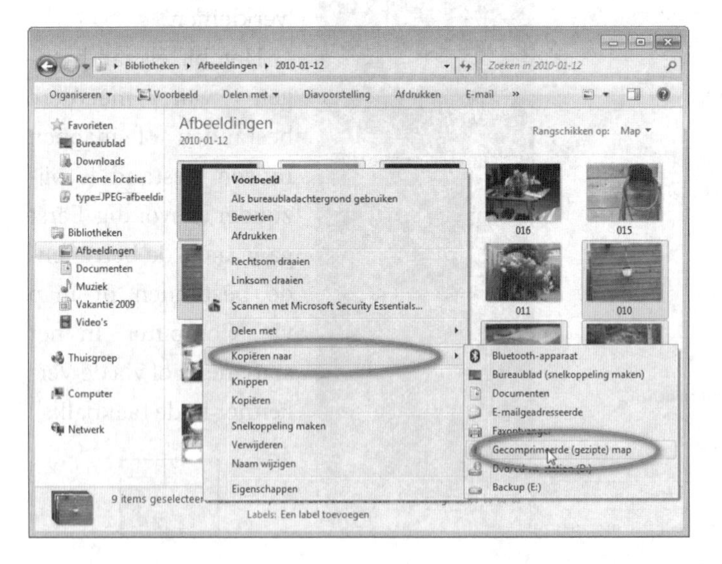

Klik in het lijstje van opties dat nu verschijnt op 'Gecomprimeerde (gezipte) map'. Dat is namelijk wat we wensen: de bestanden/mappen die we geselecteerd hebben, kopiëren naar een zogenaamde 'gecomprimeerde map', een bestand dus waarin alles is samengepakt.

Als het om bestanden gaat, zul je de vooruitgang te zien krijgen op je computerscherm.

Als de computer klaar is, verschijnt het ingepakte bestand in de map waar je de bestanden hebt laten inpakken. Je kunt het bestand herkennen doordat het een gele map is met een ritssluiting erop (het verkleinen van bestanden wordt ook wel 'zippen' genoemd, het Engelse 'zipper' betekent 'ritssluiting').

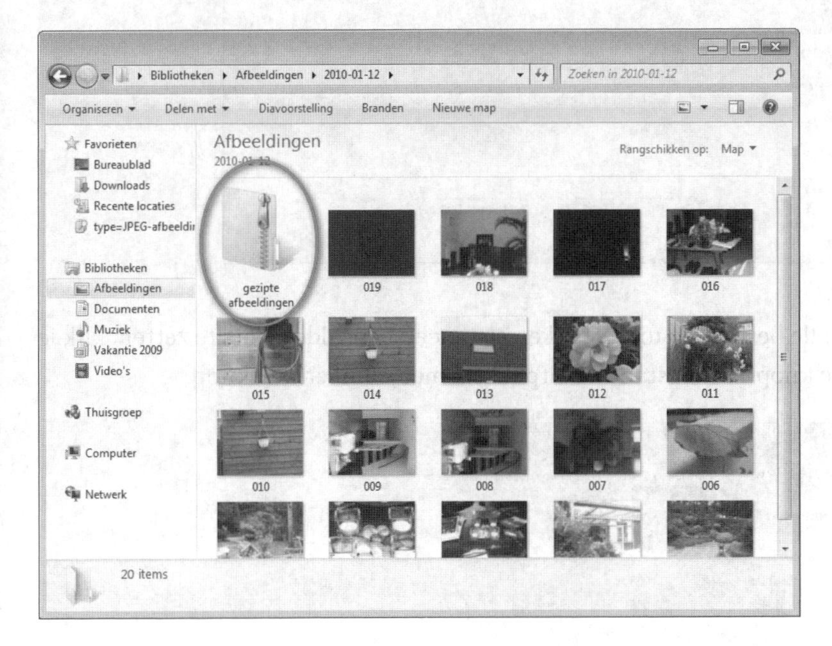

Dat bestand, het 'pakje', kun je nu doorgeven of doorsturen en dit ene bestand bevat alle geselecteerde bestanden/mappen.

Bestanden uitpakken

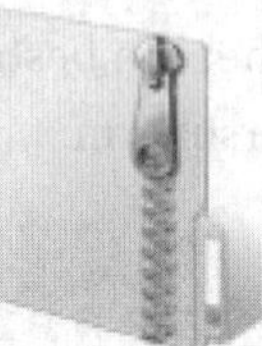

Als je zelf een bestand krijgt dat ingepakte bestanden bevat, en dat dus te herkennen is aan het feit dat het bestand wordt voorgesteld door een gele map met een ritssluiting erop, dan kun je de inhoud als volgt uitpakken.

Dubbelklik op het ingepakte bestand om het te openen. Je krijgt nu de inhoud te zien. Het ziet eruit alsof je gewoon een map opent.

Om alle bestanden uit te pakken en op een bepaalde plaats te zetten, klik je op de knop 'Alle bestanden uitpakken' met je linkermuisknop.

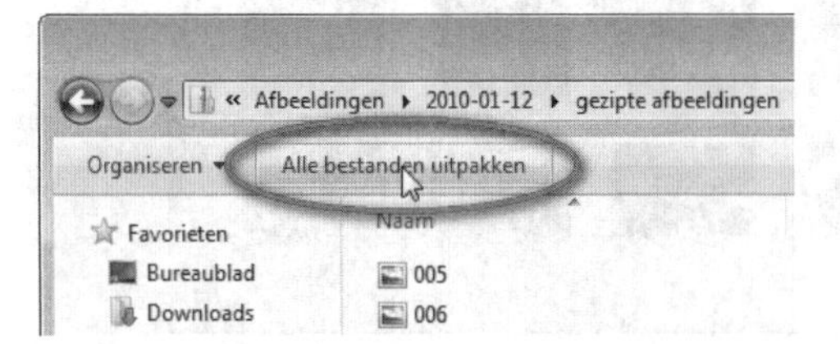

Hiermee heb je een programma gestart dat je gaat helpen bij het uitpakken van de bestanden. De computer vraagt je nu waar hij de bestanden moet plaatsen. Je kunt de plaats wijzigen door op 'Bladeren' te klikken met je linkermuisknop.

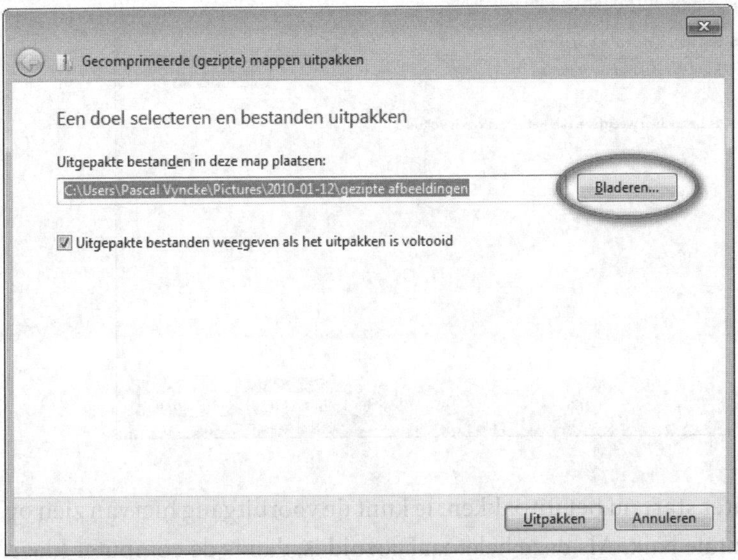

Geef vervolgens de plaats op waar de bestanden moeten komen. Je kunt door het klikken op het driehoekje telkens de onderliggende mappen zien. Klik vervolgens met je linkermuisknop op 'OK'.

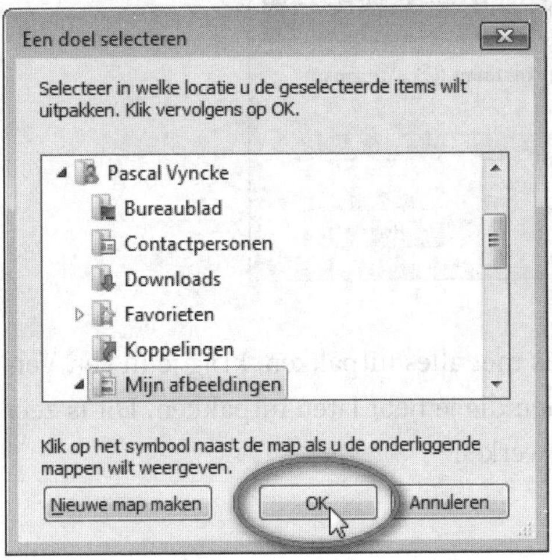

Om het uitpakken te starten, klik je met je linkermuisknop op 'Uitpakken'.

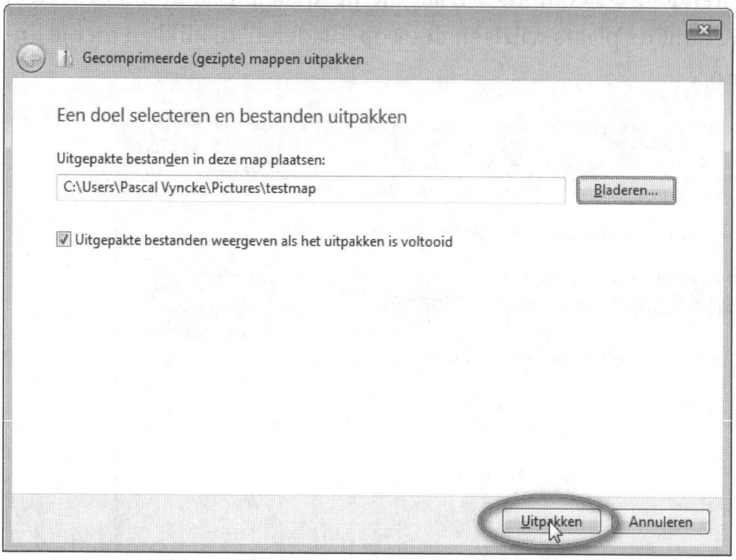

De computer start nu het uitpakken. Je kunt de vooruitgang hiervan zien op de horizontale balk. Als deze helemaal gevuld is, dan is de computer klaar. Als er maar enkele bestanden zijn uit te pakken, zal dit zeer snel gebeurd zijn.

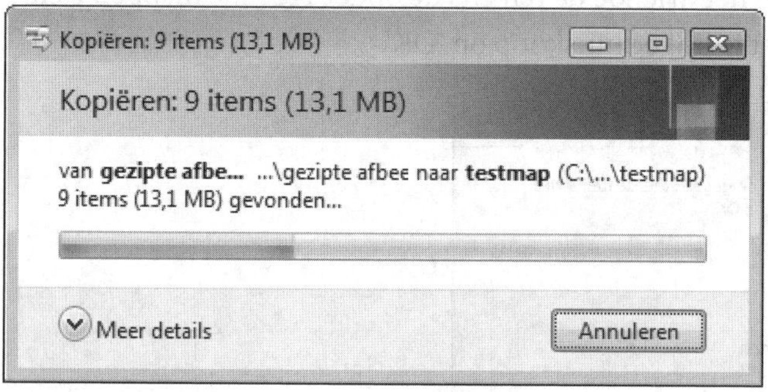

Als de computer helemaal klaar is met alles uitpakken, krijg je in een Verkennervenster de bestanden te zien die je hebt laten uitpakken. Dit is zeer handig om snel verder te kunnen werken.

Tip

Je kunt enkele bestanden uit een ingepakt bestand ook eenvoudig uitpakken door het ingepakte bestand te openen en vervolgens de gewenste bestanden (en eventueel alles) te selecteren. Klik er vervolgens op met je rechtermuisknop en klik in het menu op 'Kopiëren'.

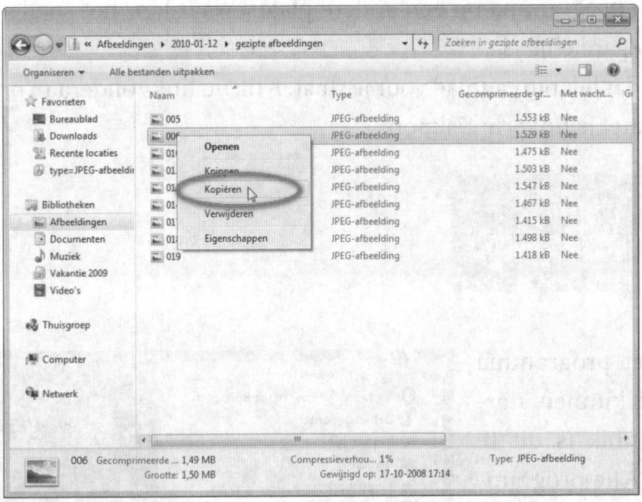

Ga nu naar de plaats waar je de bestanden wilt hebben (bijvoorbeeld in een bepaalde map, bij 'Mijn documenten' of op je bureaublad), klik daar met je rechtermuisknop en klik in het menu dat vervolgens verschijnt op 'Plakken'.

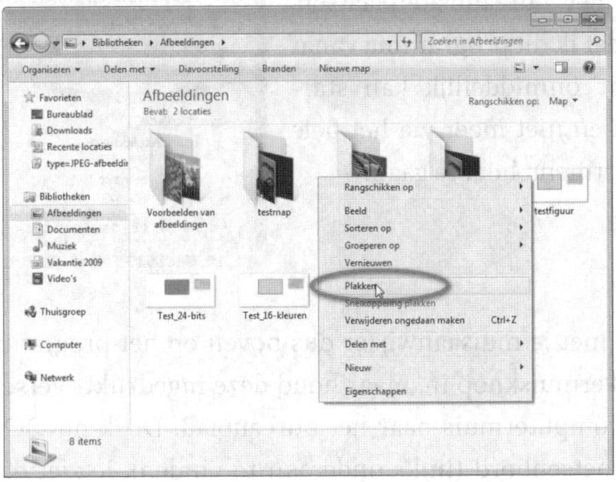

De bestanden uit de ingepakte map worden nu onzichtbaar uitgepakt en op de gewenste plaats geplakt.

Snelkoppeling op het bureaublad

Op je bureaublad, het scherm dat je ziet als je computer opgestart is, kun je pictogrammen plaatsen zodat je vanaf daar rechtstreeks een programma kunt opstarten. Je hoeft het dan niet meer via het startmenu te doen, wat je tijd en moeite kan besparen. Dit noemen we een snelkoppeling: een koppeling naar een programma op een andere plaats, waardoor het sneller en eenvoudiger toegankelijk is.

Zorg ervoor dat het bureaublad voor je staat. Klik nu links onderaan op de knop 'Starten' met je linkermuisknop.

Ga nu naar het programma dat je snel wilt kunnen starten. Waarschijnlijk is dit te vinden achter 'Alle programma's', maar je kunt evengoed het 'Configuratiescherm', 'Computer', enzovoort als 'programma' beschouwen. In dit voorbeeld ga ik 'WordPad' op het bureaublad plaatsen, zodat ik dit programma vanaf daar onmiddellijk kan starten en niet meer via het hele startmenu hoef te gaan.

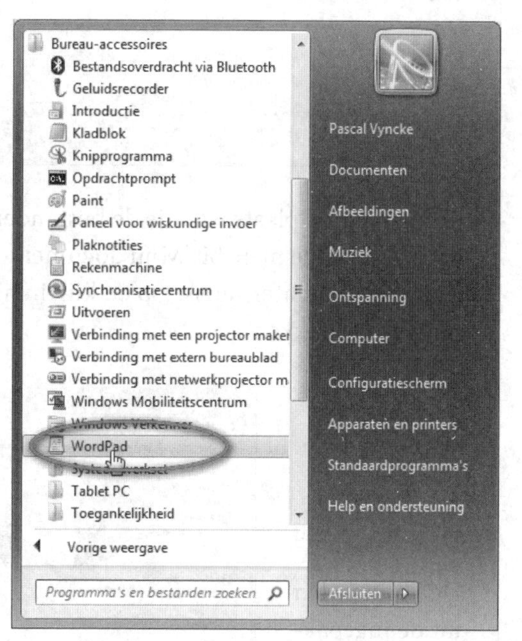

Ga met je muisaanwijzer dus boven op het programma staan. Druk nu je linkermuisknop in, maar houd deze ingedrukt. Verschuif nu het pijltje van je computermuis naar het bureaublad. Druk nu OOK de Ctrl-toets in op je toetsenbord (links onderaan te vinden). Je ziet dat er bij het mapsymbool een plusje komt te staan nadat je de CTRL-toets indrukte. Laat de linkermuisknop los als het pijltje van je muis boven je bureaublad staat. Laat dan ook de Ctrl-toets los.

Klaar! Je hebt nu een kopie gemaakt van de snelkoppeling uit het startmenu. Je ziet nu dus de figuur van het programma met de naam eronder op je bureaublad. Om het programma nu te starten vanaf je bureaublad dubbelklik je er gewoon op. Je kunt het tevens een andere naam geven, zoals je dat ook bij gewone bestanden op je computer doet (dus met je rechtermuisknop erop klikken, dan 'Naam wijzigen', de nieuwe naam geven en op de entertoets drukken).

Tip

Je kunt op je bureaublad ook een snelkoppeling maken van iets wat niet terug te vinden is in het startmenu (bijvoorbeeld een programma dat hier niet bij staat), of zelfs van een gewoon bestand ergens op je computer (bijvoorbeeld een belangrijk document of een presentatie).

Je doet dit als volgt.

Zoek het programma of bestand op je computer via 'Computer' (dus klikken op 'start', dan 'Computer', dan de juiste harde schijf en dan gaan naar de plaats waar dit bestand of programma staat).

Klik er vervolgens met de rechtermuisknop op en druk op 'Kopiëren naar' en dan op 'Bureaublad (snelkoppeling maken)'.

Voorbeeld
Als bureaubladachtergrond gebruiken
Bewerken
Afdrukken
Rechtsom draaien
Linksom draaien
Scannen met Microsoft Security Essentials...
Openen met
Delen met
Vorige versies terugzetten
Kopiëren naar
Knippen
Kopiëren
Snelkoppeling maken
Verwijderen
Naam wijzigen
Bestandslocatie openen
Eigenschappen

Bureaublad (snelkoppeling maken)
E-mailgeadresseerde
Faxontvanger
Gecomprimeerde (gezipte) map
Dvd/cd-rw-station (D:)
Backup (E:)

De computer plaatst nu een snelkoppeling naar dat bestand. Merk op dat je dus NIET het echte bestand kopieert, maar alleen een snelkoppeling maakt. Je kunt de snelkoppeling vergelijken met een verwijzing. Het originele boek (bestand) blijft netjes op zijn plaats staan in de kast (het geheugen), maar op je bureau leg je een briefje waar je het boek exact kunt vinden. Zo hoef je niet telkens de hele kast af te zoeken.

Tip

Als je geregeld programma's of snelkoppelingen aan je bureaublad toevoegt, is het best mogelijk dat deze er allemaal een beetje als een wirwar op staan. Je kunt ze zelf netjes sorteren door ze allemaal handmatig één voor één te verplaatsen naar de juiste plaats. Je kunt dit echter ook door de computer laten doen.

Klik op een lege plaats op je bureaublad met je rechtermuisknop. In het menu dat nu verschijnt met verschillende mogelijkheden, ga je staan op 'Beeld'. In het lijstje met commando's dat nu tevoorschijn komt, klik je op 'Automatisch schikken'.

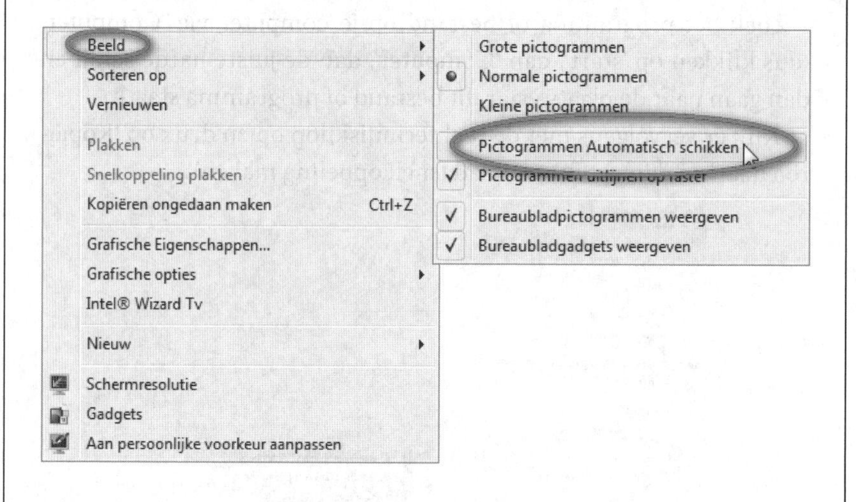

De computer zal nu alle pictogrammen op je bureaublad automatisch schikken, zodat je bureaublad 'opgeruimd' is.

Tip

Als je op je bureaublad een snelkoppeling wilt maken naar een website, dan doe je dit als volgt.

Klik met je rechtermuisknop op je bureaublad en ga staan op 'Nieuw', want we willen een nieuwe snelkoppeling aanmaken.
Klik in het menu dat vervolgens verschijnt met je linkermuisknop op de instructie 'Snelkoppeling'.

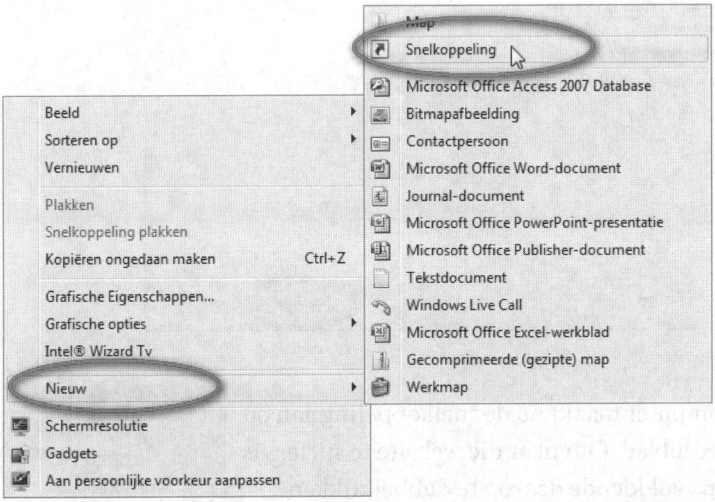

Geef in het tekstvak het internetadres in waarnaar je wilt linken, bijvoorbeeld http://www.SeniorenNet.be. Klik vervolgens met je linkermuisknop op 'Volgende' om het adres te bevestigen aan je computer.

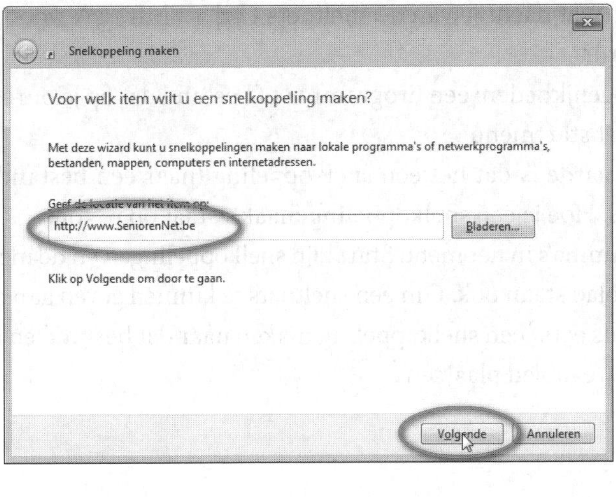

De computer vraagt nu een naam voor de snelkoppeling, dat is wat je te zien zult krijgen op je bureaublad. In dit voorbeeld kiezen we voor 'SeniorenNet'. Klik met je linkermuisknop op 'Voltooien' om de naam te bevestigen.

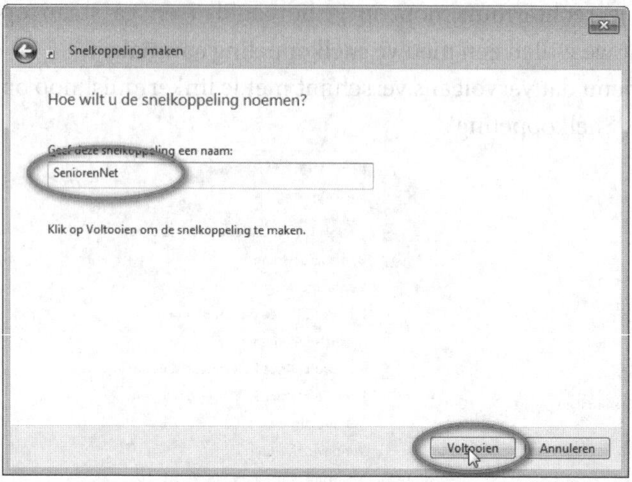

De computer maakt nu de snelkoppeling aan op je bureaublad. Om naar die website te surfen, is het dus voldoende daarop te dubbelklikken.

Tip

Je kunt ook je eigen sneltoets maken om een bepaald programma of bestand te laten opstarten! Wat dacht je van de sneltoets Ctrl + Shift + W voor het opstarten van Word?

Je hebt twee mogelijkheden: een programma of bestand dat op je bureaublad staat of van het startmenu.

De enige voorwaarde is dat het een snelkoppeling (naar een bestand of een programma) is. Hoe je een snelkoppeling maakt, staat op p. 509.

Bijna alle programma's in het menu Start zijn snelkoppelingen en de meeste die op je bureaublad staan ook. Om een sneltoets te kunnen geven aan een bestand, moet je dus eerst een snelkoppeling maken naar dat bestand en het vervolgens op je bureaublad plaatsen .

Wil je een sneltoets maken naar een programma dat geen snelkoppeling is, meestal bijvoorbeeld je e-mailprogramma Outlook (of Windows Live Mail), dan maak je eerst een snelkoppeling ervan naar je bureaublad.

Klik op je bureaublad met je rechtermuisknop op het programma dat je wilt opstarten via een sneltoets en klik in het menu op 'Eigenschappen'. Of klik onderaan op de knop 'Starten' en ga vervolgens boven op het programma staan dat je wilt laten starten (waarschijnlijk bij 'Alle programma's'). Klik erop met je rechtermuisknop en daarna met je linkermuisknop op 'Eigenschappen'.

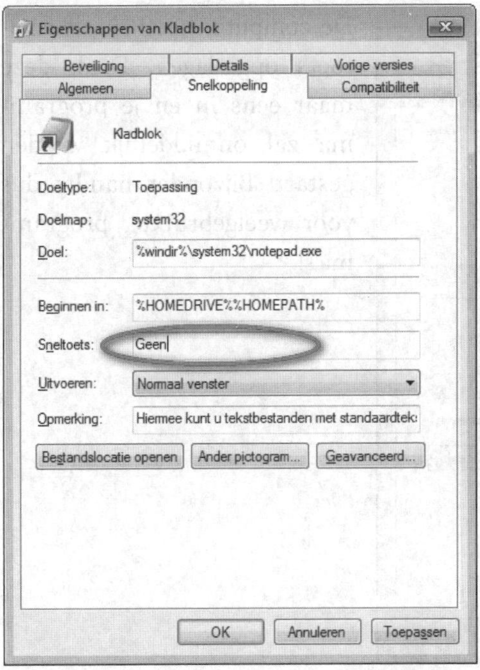

Het scherm dat nu verschijnt, geeft alle instellingen weer voor het opstarten van het programma. Je hoeft niet te weten wat dit allemaal inhoudt. Klik met je linkermuisknop in het witte tekstvak achter 'Sneltoets', want het is de sneltoets die we willen instellen voor dit programma.

Druk nu de gewenste sneltoets in op je toetsenbord: druk dus de Ctrl- of Alt-toets in, gebruik eventueel de Shift-toets en druk een letter, cijfer of teken in. Kies dus je eigen combinatie van toetsen. Je moet in totaal minimaal drie toetsen gebruiken. Je kunt dus niet alleen de Ctrl-toets en een letter, of alleen de Alt-toets en een letter gebruiken. De reden is dat deze reeds gereserveerd zijn.

Mogelijke sneltoetsen zijn dus:
Ctrl + Alt + K
Ctrl + Alt + M
Ctrl + Shift + L
Alt + Shift + 5
Ctrl + Shift + F4
Alt + Shift + F4
Ctrl + Alt + F9
Druk vervolgens op 'OK' met je linkermuisknop.

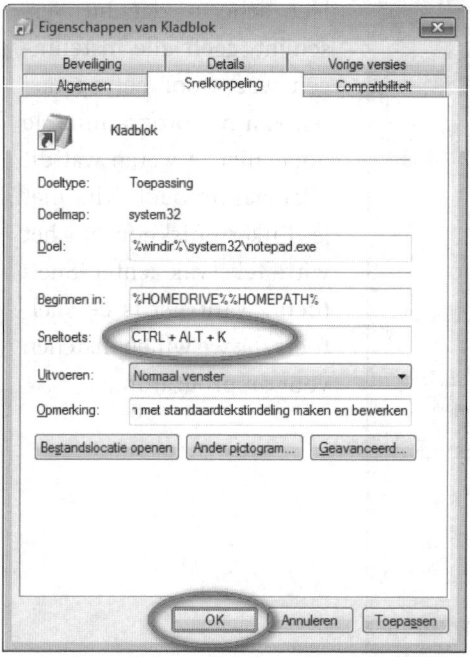

De computer heeft nu de sneltoets opgeslagen. Druk deze maar eens in en je programma zal onmiddellijk worden gestart! Bijzonder handig dus voor veelgebruikte programma's!

Je muis instellen naar jouw wensen

Iets wat veel mensen lastig vinden, is de korte tijd waarin ze moeten dubbelklikken. Voor velen is die tijd te kort. Ook hebben sommige mensen er problemen mee dat de muisaanwijzer op het scherm veel te snel beweegt, of juist veel te traag. Daardoor komen ze amper tot de andere kant van het scherm. Dan zijn er nog mensen van wie de handen (lichtjes) trillen, waardoor het moeilijk is iets nauwkeurig te selecteren. Hiervoor bestaat echter een oplossing: de gevoeligheid van de computermuis verminderen. Ook de eerder genoemde problemen kunnen eenvoudig worden opgelost.

Je kunt de computermuis instellen naar jouw eigen wensen en voorkeuren, zodat je met maximaal comfort met de computer kunt werken. Dit instellen gaan we doen via het 'configuratiescherm', wat logisch is, aangezien je via die weg de meeste instellingen van je computer kunt regelen.

Starten

Klik links onderaan op de knop 'start' met je linkermuisknop.

We willen het configuratiescherm hebben, je klikt dus op 'Configuratiescherm' met je linkermuisknop.

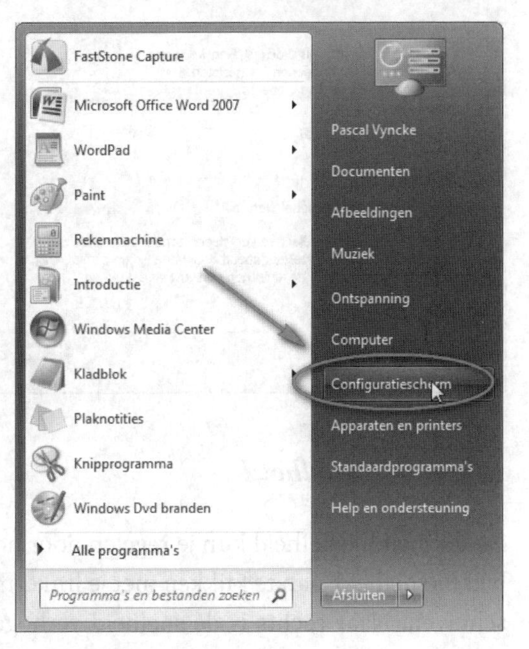

Je ziet nu een flinke hoeveelheid onderwerpen. Klik eerst op de link 'Hardware en geluiden'.

Hardware en geluiden
Apparaten en printers weergeven
Een apparaat toevoegen
Verbinding met een projector maken
Vaak gebruikte mobiliteitsinstellingen aanpassen

Daar zie je onder 'Apparaten' en printers de link 'Muis' staan.

Apparaten en printers
Een apparaat toevoegen | Een printer toevoegen | Een Bluetooth-apparaat toevoegen | Muis | Apparaatbeheer

Klik daarop met je linkermuisknop. We krijgen nu alle mogelijke instellingen van onze computermuis te zien. Een aantal ervan biedt oplossingen voor onze problemen, zoals de snelheid van de dubbelklik of de gevoeligheid van de computermuis.

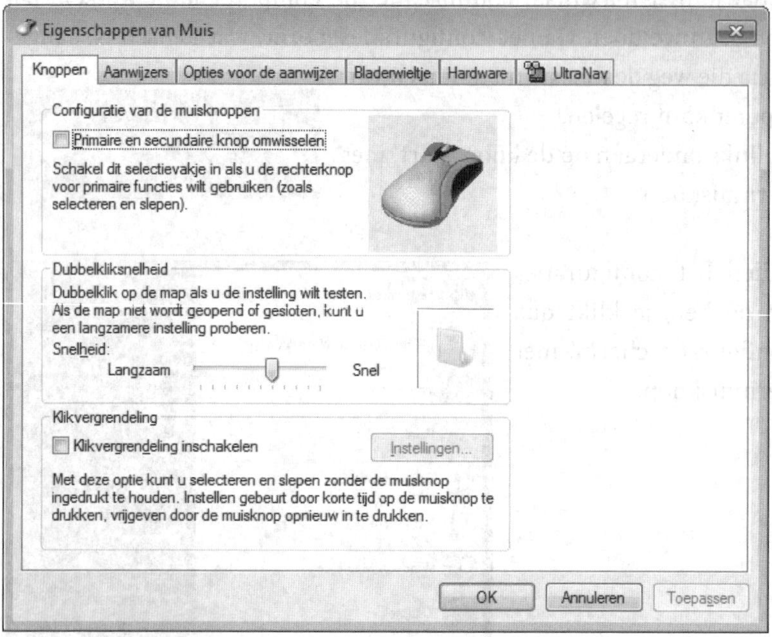

Dubbelkliksnelheid

De dubbelkliksnelheid kun je regelen door het verticale balkje onder 'Dubbelkliksnelheid' aan te klikken met je linkermuisknop en vervolgens te verschuiven. Naar rechts is de snelheid verhogen (en dus moeilijker maken), naar links is de snelheid verlagen (en dus het dubbelklikken eenvoudiger maken).

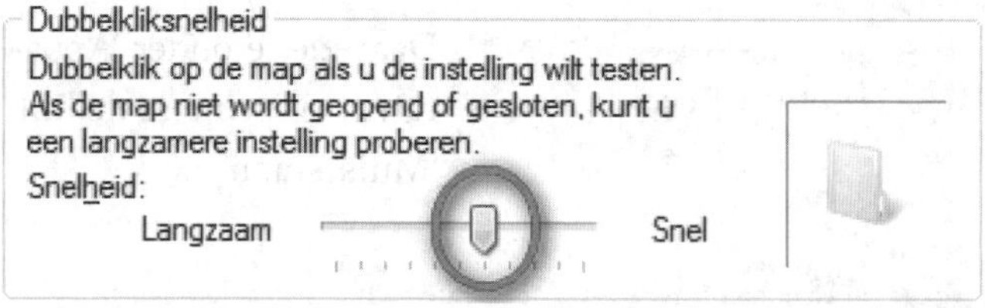

Je kunt het uittesten door te dubbelklikken op het gele mapje dat ernaast staat. Het zal zich openen als je goed hebt gedubbelklikt. Zo kun je de computermuis instellen tot een niveau dat je zelf goed aankunt.

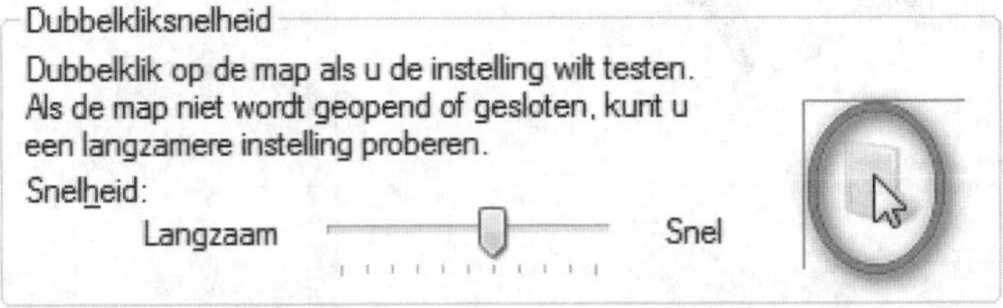

Druk op de knop 'Toepassen' met je linkermuisknop om de instelling te bevestigen.

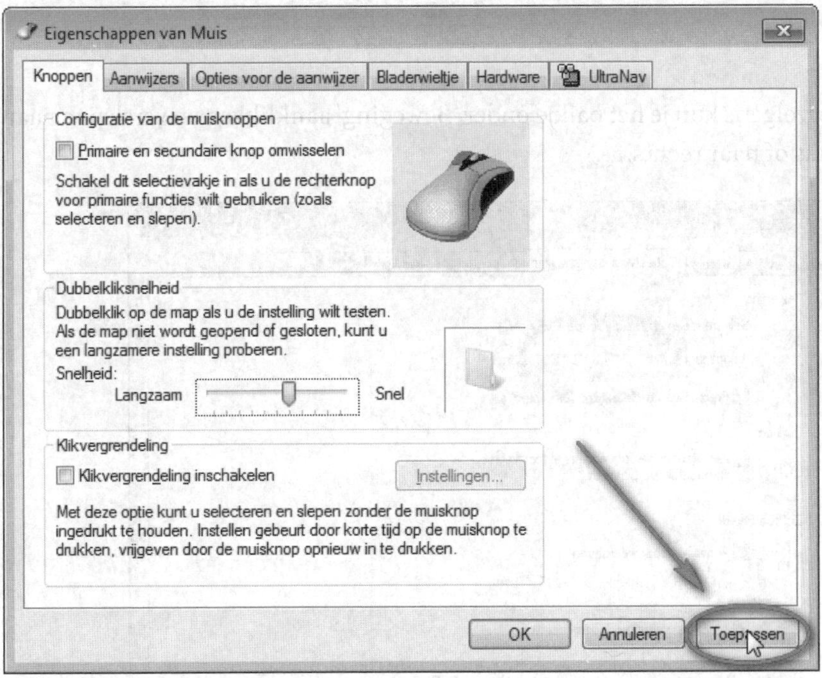

Snelheid verminderen

De snelheid en nauwkeurigheid van je computermuis kun je aanpassen door op het tabblad 'Opties voor de aanwijzer' te klikken met je linkermuisknop.

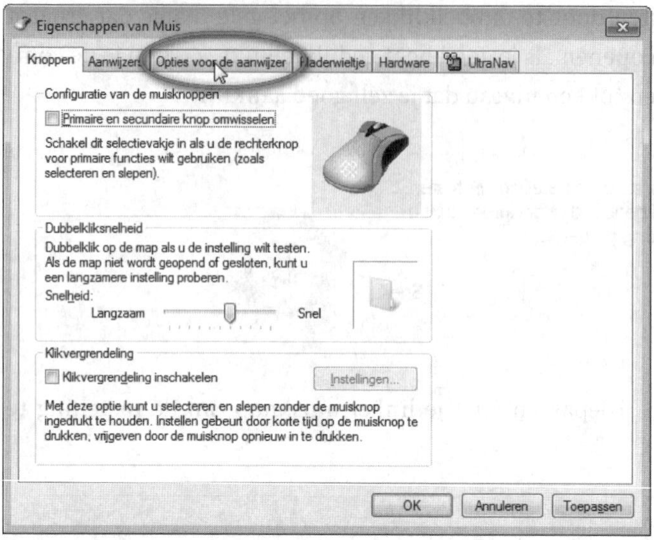

Vervolgens kun je het balkje onder 'Beweging' aanklikken en verslepen naar links of naar rechts.

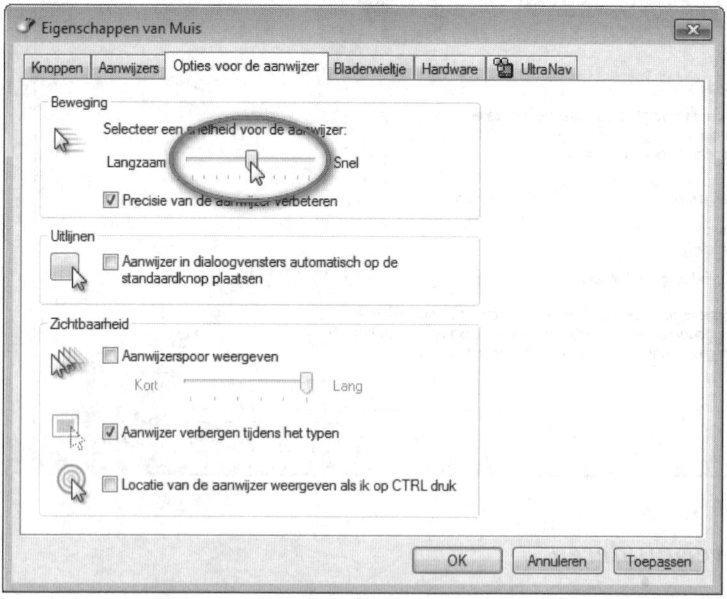

Naar links is de snelheid van het pijltje verlagen, en dus de muis minder gevoelig maken. Naar rechts is de snelheid verhogen en de gevoeligheid dus laten toenemen. Als je moeilijk van de ene naar de andere kant van het scherm komt omdat de plaats waar je computermuis ligt hiervoor te klein is, verhoog je dus de nauwkeurigheid. Als je er problemen mee hebt iets nauwkeurig aan te duiden omdat je handen onvoldoende nauwkeurig kunnen zijn, bijvoorbeeld doordat je beeft, schuif je naar links om de nauwkeurigheid en reactiesnelheid te verlagen. Druk op de knop 'Toepassen' met je linkermuisknop om de instelling te bevestigen.

Locatie van de computermuis

Je hebt er ongetwijfeld al eens mee te maken gehad tijdens het werken met de computer: waar is het pijltje van de computermuis nu weer gebleven? Je vond het niet op het scherm en pas na heftig bewegen met de computermuis heb je het teruggevonden. Er bestaat een leuk trucje om de locatie duidelijk aan te duiden.

Je kunt namelijk je computer zo instellen dat als je op de Ctrl-toets van je toetsenbord drukt, er kringen verschijnen rond de locatie van de muisaanwijzer. Die kringen zien er net zo uit als wanneer je een steentje in het water werpt.

Je doet dit door te klikken met je linkermuisknop op het tabblad 'Opties voor de aanwijzer'.

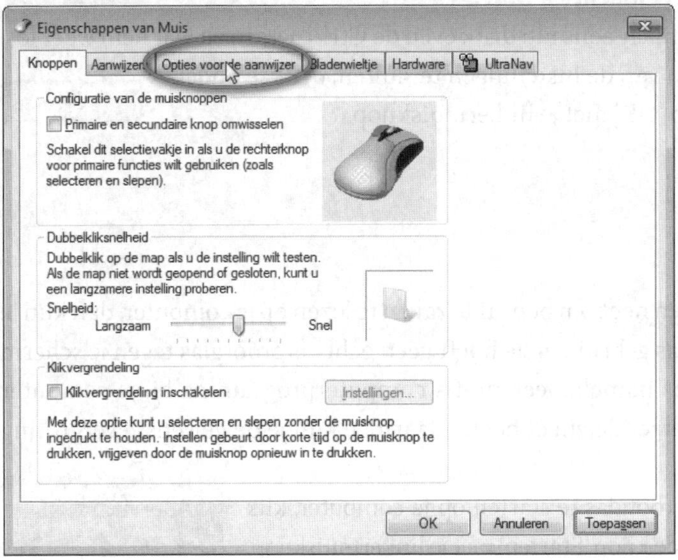

Vervolgens klik je met je linkermuisknop op het lege vakje dat staat voor 'Locatie van de aanwijzer weergeven als ik op CTRL druk'.

Druk op de knop 'Toepassen' met je linkermuisknop om de instelling te bevestigen.

Probeer het maar eens uit: druk even de Ctrl-toets in en laat hem weer los. Om het scherm van de instellingen te sluiten, druk je onderaan op de knop 'OK' met je linkermuisknop.

Vergrootglas

Als je problemen hebt om bepaalde zaken te lezen op je computer, dan kun je een vergrootglas gebruiken. Je hoeft geen echt vergrootglas tegen je scherm te houden, er is namelijk een gratis computerprogramma bij je computer geleverd dat hetzelfde effect heeft. Daarmee kun je de gewenste vergroting instellen.

Om het vergrootglas te starten op je computer, klik je onderaan op de knop 'Starten' met je linkermuisknop.

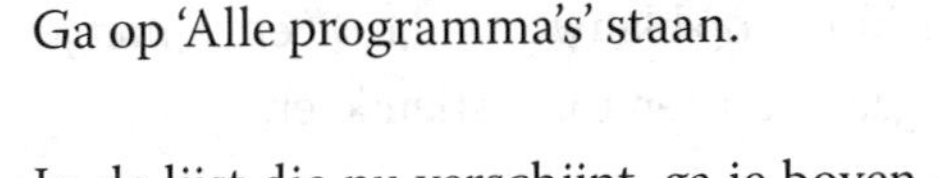

Ga op 'Alle programma's' staan.

In de lijst die nu verschijnt, ga je boven op 'Bureau-accessoires' staan.

Ga nu op 'Toegankelijkheid' staan en klik met je linkermuisknop in het lijstje dat nu verschijnt op 'Vergrootglas'.

Je hebt nu een venster met instellingen voor je staan. Dit scherm laat je de mogelijkheid om bijvoorbeeld de vergrotingsfactor in te stellen. Ook kun je opgeven of het de muisaanwijzer moet volgen, het toetsenbord moet volgen, enzovoort.

Tegelijkertijd wordt de bovenste helft van het beeldscherm vergroot weergegeven. Dit is een voorbeeld van de instellingen in het venster.

Om de vergrotingsfactor te wijzigen, klik je op blauwe rondjes '-' en '+' met je linkermuisknop. De vergroting kan gaan van een tot zestien keer.

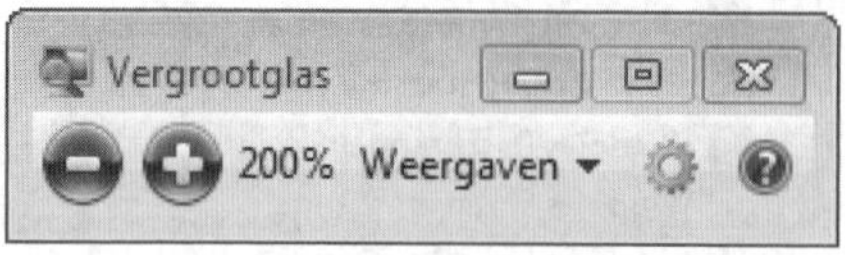

Je hebt nu op de bovenste helft van je scherm het vergrootglas: daar wordt de vergroting weergegeven van de onderste helft. Beweeg met je computermuis en je zult de vergroting dus zien bovenaan. Als je een tekst ingeeft, zie je dat die wordt gevolgd zodat je hem groot te zien krijgt.

Om Vergrootglas weer af te sluiten, klik je eerst op het vergrootglas op het scherm zodat je het venster 'Vergrootglas' te zien krijgt. Klik dan op het rode kruisje om Vergrootglas af te sluiten..

Tip

Je kunt het vergrootglas ook in het negatief laten zien. Dit kan een voordeel zijn voor mensen die het negatief beter kunnen zien. Om dit in te stellen, klik je op de knop 'Opties' in het venster van Vergrootglas. Je ziet nu een nieuw venster waar nog meer instellingen mogelijk zijn. Om het vergrootglas in het negatief te zien, klik je op de knop 'Kleurconversie inschakelen'.

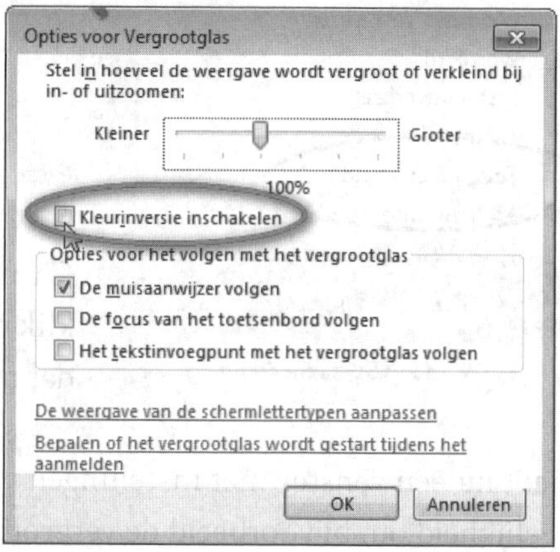

Tip
Je kunt het stuk van het scherm dat het vergrootglas gebruikt, vergroten. Zo kun je meer of minder plaats van je scherm reserveren voor het vergrootglas. Ga daarvoor met het pijltje van de computermuis exact staan op de scheiding van het vergrootglas en het gewone scherm, totdat het pijltje van je computermuis een zwarte, dubbele pijl wordt.
Druk nu je linkermuisknop in, houd deze ingedrukt en verschuif je computermuis. Zo kun je het gebruikte vlak vergroten of verkleinen.

Veel bestanden tegelijk hernoemen

Als je vele bestanden wilt hernoemen, dan kan dit best onaangenaam zijn. Je moet heel wat klikken voordat je tientallen bestanden apart een naam hebt gegeven. Natuurlijk is onze computer slimmer. Hij biedt ons de mogelijkheid om in een keer vele bestanden tegelijk te hernoemen. Wij hoeven het werk dan niet te doen, dat doet de computer voor ons.

Het hernoemen van verscheidene bestanden tegelijk kan nuttig zijn om bijvoorbeeld foto's op je computer die op een bepaalde dag genomen zijn (of tijdens een bepaalde reis) allemaal dezelfde naam te geven en verder een oplopend nummer te gebruiken om ze aan te duiden. Als je foto's van je digitale camera haalt, hebben deze zeer onduidelijke namen als 'OL003994482'. Het zou leuker en duidelijker zijn als zo'n foto bijvoorbeeld 'reis Oostenrijk (120)' als naam zou hebben.

Uiteraard kun je behalve foto's ook alle andere mogelijke bestanden hernoemen, zoals documenten, muziek- en videobestanden.

Het tegelijk hernoemen, doen we als volgt. Ga om te beginnen naar de map waar de bestanden die je wilt hernoemen bij elkaar staan (dus zoals gezien in het hoofdstuk Basiskennis Windows: naar het startmenu gaan, op 'Computer' klikken, station C: aanklikken en vervolgens de juiste map openen).

Selecteer alle bestanden die je in een keer wilt hernoemen. Zo maken we de computer duidelijk met welke bestanden we willen werken, anders kan die dat natuurlijk niet weten. Eerder in het boek (p. 182) werd uitgelegd hoe je dit eenvoudig kunt doen (met behulp van de Ctrl-toets, met de Shift-toets of eventueel via de sneltoets Ctrl + A om alles in een keer te selecteren).

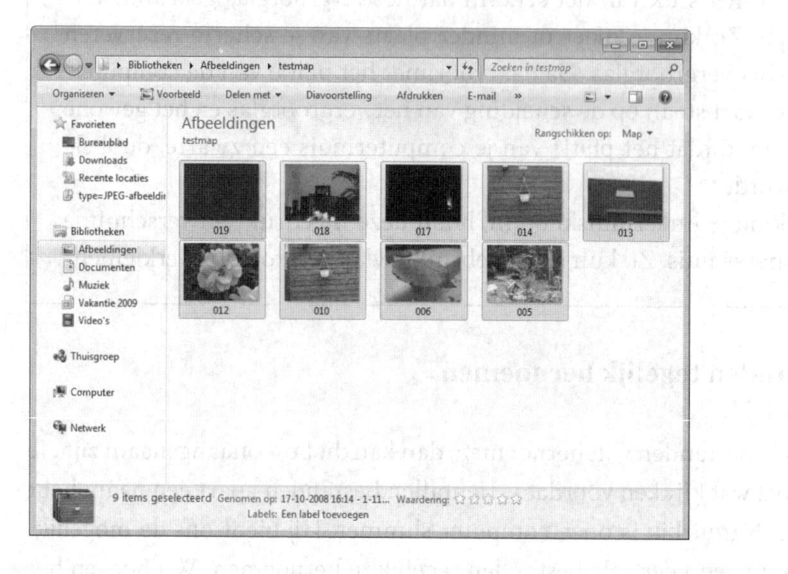

Klik nu met je rechtermuisknop op de naam van een van de geselecteerde bestanden die je wilt hernoemen. In het menu dat verschijnt met extra mogelijkheden klik je met je linkermuisknop op 'Naam wijzigen'.

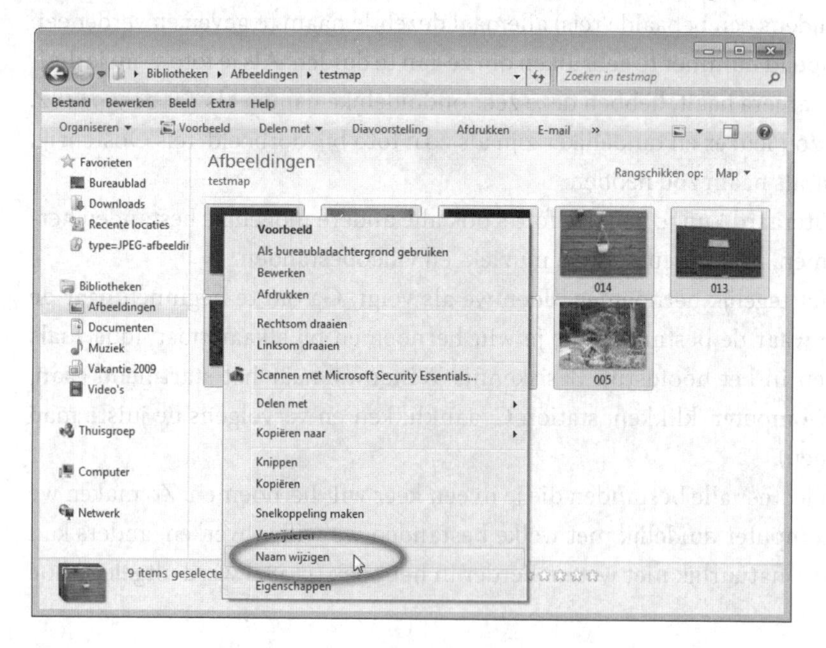

De naam van dat ene aangeduide bestand kun je nu wijzigen. Geef een naam op. Wat je nu intypt, zal gebruikt worden voor alle bestanden. Aan elke naam zal een oplopend volgnummer worden toegevoegd, zodat elk bestand een unieke naam heeft.

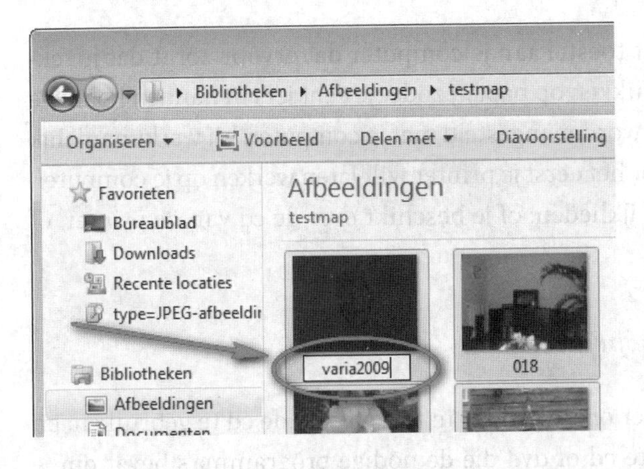

Als je klaar bent met het ingeven van de naam, druk je op de entertoets van je toetsenbord. Hiermee bevestig je de nieuwe naam.

De computer zal nu alle bestanden hernoemen zoals gevraagd. Hij doet dit in een fractie van een seconde, dit in contrast met als we ze zelf een voor een zouden moeten benoemen. Dat zou gemakkelijk meerdere minuten of uren kunnen duren.

Op de foto zie je als voorbeeld de wijziging.

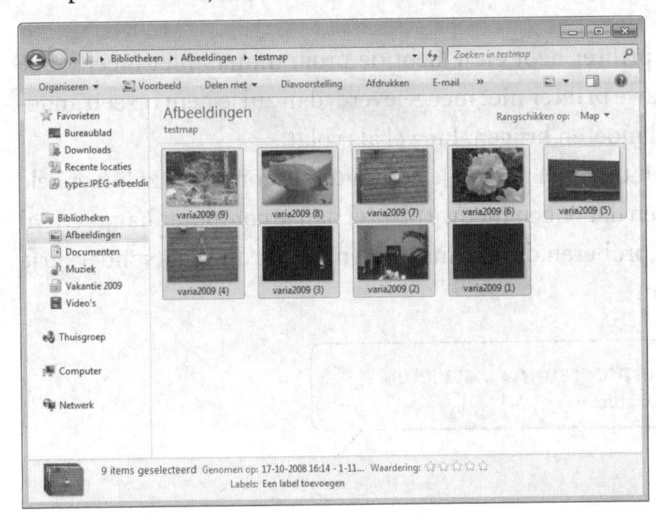

De printer instellen

De printer is een apart toestel aan je computer dat ervoor zorgt dat je teksten of foto's kunt afdrukken op papier, zodat je echt iets in handen hebt. De printer dient echter te worden ingesteld met je computer, hij werkt namelijk niet zomaar. Als je voor het eerst je printer wilt laten werken op je computer, dan zijn er twee mogelijkheden: of je beschikt over de cd van de printer, of je hebt de cd niet.

Je hebt de cd van de printer

De eenvoudigste manier om je printer in te stellen is de cd te gebruiken: bij je printer zit een aparte cd of dvd die de nodige programma's bevat om je printer goed te laten werken met je computer.

Steek de cd of dvd in je computer en volg gewoon de instructies op je scherm om de programma's op je computer te krijgen. Als dat afgelopen is, steek pas dan de kabel van de printer in je computer! (Dus níét eerst de printer en dan de programma's!)

Je hebt de cd van de printer niet

Als je een oudere printer hebt en je hebt de programma's niet meer, of ze werden bij een nieuwe printer niet meegeleverd, dan zul je hem op een andere manier werkend moeten krijgen. En wel als volgt.

Sluit eerst de printerkabel aan op je computer. Je computer zal in enkele seconden herkennen dat er een nieuwe printer aan je computer hangt en zal reeds automatisch proberen deze te installeren. Je ziet dit rechtsonder op je scherm verschijnen.

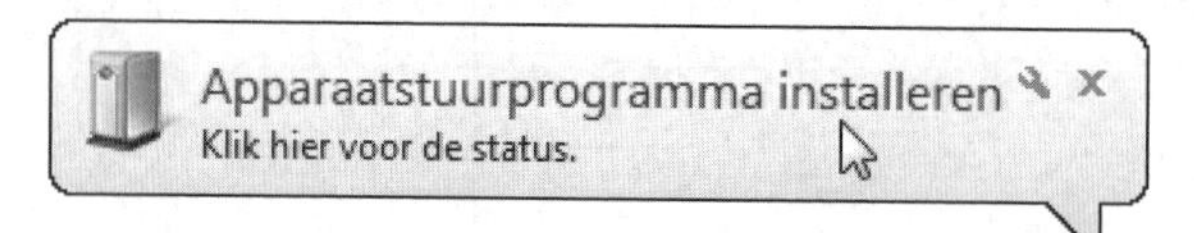

Indien de computer de printer herkent, kan deze de printer ook onmiddellijk gaan installeren en klaarmaken voor gebruik. Heb even geduld. Als de computer klaar is, krijg je dit rechts onderaan meegedeeld.

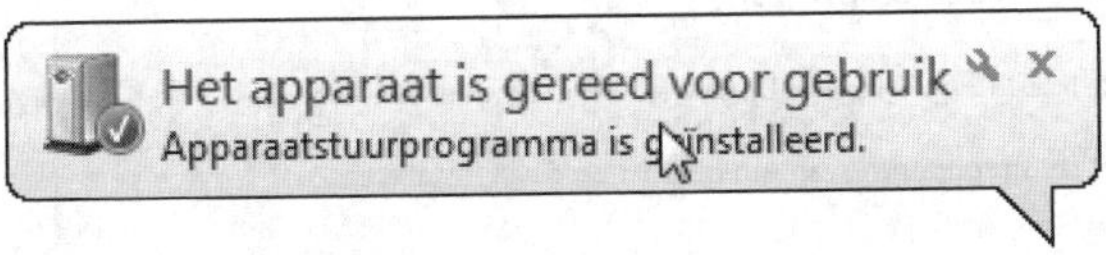

Als je een dergelijke mededeling niet krijgt, maar je krijgt iets zoals op de volgende foto, dan heeft de computer de printer niet goed herkend.

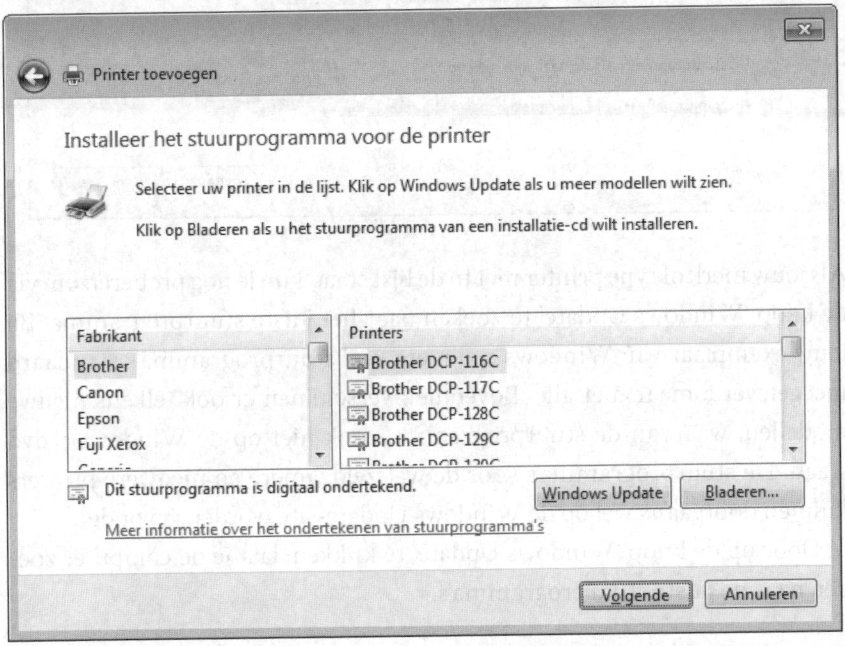

De wizard 'Printer toevoegen' wordt nu gestart en je ziet meteen het eerste venster. Selecteer hierin in de linkerlijst met merken het juiste merk en daarna in de rechterlijst het juiste type.

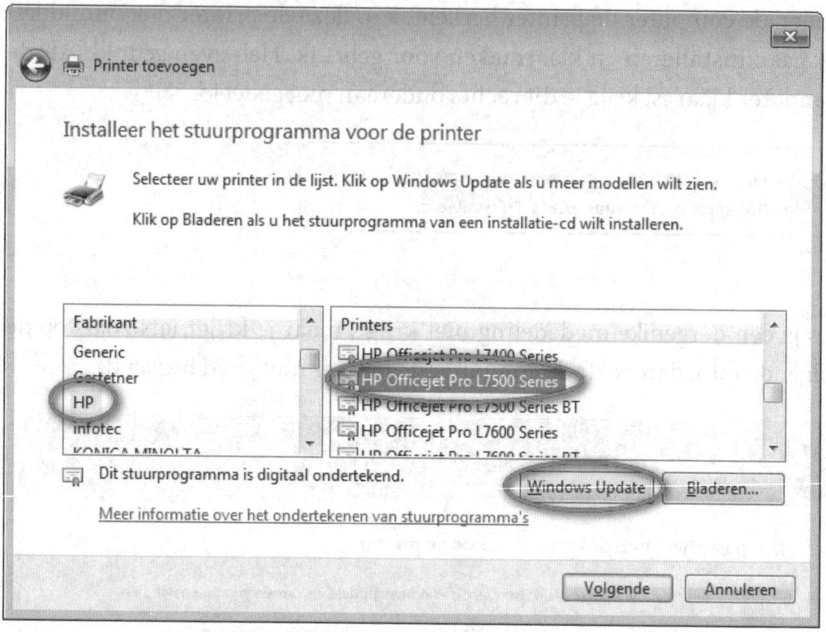

Als jouw merk of type printer niet in de lijst staat, kun je nog proberen om via de knop 'Windows Update' te zoeken naar het juiste stuurprogramma. Bij jouw exemplaar van Windows 7 zijn erg veel stuurprogramma's standaard meegeleverd, maar niet alle. Bovendien verschijnen er ook telkens nieuwe modellen, waarvan de stuurprogramma's ook niet op de Windows 7-dvd staan. De stuurprogramma's voor de wat zeldzamere en nieuwere printers kunnen doorgaans wel op de Windows Update-site worden gevonden.

Door op de knop 'Windows Update' te klikken, laat je de computer zoeken naar de juiste stuurprogramma's.

In ons geval staat de juiste printer, de HP Officejet Pro L7500, wel in het lijstje. Klik dan op de knop 'Volgende'. Je ziet een nieuw venster waarin je wordt gevraagd om een naam voor de printer op te geven.

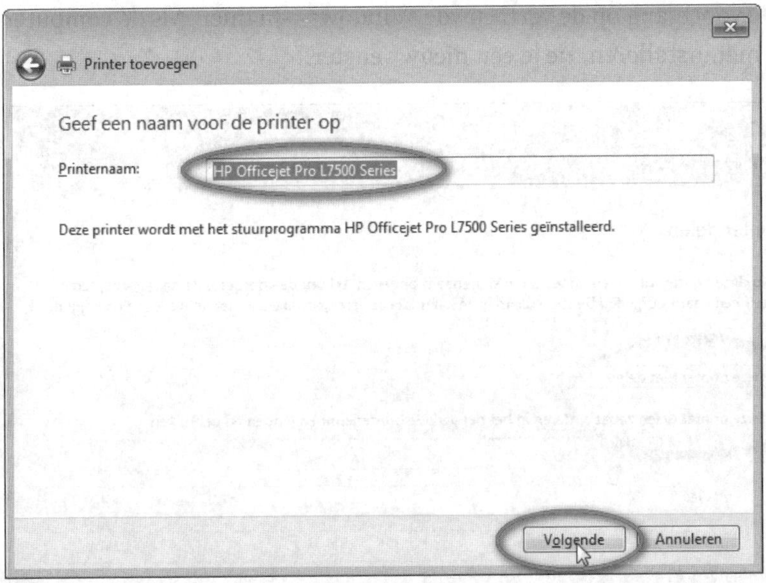

Als je iets gaat afdrukken, zal dit de naam zijn die je in de afdrukvensters gaat zien. Windows 7 stelt zelf al een naam voor, maar het staat je vrij om zelf een naam te kiezen en in te voeren. In het voorbeeld nemen we de naamsuggestie van Windows 7 over en klikken op de knop 'Volgende'.

Het printerstuurprogramma wordt nu geïnstalleerd.

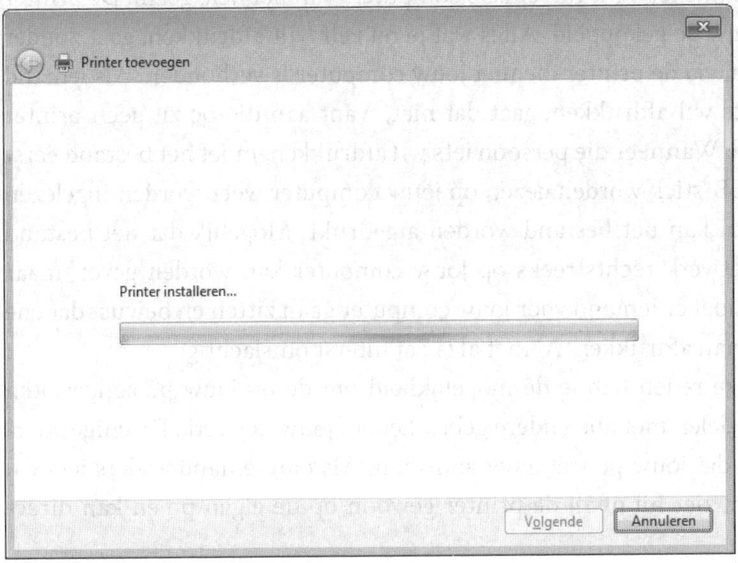

Je ziet de voortgang op de vertrouwde Windows 7-manier. Als de computer klaar is met installeren, zie je een nieuw venster.

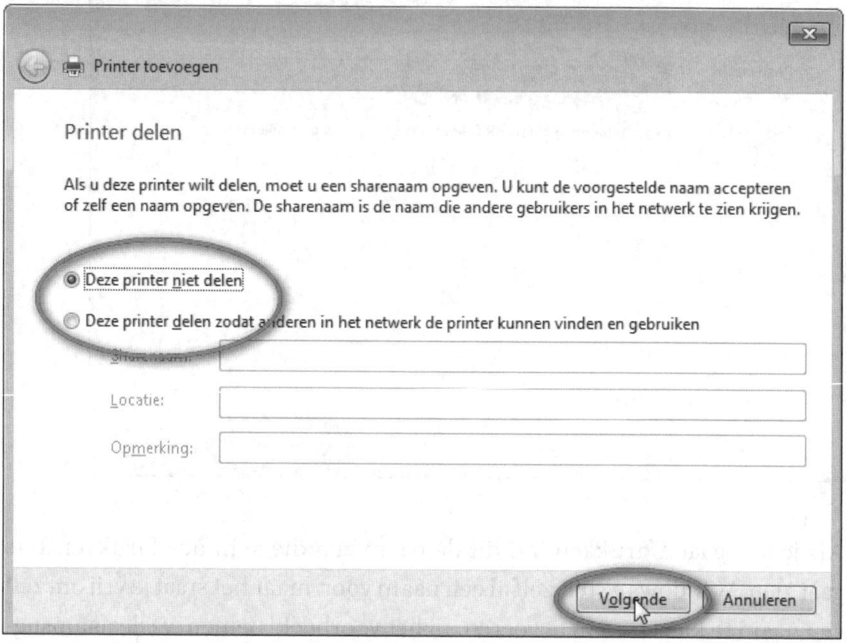

Hierin word je gevraagd of je de printer wilt delen. Wat houdt dat in? Stel, je hebt een thuisnetwerk van enkele computers van het hele gezin. De printer zit aan jouw pc gekoppeld. Alles wat je nu zelf wilt afdrukken, gaat zonder problemen via de printer die met jouw computer is verbonden. Als iemand anders iets wil afdrukken, gaat dat niet, want aan die pc zit geen printer gekoppeld. Wanneer die persoon iets wil afdrukken, moet het bestand eerst op een USB-stick worden gezet, op jouw computer weer worden ingelezen en pas dan kan het bestand worden afgedrukt. Mogelijk dat het bestand via het netwerk rechtstreeks op jouw computer kan worden gezet, maar dan nog moet er iemand voor jouw computer gaan zitten en bewust dat ene bestand gaan afdrukken. Al met al is dat uiterst omslachtig.

Om deze reden heb je de mogelijkheid om de op jouw pc aangesloten printer te delen met alle andere gebruikers in jouw netwerk. De enige voorwaarde is dat jouw pc wél moet aanstaan. Als dan iemand anders iets wil afdrukken, ziet hij of zij de printer gewoon op de eigen pc en kan direct afdrukken.

In het voorbeeld delen we de printer niet en klikken op de knop 'Volgende'.

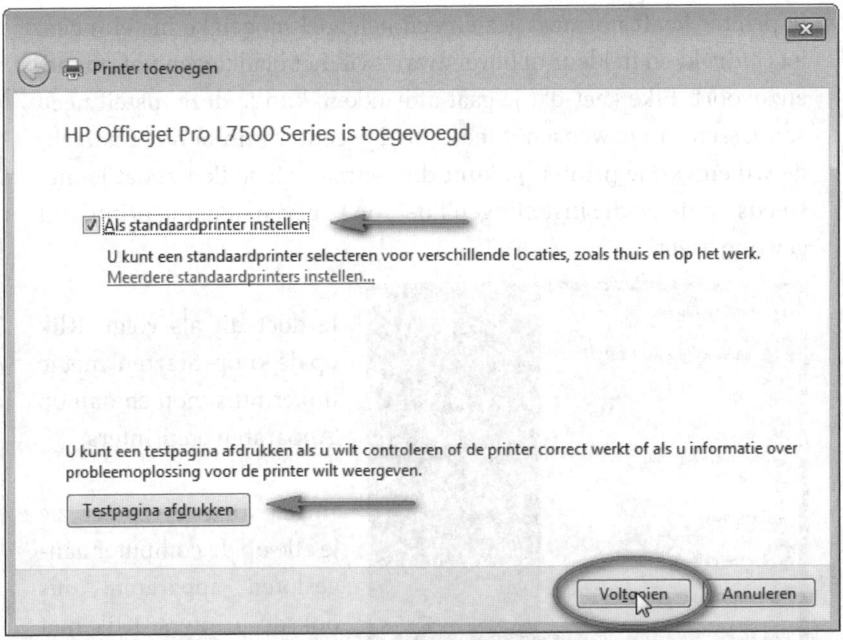

Printer toevoegen

HP Officejet Pro L7500 Series is toegevoegd

Als standaardprinter instellen

U kunt een standaardprinter selecteren voor verschillende locaties, zoals thuis en op het werk.
Meerdere standaardprinters instellen...

U kunt een testpagina afdrukken als u wilt controleren of de printer correct werkt of als u informatie over probleemoplossing voor de printer wilt weergeven.

Testpagina afdrukken

Voltooien Annuleren

Dit is het laatste venster van de wizard 'Printer toevoegen'. Hierin geef je aan of je de printer als standaardprinter wilt instellen. Een standaardprinter is de printer waar alle afdrukopdrachten automatisch naar toe gaan. Je hebt bijvoorbeeld binnen sommige programma's de optie 'Snel afdrukken'. Als je voor zo'n optie kiest, word je niet gevraagd naar welke printer je de afdruktaak wilt sturen, maar wordt altijd voor de standaardprinter gekozen. Het is hierdoor wel van belang dat je goed nadenkt welke printer je als standaardprinter gaat gebruiken. Uiteraard geldt dit alleen wanneer je meerdere printers op je pc hebt aangesloten. Heb je één printer, dan is deze automatisch de standaardprinter. Ook een netwerkprinter kan een standaardprinter zijn, het maakt niet uit of de printer direct gekoppeld is aan de pc, of via een netwerk is verbonden.

Als controle heb je ook nog de mogelijkheid om een testpagina af te drukken. Gaat dit helemaal goed, dan mag je ervan uitgaan dat alles goed is geïnstalleerd.

Klik op 'Voltooien' om de wizard te sluiten. De printer is nu beschikbaar voor de afdruktaken.

Tip

Je printer heeft normaal gezien een heleboel mogelijke instellingen: iets afdrukken in kleur of liever zwart-wit, het blad liggend of staand, enzovoort. Elke keer dat je gaat afdrukken, kun je deze instellingen aanpassen aan je wensen. Meestal zul je echter min of meer hetzelfde willen van je printer. Je kunt dit eenmalig instellen zodat je niet steeds opnieuw die instellingen hoeft op te geven, maar je printer dit gewoon 'weet'.

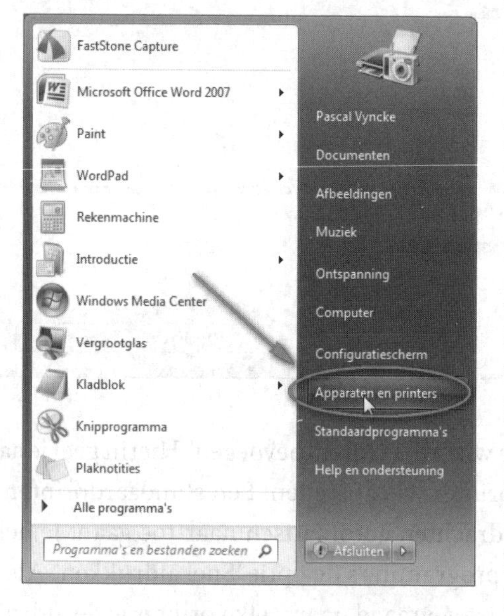

Je doet dit als volgt. Klik op de knop 'Starten' met je linkermuisknop en dan op 'Apparaten en printers'.

In het nieuwe venster zie je alle op de computer aangesloten apparaten, dus ook de printers. Klik met je rechtermuisknop op de printer waarvan je de instellingen wilt wijzigen. In het lijstje dat verschijnt, klik je op 'Voorkeursinstellingen voor afdrukken'.

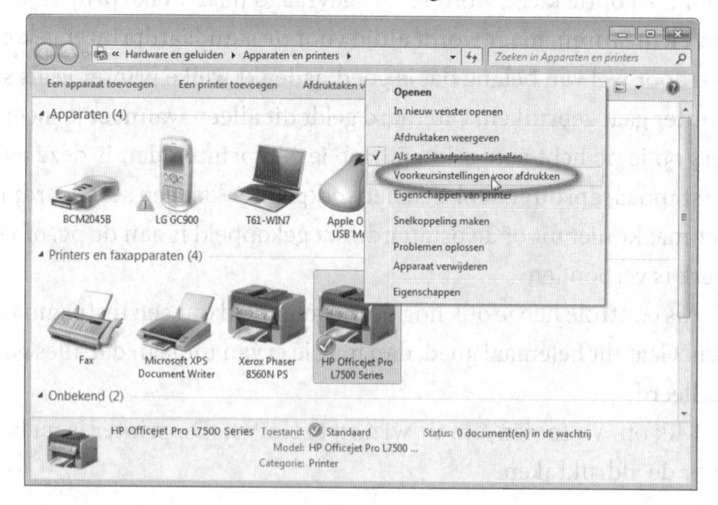

Nu krijg je een nieuw venster te zien dat van printer tot printer kan verschillen. Geef op wat je standaard wenst te doen: zwart-wit, kleur, de kwaliteit, wat voor soort papier, enzovoort.
Als je klaar bent, druk je onderaan met je linkermuisknop op 'OK'.

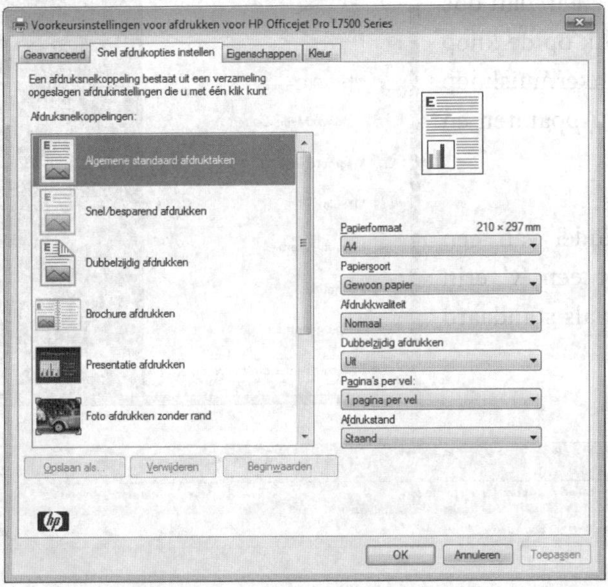

De instellingen zijn nu bewaard. Telkens als je nu iets afdrukt, hoef je niet al die instellingen op te geven maar zal de computer de opgegeven instellingen gebruiken. Wil je deze een keer anders, bijvoorbeeld om toch eens een foto in kleur af te drukken, dan kun je dat op dát moment nog wijzigen zonder problemen.

Een tweede printer als standaard instellen

Als je een tweede printer hebt, dan zal de computer steeds standaard afdrukken op de eerste printer die op je computer aangesloten is. De reden is dat de eerste printer als 'standaardprinter' is ingesteld.

Als een programma iets wil afdrukken, zal je computer ervan uitgaan dat je op de standaardprinter wilt afdrukken. Dit zorgt ervoor dat het eenvoudig is om af te drukken: je hoeft niet elke keer te zeggen op welke printer je wilt afdrukken. Wil je toch op de andere afdrukken, dan kun je dat op dat ogenblik nog wijzigen.

Wil je echter je nieuwe printer als standaard instellen, dan doe je dit als volgt. Klik op de knop 'Starten' met je linkermuisknop en vervolgens op 'Apparaten en printers'.

Je kunt door middel van een groen rondje met een 'v' erin zien welke printer als standaard is ingesteld.

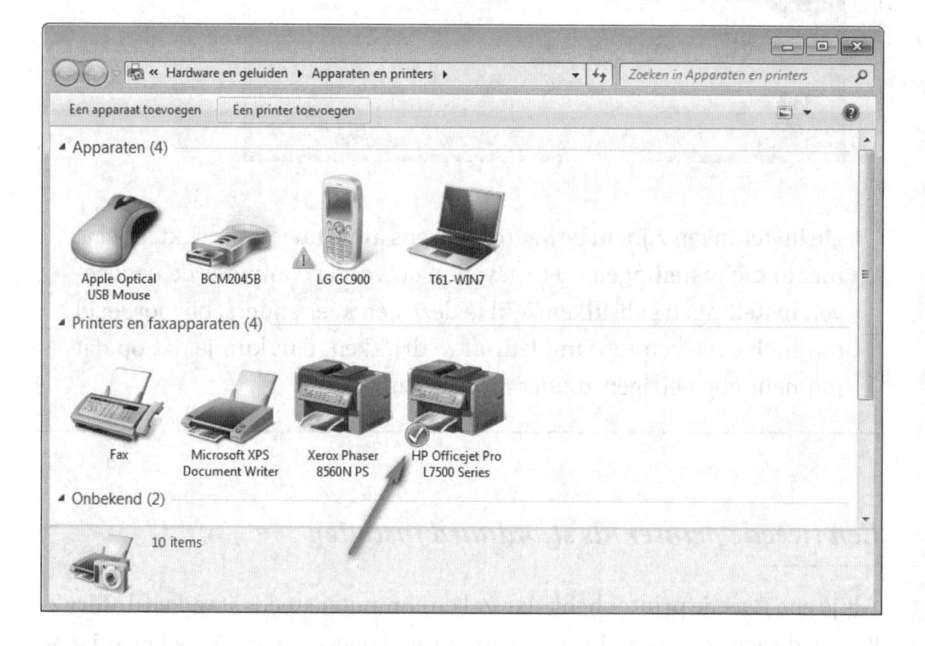

Klik met je rechtermuisknop op de printer die je nu als standaard wilt instellen. Klik vervolgens in het lijstje met mogelijkheden op de gewenste keuze: 'Als standaardprinter instellen'.

Je zult zien dat nu bij deze printer het groene rondje zal verschijnen. Deze printer is dan correct ingesteld als standaardprinter.

Klik met je linkermuisknop op het kruisje rechtsboven om weer uit de instellingen te gaan.

Een USB-stick gebruiken

Wereldwijd gebruiken enorm veel mensen een zogenaamde 'USB-stick', of een 'USB-staafje'. Het is zo groot als een sleutel en vele mensen gebruiken het als sleutelhanger. Op zo'n staafje kan enorm veel informatie gestockeerd worden, zelfs meer dan op een dvd kan én het is vele keren kleiner. Bovendien gaat het schrijven van informatie naar zo'n USB-staafje en het lezen van de informatie een stuk sneller dan bij een cd of dvd.

Voordeel is dus dat je informatie tussen computers eenvoudiger én sneller kunt uitwisselen. Vooral mensen die thuis meerdere computers hebben, die op het werk op een aparte computer werken en mensen die bijvoorbeeld geregeld een presentatie geven, maken zeer frequent gebruik van zo'n USB-stick.

Een USB-stick kun je in elke computerwinkel kopen, of zelfs bij de supermarkt. De prijzen liggen niet al te hoog. Iedereen die wil, heeft er dus toegang toe.

Een USB-stick is bijzonder gemakkelijk te gebruiken. Eerst moet je de stick in de USB-poort van je computer steken: een rechthoekige gleuf in de computer die exact even groot is als de USB-stick. Steek de USB-stick er gewoon in.

De computer zal dit staafje nu herkennen. Als het de eerste keer is dat je de USB-stick gebruikt, dan zal het even duren. De volgende keren gaat dit veel sneller (een paar seconden). Je krijgt een scherm te zien zoals op de foto hieronder.

Klik met je linkermuisknop op 'Map en bestanden weergeven'. We willen namelijk zien wat er op de USB-stick staat. Klik op 'OK' met je linkermuisknop om de keuze te bevestigen.

Je krijgt nu de inhoud te zien van de USB-stick en kunt ermee werken alsof het gewoon je harde schijf is. Je kunt mappen aanmaken, mappen verwijderen, bestanden ernaartoe kopiëren, verwijderen, verplaatsen, enzovoort.

Als je klaar bent, moet je eerst de USB-stick 'veilig verwijderen', zoals dat heet. Klik hiervoor met de linkermuisknop op het pictogram 'Hardware veilig verwijderen', rechtsonder in de taakbalk.

Er verschijnt een venster onder aan je scherm. Klik op de optie 'Z Mate 16GB uitwerpen', dat is de naam van de USB-stick die we voor dit voorbeeld hebben gebruikt. Deze naam kan per USB-stick verschillen, afhankelijk van merk, type en uitvoering.

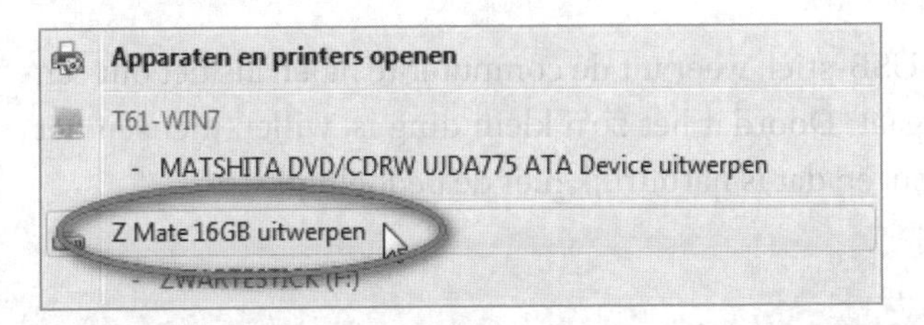

Wanneer je dat hebt gedaan, krijg je normaal gesproken het volgende venster te zien.

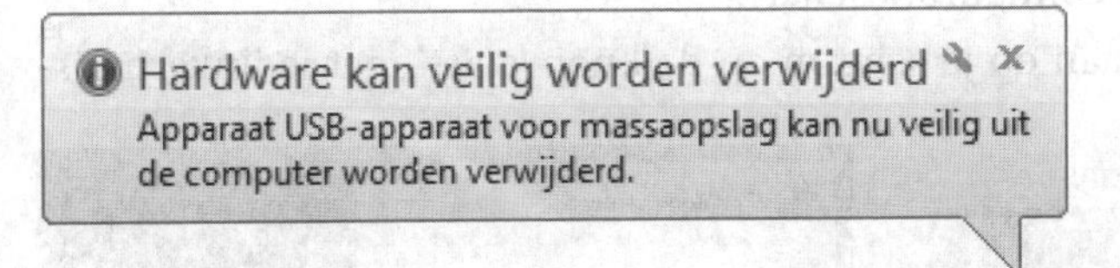

Klik op 'OK' en trek daarna de USB-stick gewoon uit je computer. Alle informatie staat erop. Steek hem in een andere computer en je zult de informatie daar ook kunnen lezen. Bijzonder draagbaar en eenvoudig dus!

Soms krijg je bij het veilig verwijderen het volgende venster te zien.

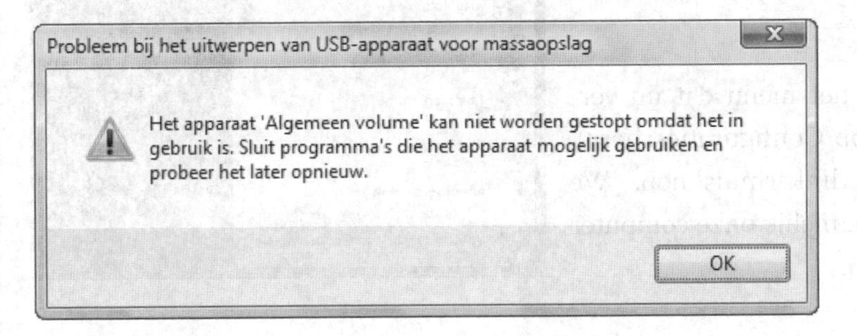

Dit wil zeggen dat de USB-stick nog door een ander programma wordt gebruikt en dus niet kan worden verwijderd. Je moet dan eerst even zoeken welk programma de stick nog gebruikt. Het kan zijn dat je nog een venster van de Verkenner open hebt staan met de informatie van de USB-stick, of dat een bestand op die stick nog wordt gebruikt door een programma als Kladblok of Word, enzovoort. Sluit de Verkenner of sluit het programma dat dat bestand op de stick gebruikt en probeer nog een keer Veilig verwijderen.

Vergeet niet om die USB-stick weer uit de computer te halen als het om een vreemde computer gaat. Doordat het zo'n klein ding is, willen mensen het nog wel eens vergeten, en dat is natuurlijk niet de bedoeling!

Energie besparen

Onze computer heeft een apart onderdeel voor 'energiebeheer'. We kunnen het bereiken via het configuratiescherm.

Klik links onderaan op je scherm op de knop 'start' met je linkermuisknop.

Klik in het menu dat nu verschijnt op 'Configuratiescherm' met je linkermuisknop. We willen namelijk onze computer instellen.

Klik daarna op 'Systeem en beveiliging'.

In het scherm dat nu verschijnt, klik je op 'Energiebeheer'.

Energiebeheer
Accu-instellingen wijzigen
Een wachtwoord vereisen als de computer uit slaapstand komt
Het gedrag van de aan/uit-knoppen wijzigen
Wijzigen wanneer de computer in slaapstand gaat

Een tweede manier om 'Energiebeheer' te starten, is door in het zoekvak in het startmenu de tekst 'energiebeheer' in te voeren.

Zoals je ziet staat het programma 'Energiebeheer' bovenaan. Klik op het programma om het te starten.

Configuratiescherm (7)
Energiebeheer
Energiebeheerschema bewerken
Een energiebeheerschema selecteren
Accu-instellingen wijzigen
De actie bij het sluiten van het deksel wijzigen
Het gedrag van de aan/uit-knoppen wijzigen
Wijzigen wanneer de computer in slaapstand gaat
Meer resultaten weergeven
energiebeheer
Afsluiten

We krijgen nu een nieuw scherm te zien, waar we het energiegebruik van onze computer kunnen instellen aan onze eisen, zodat onze computer zal werken zoals we willen, maar toch maximaal energie zal besparen.

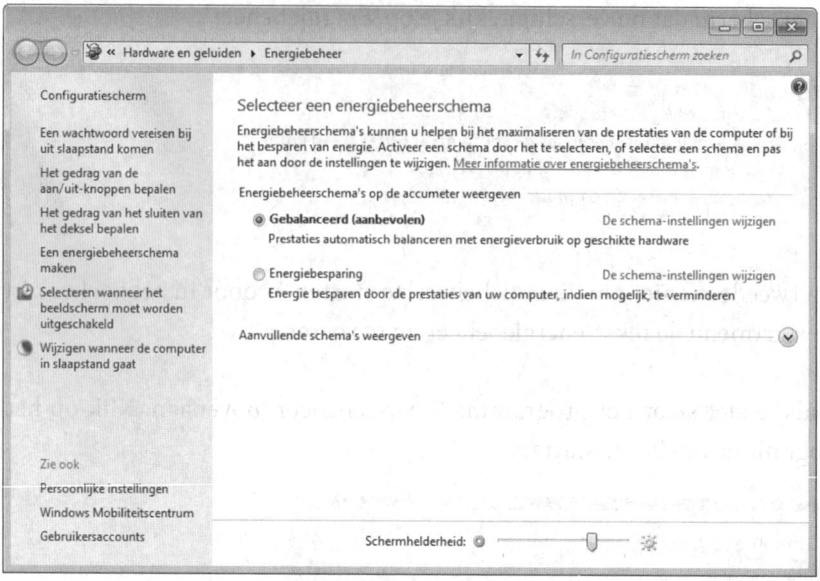

Je ziet eerst 'Energiebeheerschema's' staan. Dit zijn vooraf gemaakte schema's voor onze computer om energie te besparen. Je hebt de keuze uit Gebalanceerd, Energiebesparing en Hoge prestaties. Je kunt de keuze wijzigen door op de rondjes links naast de energieschema's te klikken met je linkermuisknop.

De instellingen van de schema's kun je zien door op de link 'De schema-instellingen wijzigen' te klikken.

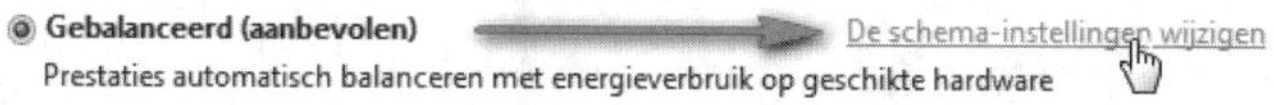

Je ziet nu de mogelijke instellingen staan. Zo zijn er verschillende manieren om energie te besparen. Het gaat steeds over het geval dat je de computer niét gebruikt. De computer houdt namelijk bij hoelang het geleden is dat je hem nog iets hebt gevraagd.

Zo kun je opgeven dat als je gedurende vijf minuten niet meer aan de computer hebt gewerkt, het beeldscherm gaat dimmen en na 10 minuten zichzelf helemaal uitschakelt. Je computerscherm verbruikt namelijk energie, maar als niemand ernaar kijkt, kun je het evengoed uit laten zetten. Zo bespaar je al heel wat energie. Je kunt de tijd zelf instellen, gaande van één minuut tot vijf uur.

Dit zal de computer dus alleen maar doen als je die bepaalde tijd niet met de computer bent bezig geweest. Kom je terug aan je computer (druk je op een toets op het toetsenbord of beweeg je de computermuis), dan zal de computer weer volledig werken en zal het beeldscherm aanspringen, automatisch.

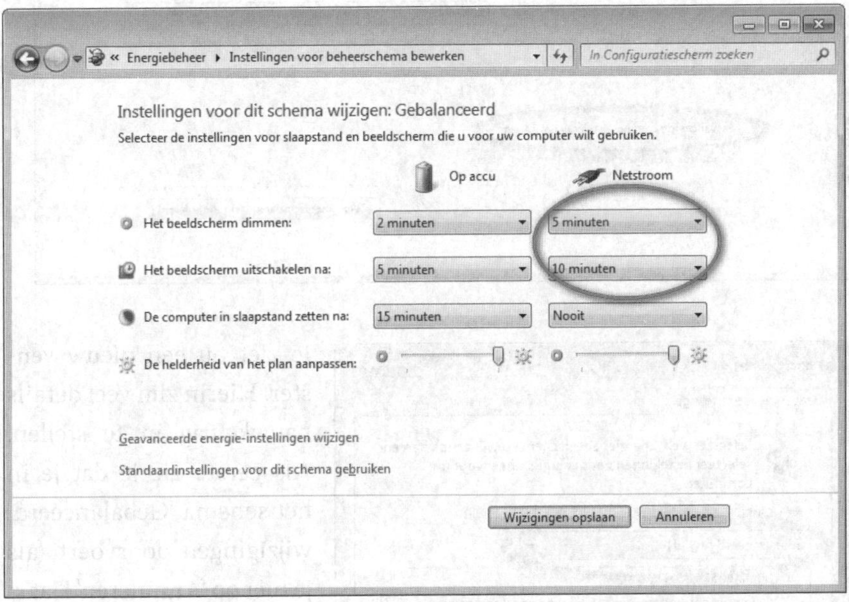

Je ziet dat in deze situatie twee soorten instellingen worden weergegeven. Een voor gebruik op een accu en een voor gebruik op netstroom. Dit komt doordat dit een weergave is voor een laptop. Voor een desktop zul je maar één set instellingen zien.

De tweede optie die je ziet, is de tijdsduur voordat de computer in de slaapstand gaat. Deze stand is ook in te stellen door op de link 'Geavanceerde energie-instellingen wijzigen' te klikken.

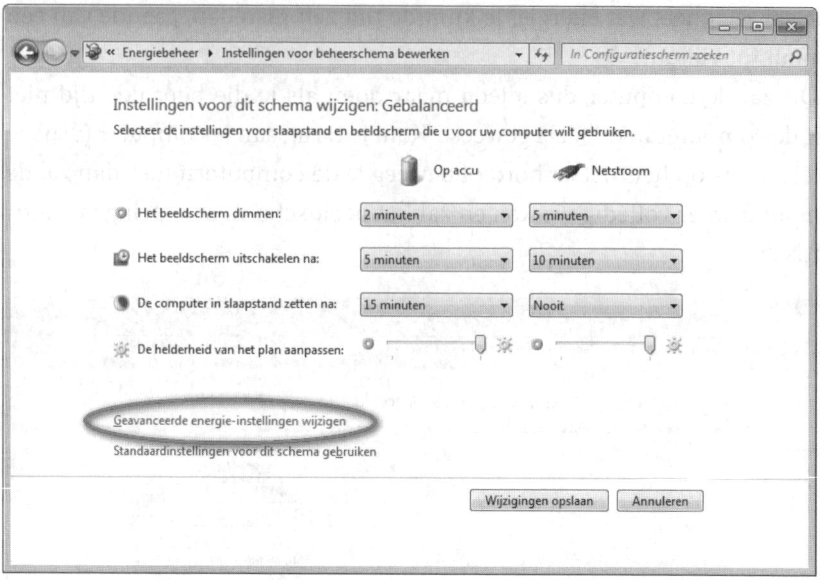

Je ziet nu een nieuw venster. Hierin zijn veel details nauwkeurig in te stellen. Als eerste zie je dat je in het schema 'Gebalanceerd' wijzigingen doorvoert (als je niet op 'Annuleren' Daaronder staan de instelmogelijkheden. Door op het plusteken links te klikken open je de instelmogelijkheden over dat deel van de computer. Je sluit die mogelijkheden weer door dan op het minteken te klikken.

Bovenaan zie je de instelling waarmee je kunt aangeven of je een wachtwoord moet invoeren wanneer de computer weer uit de slaapstand komt.

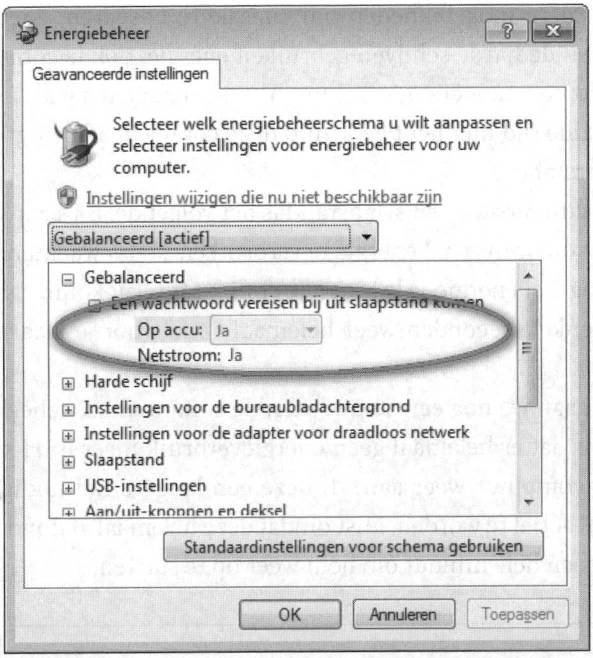

Je kunt ook opgeven wanneer de 'vaste schijven' moeten worden uitgeschakeld, dus de harde schijf (of schijven) van je computer, het vaste geheugen. Dit geheugen bestaat daadwerkelijk uit een schijf, die enkele duizenden keren per minuut ronddraait. Dat kost natuurlijk energie. Je kunt opgeven dat als je de computer een bepaalde tijd niet meer gebruikt, deze uitgeschakeld wordt, zodat je energie bespaart. Let wel: als je terug aan je computer komt, moet je even geduld hebben voor die schijf weer op snelheid is (al gaat dit maar over enkele seconden).

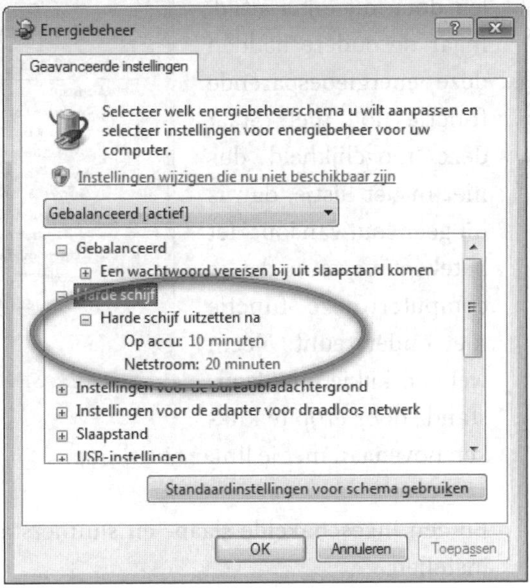

Je hebt nog geavanceerdere mogelijkheden om energie te besparen. Niet alleen je beeldscherm en de harde schijven gebruiken energie, ook je complete computer gebruikt constant energie. Je kunt hem zo instellen dat als je de computer een bepaalde tijd niet hebt gebruikt, deze compleet afspringt: in slaapstand of sluimerstand.

Het verschil tussen sluimerstand en slaapstand is het volgende. Bij slaapstand gaat de computer om minimaal energie te verbruiken, staan wachten. Hij verbruikt echter nog wel energie. Als je aan je computer terugkomt, zal deze dan ook binnen enkele seconden weer helemaal actief voor je klaarstaan.

Bij de sluimerstand gaan we nog een stap verder: de computer zal geheel uitgaan. Het voordeel is dat er helemaal geen energieverbruik meer is. Het nadeel is dat als je de computer weer aanzet, deze een langere tijd nodig heeft om weer helemaal actief te worden, juist omdat deze helemaal afstond. Reken op een halve tot een hele minuut om hem weer op te starten.

Tip

Mogelijk ondersteunt je computer geen slaapstand. Nieuwere toestellen doen dit bijna altijd, maar de oudere hadden deze energiebesparende functie nog niet. Staat deze mogelijkheid dus niet in het lijstje, dan is dit geen fout van jou. Het betekent gewoon dat je computer deze functie niet ondersteunt. Neem wel een kijkje bij 'Slaapstand', door erop te klikken bovenaan met je linkermuisknop.

Bij een ingeschakelde slaap- en sluimerstand kun je daar de tijden instellen.

Druk met je linkermuisknop op 'OK' om de computer de nieuwe instellingen te bevestigen.

Computergegevens achterhalen

Inleiding

Het kan gebeuren dat iemand je bepaalde gegevens vraagt over je computer. Bijvoorbeeld een vriend die nieuwsgierig is naar je computer om te weten wat je in huis hebt, maar het kan bijvoorbeeld ook iemand zijn die je wil helpen bij een technisch probleem en die moeilijke vragen stelt over hoeveel werkgeheugen (RAM) je hebt, de snelheid van je computer of je besturingssysteem. Als je een beetje geluk hebt, dan heb je die gegevens nog van toen je je computer aankocht. Heb je ze echter niet meer, of niet onmiddellijk bij de hand, dan kun je deze gegevens ook gewoon aan je computer vragen.

Als je wilt achterhalen hoe snel je computer is (je processor), hoeveel werkgeheugen je computer heeft (RAM-geheugen) of welk besturingssysteem je hebt, dan kun je dit eenvoudig doen.

Aan de slag

De gevraagde gegevens worden ook wel de 'systeemeigenschappen' genoemd, ofwel de technische gegevens van je computer. We kunnen deze gegevens verkrijgen door het volgende te doen.

Klik met je linkermuisknop onderaan op je scherm op de knop 'Starten'. We willen immers iets starten, namelijk de gegevens van onze computer.

In het startmenu dat we nu zien, gaan we boven op 'Computer' staan. We willen namelijk gegevens verkrijgen over onze computer.

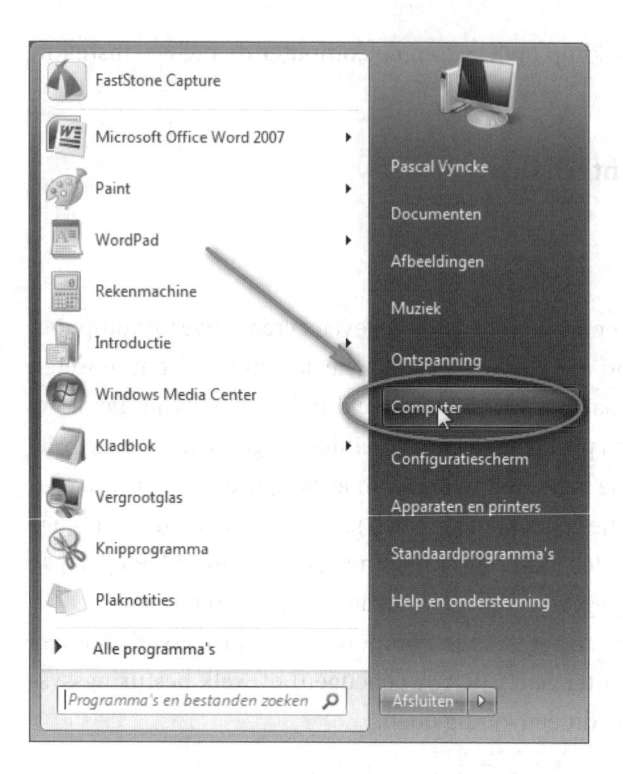

We klikken er nu op met onze RECHTERmuisknop. Normaal klikken we er met onze linkermuisknop op, omdat we de inhoud van onze computer willen zien, maar nu willen we iets extra's te weten komen over onze computer. Die extra's kunnen we op het scherm krijgen dankzij de rechtermuisknop. Druk deze dus in wanneer je boven op 'Computer' staat. Je krijgt een scherm zoals op de foto hiernaast.

We willen de eigenschappen kennen van onze computer, dus we drukken in het lijstje van mogelijkheden op 'Eigenschappen'. Dit doen we met onze linkermuisknop.

We krijgen nu een nieuw scherm te zien. Dit is het scherm met de gegevens over onze computer.

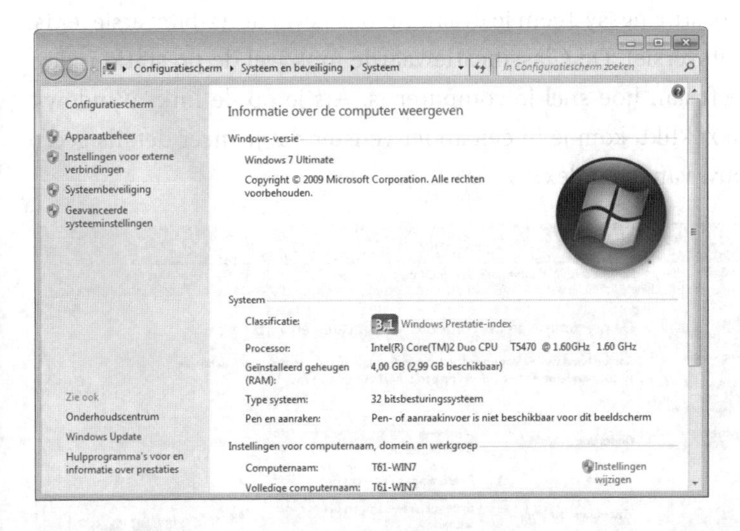

Zo kunnen we alle technische gegevens van onze computer aflezen. De gegevens zijn verdeeld in vier blokken. Het eerste blok, dat staat onder 'Windows-versie', geeft aan welk besturingssysteem we hebben. In dit geval 'Windows 7 Ultimate'. Dat is de uitgebreidste versie van Windows 7. Mogelijk heb je op je computer echter 'Home Premium' of 'Professional' staan, andere versies van Windows 7.

Daaronder zie je het blok 'Systeem'. Hier zie je de zogenoemde Classificatiewaarde, welke processor en hoeveel geheugen er in je computer zitten en welk type besturingssysteem je draait (in ons geval de 32-bitsversie, er is ook een 64-bitsversie). De Classificatiewaarde (ook wel de prestatie-index genoemd) geeft aan hoe snel je computer is. Als je op de link 'Windows Prestatie-index' klikt, kom je in een ander venster dat je meer details geeft over de opbouw van die index.

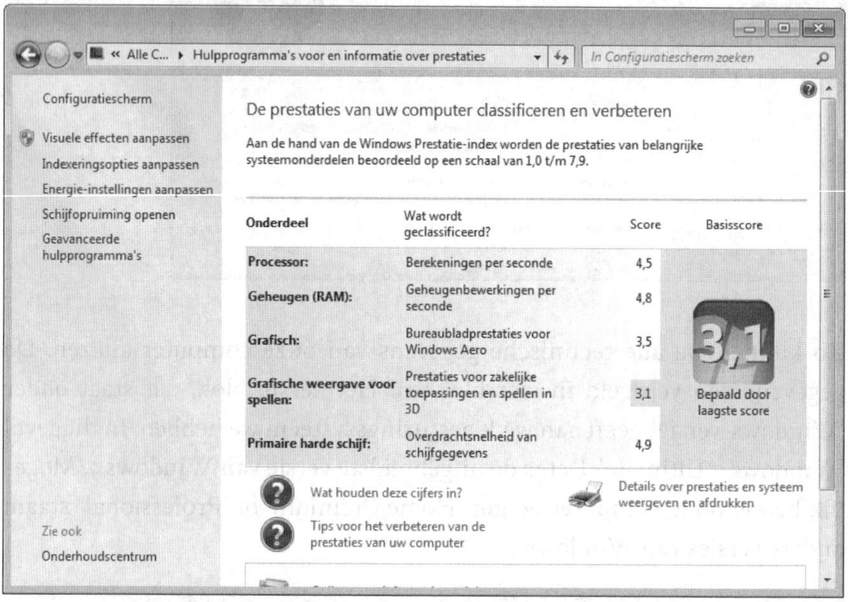

Het blok daaronder geeft de netwerkidentificatie aan: wat is de naam van je computer en in welke werkgroep zit je. Deze gegevens zijn alleen van belang als je een thuisnetwerk wilt opzetten.

Het onderste blok betreft de activering. Elke Windows-versie moet geactiveerd worden. Is dat niet het geval, dan worden er geen updates meer geïnstalleerd, krijg je steeds waarschuwingen, én stopt de computer er na verloop van tijd mee. Met deze activering controleert Microsoft of je een originele versie van Windows 7 hebt.

Configuratiescherm ▸ Systeem en beveiliging ▸ Systeem
In Configuratiescherm zoeken

Configuratiescherm
Apparaatbeheer
Instellingen voor externe verbindingen
Systeembeveiliging
Geavanceerde systeeminstellingen

Systeem
Classificatie: 3,1 Windows Prestatie-index
Processor: Intel(R) Core(TM)2 Duo CPU T5470 @ 1.60GHz 1.60 GHz
Geïnstalleerd geheugen (RAM): 4,00 GB (2,99 GB beschikbaar)
Type systeem: 32 bitsbesturingssysteem
Pen en aanraken: Pen- of aanraakinvoer is niet beschikbaar voor dit beeldscherm

Instellingen voor computernaam, domein en werkgroep
Computernaam: T61-WIN7
Volledige computernaam: T61-WIN7
Beschrijving van de computer:
Werkgroep: WORKGROUP
Instellingen wijzigen

Zie ook
Onderhoudscentrum
Windows Update
Hulpprogramma's voor en informatie over prestaties

Windows activeren
Windows is geactiveerd
Product-id: 00426-065-0186686-86129 Productcode wijzigen
vraag om legitieme Microsoft software
Meer informatie online...

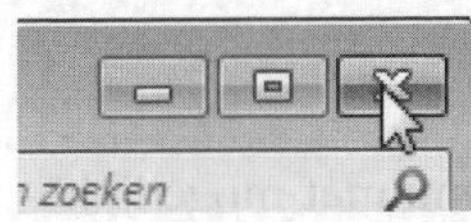

Je kunt het scherm weer afsluiten door rechtsboven op het rode kruisje te klikken.

Eigenschappen van bestanden

Voor elk bestand dat we op onze computer hebben staan, houdt onze computer een hele boekhouding bij die op het eerste gezicht onzichtbaar is. Hij houdt bijvoorbeeld bij wanneer een bepaald bestand is gemaakt, wanneer het de laatste keer werd gewijzigd en zelfs wanneer het voor het laatst werd geopend (opgeroepen). Bij bepaalde bestanden gaat het zelfs nog verder. Bij een foto wordt bijvoorbeeld ook bijgehouden op welke datum en welk tijdstip deze werd gemaakt, en mogelijk zelfs de sluitertijd, diafragmaopening, enzovoort. Bij muziekbestanden kunnen bijvoorbeeld de auteur, het album, de geluidskwaliteit en het jaar van uitgave mee opgeslagen zijn. Bij documenten en teksten kan ook de titel, de auteur, enzovoort bewaard zijn.

Deze informatie kan soms interessant zijn. We kunnen deze informatie op een eenvoudige manier bekijken. Ga via 'Computer' naar de map waarin het bestand staat waarvan je de (onzichtbare) informatie wilt zien. Klik op het bestand met je rechtermuisknop om extra functies te vragen aan onze computer.

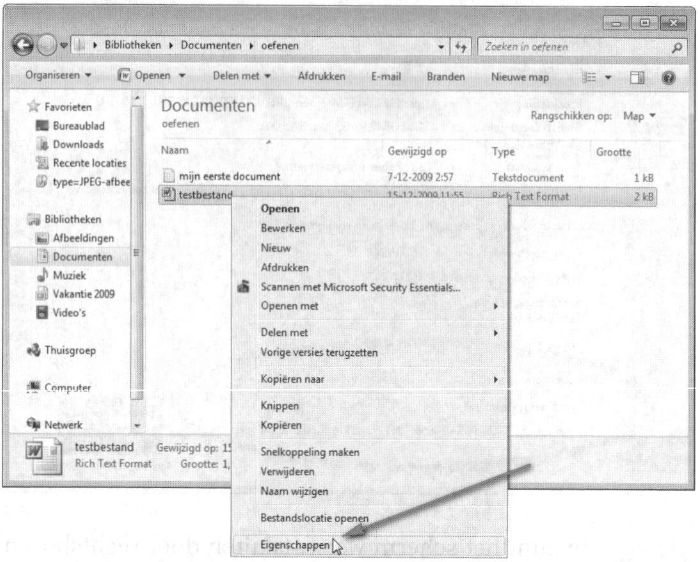

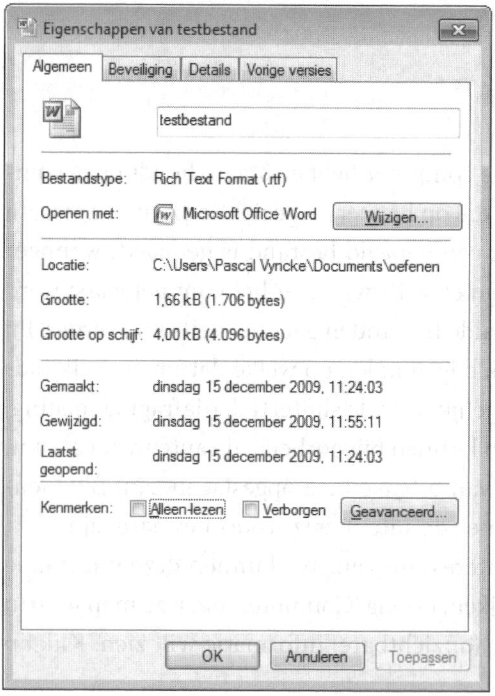

In het menu met mogelijkheden dat nu verschijnt, druk je met je linkermuisknop op 'Eigenschappen'. We krijgen nu een nieuw scherm te zien.

Je ziet hier allerlei informatie staan. Bovenaan zie je de locatie van het bestand en hoe groot het bestand is (hoeveel geheugen het inneemt van onze computer).

Daaronder zie je wanneer het bestand werd gemaakt, wanneer het de laatste keer werd gewijzigd en wanneer het de laatste keer werd geopend.

Mogelijk kunnen we nog meer informatie van het bestand zien. Dit is als je bovenaan ook nog 'Details' ziet staan. Klik dus bovenaan op 'Details' met je linkermuisknop.

We hebben zonet iets nieuws gezien op onze computer. Je ziet een scherm met bovenaan een aantal vakjes. Als je op een ander vakje klikt, verandert alles eronder. Wat je nu hebt gezien, wordt 'tabbladen' genoemd. Het is zoals met echte tabbladen. Je kunt het gewenste tabblad nemen en dan zie je alles wat daarop staat. Kies je een ander tabblad, dan krijg je alles te zien wat op dat andere tabblad staat.

Algemeen | Beveiliging | Details | Vorige versies

Deze techniek wordt gebruikt op onze computer om meer informatie toegankelijk te maken. Soms is er zo veel informatie of zijn er zo veel mogelijkheden dat niet alles op een scherm past. Geprobeerd is de gegevens wat te groeperen, vandaar de verdeling in tabbladen.

Je herkent de tabbladen altijd aan hetzelfde uitzicht, zoals op de volgende foto. Je klikt erop en je krijgt de inhoud te zien. Klik je weer op het vorige tabblad, dan krijg je de vorige inhoud te zien.

Je krijgt nu nog meer gegevens te zien over het bestand. Afhankelijk van het soort bestand zal er geen informatie zijn (omdat er gewoonweg niet veel ander nuttigs over te vertellen valt), of zal die juist heel uitgebreid zijn, bijvoorbeeld bij foto's, documenten en muziekbestanden. Onderstaande afbeelding geeft een detailweergave van een foto weer.

Je ziet gegevens als camerafabrikant en -model, diafragma en sluitertijd, welke ISO-waarde enzovoort. Het is lang niet altijd gewenst om deze informatie in het bestand te laten zitten. Daarvoor zie je de link onder in het venster 'Eigenschappen en persoonlijke informatie verwijderen'.

Als je hierop klikt, zie je het volgende venster.

Je kunt nu kiezen of je een kopie wilt maken waar alle persoonlijke informatie uit is gehaald of dat je uit dit bestand alle persoonlijke informatie weg wilt halen. We kiezen voor de eerste optie. Klik op 'OK'.

In het Verkennervenster zie je dat er een kopie is aangemaakt door Windows. We klikken met de rechtermuisknop op de kopie en klikken dan op 'Eigenschappen'.

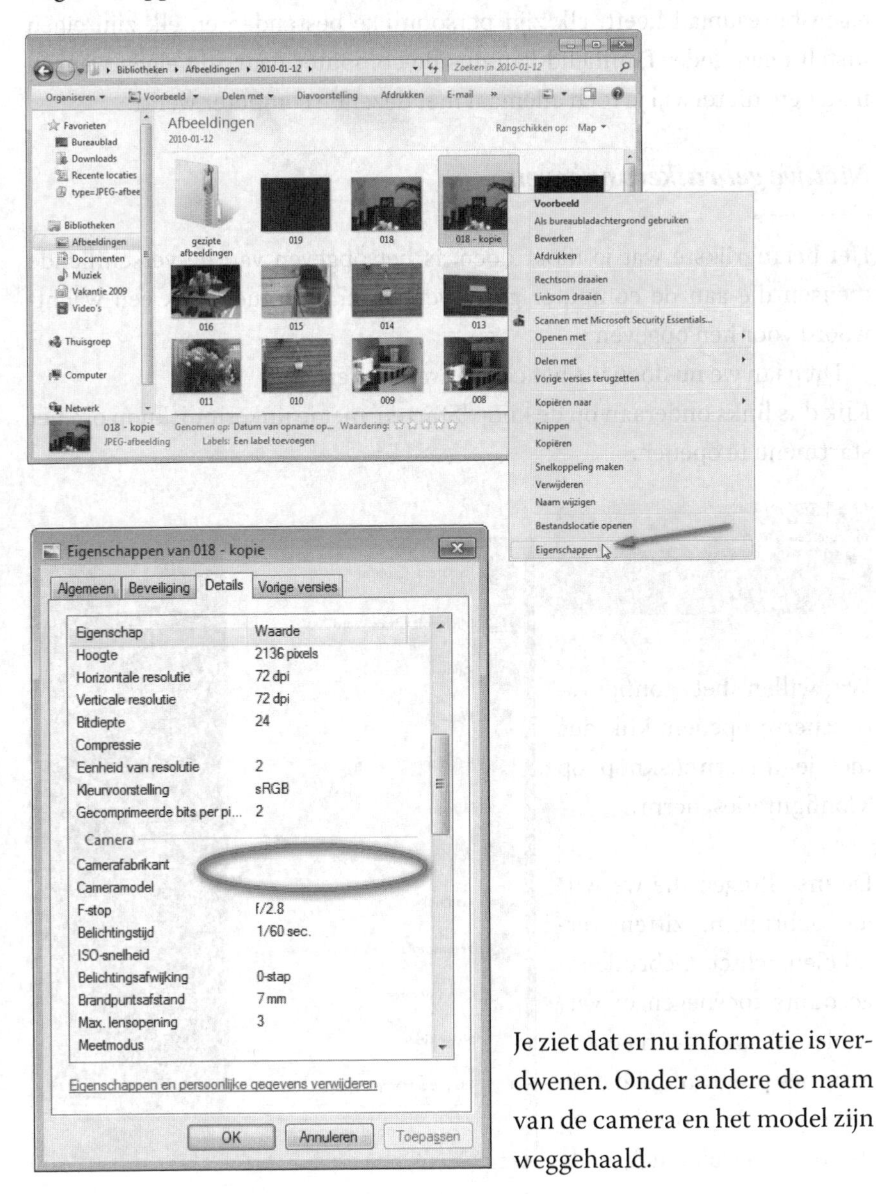

Je ziet dat er nu informatie is verdwenen. Onder andere de naam van de camera en het model zijn weggehaald.

Met meerdere gebruikers op één pc werken

Als je met meer personen bent thuis, dan zal het waarschijnlijk de bedoeling zijn dat meerdere mensen aan dezelfde computer werken. Dit is geen enkel probleem.

Het is namelijk zo dat je je computer zodanig kunt instellen dat elk zijn eigen bureaublad heeft, elk zijn persoonlijke bestanden en elk zijn eigen instellingen. Ieder familielid kan dus de computer naar zijn eigen wensen instellen, dit terwijl je toch allemaal met dezelfde computer werkt.

Nieuwe gebruikers opgeven

Het belangrijkste wat je moet doen, is het opgeven van de verschillende mensen die aan de computer gaan werken, en eventueel ook een wachtwoord voor hen opgeven.

Dit gaan we nu doen via het configuratiescherm.
Klik dus links onderaan op de knop 'Starten' met je linkermuisknop om het startmenu te openen.

We willen het configuratiescherm openen, klik dus met je linkermuisknop op 'Configuratiescherm'.

De instellingen die we willen gebruiken, zitten verscholen achter 'Gebruikersaccounts toevoegen of verwijderen', wat de naam is voor het programma dat de verschillende gebruikers op de computer bijhoudt en de administratie ervoor uitvoert. Klik dus op 'Gebruikersaccounts toevoegen of verwijderen' met je linkermuisknop. Belangrijk is dat je bent ingelogd als 'Administrator' (zie hieronder). Ben je dat niet, dan ben je ingelogd als standaardgebruiker. Als standaardgebruiker word je gevraagd om het wachtwoord van de Administrator. Als je dat niet hebt, heb je geen toegang tot Gebruikersaccounts.

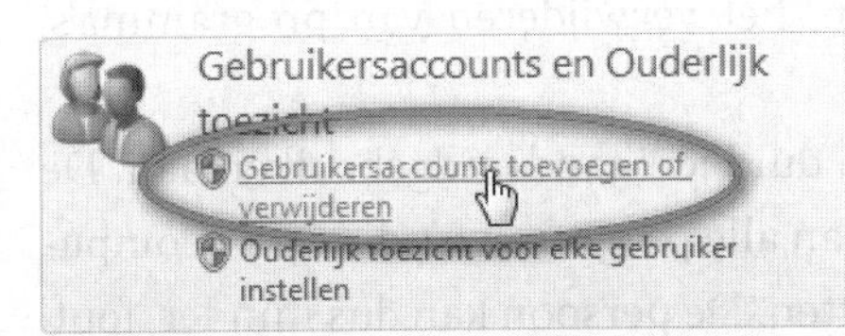

Nu is het programma geopend dat ons met de verschillende gebruikers op één computer gaat helpen. Waarschijnlijk staan er maar een of twee gebruikers op je computer ingesteld (de verschillende gebruikers zie je bovenaan staan).

Om een nieuwe persoon toe te voegen die aan je computer gaat werken, klik je met je linkermuisknop op 'Een nieuwe account maken'.

« Gebruikersaccounts ▸ Accounts beheren
In Configuratiescherm zoeken
Selecteer het account dat u wilt wijzigen
Pascal Vyncke
Standaardgebruiker
Admin
Administrator
Met wachtwoord beveiligd
Frans
Standaardgebruiker
Gast
Gastaccount is uitgeschakeld
Een nieuw account maken
Wat is een gebruikersaccount?
Wat kunt u nog meer doen?
Ouderlijk toezicht instellen
Ga naar de hoofdpagina van Gebruikersaccounts

Nu vraagt de computer de naam voor deze persoon. Dit mag een echte naam zijn maar ook een troetelnaam, dat maakt niet uit.
De computer vraagt je nu te kiezen tussen 'Standaardgebruiker' en 'Administrator'.

Als je 'Administrator' aanduidt, dan kan die persoon alles doen met de computer zoals jij dit nu kunt doen, dus ook het plaatsen van nieuwe programma's, andere mensen toevoegen, het verwijderen van programma's, enzovoort.

Geef je liever minder rechten, dan duid je 'Standaardgebruiker' aan. De persoon kan dan wel gebruikmaken van alle programma's die op de computer staan, maar kan er zelf geen bij zetten. De persoon kan dus minder 'fout' doen.

Klik met je linkermuisknop op het rondje van je keuze. Bevestig je keuze door onderaan op 'Account maken' te klikken met de linkermuisknop.

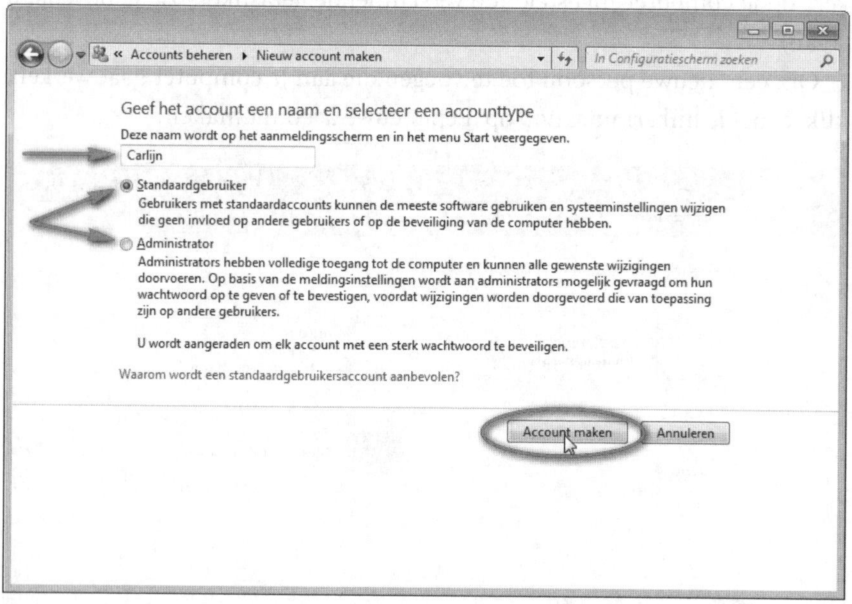

Zo, de nieuwe gebruiker is aangemaakt en je zult zijn (of haar) naam zien verschijnen in de overzichtslijst.

Je kunt nu nog meer dingen instellen voor de nieuwe gebruiker. Dubbelklik met de linkermuisknop op de naam van de nieuwe gebruiker. Je ziet nu een nieuw venster met alle mogelijke instellingen voor die gebruiker.

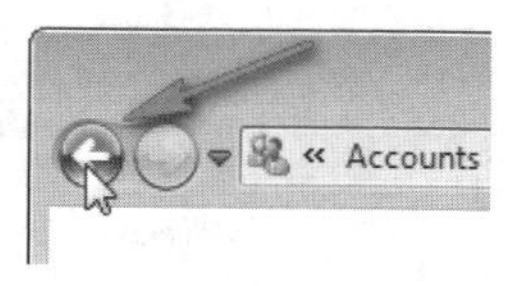

Hier stel je in of de gebruiker zich moet aanmelden met een wachtwoord, maar ook kies je hier de afbeelding die aan die gebruiker wordt gekoppeld. Wanneer je alles hebt ingesteld, klik je op het blauwe pijltje naar links om terug te gaan naar het vorige venster 'Accounts beheren'.

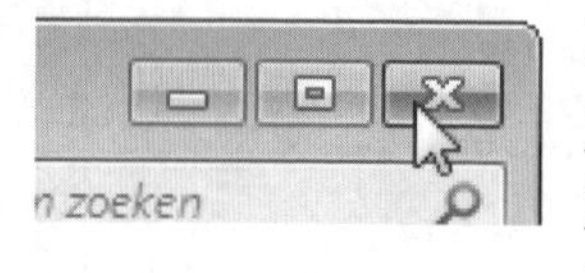

Doe het voorgaande opnieuw voor alle mensen die je extra wilt toevoegen, bijvoorbeeld je partner en je verschillende kinderen. Als je klaar bent, klik je rechtsboven op het kruisje om dit programma af te sluiten.

In de praktijk werken met meerdere gebruikers

In de praktijk met meerdere mensen gebruikmaken van eenzelfde computer doe je als volgt. Zet de computer aan. Je krijgt een keuzescherm met de verschillende namen. Klik met je linkermuisknop jouw naam aan. Werk nu gewoon met de computer zoals je altijd gewend was.

Dat werkt hetzelfde voor je partner of kinderen: zij klikken hun naam aan en werken dan met de computer alsof die uitsluitend van hen is.

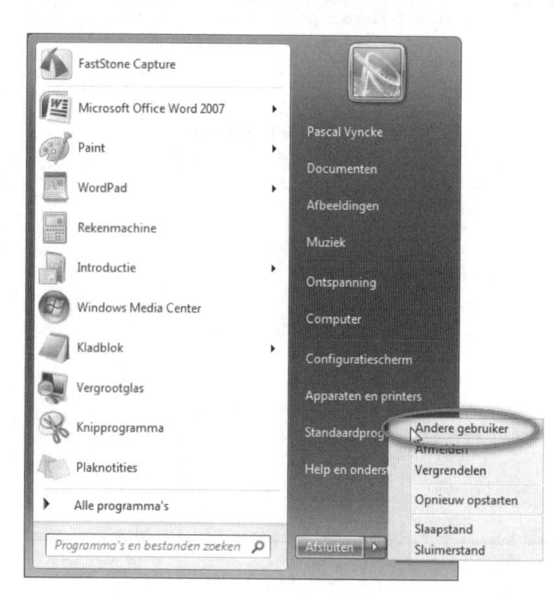

Wil je echter wisselen, dan zou het nogal gek zijn als je de computer moest uitzetten en weer opnieuw moest opstarten. Je kunt dit sneller doen, en wel door onderaan op 'Starten' te klikken met de linkermuisknop. Daarna klik je op het pijltje rechts onderaan in het startmenu naast het de knop 'Afsluiten'.

Je hebt nu de keuze uit twee dingen. De eerste is 'Andere gebruiker', de andere is 'Afmelden'. Wat je nodig hebt, is 'Andere gebruiker'. Klik erop met je linkermuisknop.

Nu krijg je opnieuw het keuzescherm met de verschillende gebruikers. Klik de naam aan van de persoon die aan de computer wil werken.

Handig aan dit systeem is dat als jij een hele tijd aan het werken bent, maar je partner wil even tussendoor op de pc, dan kan dat. Je kunt daarna weer eenvoudig wisselen. Alle programma's die bij jou nog openstonden, staan dan nog steeds open. Zo verlies je dus geen tijd! Zeer eenvoudig dus!

Tip
Als je niet wilt dat iemand anders onder jouw naam de computer kan gebruiken, dan zul je er een wachtwoord op moeten zetten. Wie dit geheime codewoord niet kent, kan niet onder jouw naam binnen. Hoe je een wachtwoord op je computer zet, lees je elders in dit boek.

Tip
Als je een schermbeveiliging op je computer zet en deze springt op, dan zal de computer daarna (als dit zo ingesteld is) vragen wie aan de computer wil werken.

Verlaat je dus de computer voor een tijdje en komt intussen je partner aan de pc zitten, dan kan die onmiddellijk zijn of haar naam aanduiden en starten met de computer onder de eigen naam. Hoe je de schermbeveiliging zo kunt instellen, lees je elders in dit boek.

Programma's op je computer installeren

Als je je computer extra opdrachten wilt laten uitvoeren en dus extra mogelijkheden wilt krijgen, dan kun je een extra programma op je computer zetten. In de winkel bestaan vele honderden programma's die je kunt kopen en via internet zijn er zelfs vele duizenden te vinden.

Voordat je zo'n programma kunt gebruiken op je computer, zul je het eerst moeten 'installeren'. Het programma moet namelijk in het geheugen van je computer worden geplaatst en gaat dan meerdere bestanden klaarmaken en instellingen goed zetten, zodat het correct kan werken op je computer.

Heb je een programma gekocht in de winkel, dan zul je waarschijnlijk de cd of dvd in de computer moeten steken en zal automatisch na enkele seconden een scherm zichtbaar worden dat je helpt bij het installeren van het programma op je computer.

Als je een programma via het internet wilt verkrijgen, zul je dit eerst moeten binnenhalen (downloaden). Dubbelklik er vervolgens op om het te starten.

Wat daarna zal gebeuren, verschilt zeer sterk van programma tot programma. Elk programma heeft zo zijn eigen manier. Leuk is dat je meestal niet veel hoeft te doen of te kennen om zo'n programma op je computer geïnstalleerd te krijgen.

Mogelijk gaat het programma dat de installatie op zich neemt (ook wel de 'set-up' genoemd) eerst een aantal zaken nakijken en uitpakken. Heb gewoon even geduld totdat het klaar is, je zult de vooruitgang zien.

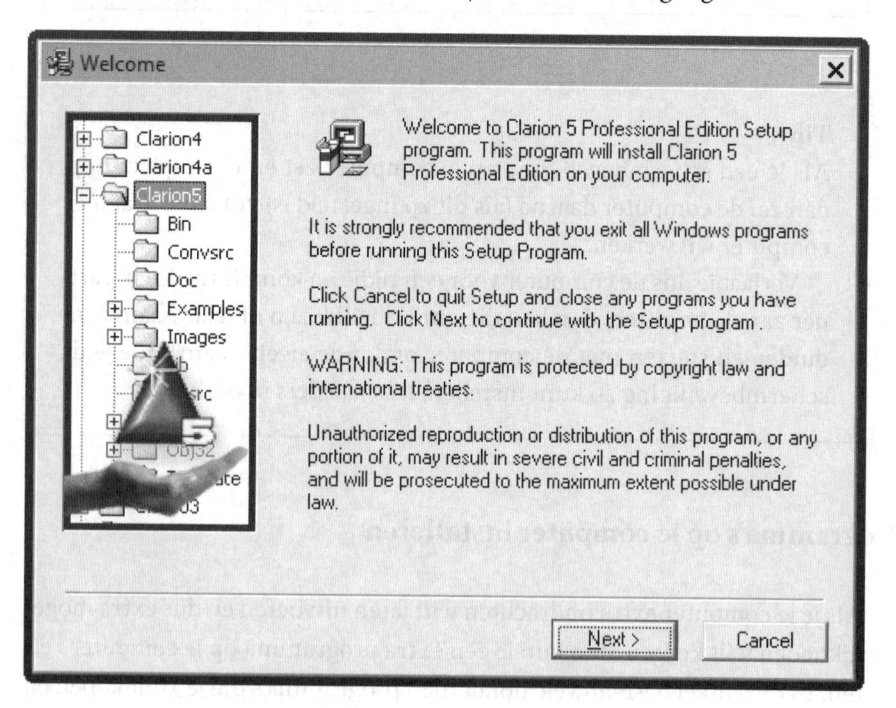

Vervolgens zal het programma een nieuw scherm laten zien. Nogmaals: elk programma is anders, maar de foto's in dit boek geven min of meer aan wat je moet doen om het programma op je computer te krijgen. Druk steeds gewoon op 'Volgende' of 'Next' met je linkermuisknop.

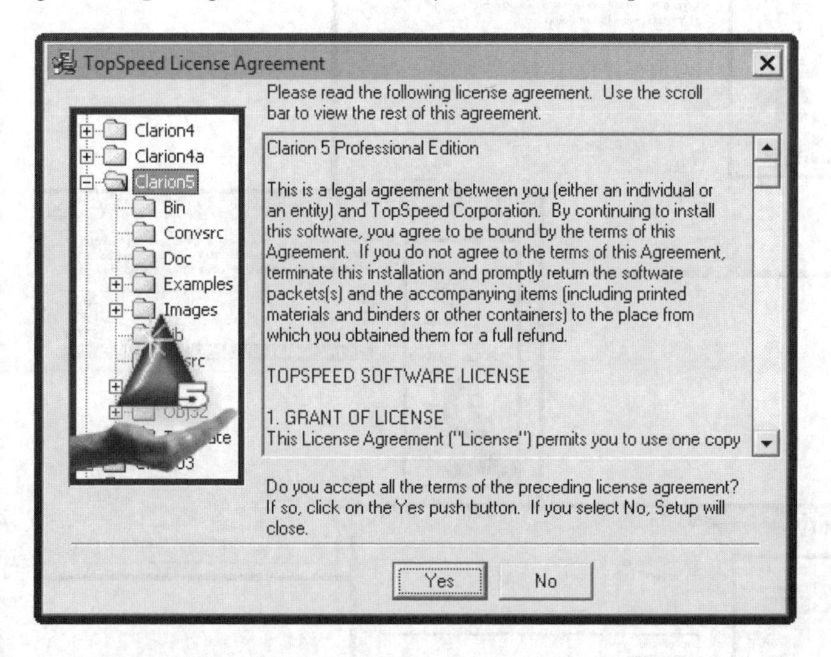

Zo krijg je meerdere schermen. Druk gewoon op 'Volgende', 'Next', 'Installeer', 'Install' of 'Start'.

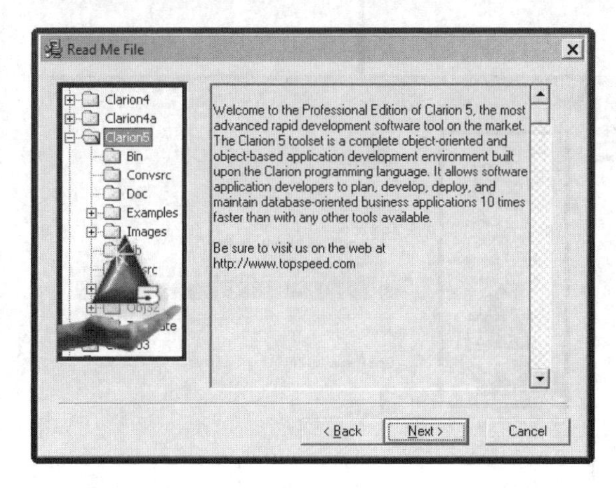

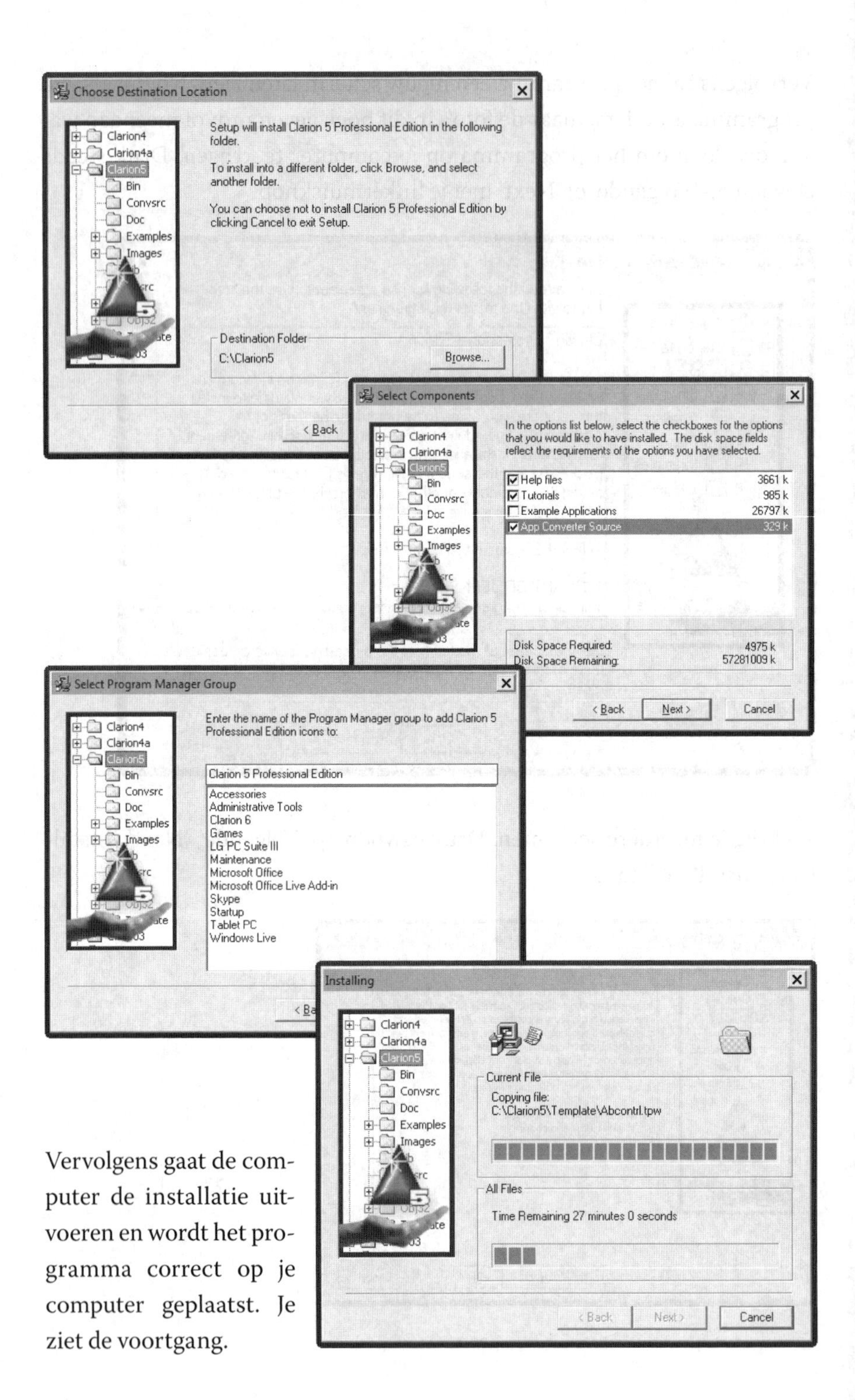

Vervolgens gaat de computer de installatie uitvoeren en wordt het programma correct op je computer geplaatst. Je ziet de voortgang.

Op het einde zul je een bevestiging krijgen dat de installatie is afgerond. Klik met je linkermuisknop op 'Finish', 'Voltooi' of 'Beëindig' om de installatie af te ronden.

Het programma is geïnstalleerd op je computer. Je kunt het nu gebruiken.

Programma's weer van je computer verwijderen

Het komt weleens voor dat je een programma op je computer hebt gezet en dat je er weer van af wilt. Het programma voldoet niet aan je wensen, het bezorgt je problemen, de probeerperiode is voorbij, het is een oude versie, je wilt geheugen besparen, enzovoort. Er zijn 101 redenen om een programma weer van je computer te verwijderen. Maar hoe doe je dat?

Het verwijderen van een programma is niet moeilijk. We gebruiken daarvoor het zogenaamde 'configuratiescherm' van de computer. Klik met je linkermuisknop linksonder op je scherm op 'Starten'.

We krijgen nu alle mogelijkheden te zien, net als bij het starten van onze programma's. We willen echter een programma verwijderen en gebruiken daarvoor het configuratiescherm van onze computer. Klik dus in dit menu op 'Configuratiescherm'.

We krijgen nu het configuratiescherm te zien. Dit is de plaats waar je allerlei instellingen kunt doen voor je computer, waaronder een programma verwijderen. Klik met je linkermuisknop op 'Een programma verwijderen'.

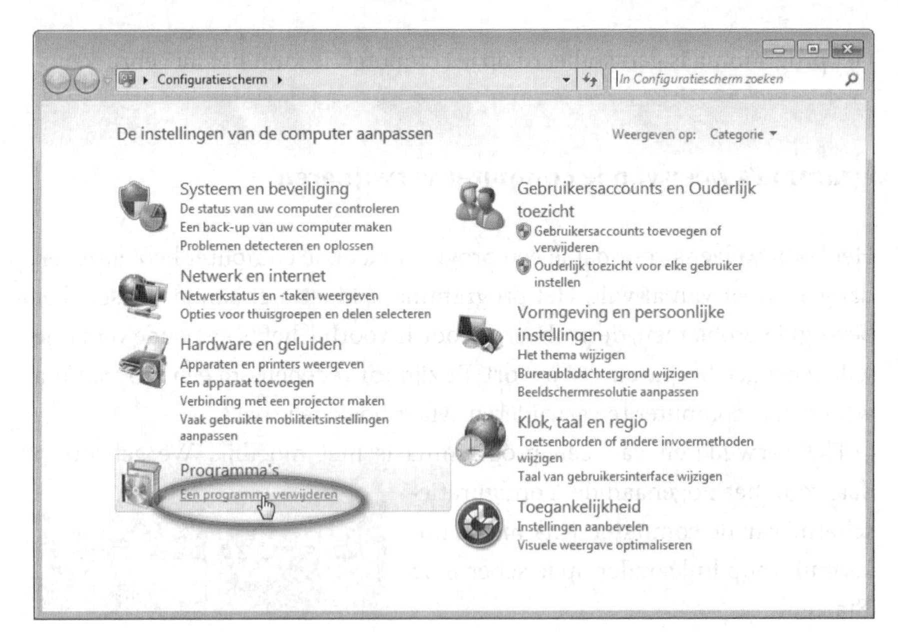

Je krijgt een nieuw scherm te zien. Je moet even geduld hebben, de computer gaat namelijk je computer doorzoeken en kijken welke programma's allemaal op je computer staan. Afhankelijk van de snelheid van je computer staat er in enkele seconden, of kan het zijn dat je toch wel een minuutje moet wachten.

Je krijgt een lijst met alle programma's op je computer onder elkaar. Standaard gaat je computer die programma's sorteren op naam, alfabetisch dus. Zoek het programma dat je wilt verwijderen. Denk eraan dat je naar beneden kunt 'scrollen' door rechts op het pijltje naar beneden te klikken, zodat je het programma kunt vinden.

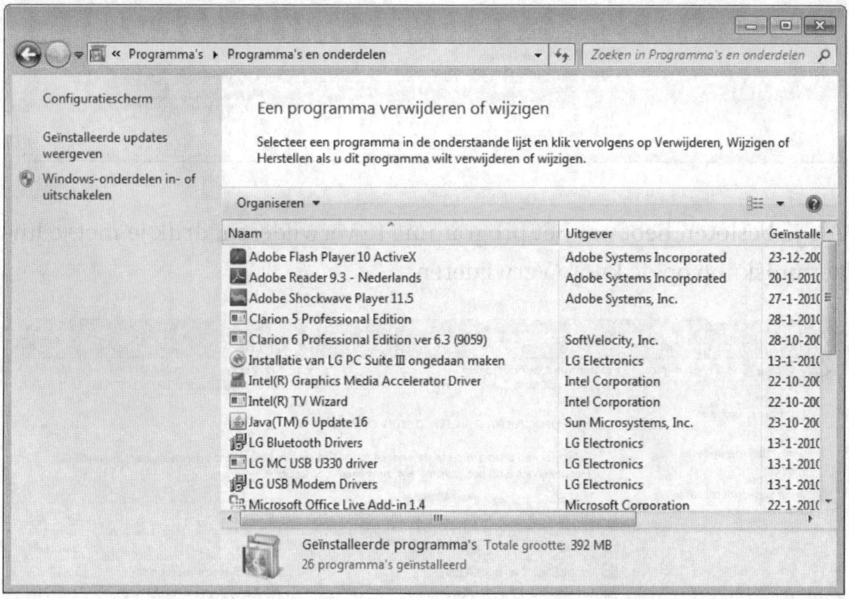

Als je computer nog heel nieuw is, zal er waarschijnlijk niet veel in dit lijstje staan.

Als je het programma in het lijstje hebt gevonden, klik je de naam aan met je linkermuisknop. Zo vertellen we de computer dat we iets willen doen met dat programma.

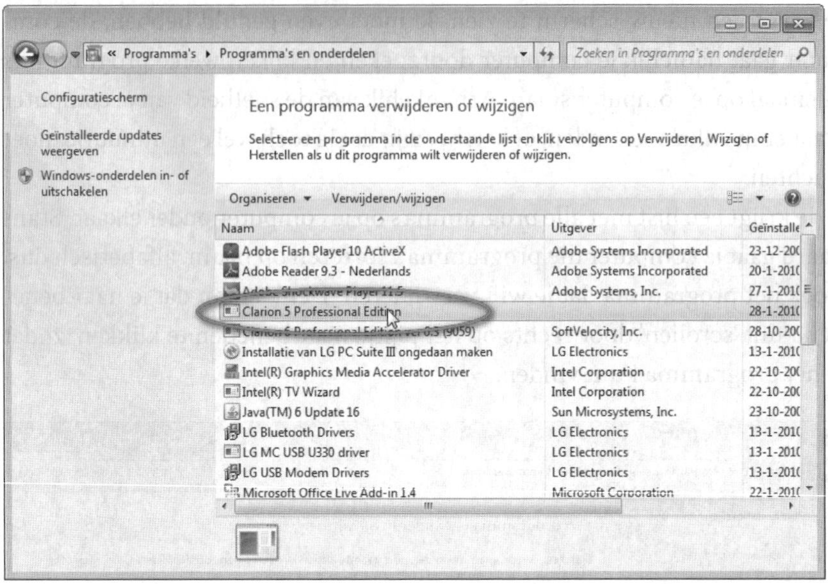

« Programma's ▸ Programma's en onderdelen

Zoeken in Programma's en onderdelen

Configuratiescherm

Geïnstalleerde updates weergeven

Windows-onderdelen in- of uitschakelen

Een programma verwijderen of wijzigen

Selecteer een programma in de onderstaande lijst en klik vervolgens op Verwijderen, Wijzigen of Herstellen als u dit programma wilt verwijderen of wijzigen.

Organiseren ▾ Verwijderen/wijzigen

Naam	Uitgever	Geïnstalle
Adobe Flash Player 10 ActiveX	Adobe Systems Incorporated	23-12-20(
Adobe Reader 9.3 - Nederlands	Adobe Systems Incorporated	20-1-201(
Adobe Shockwave Player 11.5	Adobe Systems, Inc.	27-1-201(
Clarion 5 Professional Edition		28-1-201(
Clarion 6 Professional Edition ver 6.3 (9059)	SoftVelocity, Inc.	28-10-20(
Installatie van LG PC Suite III ongedaan maken	LG Electronics	13-1-201(
Intel(R) Graphics Media Accelerator Driver	Intel Corporation	22-10-20(
Intel(R) TV Wizard	Intel Corporation	22-10-20(
Java(TM) 6 Update 16	Sun Microsystems, Inc.	23-10-20(
LG Bluetooth Drivers	LG Electronics	13-1-201(
LG MC USB U330 driver	LG Electronics	13-1-201(
LG USB Modem Drivers	LG Electronics	13-1-201(
Microsoft Office Live Add-in 1.4	Microsoft Corporation	22-1-201(

Als je besloten hebt om het programma te verwijderen, druk je met je linkermuisknop op de knop 'Verwijderen'.

« Programma's ▸ Programma's en onderdelen

Zoeken in Programma's en onderdelen

Configuratiescherm

Geïnstalleerde updates weergeven

Windows-onderdelen in- of uitschakelen

Een programma verwijderen of wijzigen

Selecteer een programma in de onderstaande lijst en klik vervolgens op Verwijderen, Wijzigen of Herstellen als u dit programma wilt verwijderen of wijzigen.

Organiseren ▾ Verwijderen/wijzigen

Naam	Uitgever	Geïnstalle
Adobe Flash Player 10 ActiveX	Adobe Systems Incorporated	23-12-20(
Adobe Reader 9.3 - Nederlands	Adobe Systems Incorporated	20-1-201(
Adobe Shockwave Player 11.5	Adobe Systems, Inc.	27-1-201(
Clarion 5 Professional Edition		28-1-201(
Clarion 6 Professional Edition ver 6.3 (9059)	SoftVelocity, Inc.	28-10-20(
Installatie van LG PC Suite III ongedaan maken	LG Electronics	13-1-201(
Intel(R) Graphics Media Accelerator Driver	Intel Corporation	22-10-20(
Intel(R) TV Wizard	Intel Corporation	22-10-20(
Java(TM) 6 Update 16	Sun Microsystems, Inc.	23-10-20(
LG Bluetooth Drivers	LG Electronics	13-1-201(
LG MC USB U330 driver	LG Electronics	13-1-201(
LG USB Modem Drivers	LG Electronics	13-1-201(
Microsoft Office Live Add-in 1.4	Microsoft Corporation	22-1-201(

Windows 7 waarschuwt je ervoor dat er restanten van het te verwijderen programma over kunnen blijven wanneer er nog een gebruiker is aangemeld op jouw pc. In dat geval moet je eerst de andere gebruiker afmelden en pas dan het programma verwijderen

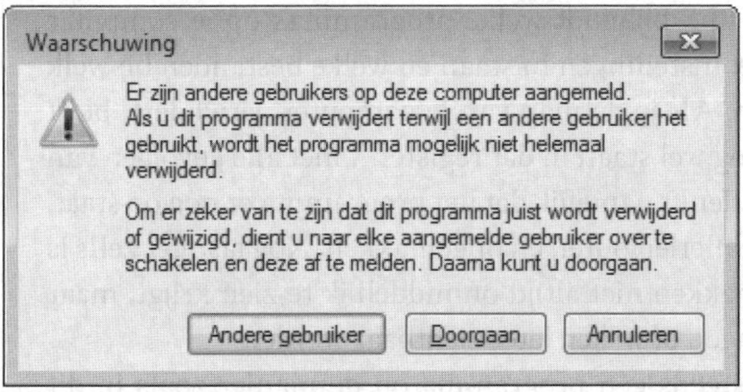

Waarschuwing

Er zijn andere gebruikers op deze computer aangemeld.
Als u dit programma verwijdert terwijl een andere gebruiker het gebruikt, wordt het programma mogelijk niet helemaal verwijderd.

Om er zeker van te zijn dat dit programma juist wordt verwijderd of gewijzigd, dient u naar elke aangemelde gebruiker over te schakelen en deze af te melden. Daarna kunt u doorgaan.

Andere gebruiker | Doorgaan | Annuleren

Wat er nu komt, verschilt van programma tot programma. Je hebt grofweg genomen een tweetal mogelijke gevolgen. Het eerste is dat de computer vraagt of je het programma wilt 'herstellen' of 'verwijderen' (Engels: 'remove'). Klik in dat geval 'Verwijderen' aan, klik op 'Volgende' en volg de vragen die de computer eventueel aan je zal stellen.

De tweede mogelijkheid is dat de computer je nog één keer wil laten bevestigen dat je het programma wilt verwijderen. In dat geval is op 'JA' klikken meestal voldoende om het programma te laten verwijderen.

Als je de procedure hebt gevolgd, kom je terug op het scherm waar we gestart zijn met de lijst van programma's op je computer. Je zult zien dat het programma dat je hebt verwijderd, er inderdaad niet meer bij staat.

Veel gemaakte fout
Een veel gemaakte fout is dat iemand een programma wil verwijderen door gewoon op de harde schijf het programma op te zoeken en vervolgens de map waarin het programma staat te verwijderen. Dit is echter NIET goed!

Waarom niet?
Een programma staat inderdaad grotendeels in één map, maar een aantal bestanden staan ook nog op andere plaatsen op je computer,

waar je beter niet aan kunt komen. Deze bestanden blijven dan staan en 'bevuilen' je computer: ze worden niet meer gebruikt, maar je weet niet welke bestanden dat zijn.

Een tweede, niet minder belangrijke reden is dat een programma ook geregistreerd wordt op je computer. Je computer heeft een centraal register waar hij bijhoudt welke programma's op je computer staan, waar allerlei instellingen in staan en welke bestanden bij welk programma horen. Als je de map van je computer verwijdert, blijft het programma nog wél staan in dat register... met alle gevolgen van dien. Je computer denkt namelijk dat het programma er nog op staat, wat kan leiden tot allerlei fouten en ongemakken. Nog lastiger zelfs is dat je deze ongemakken niet altijd onmiddellijk te zien krijgt, maar dat ze soms pas dagen of weken later zichtbaar worden.

Verwijder dus steeds een programma op de manier zoals in dit hoofdstuk beschreven en probeer het dus niet rechtstreeks te verwijderen van je computer. Je weet nu hoe het moet.

Je computer beveiligen met een wachtwoord

Als je je computer aanzet, dan kun je zo beginnen te werken met je computer. Het is echter veiliger als je een wachtwoord gebruikt op je computer. Zo kan iemand niet achter je rug om zomaar aan je foto's, documenten, e-mails en dergelijke komen. Alleen als je dit geheime woord kent, wil de computer meewerken.

Wachtwoord instellen

Het wachtwoord instellen, doe je via het configuratiescherm. We willen dit configuratiescherm starten. Klik dus onderaan op 'Starten' met je linkermuisknop.

Klik nu met je linkermuisknop op ‘Configuratiescherm’ om dit te starten. De mogelijkheid die we willen gebruiken voor het instellen van het wachtwoord zit verborgen achter ‘Gebruikersaccounts toevoegen of verwijderen’. Klik erop met je linkermuisknop.

Je krijgt nu een scherm te zien zoals op de volgende foto. Het is belangrijk dat je onderaan de gebruikersnaam ziet waarmee je werkt aan je computer. Dit kan ‘eigenaar’, ‘beheerder’ of je eigen naam zijn.

Dubbelklik erop met je linkermuisknop, want we willen hier een wijziging in aanbrengen (het wachtwoord instellen).

« Gebruikersaccounts ▸ Accounts beheren
In Configuratiescherm zoeken

Selecteer het account dat u wilt wijzigen

Pascal Vyncke
Standaardgebruiker

Admin
Administrator
Met wachtwoord beveiligd

Carlijn
Standaardgebruiker

Frans
Standaardgebruiker

Gast
Gastaccount is uitgeschakeld

Een nieuw account maken
Wat is een gebruikersaccount?

Wat kunt u nog meer doen?
Ouderlijk toezicht instellen
Ga naar de hoofdpagina van Gebruikersaccounts

Je krijgt nu een nieuw scherm te zien waarbij je enkele zaken kunt instellen. We zijn vooral geïnteresseerd in de mogelijkheid 'Een wachtwoord instellen'. Klik er dus op met je linkermuisknop om de functie te activeren.

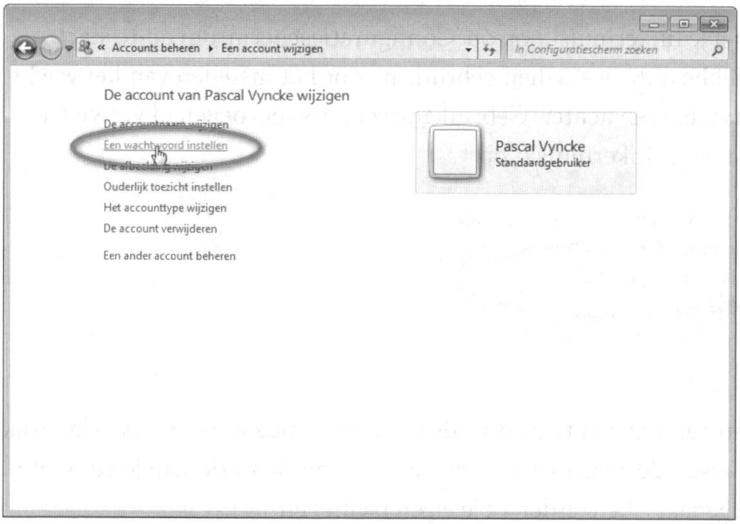

« Accounts beheren ▸ Een account wijzigen
In Configuratiescherm zoeken

De account van Pascal Vyncke wijzigen

De accountnaam wijzigen
Een wachtwoord instellen
De afbeelding wijzigen
Ouderlijk toezicht instellen
Het accounttype wijzigen
De account verwijderen

Een ander account beheren

Pascal Vyncke
Standaardgebruiker

Nu moeten we het wachtwoord opgeven. Het wachtwoord is een woord, naam, cijfer of een combinatie van letters en cijfers die JIJ eenvoudig kunt onthouden (en dus niet gaat vergeten), maar die iemand anders niet zomaar kan raden.

Typ het gekozen wachtwoord in het tekstvak 'Nieuw wachtwoord'.

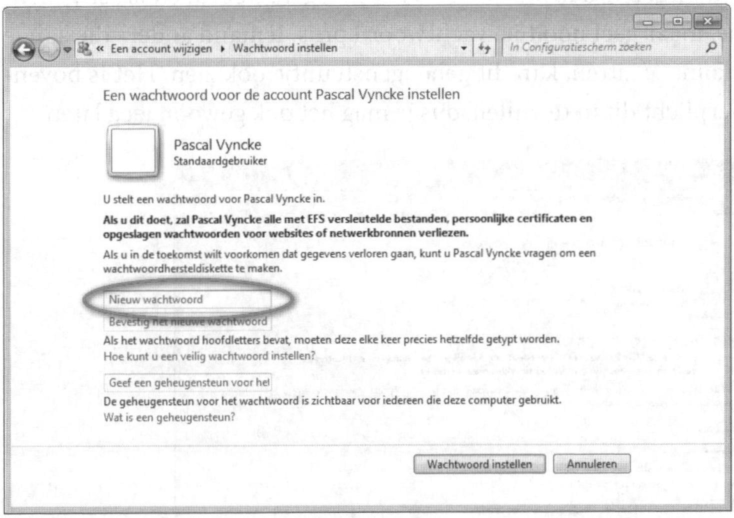

Geef het nog een tweede keer op in het tekstvak eronder (klik met je linkermuisknop in het tekstvak om dit te activeren, zodat je erin kunt typen). Dit is nodig om er zeker van te zijn dat je de eerste keer geen fout hebt getypt. In dat geval zou je immers zelf niet meer aan je computer kunnen werken, wat uiteraard niet de bedoeling is.

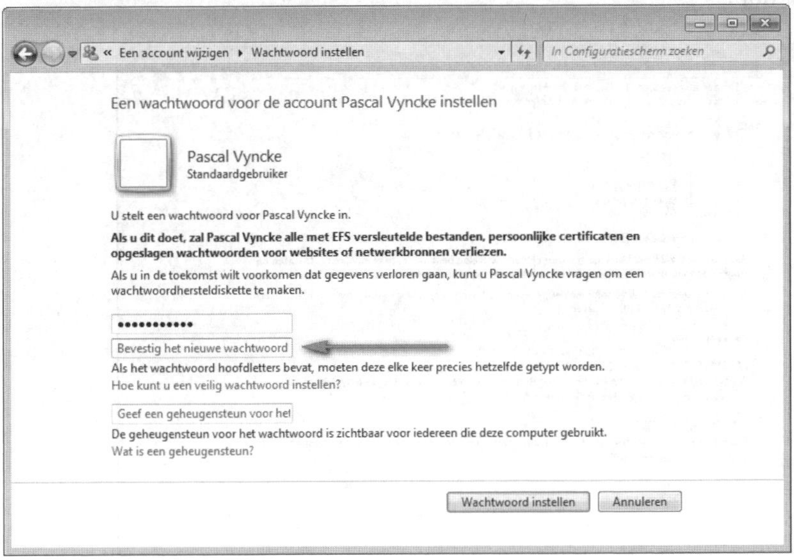

Tot slot kun je nog een geheugensteuntje opgeven. Mocht je ooit toch het wachtwoord vergeten, dan kun je deze zin opvragen. Gebruik dus een geheugensteuntje, maar geef nooit je wachtwoord prijs. Iemand anders die aan je computer komt te zitten, kan dit geheugensteuntje ook zien. Het is bovendien niet verplicht dit in te vullen, dus je mag het ook gewoon leeg laten.

Als je klaar bent met het ingeven van het geheugensteuntje, bevestig je alle gegevens door onderaan te klikken op 'Wachtwoord maken' met je linkermuisknop.

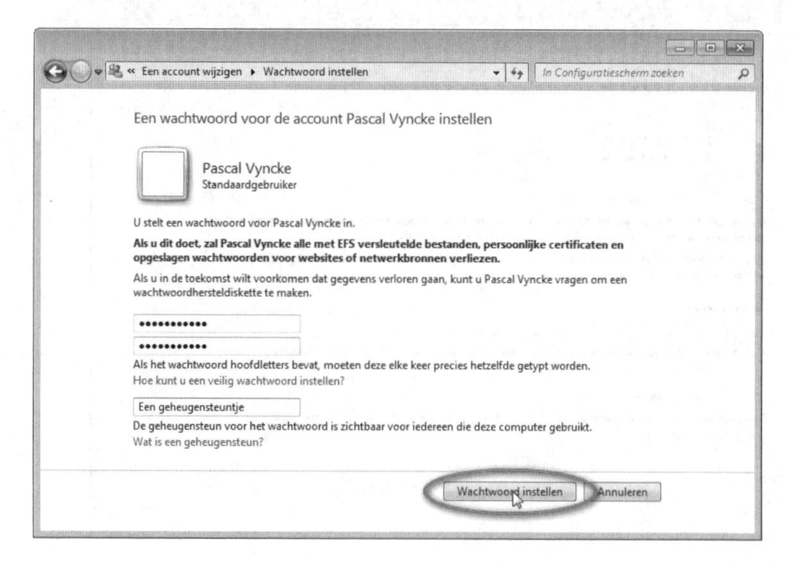

Het wachtwoord wordt ingesteld en je komt terug in het scherm waar we eerder de keuze maakten het wachtwoord in te stellen. Je kunt dit scherm nu weer afsluiten door te klikken op het kruisje rechtsboven. Ook het configuratiescherm sluit je af via het kruisje bovenaan.

Als je in de toekomst je computer opstart, zal je gevraagd worden om een wachtwoord. Geef dan het wachtwoord op dat je zonet hebt ingesteld en je computer zal werken zoals je altijd gewend was.

Tip
Als je de computer verlaat en je wilt hem onmiddellijk blokkeren zodat iemand niet achter je rug om aan je computer kan komen (zonder dat je de pc helemaal uitzet), dan druk je de sneltoets ⊞ + L in. Dus de vlagtoets onderaan tegelijk met de L. De L staat voor 'Lock', Engels voor 'vergrendelen'.

Wachtwoord weer verwijderen

Als je het wachtwoord weer wenst te verwijderen, dan doe je dit als volgt. Ga opnieuw naar 'start', dan 'Configuratiescherm' en dan 'Gebruikersaccounts'. Klik vervolgens met de linkermuisknop op je gebruikersnaam (beheerder van de computer). Op het scherm dat verschijnt (hetzelfde scherm als toen je ging kiezen voor 'Instellen wachtwoord'), klik je met je linkermuisknop op 'Het wachtwoord verwijderen'.

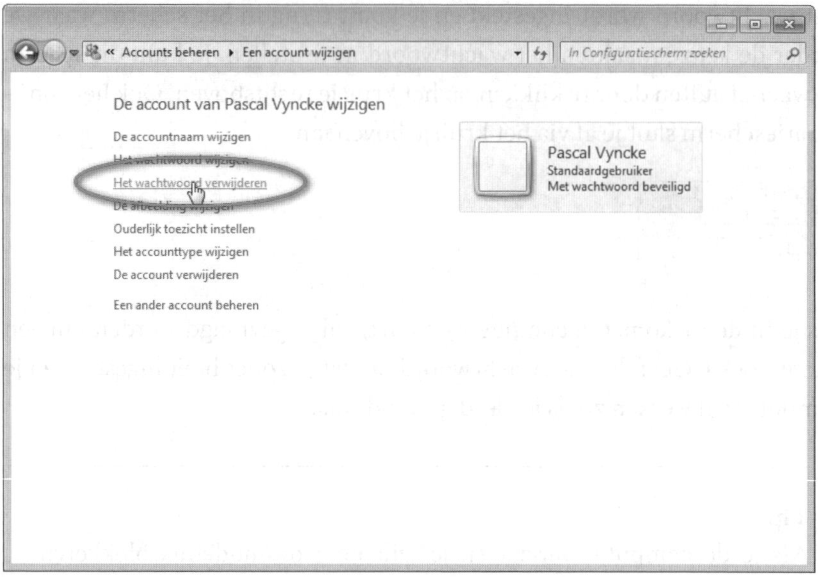

Klik vervolgens met je linkermuisknop op 'Wachtwoord verwijderen'.

Het wachtwoord wordt nu verwijderd. Je kunt het scherm weer afsluiten door te klikken op het kruisje rechtsboven. Ook het configuratiescherm sluit je af via het kruisje bovenaan.

Je kunt nu weer werken met je computer zoals je vroeger deed zonder wachtwoord.

SNELTOETSEN	
⊞ + L	Computer vergrendelen

Programma's afzetten die automatisch starten

Als je de computer opstart, merk je mogelijk dat automatisch een aantal programma's wordt gestart. Dit is bedoeld om je het leven gemakkelijker te maken. Het kan echter tot resultaat hebben dat je computer er langer over doet om op te starten én dat het werken met je computer erna wat trager gaat. Als het programma op zich niet nuttig is, ben je daar dus niet mee geholpen.

Om de lijst te zien van programma's die automatisch opstarten, ga je naar de knop 'Starten'. Klik er dus op met je linkermuisknop.

Ga boven op 'Alle programma's' staan met de muisaanwijzer.

Ga nu staan op 'Opstarten'.

Je ziet eronder een lijstje met de programma's die automatisch worden opgestart. Als er '(leeg)' staat, wil dit zeggen dat er geen programma's automatisch worden opgestart en dat je ze dus ook niet kunt afzetten.

Zijn er wel programma's aanwezig en wil je een of meerdere ervan uitschakelen, ga dan op het programma staan dat je wilt uitschakelen en klik erop met je rechtermuisknop. Zo roep je extra functies op. Klik vervolgens met je linkermuisknop op 'Verwijderen'.

De computer vraagt nog of je echt zeker weet dat je dit wenst te verwijderen. Klik op 'Ja' als je er zeker van bent.

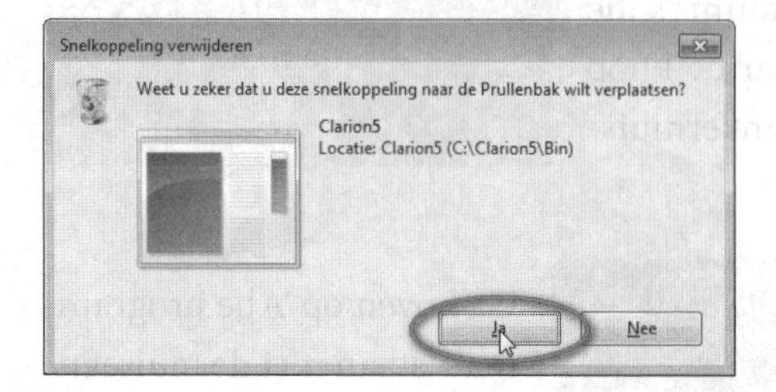

Nu zal dit programma niet meer automatisch worden opgestart telkens wanneer je de computer aanzet. Je computer zal dus sneller werken. Herhaal het voorgaande als je nog andere programma's wenst te verwijderen.

Werken zonder computermuis

Sommige mensen werken niet graag met de computermuis of kunnen bijvoorbeeld vanwege gezondheidsproblemen deze niet (goed) gebruiken. Het goede nieuws is dat je op je computer kunt werken zonder computermuis en alles kunt doen met het toetsenbord. Je wordt dus niet uitgesloten.

Het slechte nieuws is dat dit moeilijker werken is, minder gebruiksvriendelijk is en dat alles wat trager zal gaan omdat je meer handelingen moet verrichten.

Natuurlijk is het beter dat alles wat trager gaat dan dat je helemaal niet met een computer kunt werken. Je kunt niet alles doen zonder computermuis, maar wel het meeste.

Dit hoofdstuk kan ook nuttig zijn als je toetsenbord dienst weigert of om wat bij te leren over je computer. Bepaalde handelingen gaan mogelijk sneller met het toetsenbord dan met de computermuis!

Sneltoetsen

De eerste mogelijkheid om de muis te vermijden, is het gebruik van de zogenaamde sneltoetsen. Ze werden in dit boek reeds besproken. Via sneltoetsen kun je snel en eenvoudig een hele hoop commando's geven aan je computer, zelfs sneller dan het met de computermuis kan.

Pijltjestoetsen

Op je toetsenbord heb je de vier pijltjestoetsen: omhoog, omlaag, links en rechts. Deze toetsen kunnen je van dienst zijn om te navigeren in bijvoorbeeld een document. Je kunt er in een tekst heel eenvoudig mee omhoog en omlaag gaan of naar links en rechts navigeren. Als je anders via de muis ergens een woord aanklikt, kun je er ook naartoe gaan met de pijltjestoetsen.

AZERTY	QWERTY
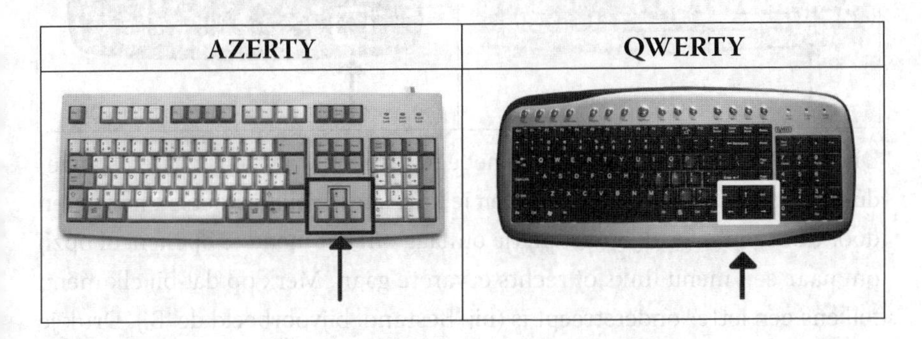	

Page up/Page down

Op je toetsenbord kun je twee toetsen vinden met daarop 'Page up' en 'Page down'. Deze bevinden zich boven of schuinboven de pijltjestoetsen. Ze helpen je om sneller te navigeren in documenten, hiermee ga je telkens een pagina omhoog of omlaag. Ook op internet kun je op deze manier snel naar boven of beneden gaan op de pagina.

Alt

Je hebt op je toetsenbord de 'Alt'-toets zitten. Je weet al hoe je deze gebruikt voor de sneltoetsen. De toets is ook nog voor iets anders bijzonder handig. Als je in een programma zit, kun je zo namelijk het menu openen, in plaats van met je muis erop te klikken.

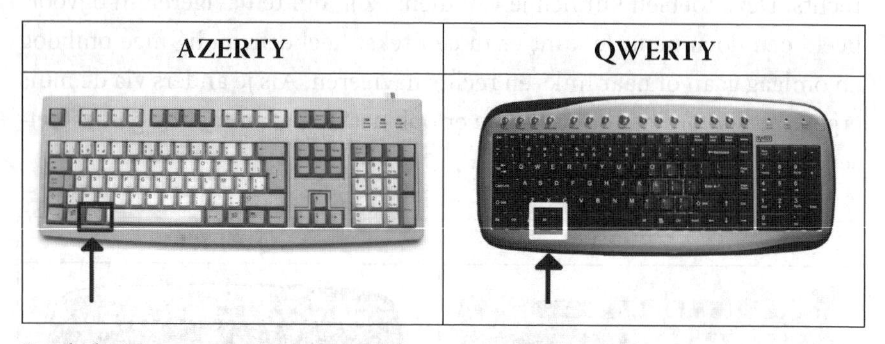

Druk de Alt-toets in. Bovenaan in het eerste menu wordt nu een item aangeduid. Het menu is nu geactiveerd en je kunt met je pijltjestoetsen navigeren door de menu's. Druk op het pijltje omlaag om het menu te openen, of opzij om naar een menu links of rechts ervan te gaan. Merk op dat bij elk menu telkens een letter onderstreept is (bij 'Bestand' bijvoorbeeld de 'B'). Druk je die toets in, dan opent het menu zich onmiddellijk, nog sneller dus dan met de pijltjestoetsen! Als je het juiste commando hebt geselecteerd, druk je op de entertoets om aan je computer te bevestigen dat hij het commando uit moet voeren.

Als je een submenu wilt openen, dan ga je erop staan door middel van de pijltjestoetsen. Druk op de pijltjestoets naar rechts om het submenu te openen. In de menu's zelf zie je ook dat sommige letters zijn onderstreept. Je kunt zo snel het commando oproepen door de onderstreepte letter van dat commando in te drukken.

Afsluiten

Wil je een venster of programma afsluiten, druk dan de sneltoets Alt + F4 in. De F4-toets vind je op de bovenste rij van je toetsenbord: je ziet F1, F2, F3 tot F12 staan. Deze toetsencombinatie geeft je computer de opdracht om het programma af te sluiten. Dit kun je dus doen in plaats van rechts bovenaan met je muis op het kruisje te klikken om af te sluiten.

AZERTY	QWERTY
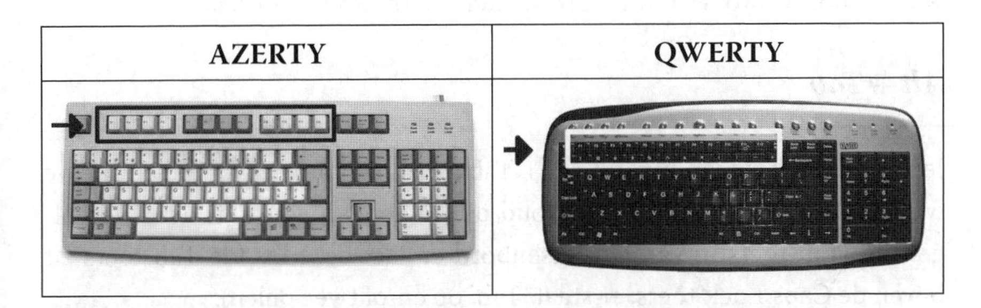	

Shift

Als je in een document aan het werken bent, wil je ongetwijfeld weleens een woord of zin selecteren, bijvoorbeeld om die vet te maken, om een ander lettertype of andere grootte te kiezen. Met de computermuis is dit heel eenvoudig, met het toetsenbord is het ingewikkelder maar wel mogelijk.

In de tekstverwerker ga je voor het woord of de zin staan die je wilt selecteren. Druk nu de Shift-toets in van je toetsenbord en houd deze ingedrukt. Druk met de pijltjestoets naar rechts. Je zult zien dat nu één letter geselecteerd is. Je kunt blijven drukken om zo de gewenste woorden of tekst te selecteren. Druk je op de pijltjestoets naar beneden, dan selecteer je een hele regel. Op deze manier kun je elk gewenst stuk tekst selecteren.

AZERTY	QWERTY
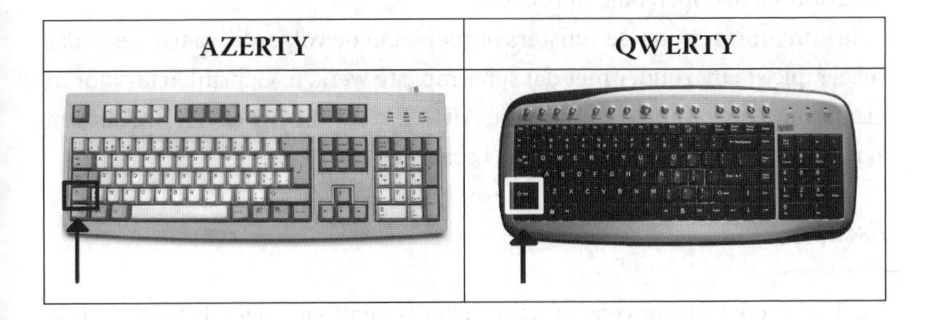	

Wil je alles selecteren, dan kun je gebruikmaken van de sneltoets Ctrl + A. De computer selecteert dan alle tekst in één keer.

Je kunt nog sneller woorden selecteren, door de Shift-toets én de Ctrl-toets in te drukken en dan met de pijltjestoets te drukken. Zo selecteer je woord voor woord, wat uiteraard sneller is dan teken voor teken.

Alt + Tab

Je kunt de toetsencombinatie Alt + Tab gebruiken om eenvoudig en snel te wisselen tussen programma's. Houd de Alt-toets ingedrukt, druk vervolgens de Tab-toets in van je toetsenbord en laat deze los (de Tab-toets zit boven de Caps Lock-toets, er staat 'Tab' op en/of twee pijlen).

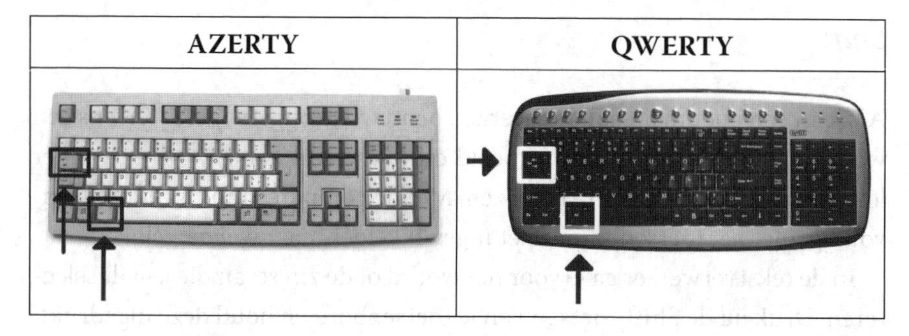

Je ziet een schermpje verschijnen in het midden van je beeldscherm met een overzicht van alle programma's die openstaan op je computer. Door meerdere keren op de Tab-toets te drukken, selecteer je een ander programma uit het lijstje (wat omkaderd is, is geselecteerd). Laat je de Alt-toets los, dan wordt dat programma actief. Op deze manier kun je eenvoudig het gewenste programma dat openstaat oproepen.

Je kunt ook gewoon de vensters oproepen in de volgorde waarin ze in dat schermpje staan, zonder met dat schermpje te werken. Gebruik daarvoor in plaats van Alt + Tab de combinatie Alt + Esc (de 'Esc'-toets zit linksboven aan je toetsenbord, er staat 'Esc' of 'Escape' op).

Escape

De 'Esc'-toets links bovenaan op je scherm heeft een eigen functie: heb je een mededeling van je computer op je scherm staan, dan kun je op de 'Esc'-toets drukken om die te annuleren en er weer uit te gaan.

AZERTY	QWERTY

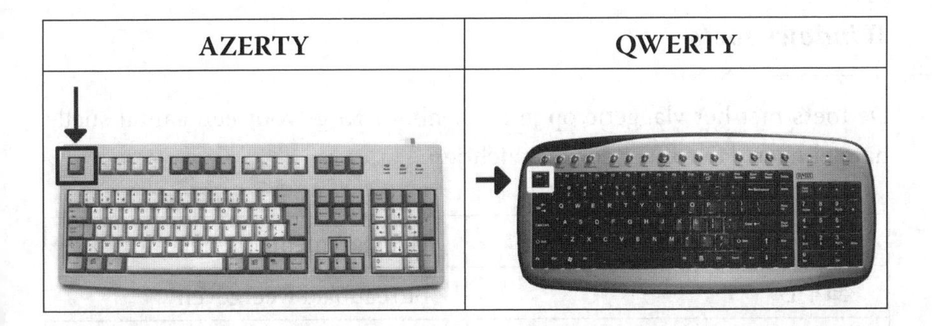

Rechtermuisknop

De menu's die we tevoorschijn halen door te klikken op de rechtermuisknop kun je ook tevoorschijn halen met een knop op het toetsenbord.

Je ziet op het toetsenbord een toets waarop een menuutje staat. Deze knop is te vinden rechtsonder tussen de 'Alt'-toets (of 'Alt Gr'-toets) en de 'Ctrl'-toets. (Sommige oudere toetsenborden hebben deze knop echter nog niet.)

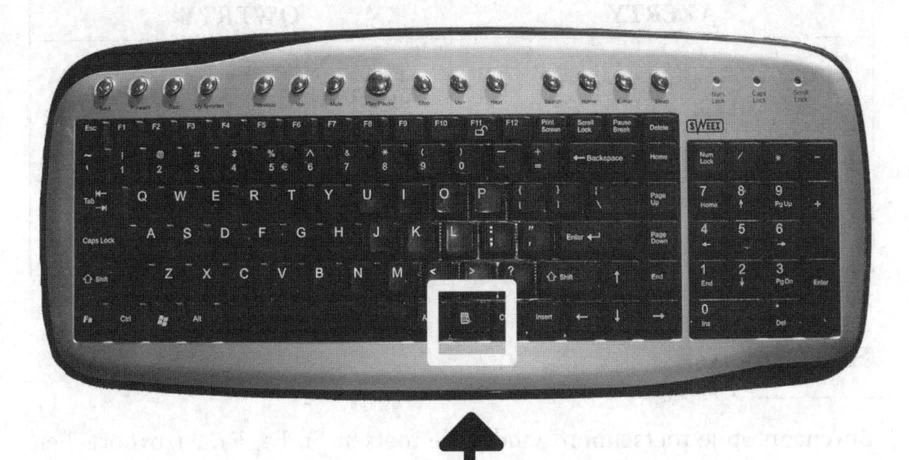

Druk daarop om telkens het gewenste menu tevoorschijn te halen. Duid het gewenste commando aan door met de pijltjestoetsen in het lijstje te navigeren. Om het commando te bevestigen, druk je op de entertoets van je toetsenbord.

Windows-toets

De toets met het vlaggetje op je toetsenbord zorgt voor een aantal snelle handelingen. Hieronder een overzichtje.

Alleen ⊞	Het startmenu openen
⊞ + D	Bureaublad weergeven
⊞ + E	'Deze computer' openen
⊞ + F	Bestand zoeken
⊞ + L	Computer vergrendelen
⊞ + M	Alle vensters in één keer minimaliseren
⊞ + Shift + M	Alle geminimaliseerde vensters weer zichtbaar maken

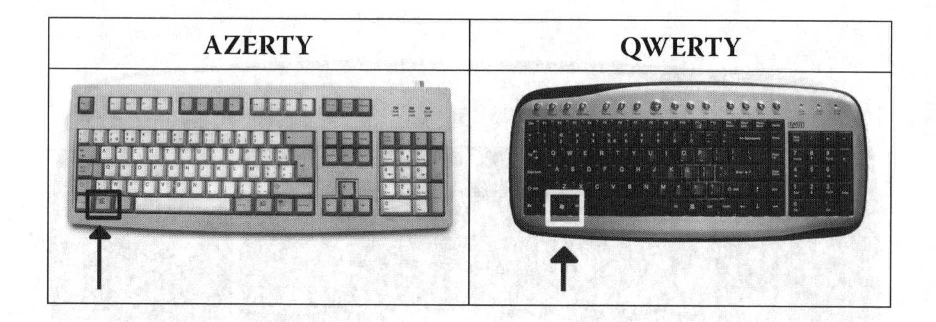

Functietoetsen

Bovenaan op je toetsenbord vind je de toetsen F1, F2, F3, enzovoort. Een aantal kun je gebruiken om bepaalde handelingen snel uit te voeren.
Als je in 'Deze computer' zit, kun je via F2 een bestand herbenoemen.
Met F3 kun je in 'Deze computer' een bestand of map zoeken.
Met F10 kun je de menubalk activeren (hetzelfde als de Alt-toets).
Met F5 kun je het venster of de pagina vernieuwen (veel gebruikt op internet).

Met Shift + F10 bereik je exact hetzelfde als met het klikken met de rechtermuisknop. Zo roep je dus het extra menu met functies op.
Met F4 klap je de adresbalk in een Verkennervenster open, zodat je alle eerder gekozen locaties ziet.

Tabbladen

Als je een venster in beeld krijgt met verschillende tabbladen, kun je met Ctrl + Tab naar het volgende tabblad gaan, en met Ctrl + Shift + Tab naar het vorige tabblad.

Gebruik de entertoets om de actieve optie of knop uit te voeren.

Wil je in een tabblad een rondje of vierkantje aanvinken of juist een vinkje verwijderen, dan kun je dit doen met de spatiebalk.

Met de Tab-toets ga je naar de volgende optie of mogelijkheid om die in te stellen.

De muisaanwijzer bewegen

Het kan voorkomen dat je ondanks de vele mogelijkheden om bijna alle handelingen met het toetsenbord te doen, toch het pijltje moet gebruiken van je computermuis, bijvoorbeeld in een tekenprogramma. Je kunt de controle van de muis echter overnemen met het toetsenbord!

Dit doe je via de sneltoets Alt (links) + Shift (links) + Num Lock. Dus je drukt eerst de linkse 'Alt'-toets in onderaan op je toetsenbord en houdt deze ingedrukt. Druk nu ook de Shift-toets linksonder op je toetsenbord in, houd deze ingedrukt en druk nu rechtsboven op 'Num lock' of op de 'Num'-toets. Laat dan alles los.

AZERTY	QWERTY
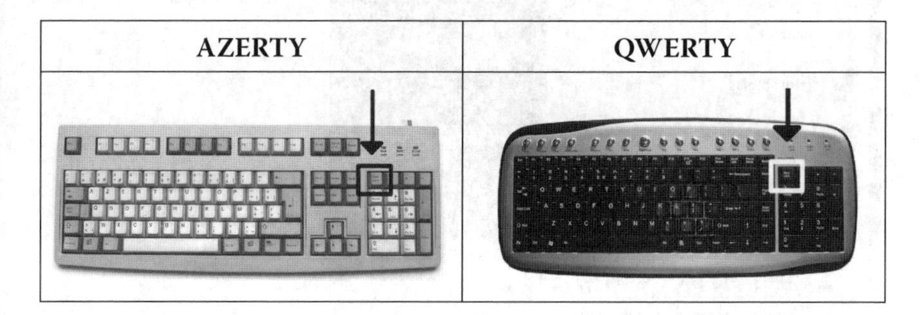	

Je kunt nu de muisaanwijzer bewegen door middel van de pijltjestoetsen rechts op je toetsenbord (die van het numerieke toetsenbord, dus de pijltjes op de 2, de 4, de 6 en de 8).

Diskette, USB-stick of harde schijf helemaal leegmaken (formatteren)

Een diskette, USB-stick, geheugenkaart of harde schijf helemaal leegmaken, kun je snel en eenvoudig in één keer doen. Je hoeft dus niet alle bestanden die erop staan een voor een te verwijderen. Dit leegmaken wordt 'formatteren' genoemd. Je schoont hiermee de diskette, USB-stick of harde schijf helemaal op en vernietigt alles wat erop staat. Op die manier heb je snel en eenvoudig plaats om nieuwe gegevens te bewaren.

Of het nu een diskette, USB-stick of harde schijf is, het leegmaken gaat op dezelfde wijze. Ga naar 'Computer'. Dus klik met je linkermuisknop onderaan op de knop 'Starten'.

Klik nu op 'Computer' met je linkermuisknop.

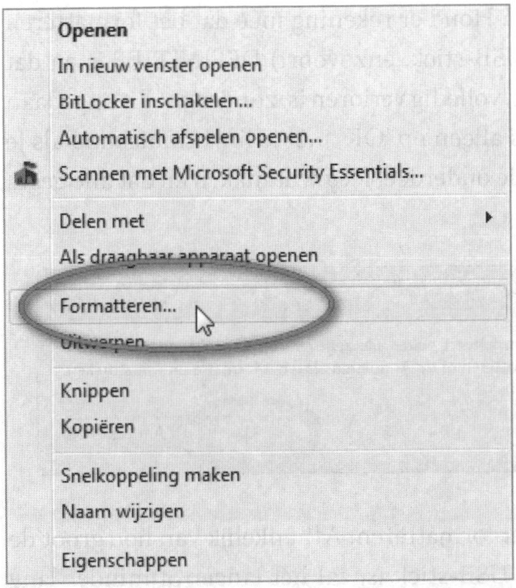

Nu zie je de verschillende onderdelen van je computer: de harde schijf (of schijven), diskette, cd, dvd, USB-stick (als 'verwisselbare schijf' aangeduid), enzovoort. Klik met je rechtermuisknop op het onderdeel dat je wilt leegmaken (formatteren), bijvoorbeeld de diskette, USB-stick of harde schijf. In het lijstje met mogelijke taken dat je te zien krijgt, klik je met je linkermuisknop op 'Formatteren'.

Je krijgt nu een nieuw programma te zien dat je gaat helpen met het leegmaken van het gewenste onderdeel. De computer heeft reeds automatisch alles goed ingesteld. Het enige wat je moet doen, is klikken met je linkermuisknop op 'Starten'.

Klik op de mededeling op 'OK'. Houd er rekening mee dat het formatteren van een onderdeel (diskette, USB-stick, enzovoort) DEFINITIEF is en dat ALLE informatie die erop staat, volledig verloren is, zonder dat dit ongedaan kan worden gemaakt! Klik dus alleen op 'OK' met je linkermuisknop als je zeker weet dat je het betreffende onderdeel leeg wilt maken en dat alle gegevens verloren mogen gaan.

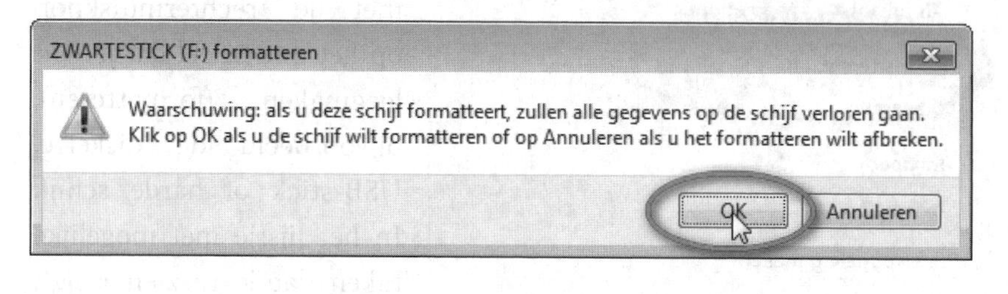

De computer begint nu met het formatteren. Afhankelijk van hoe groot de harde schijf is, of hoe snel de USB-stick is, zal het langer of minder lang duren voordat de computer klaar is. Als je een grote harde schijf laat leegmaken, kan dit zelfs meerdere uren duren. De vooruitgang kun je zien doordat de horizontale balk opgevuld wordt. Is deze helemaal opgevuld, dan is de computer klaar.

Als de computer klaar is, geeft hij een mededeling weer. Klik met je linkermuisknop op 'OK' om te bevestigen dat je weet dat de computer klaar is.

Klik met je linkermuisknop op 'Sluiten' om het programma af te sluiten.

Tip

Het formatteren kan vele keren sneller. Je kunt dit doen door te klikken op het lege vierkantje voor 'Snelformatteren' met je linkermuisknop.

Hiermee deel je de computer mee dat deze sneller mag wissen. Klik pas daarna op 'Starten' om het wissen te starten. Het resultaat is hetzelfde, maar het gaat veel sneller!

Opgelet

Je kunt alleen maar een harde schijf helemaal wissen als je meerdere harde schijven hebt in je computer. De harde schijf die de basis vormt en meestal de naam C: heeft, kun je niet formatteren. Je kunt deze schijf niet wissen omdat ook het besturingssysteem Windows erop staat en het is juist dit besturingssysteem dat instaat voor het wissen. Het kan zichzelf niet wissen. Je kunt dus alleen andere harde schijven helemaal wissen, maar ook USB-sticks, een externe harde schijf, diskettestation, zip-drive, geheugenkaart, enzovoort.

Speciale tekens

Inleiding

Op je computer kun je al heel wat tekens intypen, namelijk alle tekens die op het toetsenbord staan. Het kan echter voorvallen dat je een heel bijzonder teken wilt gebruiken dat helemaal niet op je toetsenbord staat. Wiskundige tekens, wetenschappelijke tekens, Griekse letters en vele andere speciale symbolen staan niet op je toetsenbord. Nu leer je hoe je toegang krijgt tot al deze speciale tekens.

Voorbeelden van tekens die je mogelijk wilt gebruiken, maar niet op het toetsenbord vindt:

©, ®, ™, ß, α, Ă, œ, Ψ, φ, ‰, í, ≥, Σ, ♀, ♂, ♫, ⅓, ±, ø

Aan de slag

De speciale tekens kunnen we via een speciaal programma van onze computer oproepen. We gaan dit programma opstarten. Klik dus links onderaan met je linkermuisknop op 'Starten'.

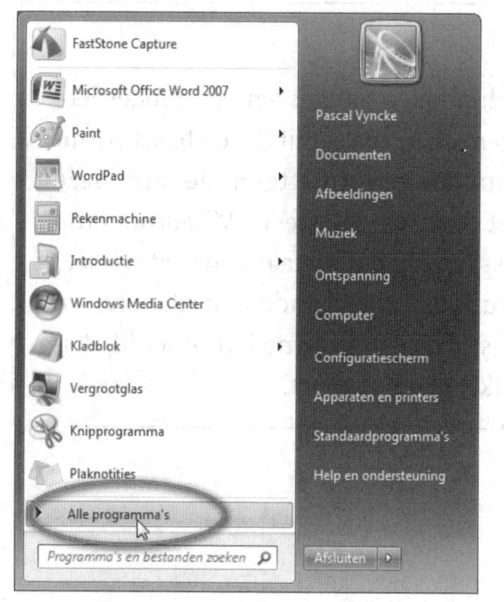

In het menu dat nu verschijnt, ga je staan op 'Alle programma's'. Zo openen we de lijst van alle programma's op onze computer.

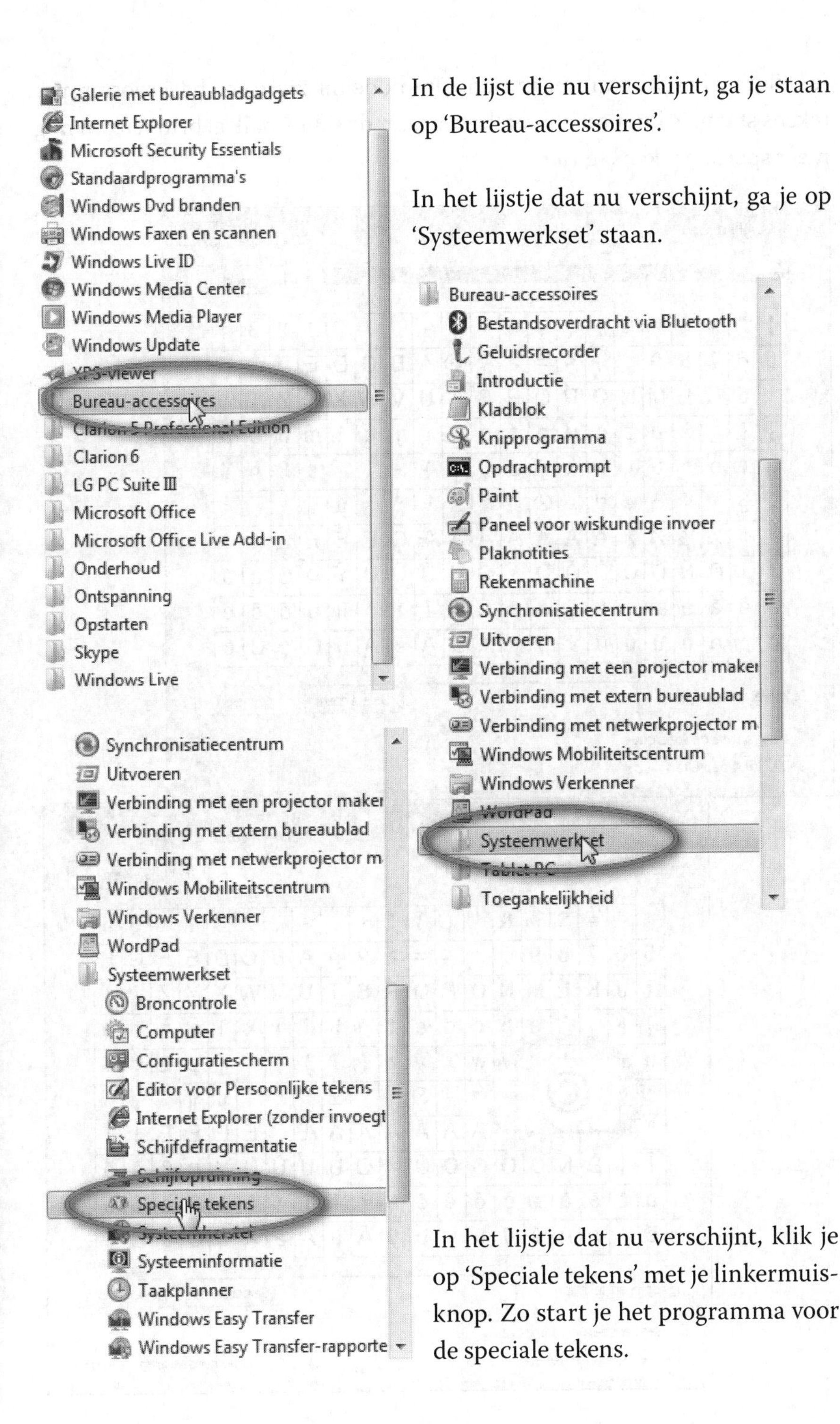

In de lijst die nu verschijnt, ga je staan op ‘Bureau-accessoires’.

In het lijstje dat nu verschijnt, ga je op ‘Systeemwerkset’ staan.

In het lijstje dat nu verschijnt, klik je op ‘Speciale tekens’ met je linkermuisknop. Zo start je het programma voor de speciale tekens.

Je krijgt nu het programma te zien. Onmiddellijk zie je een heel rooster met tekens staan. Je kunt rechts van het venster de schuifbalk gebruiken om nog meer speciale tekens te zien.

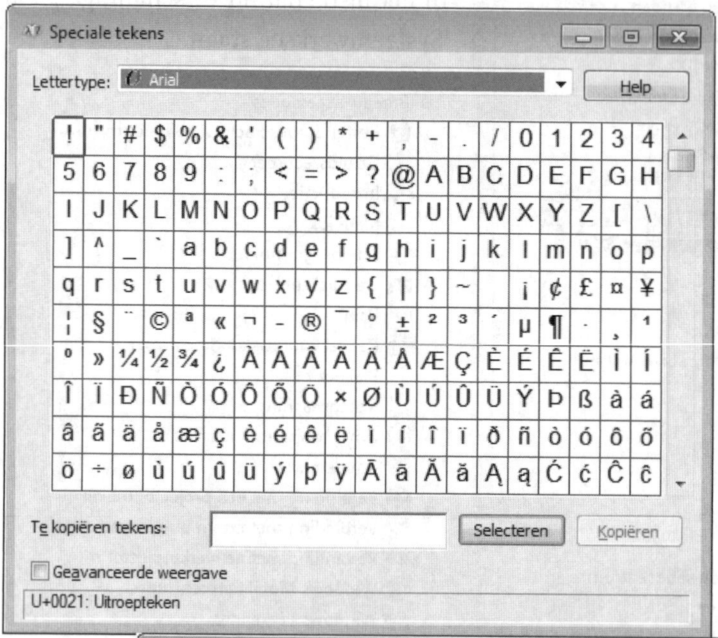

Speciale tekens
Lettertype: Arial
Help
! " # $ % & ' ( ) * + , - . / 0 1 2 3 4
5 6 7 8 9 : ; < = > ? @ A B C D E F G H
I J K L M N O P Q R S T U V W X Y Z [\
] ^ _ ` a b c d e f g h i j k l m n o p
q r s t u v w x y z { | } ~ ¡ ¢ £ ¤ ¥
¦ § ¨ © ª « ¬ - ® ¯ ° ± ² ³ ´ µ ¶ · ¸ ¹
º » ¼ ½ ¾ ¿ À Á Â Ã Ä Å Æ Ç È É Ê Ë Ì Í
Î Ï Ð Ñ Ò Ó Ô Õ Ö × Ø Ù Ú Û Ü Ý Þ ß à á
â ã ä å æ ç è é ê ë ì í î ï ð ñ ò ó ô õ
ö ÷ ø ù ú û ü ý þ ÿ Ā ā Ă ă Ą ą Ć ć Ĉ ĉ
Te kopiëren tekens:
Selecteren
Kopiëren
Geavanceerde weergave
U+0021: Uitroepteken

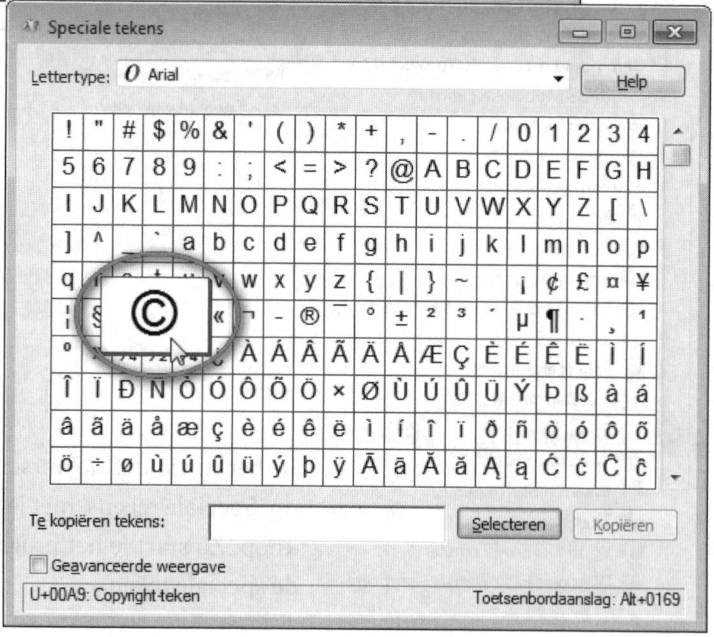

Speciale tekens
Lettertype: Arial
Help
! " # $ % & ' ( ) * + , - . / 0 1 2 3 4
5 6 7 8 9 : ; < = > ? @ A B C D E F G H
I J K L M N O P Q R S T U V W X Y Z [\
] ^ _ ` a b c d e f g h i j k l m n o p
q w x y z { | } ~ ¡ ¢ £ ¤ ¥
¦ © « ¬ - ® ¯ ° ± ² ³ ´ µ ¶ · ¸ ¹
º À Á Â Ã Ä Å Æ Ç È É Ê Ë Ì Í
Î Ï Ð Ñ Ò Ó Ô Õ Ö × Ø Ù Ú Û Ü Ý Þ ß à á
â ã ä å æ ç è é ê ë ì í î ï ð ñ ò ó ô õ
ö ÷ ø ù ú û ü ý þ ÿ Ā ā Ă ă Ą ą Ć ć Ĉ ĉ
Te kopiëren tekens:
Selecteren
Kopiëren
Geavanceerde weergave
U+00A9: Copyright-teken
Toetsenbordaanslag: Alt+0169

Als je het teken hebt gevonden dat je wilt gebruiken, klik je erop met je linkermuisknop. Het teken zal vergroot worden weergegeven.

Klik vervolgens met je linkermuisknop op 'Selecteren', zodat je de computer aangeeft dat deze het teken moet nemen.

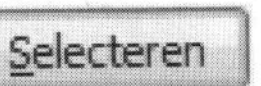

Om het teken te kopiëren zodat je het ook daadwerkelijk kunt gebruiken, moet je op 'Kopiëren' klikken met je linkermuisknop.

Nu heb je het speciale teken in het geheugen gekopieerd. Je kunt het nu gebruiken, bijvoorbeeld in een document. Om het in het document tevoorschijn te halen, moet je het daar plakken. Afhankelijk van het programma zal dat via het menu 'Bewerken' zijn, waar je vervolgens op 'Plakken' drukt.

Tip

Als je nog meer speciale tekens wilt zien, dan kun je dit als volgt doen. Je kon al naar beneden gaan met de schuifbalk in het programma 'speciale tekens'. Je kunt echter ook nog eens kiezen uit verschillende lettertypes om zo verschillende bronnen van speciale tekens op te vragen. Je doet dit door in het programma 'Speciale tekens' te klikken op het pijltje naar beneden, juist naast het lettertype (links van de knop 'Help').

Een tip hierbij is om helemaal naar beneden te gaan in dat lijstje en 'Symbol', 'Wingdings' of 'Webdings' te selecteren. Je krijgt hier toegang tot talloze andere speciale tekens.

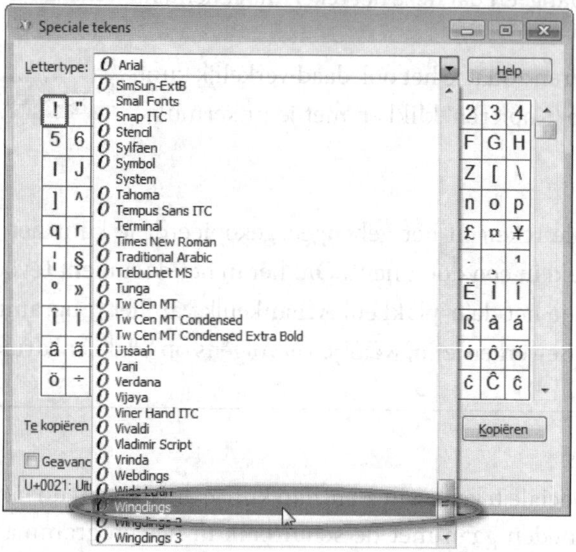

16 •• COMPUTERPROBLEMEN OPLOSSEN

Hulp op afstand

Inleiding

Als je een probleem hebt met je computer en je kent wel iemand die dat zou kunnen oplossen, dan kun je die persoon altijd vragen om eens bij je langs te komen. Probleem is echter dat dit niet altijd zo eenvoudig is en dat het wel een tijdje kan duren voordat die persoon de tijd heeft gevonden om naar jou te komen. Je kunt dit echter ook anders oplossen. Je kunt dit alles namelijk op afstand laten verlopen, via het internet. Het enige wat je nodig hebt, is een internetverbinding. Zoals tegenwoordig chirurgen op afstand kunnen opereren, kun je iemand anders op afstand aan je pc laten werken om het probleem op te lossen!

Ik leg eerst even kort uit hoe dit in zijn werk gaat, hoe dit eigenlijk kan. Wat we gaan doen, is een e-mail sturen naar die bewuste persoon van wie je denkt dat hij (of zij) je kan helpen én die je vertrouwt. Deze persoon gaat op afstand exact kunnen zien wat op jouw scherm staat, hij gaat met de muis en het toetsenbord die bij hem staan, jouw computer op afstand besturen. Zo is het bijna alsof hij aan jouw computer bij je thuis zit, ook al zitten er misschien wel vele honderden kilometers tussen. Het principe is dat de computer alle commando's die hij krijgt, toelaat vanaf die persoon en de informatie die op je beeldscherm staat ook gaat versturen via het internet. Geen verplaatsing meer nodig dus en toch je problemen opgelost!

Aan de slag

Allereerst is het belangrijk om iemand te hebben die je mogelijk bij je probleem kan helpen, bijvoorbeeld een vriend, collega, (klein)kind, neef of oom. Je hebt het e-mailadres van deze persoon nodig. Een e-mailadres heeft de vorm naam@provider.land, bijvoorbeeld: pascal.vyncke@SeniorenNet.be, pascal@kanaal50.nl, pascal@kanaal50.com, jefke@hotmail.com, an@planet.nl, jan@scarlet.be... Het is een elektronisch adres van die persoon. Je moet dat dus eenmalig weten, bel hem of haar bijvoorbeeld op om dit adres te vragen.

Ten tweede heb je een internetaansluiting nodig die correct werkt op je computer. Je moet ook een eigen e-mailadres hebben en dit moet correct ingesteld zijn in je e-mailprogramma. Als dit niet zo is, kun je dit het best eerst in orde (laten) maken. Je hebt namelijk het internet nodig: een soort van telefoonnetwerk voor computers. Je computer kan dan via dat netwerk alle informatie doorsturen naar je vriend/collega/familie zodat zij je kunnen helpen met je computer.

> Je kunt in het boek *Internet na 50* leren werken met het internet: je computer en e-mailprogramma instellen en alle leuke kanten van het internet leren kennen! Het boek is van dezelfde auteur als dit boek.

Als je het e-mailadres hebt en je internetaansluiting zou moeten werken, dan kunnen we echt aan de slag.

Klik met je linkermuisknop op 'Starten' onderaan op je scherm. Zo openen we het startscherm.

Klik in het menu dat verschijnt op 'Alle programma's' met je linkermuisknop. Zo krijgen we het lijstje met alle programma's die op onze computer staan, waaronder het programma dat we nodig hebben.

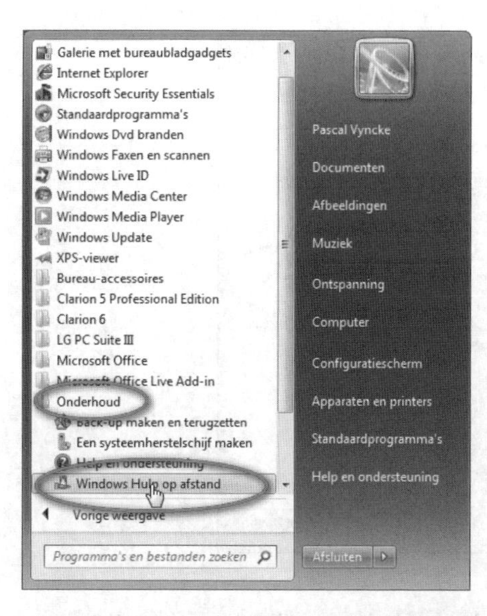

Klik dan op 'Onderhoud'. Een nieuw menu opent zich en je ziet het gewenste programma 'Hulp op afstand'. Klik erop met je linkermuisknop om het te openen.

Het programma 'Hulp op afstand' wordt nu opgestart. Afhankelijk van de snelheid van je computer duurt dit één seconde tot een halve minuut. Je krijgt nu een scherm te zien zoals op de volgende foto.

Windows Hulp op afstand

Wilt u hulp vragen of aanbieden?

Met Windows Hulp op afstand worden twee computers met elkaar verbonden zodat iemand kan helpen bij het oplossen van problemen op de computer van de andere persoon.

Een vertrouwd persoon uitnodigen om u te helpen
De persoon die u wil helpen, kan het bureaublad van uw computer bekijken en de besturing van de computer delen.

Iemand helpen die u heeft uitgenodigd
Reageren op een vraag om hulp van iemand anders.

Lees de onlineprivacyverklaring

Annuleren

Nu geeft de computer je twee keuzemogelijkheden: 'Een vertrouwd iemand uitnodigen om u te helpen' en 'Aanbieden om iemand te helpen'. We kiezen het eerste, want we willen inderdaad iemand uitnodigen om ons te helpen! Klik dus met je linkermuisknop op 'Een vertrouwd iemand uitnodigen om u te helpen'.

Je ziet nu een venster waarin je de keuze hebt om direct een mail te versturen of dat je de uitnodiging wilt opslaan als bestand, omdat je webmail gebruikt. Het verschil zit hem in het feit dat je bij webmail via de browser (meestal Internet Explorer) je mail kunt bekijken en dat je bij direct e-mail versturen Windows Mail of Windows Live Mail gebruikt. We gaan Live Mail gebruiken in dit voorbeeld om de uitnodiging te verzenden, dus klikken we op 'E-mail gebruiken om een uitnodiging te verzenden'. Voor dit voorbeeld heb ik twee e-mailadressen aangemaakt: hulpvragend@live.nl en hulpgevend@live.nl.

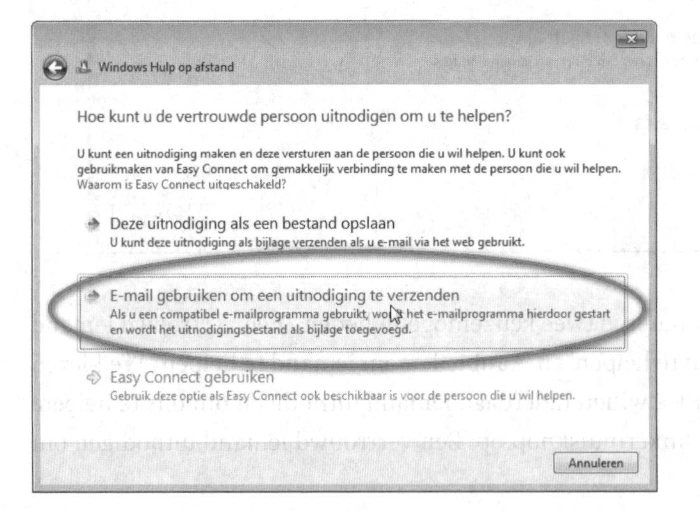

Nu wordt het mailprogramma gestart, in ons geval Windows Live Mail, en wordt meteen een bericht gemaakt waarin de tekst al staat. We hoeven alleen nog maar het e-mailadres van de hulpgever in te voeren en op 'Verzenden' te klikken.

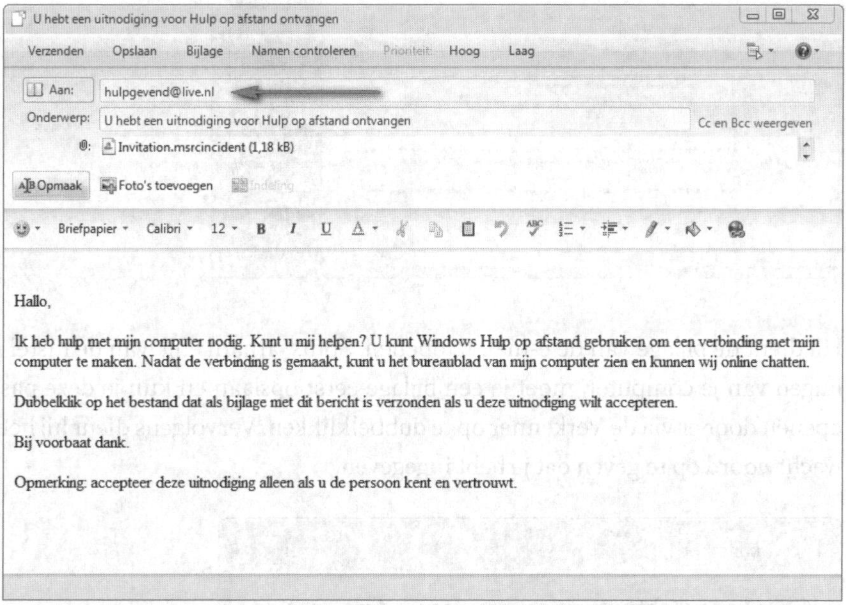

U hebt een uitnodiging voor Hulp op afstand ontvangen
Verzenden Opslaan Bijlage Namen controleren Prioriteit: Hoog Laag
Aan: hulpgevend@live.nl
Onderwerp: U hebt een uitnodiging voor Hulp op afstand ontvangen
Cc en Bcc weergeven
Invitation.msrcincident (1,18 kB)
Opmaak Foto's toevoegen Indeling
Briefpapier Calibri 12
Hallo,
Ik heb hulp met mijn computer nodig. Kunt u mij helpen? U kunt Windows Hulp op afstand gebruiken om een verbinding met mijn computer te maken. Nadat de verbinding is gemaakt, kunt u het bureaublad van mijn computer zien en kunnen wij online chatten.
Dubbelklik op het bestand dat als bijlage met dit bericht is verzonden als u deze uitnodiging wilt accepteren.
Bij voorbaat dank.
Opmerking: accepteer deze uitnodiging alleen als u de persoon kent en vertrouwt.

Terwijl de mail wordt verstuurd, zie je een extra venster. Hierin staat een wachtwoord dat de hulpgever moet kennen. Je moet dit aan hem doorgeven. Dit venster blijft ook open staan totdat er een verbinding is gemaakt. Je computer gaat in de wachtstand.

Windows Hulp op afstand
Chatten Instellingen Problemen oplossen Help
Geef het wachtwoord voor de verbinding aan de persoon die u wil helpen
3VB8FQZTSNV3
Wachten op binnenkomende verbinding...

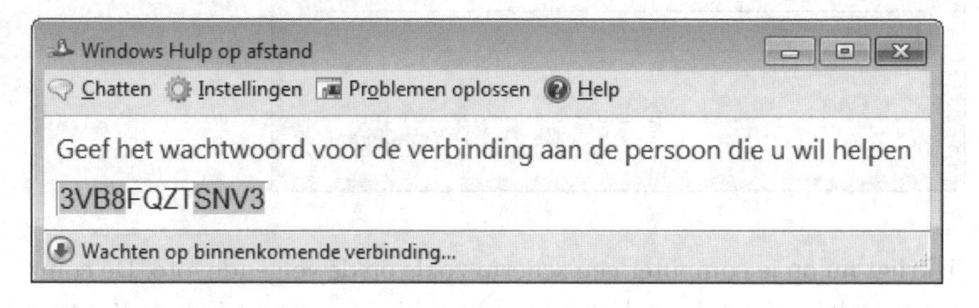

Nu is het wachten op je helper. Bel eventueel even om te vragen of hij (of zij) het niet onmiddellijk kan doen. Hij ontvangt zelf een e-mail om je te helpen. Bij hem ziet dat e-mailbericht er ongeveer als volgt uit.

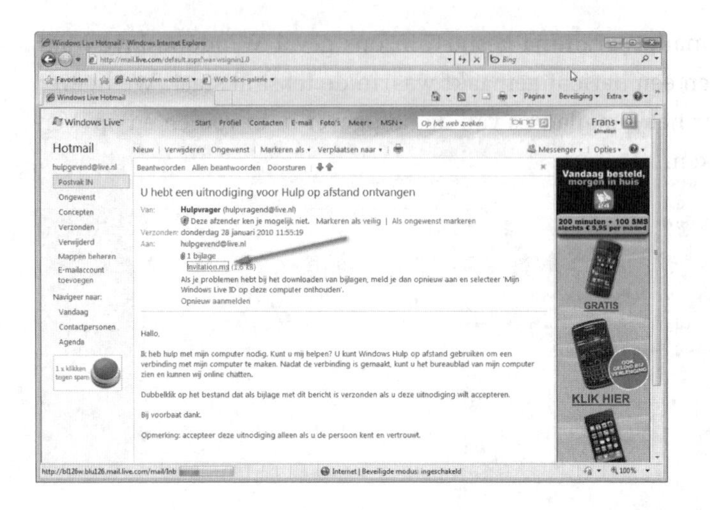

Hij dient de bijlage van de e-mail te openen. Soms, afhankelijk van de instellingen van je computer, moet je een bijlage eerst opslaan en kun je deze pas openen door er via de Verkenner op te dubbelklikken. Vervolgens dient hij het wachtwoord op te geven dat je hebt ingegeven.

Hulp op afstand

Geef het wachtwoord op om verbinding met de externe computer te maken

U kunt dit wachtwoord krijgen van de persoon die hulp vraagt. Nadat u het wachtwoord hebt opgegeven en op OK hebt geklikt, wordt een sessie van Hulp op afstand gestart.

Geef het wachtwoord op:

3VB8FQZTSNV4

OK | Annuleren

Jij krijgt nu op je computer een scherm zoals op de volgende foto. De computer deelt mee dat de ander je uitnodiging heeft aanvaard en, indien van toepassing, het wachtwoord juist heeft ingegeven. De computer vraagt aan jou of je hem nu toegang wilt geven tot je computer. Dit was uiteraard de bedoeling en je drukt op 'Ja' met je linkermuisknop.

De ander krijgt nu ook alles te zien wat op je computerscherm staat. Je kunt bovendien communiceren met de ander door berichtjes in te typen. Je kunt dit doen door op de knop 'Chatten' te klikken. Typ bijvoorbeeld 'Hallo, bedankt dat je me wilt helpen!'

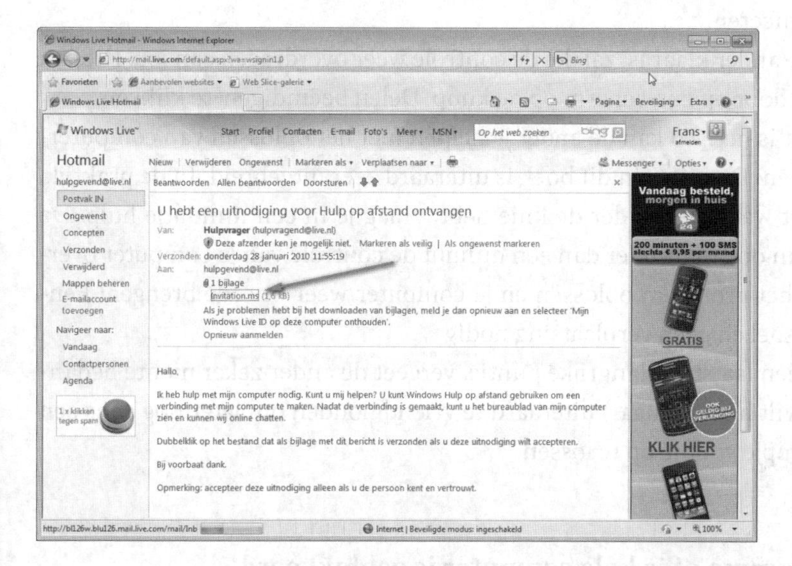

Druk op de knop 'Verzenden' met je linkermuisknop om het berichtje door te sturen.

Nu zal de ander waarschijnlijk de controle van je computer willen overnemen, zodat hij daadwerkelijk op afstand aan je computer kan werken. Dat doet hij door het scherm 'Besturing aanvragen' aan te klikken met de linkermuisknop. Doet je helper dit, dan krijg jij op je scherm de vraag of je dit wilt toestaan.

Druk met je linkermuisknop op 'Ja' om te bevestigen dat je dit wilt. (Als je om de een of andere reden de controle die de ander heeft weer wilt stoppen, druk je op de 'Esc'-toets op je toetsenbord. Die vind je helemaal links bovenaan op je toetsenbord. Je hebt dan zelf weer de controle.)

Heb je eenmaal op 'Ja' geklikt, dan kan de ander eender wat met je computer doen: programma's openen, bestanden wijzigen, instellingen wijzigen, oplossingen zoeken, enzovoort. Je kunt intussen toekijken hoe de ander het doet. Het is verstandig om in de tussentijd wel van je computer af te blijven. Immers, als jij met de computermuis gaat werken en de ander probeert dat ook, dan loopt alles in de honderd. De computer krijgt dan namelijk twee instructies tegelijk, die tegenstrijdig zijn. Blijf dus gewoon van de computer af. Houd in het achterhoofd dat je altijd de controle van je computer weer kunt overnemen om te werken zoals je altijd gewend was. Druk daarvoor op de 'Esc'-toets. Intussen blijft het mogelijk via het tekstvak met elkaar te communiceren.

Als de ander klaar is, zal die de controle weer overdragen aan jou. Dit kan hij doen door op zijn scherm op de knop 'Delen beëindigen' te klikken.

En dat is het! Zo kan de ander je helpen met het oplossen van computerproblemen. De uitleg in dit boek is uiteraard zeer uitgebreid. In de praktijk, als je het wat beter onder de knie hebt, vraag je in een minuutje hulp. De ander kan ook in minder dan een minuut de controle van je computer overnemen, het probleem oplossen en je computer weer in orde brengen! Eenvoudig, snel en geen verplaatsing nodig.

Nog één laatste belangrijke puntje: vergeet de ander zeker niet te bedanken! Je wilt hem (of haar) uiteraard te vriend houden om later nog eens een probleempje voor je op te lossen.

Een programma of je hele computer is geblokkeerd

Inleiding

Het zou niet mogen gebeuren, maar toch komt het weleens voor: je computer doet niet meer wat je vraagt. Je kunt het programma niet meer afsluiten, je krijgt dat bepaalde scherm dat je verwacht helemaal niet te zien, je kunt geen menu meer openen, je toetsenbord reageert niet meer of misschien reageert zelfs het pijltje van je computermuis niet meer. Of misschien is je computer bijzonder traag, vele keren trager dan normaal. Kortom: je computer is geblokkeerd. Wat moet je nu doen?

Aan de slag

Een computer zou niet mogen blokkeren, maar in de praktijk komt het weleens voor. De reden is dat een programma op je computer een fout heeft gemaakt en ergens dingen aan het doen is die je niet van je computer verwacht. Je moet dit probleem dus kunnen oplossen. Dat doe je als volgt.

Een programma reageert niet meer

Als een bepaald programma niet meer reageert, maar de rest van je computer nog wel, dan wil dat dus zeggen dat we van dat ene programma af willen. Dit programma moet dus geforceerd worden afgezet, zodat we met de rest van onze computer kunnen verder werken.

Symptomen: Een programma werkt niet meer, het programma wordt mogelijk wit omdat het grafisch niet meer wordt voorgesteld, je kunt wel overal op klikken maar er gebeurt niets, je kunt nog wel met andere programma's werken.

Probeer eerst het programma af te sluiten op de gewone manier: via het kruisje rechtsboven op het venster.

Als dit niet werkt, komen we met zwaardere middelen.

AZERTY	**QWERTY**
We leren iets nieuws met onze computer: de zogenaamde 'Ctrl + Alt + Del'. Deze naam slaat op de toetsencombinatie die je moet indrukken op je computer. Doe dit nu ook: druk de 'Ctrl'-toets in van je toetsenbord, houd deze ingedrukt, druk vervolgens ook de 'Alt'-toets in (die in de buurt van de Ctrl-toets staat) en houd beide knoppen ingedrukt. Druk nu als derde de 'Delete'-toets in (te vinden in de buurt van de entertoets en (meestal) boven de pijltjestoetsen). Je moet dus, met andere woorden, deze drie toetsen tegelijk indrukken. Je ziet nu iets nieuws verschijnen op je computerscherm.	We leren iets nieuws met onze computer: de zogenaamde 'Ctrl + Alt + Del'. Deze naam slaat op de toetsencombinatie die je moet indrukken op je computer. Doe dit nu ook: druk de 'Ctrl'-toets in van je toetsenbord, houd deze ingedrukt, druk vervolgens ook de 'Alt'-toets in (die in de buurt van de Ctrl-toets staat) en houd beide knoppen ingedrukt. Druk nu als derde de 'Delete'-toets in (meestal te vinden boven de pijltjestoetsen, maar soms ook rechts bovenaan op je toetsenbord). Je moet dus, met andere woorden, deze drie toetsen tegelijk indrukken. Je ziet nu iets nieuws verschijnen op je computerscherm.

De toetsencombinatie die we zojuist hebben gebruikt, is een combinatie die je uitsluitend gebruikt als een programma geblokkeerd is of je computer geblokkeerd is. Het is de magische toetsencombinatie die je problemen kan oplossen. Deze toetsencombinatie wordt uitgesproken als 'Control, Alt, Delete'.

Je hele bureaublad verdwijnt en je ziet alleen nog maar enkele opties op je scherm.

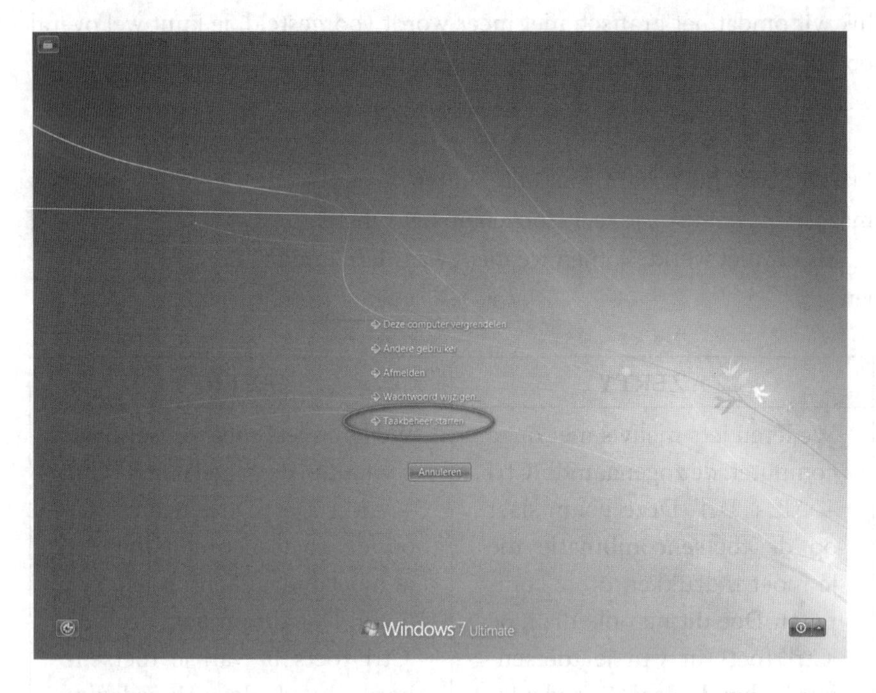

Een daarvan is 'Taakbeheer starten'. Klik hierop met je linkermuisknop. Je krijgt nu een scherm te zien met een overzicht van alle programma's die op dat ogenblik openstaan op je computer.

Klik in het lijstje op het programma dat je wenst te stoppen. Je klikt dus met je linkermuisknop op de naam van het programma dat je problemen bezorgt.

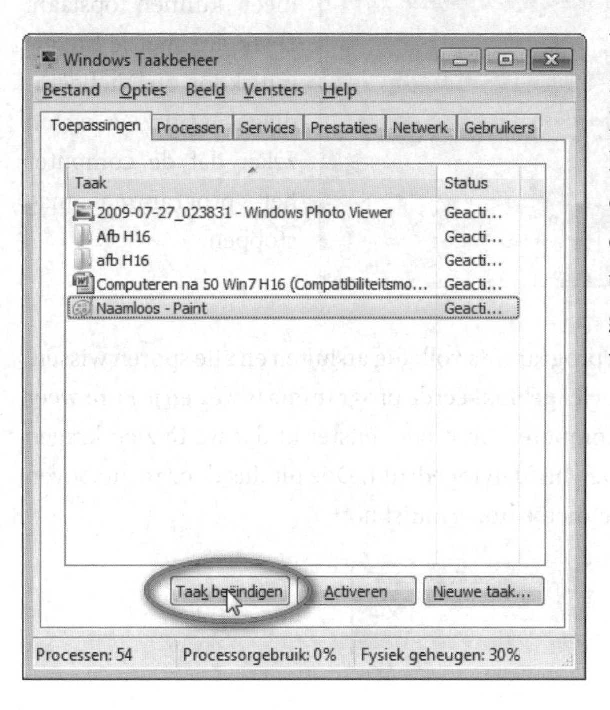

We willen dit programma stoppen. We klikken dus met onze linkermuisknop onderaan op de knop 'Taak beëindigen' om onze computer het commando te geven dit programma te stoppen.

De computer gaat nu proberen het programma af te sluiten. Indien dit niet onmiddellijk lukt, wat meestal het geval zal zijn als het programma echt geblokkeerd is, dan krijg je een melding die er zal uitzien zoals op de volgende foto.

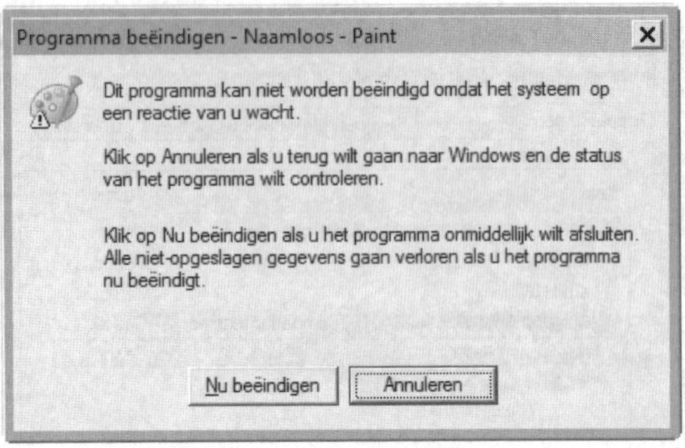

Programma beëindigen - Naamloos - Paint
Dit programma kan niet worden beëindigd omdat het systeem op een reactie van u wacht.
Klik op Annuleren als u terug wilt gaan naar Windows en de status van het programma wilt controleren.
Klik op Nu beëindigen als u het programma onmiddellijk wilt afsluiten. Alle niet-opgeslagen gegevens gaan verloren als u het programma nu beëindigt.
Nu beëindigen
Annuleren

De computer komt nog een keer extra bevestiging vragen of hij het programma mag afsluiten. Let erop dat eventuele gegevens die je niet hebt bewaard (zoals een tekst of een bijgewerkte foto) verloren gaan als je het programma geforceerd laat stoppen. Niet dat dat je verder helpt, omdat het programma geblokkeerd is en we toch onze gegevens niet meer kunnen opslaan. Druk dus met je linkermuisknop op 'Nu beëindigen', want we weten zeker dat de computer het programma mag stoppen.

Programma beëindigen - Naamloos - Paint
Dit programma kan niet worden beëindigd omdat het systeem op een reactie van u wacht.
Klik op Annuleren als u terug wilt gaan naar Windows en de status van het programma wilt controleren.
Klik op Nu beëindigen als u het programma onmiddellijk wilt afsluiten. Alle niet-opgeslagen gegevens gaan verloren als u het programma nu beëindigt.
Nu beëindigen
Annuleren

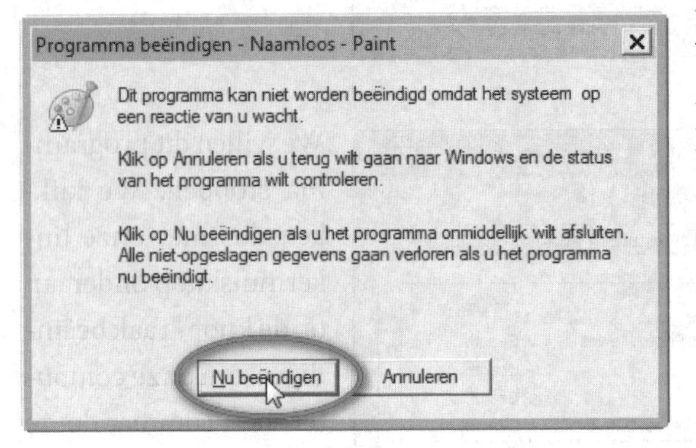

De computer zal nu het programma volledig afsluiten en alle sporen wissen. Je probleem is opgelost. Het geblokkeerde programma is weg en je kunt weer verder werken met je computer. Sluit het venster af dat we te zien kregen nadat we 'Ctrl + Alt + Del' hadden ingedrukt. Doe dit dus door rechtsboven op het kruisje te klikken met je linkermuisknop.

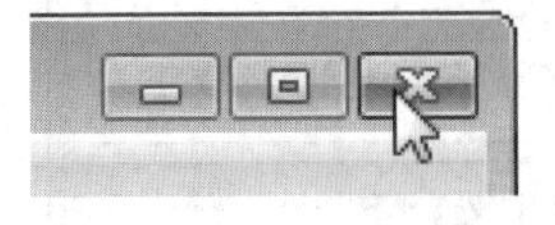

▸ *Je computer is bijzonder traag*

Het kan voorkomen dat je computer bijzonder traag is. Als dit plots gebeurt, is dit meestal omdat je een bepaalde opdracht hebt gegeven aan je computer en dat hij die met alle macht aan het afwerken is (bijvoorbeeld een foto verkleinen, bestanden versturen of een programma installeren). Als je echter helemaal niets speciaals hebt gevraagd van je computer, of je hebt iets per ongeluk gevraagd en het blijft maar duren, dan zul je het programma dat dit veroorzaakt moeten afsluiten. Hoe je dit doet, lees je onder de titel 'Een programma reageert niet meer'(p. 601). Of een programma niet meer reageert, of dat het je computer zodanig belast dat je bijzonder traag moet werken, dat is bijna hetzelfde.

Het kan echter voorkomen dat je totaal niet weet welk programma deze traagheid veroorzaakt. Om dan het probleem op te lossen, moeten we eerst zien te achterhalen welk programma de traagheid veroorzaakt. Dat kunnen we doen met onze computer.

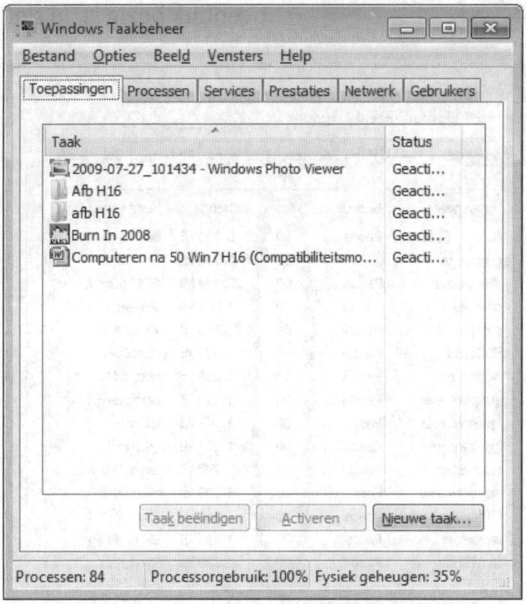

Druk de toetsencombinatie Ctrl + Alt + Del in. Druk dus de 'Ctrl'-toets in van je toetsenbord en houd deze ingedrukt, druk vervolgens ook de 'Alt'-toets in en houd beide knoppen ingedrukt. Druk nu als derde de 'Delete'-toets. Je moet dus, met andere woorden, deze drie toetsen tegelijk indrukken. Je ziet weer de keuzes op het aparte scherm en kiest weer 'Taakbeheer starten'. Nu is er een nieuw venster zichtbaar.

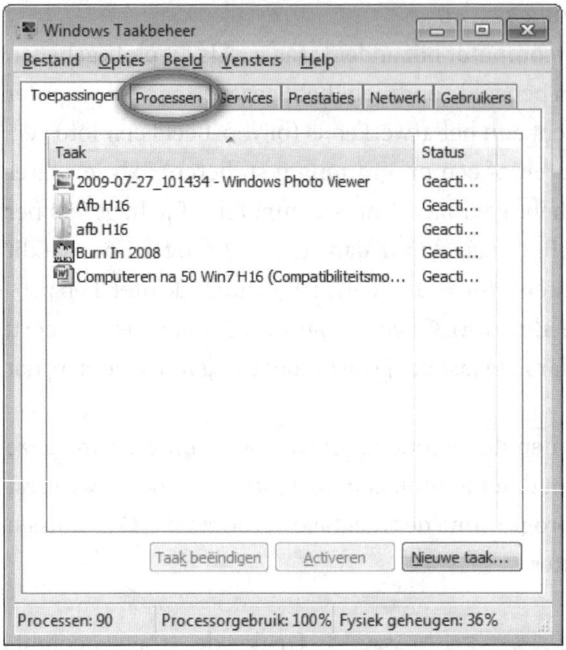

In dit scherm staat een lijstje van de programma's die op je computer actief zijn. We willen echter meer informatie krijgen van onze computer. Daarom klikken we met onze linkermuisknop op 'Processen'.

Je krijgt nu een nieuwe lijst te zien, met allerlei vreemde informatie. Je ziet nu alles waarmee je computer op dat ogenblik bezig is. Je ziet dat dat veel meer dingen zijn dan je eigenlijk weet. Waar we echter in geïnteresseerd zijn, is hoeveel rekenkracht van onze computer al die dingen gebruiken. Dat kunnen we netjes aflezen in de tabel die we op ons scherm zien. In de derde kolom, onder 'CPU', staat voor elk programma hoeveel procent (%) het gebruikt van de rekenkracht van onze computer.

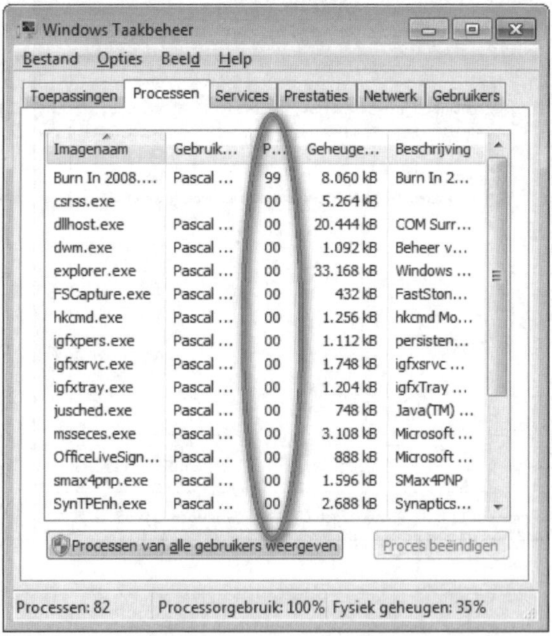

Als je hier een programma ziet staan dat bijzonder veel gebruikt, op de foto staat bijvoorbeeld '99' in de kolom achter 'Burn In 2008', dan is dit de boosdoener die onze computer zo traag maakt. Dat programma is alle rekenkracht aan het opslorpen. Wil je dat niet, klik dan in het lijstje het programma aan door op de naam in de eerste kolom te klikken met je linkermuisknop.

Klik vervolgens onderaan met je linkermuisknop op de knop 'Proces beëindigen' om onze computer mee te delen dat we dat programma willen stoppen. We willen ervan af, het moet stoppen al onze rekenkracht op te slorpen.

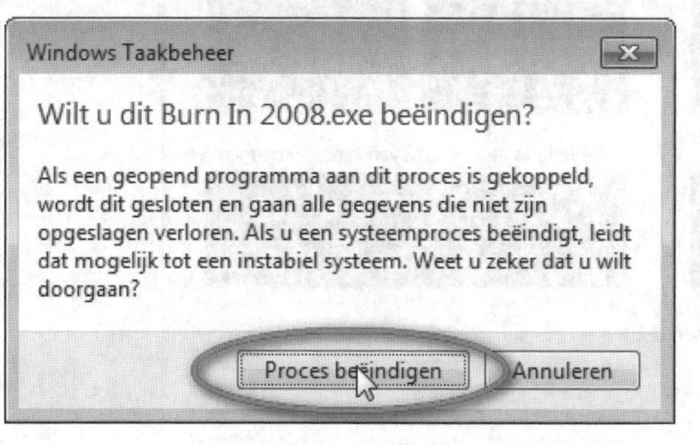

De computer vraagt nog of we echt zeker weten dat we dit programma (ook wel proces genoemd) willen stoppen. We zijn er zeker van, dus klikken we met onze linkermuisknop op 'Ja'.

De computer zal nu het proces stoppen. Onze computer is weer in orde en klaar om verder te werken. Klik rechtsboven op het kruisje om weer uit het programma te gaan om andere programma's af te sluiten.

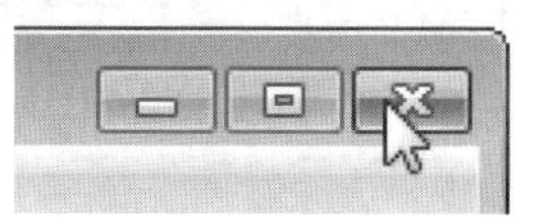

Tip

Ben je nieuwsgierig naar een grafische voorstelling van de werking van je computer? Vraag die dan op. Dit doe je als volgt.

Druk Ctrl + Alt + Del in, klik vervolgens met je linkermuisknop op 'Prestaties'.

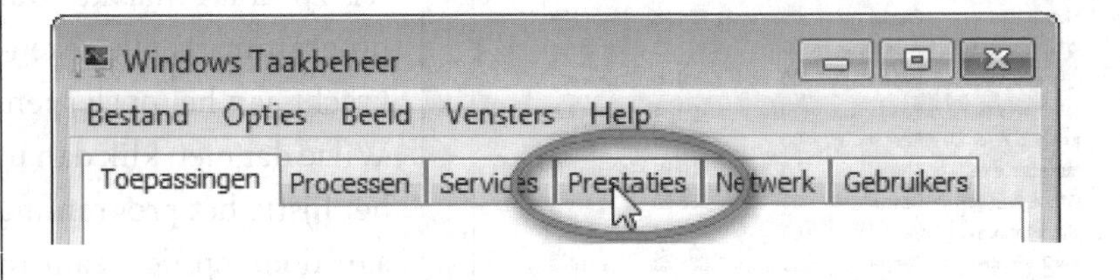

Je krijgt nu bovenaan een voorstelling van het gebruik van je processor, de rekenkracht dus van je computer. In de grafiek eronder zie je het gebruik van het werkgeheugen.

Je computer is geblokkeerd

Als het niet blijft bij één programma, maar je hele computer geblokkeerd is, dan is het niet altijd de beste oplossing om gewoon de spanning van je computer te halen. Probeer eerst een computervriendelijke manier.

Druk de toetsencombinatie Ctrl + Alt + Del in. Druk dus de 'Ctrl'-toets in van je toetsenbord en houd deze ingedrukt, druk vervolgens ook de 'Alt'-toets in en houd beide knoppen ingedrukt. Druk nu als derde de 'Delete'-toets in. Je moet dus, met andere woorden, deze drie toetsen tegelijk indrukken. Je ziet nu een nieuw scherm.

Klik op de knop rechts onder in het scherm. Hiermee sluit je de computer af.

Als alles goed verloopt, zal je computer nu automatisch afsluiten. Indien de computer niet kan afsluiten, krijg je daar een melding van. In onderstaand voorbeeld staat er nog een venster open van Kladblok.

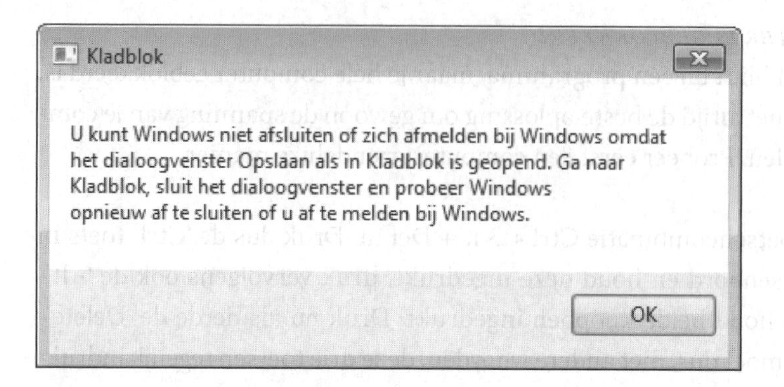

Als je even wacht, krijg je een groot scherm te zien van Windows 7. Hierin zie je een overzicht van alle nog geopende bestanden en welk programma het afsluiten van de computer verhindert. Door op de rode knop 'Nu afsluiten' te klikken, forceer je het afsluiten van de computer. Eventuele nog niet opgeslagen bestanden ben je dan wel kwijt.

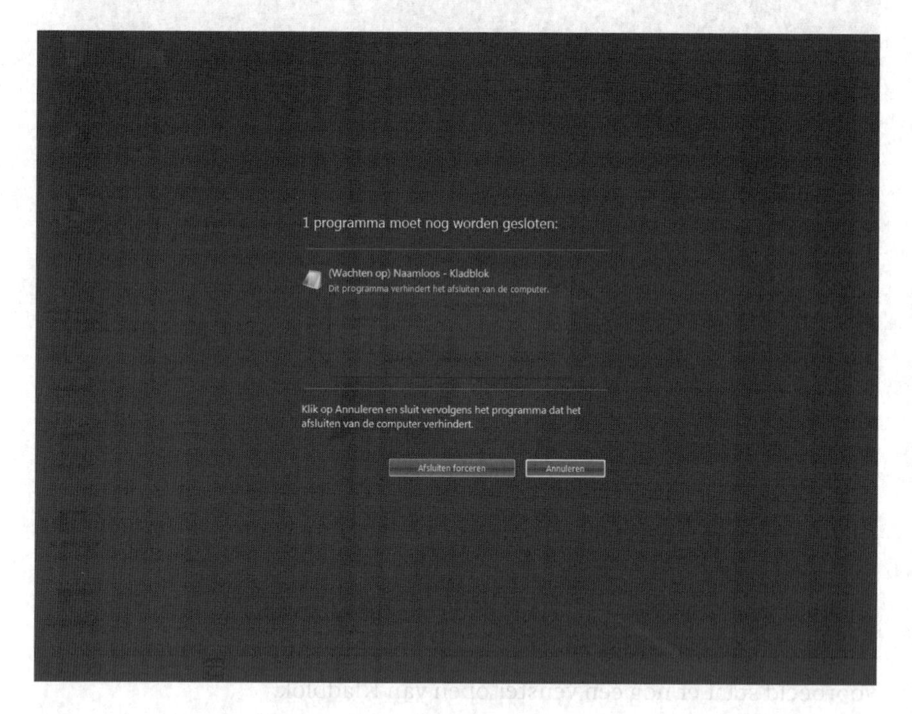

Als je computer nu echt niet meer af te sluiten valt, zul je toch de spanning van je computer af moeten halen om hem af te zetten. Eenmaal uitgeschakeld, laat je hem een vijftal seconden uit staan. Daarna kun je de computer weer aanzetten. Die vijf seconden wachttijd is vanwege de veiligheid. Zo is zeker heel het werkgeheugen leeg, is de computer goed afgesloten (harde schijven terug in startpositie), enzovoort. Doe je dit niet, dan kan het voorkomen dat je daarna opnieuw problemen hebt.

Tip
Wil je de computer uitschakelen omdat hij blokkeert, maar heb je geen zin om de stekker eruit te trekken? Deze kabel zit tenslotte achteraan op je computer en is niet altijd eenvoudig bereikbaar.

Om toch je computer uit te schakelen als hij totaal geblokkeerd is, druk je de spanningsknop van je computer in, maar houdt deze ingedrukt gedurende een vijftal seconden, totdat de computer wél uit gaat. Met dit trucje hoef je niet telkens aan de kabel van je computer te trekken, veel handiger, sneller en veiliger.

Als je de computer aanzet nadat hij zomaar is afgezet (of na een stroomstoring), kan het zijn dat je computer extra dingen begint te doen bij het opstarten en dat het opstarten een hele tijd duurt. De reden hiervoor is dat de computer begint met 'foutcontrole'. Zo wordt het hele geheugen nagekeken op fouten die mogelijk veroorzaakt zijn door het slecht afsluiten. Voor zover mogelijk zal de computer deze herstellen. Heb gewoon even geduld.

Alles blijft vastlopen nadat ik een nieuw toestel heb aangesloten

Als je computer maar blijft vastlopen nadat je een nieuw apparaat hebt aangesloten, dan kun je het best dit toestel weer van je computer losmaken. Herstart je computer. Komen de fouten en problemen nu niet meer voor, dan weet je dat ze veroorzaakt werden door het nieuwe toestel. Neem in dat geval contact op met de verkoper of fabrikant van het toestel.

Alles blijft vastlopen nadat ik een nieuw programma op mijn computer heb geplaatst

Als na het installeren van een nieuw programma je computer maar blijft vastlopen en blokkeren, dan heb je twee keuzes. Krijg je de computer nog goed aangezet, voer dan een systeemherstel uit (zie het aparte hoofdstuk 'Je computer herstellen (systeemherstel)').

Als je de computer niet meer kunt aanzetten, kies dan bij het opstarten voor 'Veilige modus'.

Zo zal je computer alleen het hoognodige opstarten, en dus hopelijk niet het programma dat de problemen veroorzaakt. Vervolgens kun je proberen het programma weer te verwijderen van je computer. Herstart vervolgens je computer en klaar!

Plotse foutmeldingen van je computer

Als je aan het werken bent met je computer, kan het voorkomen dat hij plots een fout meldt, terwijl je dit helemaal niet verwacht. Elk programma probeert zo goed mogelijk zijn taken uit te voeren, maar heel soms kan er iets vastlopen. Het programma wordt dan gestopt en je krijgt een foutmelding op je scherm. In dit hoofdstuk geef ik een woordje uitleg over de mededelingen die je zoal kunt krijgen.

Programmafout

Het computerprogramma waarmee je bezig was, heeft een fout gemaakt. Je besturingssysteem Windows heeft deze fout ontdekt en het programma gestopt.

De computer vraagt bovendien of hij een rapport mag maken van deze fout en of hij dit mag versturen naar Microsoft, de maker van het besturingssysteem Windows.

Als je wilt meehelpen om de computer gebruiksvriendelijker te maken, dan klik je met je linkermuisknop op 'Rapport verzenden'. Wil je niet dat Microsoft gegevens over je computer krijgt, dan klik je op 'Niet verzenden'.

Het programma waarmee je bezig was, wordt afgesloten. Eventuele gegevens die niet opgeslagen waren in dat programma zijn verloren gegaan.

Start het programma weer op en begin opnieuw. Als je deze fout geregeld krijgt, zet dan je computer af en start hem opnieuw op. Mogelijk zijn dan de fouten weg.

Als je de fout telkens opnieuw blijft krijgen bij een bepaald programma, dan is er iets mis met dit programma. Probeer het eens van je computer te verwijderen en installeer het dan opnieuw. Hopelijk kan het programma nu zijn eigen fouten herstellen.

Toepassingsfout

Soms kan een programma waarin je bezig bent onmiddellijk stoppen en ben je eventuele gegevens die je niet hebt bewaard ook volledig kwijt. Het programma heeft zelf een fout gemaakt door iets te proberen wat niet mag. Dit is een foutmelding die niet zo heel veel voorkomt, maar die best irritant kan zijn.

Klik gewoon met je linkermuisknop op 'OK', start het programma opnieuw op en ga verder met dat waarmee je bezig was.

Beveiligingsmededeling

Krijg je een fout te zien zoals op de volgende foto, dan heeft een programma op je computer geprobeerd een verbinding te maken met het internet. Je computer controleert namelijk alles wat een verbinding wil maken met het internet en vraagt je of dit programma nu wel of niet toestemming heeft om op het internet te gaan.

Als je zonet een programma hebt opgestart, dan kun je klikken met je linkermuisknop op 'Blokkering opheffen' om dit programma toe te laten.

Heb je helemaal niets speciaals gedaan en zou je totaal niet weten over welk programma de computer het heeft, klik dan met je linkermuisknop op 'Blijven blokkeren'. Verder is dit geen fout en je kunt gewoon rustig verder werken zonder verlies van gegevens.

Blauw scherm

Bij deze foutmelding wordt je hele computerscherm blauw en komt er een tekst op te staan. Dit wordt het 'blauwe scherm' genoemd en het is een foutmelding die vooral op oudere computers geregeld voorkomt. Op de nieuwere computers met Windows 7 is dit zeer zeldzaam. (In het Engels wordt dit ook wel 'Blue Screen of Death' genoemd, op het internet vaak afgekort als BSOD.)

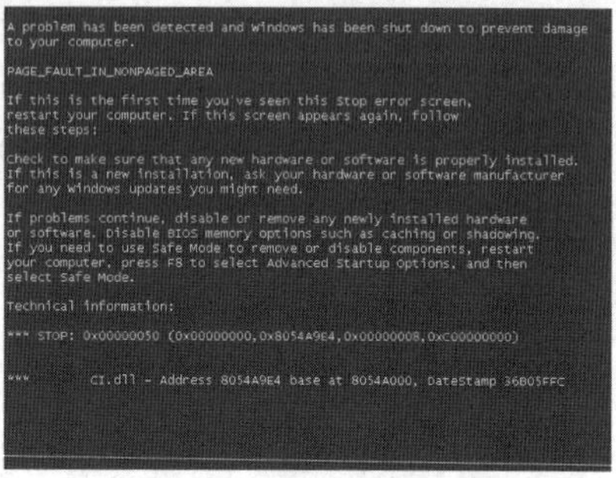

Als je Windows 7 hebt en je krijgt zo'n blauw scherm, dan is het meestal menens: er is een bijzonder ernstige fout gemaakt, meestal door het besturingssysteem zelf (en dus niet door jou!) en alles valt stil. Alles waarmee je bezig was en dat niet is opgeslagen, zal verloren gaan. Het enige wat je kunt doen, is je computer uitschakelen (stroom afzetten!) en de computer opnieuw opstarten. Daarna kun je weer verder werken met je computer.

Als dit probleem geregeld voorkomt, dan is er iets ernstig mis met je computer. Heb je recentelijk een programma geïnstalleerd, maak dit dan ongedaan (gebruik eventueel 'Systeemherstel', lees hierover meer op p. 433).

Deze fout kan ook voorkomen als je randapparatuur in je computer hebt gestopt die niet correct werkt. Heb je dus recentelijk een nieuw toestel aangesloten en komt de fout geregeld voor, trek dit toestel er dan gewoon weer uit en kijk of het verschil maakt.

Programma beëindigen

Deze foutmelding kun je op twee momenten te zien krijgen. Allereerst kan de foutmelding verschijnen als je zelf een programma wilde afsluiten en dit de computer niet onmiddellijk lukt. De computer komt nu vragen of hij het programma echt geforceerd mag afsluiten. Wil je dat, klik dan gewoon met je linkermuisknop op 'Nu beëindigen' of op 'Beëindigen'. De computer zal het programma geforceerd afsluiten en het zal uit beeld verdwijnen. Je kunt nu gewoon verder werken.

De foutmelding kan ook verschijnen wanneer je de computer wilt afzetten. Dan gaat hij namelijk alle programma's die openstaan, afsluiten. Willen sommige programma's niet meewerken, dan begint de computer af te tellen. Dat is de tijd die het programma krijgt om zichzelf alsnog af te sluiten. Daarna zal het gestopt worden.

Je kunt het afsluiten versnellen door onmiddellijk op 'Nu beëindigen' te klikken en dus niet langer te wachten op dat programma.

E-mailprobleem

Windows Live Mail

Er zijn fouten opgetreden bij het verwerken van de gevraagde taken. Raadpleeg onderstaande lijst met fouten voor meer informatie.

Verbergen

Stoppen

<< Details

Taken | Fouten

Voor het account Live (hulpvragend) kunnen geen berichten verzonden of ontvangen worden.

Reactie van server: Er is een fout opgetreden.
Windows Live Mail-fout-id: 0x8004108D
Protocol: NNTP
Poort: 0
Beveiligd(SSL): Nee

5 van 6 taken zijn voltooid

Een foutmelding zoals op bovenstaande foto is eigenlijk geen echte foutmelding en heeft te maken met het versturen van e-mails. Toch kan het even schrikken zijn als je dit plots op je scherm te zien krijgt. De computer komt eigenlijk alleen maar meedelen dat je zonet een e-mail wilde versturen, maar dat dit niet kon worden uitgevoerd, bijvoorbeeld omdat er een tikfout zat in het e-mailadres. Kijk het adres na en verstuur de e-mail opnieuw.

Randapparatuur installeren

Bij foutmeldingen nadat je nieuwe randapparatuur in je computer hebt gestoken, of wanneer je een programma wilt installeren op je computer, dan wil dit zeggen dat voor het programma dat op je computer wordt gezet, niet is getest of het wel correct gaat werken op je computer.

Weet je zeker dat dit programma betrouwbaar is, dan kun je op 'Doorgaan' klikken.

Weet je het niet zeker, klik dan op 'Stop'.

Als je doorgaat, bestaat het risico dat er een programma wordt geplaatst op je computer dat mogelijk de stabiliteit van je computer onderuithaalt. Dit kan talloze fouten en ongemakken tot gevolg hebben, wat je uiteraard niet wenst.

Terug naar het klassieke Windows-uitzicht

Als je gewend bent aan het klassieke Windows-uitzicht omdat je al met een eerdere versie hebt gewerkt, bijvoorbeeld Windows 98, Windows Me of Windows XP, dan kan het zijn dat je het nieuwe uitzicht van Windows 7 niet graag hebt, omdat je het vorige mooier of handiger vond. Daar is rekening mee gehouden. Je kunt dit nieuwe uitzicht gewoon uitschakelen en het klassieke uitzicht vragen. Let wel: je mag dit klassieke uitzicht nemen, maar in heel dit boek wordt het Windows 7-uitzicht gebruikt. Je computer zal er dan net iets anders uitzien dan de foto's in dit boek.

Terug naar het klassieke uitzicht gaan we via een functie op ons bureaublad. Ga dus naar je bureaublad en klik ergens op een lege plaats met je rechtermuisknop om extra functies op te roepen.

In het lijstje dat nu verschijnt, klik je op 'Aan persoonlijke voorkeur aanpassen' met je linkermuisknop, want we willen de eigenschappen van onze computer aanpassen.

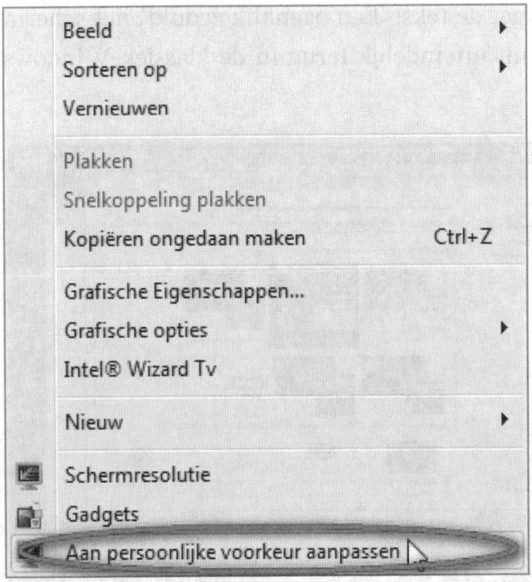

We willen de vormgeving van onze computer aanpassen. We doen dit via de themamogelijkheid van Windows 7. In het venster 'Persoonlijke instellingen' klik je op het basisthema 'Windows-klassiek', het klassieke uiterlijk dus.

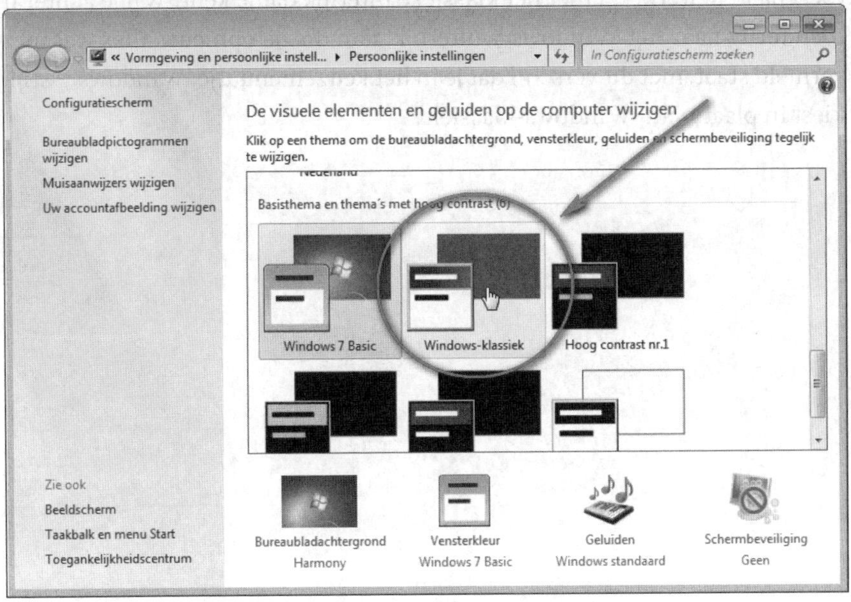

Je ziet nu een klein venster met de tekst 'Een ogenblik geduld', het scherm wordt even zwart-wit en komt uiteindelijk terug in de klassiek Windows weergave.

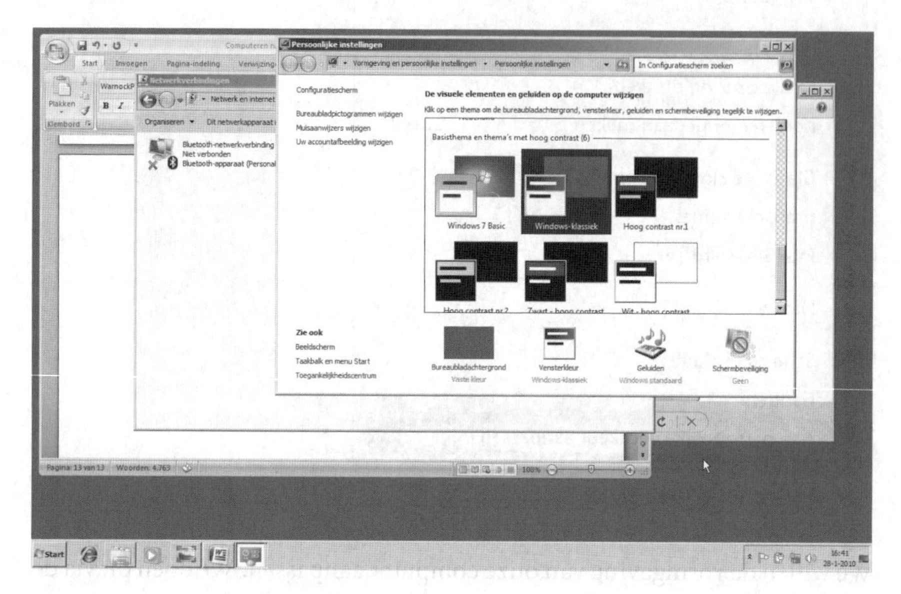

De computer past nu de vormgeving van je computer aan en alles wordt toegepast. Je werkt nu met het klassieke uiterlijk dat je kent. Wil je achteraf toch terug naar het Windows 7-uiterlijk, dan doe je opnieuw alles wat hier vermeld staat, met dit verschil dat je in het keuzemenuutje 'Windows 7-stijl' kiest in plaats van 'Windows-klassiek'.

17 •• COMPUTERWOORDENBOEK

In de computerwereld komen enorm veel vreemde woorden voor. In dit boek worden deze termen niet onnodig gebruikt; we verkiezen duidelijke taal. Advertenties, verkopers en andere boeken gebruiken deze moeilijke termen echter wél. Daarom kun je hier de verschillende termen gemakkelijk opzoeken om een duidelijke uitleg te lezen en écht te begrijpen wat het woord betekent.

> **Engels!**
> De meeste computerwoorden zijn letterlijke, Engelstalige woorden. Sommige woorden zijn ook samengesteld, bijvoorbeeld 'pixel', dat komt van 'picture element'. Dankzij dit computerwoordenboek kun je eenvoudig de uitleg van de verschillende termen terugvinden.

@: Teken dat wordt gebruikt in een e-mailadres, een elektronisch adres. Het is te vinden op het toetsenbord linksboven op de toets van het cijfer '2'. Dit teken wordt ook wel 'at' (spreek uit als 'èt') of 'apenstaartje' genoemd.

5.1: Gebruikt voor het aanduiden van het geluidssysteem. Een 5.1-systeem (uitgesproken als 'vijf punt één'-systeem) bestaat uit vijf kleine luidsprekers en één subwoofer (voor de lage tonen).

6.1: Hetzelfde als 5.1, maar met zes kleine luidsprekers en één subwoofer (voor de lage tonen).

A4: Formaat van een standaardblad papier: 21 × 29,7 cm. Andere formaten zijn A3 (dubbel zo groot als A4) of A5 (de helft van A4).

Account: Gebruikersnaam of abonnement bij een provider of een website.

Acrobat Reader: Gratis programma dat wordt gebruikt om bepaalde documenten te kunnen openen. Handleidingen worden in vele gevallen via dit programma geopend. Bestanden die worden geopend met dit programma worden ook wel 'PDF'-bestanden genoemd.

ADSL: Afkorting van Asymmetric Digital Subscriber Line. ADSL is een vorm om op het internet snel te kunnen surfen. Je hebt een abonnement bij een internetprovider en een modem nodig. Vervolgens kun je via de telefoonlijn tegen een hoge snelheid surfen. ADSL is anders dan de 'klassieke' modem omdat het extra frequenties gebruikt van de analoge telefoonlijn om zo het gebruik van internet te versnellen.

Afdrukken: Een tekst of een foto door middel van een printer op papier brengen. Ook wel 'drukken' of 'printen' genoemd.

Afdrukvoorbeeld: Een weergave op je computerscherm van hoe een bepaalde tekst of een bepaald figuur zal worden afgedrukt op papier. Dit is handig om zonder papier of inkt te verspillen van tevoren al te kunnen inschatten of het goed op het papier zal komen.

AGP: Naam van een speciale insteekpoort intern in je computer. Voor doorsneegebruikers onbelangrijk.

All in one: Benaming voor (meestal) een printer. Deze toestellen zijn niet alleen printer, maar ook kopieermachine, scanner en soms faxtoestel in één.

Alt Gr: Speciale toets op je Azerty-toetsenbord die in combinatie met een andere toets op je toetsenbord bepaalde tekens op je scherm kan brengen. Deze toets wordt bijvoorbeeld gebruikt om de @, €, { en } op je scherm te krijgen.

Deze toets staat soms niét op het Qwerty-toetsenbord; indien wel aanwezig, is deze meestal enkel te gebruiken voor het €-teken op het Qwerty-toetsenbord.

AMD: Merknaam van een processor (CPU). Het is een goedkopere versie dan de Intel, met over het algemeen minder goede prestaties.

Athlon: Benaming van een processor, van het bedrijf AMD. Goedkoper dan de bekende Intel, maar over het algemeen iets minder goed op het gebied van snelheid.

Automatische terugloop: Als je een regel tekst aan het ingeven bent en deze komt tegen de zijkant van het venster, dan zal deze automatisch naar de volgende regel worden geplaatst, zonder dat je hiervoor iets extra's hoeft te doen.

Azerty: Soort van toetsenbord. Het is genoemd naar de eerste zes tekens die linksboven op het toetsenbord staan. Zo heb je ook Qwerty. In België is Azerty gebruikelijk, in Nederland en bijna overal elders op de wereld Qwerty. Het is gewoon de manier waarop de toetsen verdeeld staan op het toetsenbord.

Backspace: De knop die boven de grote entertoets zit en waarop een pijltje naar links staat. Met deze knop zorg je ervoor dat er één teken wordt verwijderd direct links van je cursor (het flikkerende verticale streepje).

Back-up: Ook wel geschreven als 'backup'. Benaming voor 'reservekopie'. Op onze computer kunnen heel veel gegevens staan. Het is belangrijk op regelmatige basis een reservekopie van de belangrijkste gegevens te maken op bijvoorbeeld een cd of dvd. Gaat je computer stuk door bijvoorbeeld een virus, hacker of crash, dan kun je dankzij je back-up de meeste gegevens terughalen van de cd. Je bent dan niet álles kwijt.

Bandbreedte: Mogelijkheid om een bepaalde hoeveelheid informatie te versturen via internet in een bepaalde tijd. Eenvoudiger uitgelegd: de snelheid van je internetverbinding, waarmee je informatie kunt uitwisselen met de rest van de wereld. Dit wordt meestal uitgedrukt in 'megabits per seconde' (wat 1 miljoen bits per seconde wil zeggen en wordt afgekort in '1 Mbps'), of 'kilobit per second' (wat 100 bits per seconde wil zeggen en afgekort wordt in '1 Kbps').

Ter informatie: 8 bits is 1 byte. Dus 1 Kbps, wat 100 bits per seconde is, is dus 12,5 bytes per seconde. 1 Mbps, 1 miljoen bits per seconde, is 125.000 bytes of 122 KB (kilobytes), of 0,11 MB (megabytes).

Beeldpunt: Kleinste puntje dat je computerscherm kan voorstellen. Je computerscherm bevat miljoenen beeldpunten die samen het scherm voorstellen. Door het wijzigen van de kleur van elk apart beeldpunt kunnen foto's en teksten worden voorgesteld. Een beeldpunt wordt ook wel een 'pixel' genoemd (komende van 'Picture Element').

Beeldscherm: Scherm van de computer, ook wel 'computerscherm' of 'monitor' genoemd. Dit is eigenlijk een televisie die gekoppeld is aan je computer, zodat je kunt zien wat de computer doet en zelf eenvoudig opdrachten kunt geven aan de computer.

Belgacom: Bedrijf dat naast telefonie ook internet aanbiedt tegen betaling.

Bestandsformaat of **bestandsindeling**: Manier waarop een programma de informatie opslaat in een bestand. Informatie kan namelijk op vele verschillende manieren worden opgeslagen in het geheugen. Elk programma heeft zo zijn eigen manier.

Bestandsnaam: Naam van een bestand. Op je computer dien je elk bestand een naam te geven, zodat je dit achteraf snel kunt terugvinden. Zo krijgt dus elke foto, elke brief, enzovoort een naam.

Besturingssysteem: Programma dat ervoor zorgt dat je hele computer kan werken. Het zorgt ervoor dat je muis, je toetsenbord, je computerscherm en je printer samen kunnen werken en dat je op een eenvoudige en gebruiksvriendelijke manier gebruik kunt maken van je computer. Bekende besturingssystemen zijn onder meer Windows XP, Windows 98, Windows Me en Windows Vista.

Beveiligingscentrum: Programma van het besturingssysteem Windows XP waarmee je de virusscanner en firewall kunt regelen.

BIOS: Basic Input Output System. Dit is de plaats waar de basisinstellingen van je computer worden bewaard. Bij het opstarten, wordt dit stukje gebruikt om uiteindelijk de computer te laten werken zoals wij deze kennen. Het probleem is dat er BIOS-virussen bestaan en andere kwaadaardige programma's die een poging doen om de BIOS van je computer te beschadigen. Dit kan zeer ernstige schade veroorzaken aan de computer die zeer moeilijk te herstellen valt.

Bit: Eigenlijk een '1' of een '0'. Dit is het basisbestanddeel van alle informatie op je computer. 8 bits wordt 1 byte genoemd. 1 byte komt overeen met één letterteken (bijvoorbeeld 'k' of 'm').

Bits per seconde: Snelheid van een verbinding, bijvoorbeeld op internet, waarbij gezegd wordt hoeveel bits in één seconde kunnen worden verstuurd.

Bluetooth: Methode voor communicatie via radiogolven op korte afstand. De bedoeling is om zo allerlei toestellen met elkaar te laten communiceren zonder draad te hoeven aansluiten aan een computer of laptop.

Breedband: Snel internet.

Browser: Computerprogramma bedoeld om pagina's (bladzijden) op het internet te kunnen consulteren. De bekendste en meest gebruikte programma's hiervoor zijn Internet Explorer, Firefox, Netscape en Opera.

Bubblejet: Zie 'Deskjetprinter'.

Bureau-accessoires: Reeks handige programma's en hulpmiddelen die gratis meegeleverd zijn bij je computer. Je kunt ze vinden in het startmenu (dus onderaan klikken op 'start', vervolgens 'Alle programma's' en dan 'Bureau-accessoires').

Bureaublad: Scherm dat je ziet als je computer opgestart is. Het is meestal een foto of een kleur waarop een of meerdere pictogrammen staan. Het wordt ook wel 'desktop' genoemd.

Byte: Benaming voor een stukje informatie. Een byte kan 1 letterteken aan informatie bevatten. De letter 'm', 'g' of 'k' bijvoorbeeld zijn telkens 1 byte aan informatie. Een byte bestaat uit 8 bits.

Bytes per seconde: Snelheid van een netwerkverbinding, bijvoorbeeld van je internetlijn.

Caps Lock: Knop op je toetsenbord te vinden links naast de letter 'Q'. Het is een toets waarmee je hoofdletters kunt typen zonder steeds de Shift-toets (de toets met het pijltje omhoog) te hoeven blijven indrukken. Het zet dus de hoofdlettertoets vast. Druk er nogmaals op om weer in kleine letters te typen.

Cartridge: Inktpatroon voor je printer. Hiermee kun je nieuwe inkt toevoegen aan je printer, zodat je opnieuw vele pagina's kunt afdrukken.

Cd: Zie 'cd-rom'.

Cd-r: Lege cd die je zelf kunt beschrijven met de computer om er zo tot 700 MB aan informatie of tachtig minuten aan muziek op te plaatsen. Het beschrijven is eenmalig: heb je er eenmaal informatie op laten schrijven ('branden'), dan kan die niet meer worden gewist.

Cd-rw: Cd die je meerdere keren kunt beschrijven.

Cd branden: Beschrijven van een cd. Het wordt 'branden' genoemd omdat de informatie op een speciale laag op de cd via een laser echt wordt ingebrand (uiteraard onder lage temperatuur).

Cd/m²: Aanduiding voor de helderheid van een scherm, in het bijzonder bij platte computerschermen. Hoe hoger dit cijfer, hoe beter.

Cd-rom: Afkorting van 'compact disc – read only memory'. Een zilverkleurig, rond schijfje waarop heel veel informatie kan worden opgeslagen. Uitsluitend de computer of een (muziek) cd-speler kan die informatie lezen; deze informatie is op zich onleesbaar voor mensen.

Cd-romstation/cd-romdrive: Apparaat of onderdeel in je computer waarmee je een cd kunt inlezen op je computer. Elke moderne computer beschikt hierover en het is absoluut het minimale wat je in je computer moet hebben.

Cd-key: Speciale code op het doosje van een cd van een programma dat je hebt gekocht. Je moet deze speciale code overtypen als je het programma wilt installeren op je computer.

Celeron: Naam van een processor (CPU) van het merk AMD. Dit zijn goedkopere processors dan die van Intel, maar over het algemeen zijn ze ook trager. Ze zijn echter beter (maar ook duurder) dan de Sempron van AMD.

Centreren: Functie die je kunt gebruiken bij het werken met teksten, zoals het maken van een brief. Met deze functie zal de tekst exact in het midden worden geplaatst van de pagina of op je scherm, dus met een gelijke ruimte links en rechts van je tekst.

Chatten: Via internet 'praten' door middel van het intypen van berichtjes.

Chip: Belangrijkste onderdeel van een computer. Dit is een heel klein stukje silicium waarop microscopisch kleine verbindingen staan. Onze hele computer is eruit opgebouwd en dankzij deze chips werkt hij zoals we dat gewend zijn.

Chipset: Benaming voor de verzameling van alle chips in je computer.

Coaxkabel: Speciale kabel die vooral voor de televisie wordt gebruikt. Deze vrij dure kabel is de klassieke 'antenne'-kabel of 'distributie'-kabel voor onze televisie, waar ook internet en telefonie door kan worden gestuurd.

Compressie: Verkleinen van gegevens. Je kunt zo een foto of document minder ruimte laten innemen in het geheugen.

Comprimeren: Kleiner maken van bestanden.

Computermuis: Apart toestel bij de computer ter grootte van een hand dat wordt gebruikt voor het aanwijzen van zaken op het computerscherm. Dit is verplicht voor elke computer, zonder kun je vrijwel niet werken.

Computerscherm: Scherm van de computer. Hierop zien we alles wat de computer ons wil vragen. Ook kunnen we via dit scherm op een mooie, grafische manier zelf dingen aan onze computer vragen. Het heeft wat weg van een televisie en wordt ook wel 'monitor' genoemd.

Computervirus: Stukje programma dat ongewenst op de computer komt om vervolgens kwaadaardige dingen te doen op de computer. Virussen willen zich meestal verspreiden en zorgen meestal ook voor beschadiging van bestanden, ze maken de computer stuk, veranderen instellingen, enzovoort.

Een computer die besmet is met een computervirus kan alleen 'gezond' worden gemaakt door middel van een virusscanner.

Een virus wordt meestal verspreid via e-mail (vermomd als een leuk kaartje, een figuur, enzovoort).

Concept: Instelling van je printer om minder inkt te gebruiken.

Configuratiescherm: Onderdeel van je computer waar je talloze instellingen kunt aanpassen: van je printer, computermuis, toetsenbord, enzovoort.

Contrastverhouding: Gebruikt om aan te duiden hoeveel contrast je computerscherm heeft. Hoe hoger dit contrast, hoe beter. Bij een hoge contrastverhouding komen de kleuren namelijk beter uit.

Converteren: Omzetten van een bestand in een ander soort van bestand, maar met dezelfde informatie. Je kunt dus bijvoorbeeld een foto converteren van een bmp-bestand naar een jpeg-bestand. In beide staat dezelfde foto, maar het is een andere techniek voor het bewaren van de informatie. Converteren wordt meestal gebruikt om geheugenruimte te besparen of om bepaalde informatie (zoals een foto of document) te kunnen gebruiken in een ander programma dan waar het origineel in is gemaakt.

CPU: Processor van de computer. Dit is het echte hart van de computer dat alle berekeningen voor zijn rekening neemt. Hoe sneller deze processor, hoe sneller onze computer.

Crashen: Letterlijk vertaald 'botsen' of 'ineenstorten'. De benaming 'crashen' wordt gebruikt als een computer plotseling faalt en niet meer kan werken. Na een 'crash' moet de computer meestal opnieuw worden opgestart en is het probleem weer weg.

CRT-scherm: Het oude, klassieke computerscherm, zoals bij de originele televisies. Ze zijn absoluut niet plat, zeer diep en kunnen flikkeringen veroorzaken, maar ze zijn goedkoper dan andere schermen.

Ctrl/Control: Knop helemaal linksonder op je toetsenbord. Wordt gebruikt in combinatie met een letter of cijfer om zo een commando door te geven aan je toetsenbord, ook wel een 'sneltoets' genoemd.

Cyber (cyberseks, cyberterrorisme, cyberproblemen): Voorvoegsel om aan te geven dat iets via het internet of via de computer gebeurt. Cyberterrorisme is terrorisme via de computer of internet. Zo worden ook woorden als cyberseks, cyberproblemen en cyberoorlog gebruikt in de media en/of op websites.

Data: Benaming voor informatie. Alle informatie in welke vorm ook (tekst, figuren, foto's, muziek, video...) wordt met een verzamelnaam 'data' genoemd. Het woord komt daarom ook in vele andere woorden voor, zoals in 'databank'.

DDR: Sneller type geheugen dan het SDRAM-geheugen.

Defragmenteren: Na verloop van tijd is het geheugen van je computer zeer onordelijk en zijn bestanden op je computer over het gehele geheugen verspreid. Alles ordenen en weer netjes zetten wordt defragmenteren genoemd. Dit verhoogt de snelheid van je computer.

Delete: Knop op je toetsenbord. Deze is meestal boven de pijltjestoetsen te vinden, maar soms ook rechtsboven. Met de Delete-knop kun je dingen wissen. Wat je met je computer hebt aangeduid (een bestand, een foto, een tekst, een letter…) wordt door het indrukken van deze knop gewist. Als niets is geselecteerd en je hem gebruikt in een tekst, dan zal het teken dat rechts staat van de cursor (het knipperende streepje) worden verwijderd.

Deskjetprinter: Printer die meestal zowel kleuren als zwart-wit kan afdrukken. Kenmerk is dat een deskjetprinter de inkt op het blad spuit. De tegenhanger is de laserprinter, die door middel van het 'bakken' van de inkt de tekst of afbeelding op het papier brengt. Een deskjetprinter is goedkoper dan een laserprinter. Deskjetprinters worden ook wel 'bubblejetprinters' genoemd.

Desktopcomputer: Gewone computer om op een bureau of tafel te zetten. Het is een computer die niet draagbaar is, maar op één plaats blijft staan bij je thuis. Het tegenovergestelde is de 'laptop' of 'portable', die je overal mee naartoe kunt nemen.

Desktop: Zie 'Bureaublad'.

Deze computer: Programma op je computer dat ervoor zorgt dat je in je bestanden en mappen kunt bladeren, dus dat je de inhoud van het vaste geheugen kunt zien.

Diskette: Oude manier om gegevens van onze computer te bewaren en te vervoeren. Een diskette is een vierkantig plastic voorwerp waarop vrij weinig informatie kan. Het is een verouderde methode en het diskettestation wordt bij nieuwe computers meer en meer weggelaten. Een diskette wordt ook wel een 'floppydisk' genoemd.

Doelmap: Plaats (doel) waar een bepaald bestand naar zal worden gekopieerd of een bepaald programma naartoe zal worden geïnstalleerd.

Domeinnaam: Term die gebruikt wordt om de naam van een website aan te duiden op het internet. De domeinnaam van bijvoorbeeld de website SeniorenNet is 'SeniorenNet.be'. Een domeinnaam is gekoppeld aan een IP-nummer. De omzetting van de leesbare (en onthoudbare) domeinnaam naar een IP-nummer wordt gedaan via een DNS (domain name server). Deze vertaalt dus de tekst in cijfers.

Downloaden: Via de computer binnenhalen van informatie van het internet. Je kunt zo een programma, figuur of document 'afhalen' bij een website. Dit is het kopiëren van gegevens van het internet naar een computer.

Dpi: 'Dots per inch'. Het aantal puntjes per inch. Meestal wordt dit gebruikt voor printers. Hoe hoger dit aantal, hoe meer puntjes de printer afdrukt op je blad en hoe beter de afdruk dus is. Wordt dit gebruikt voor een scanner, dan geldt hetzelfde: hoe hoger dit aantal, hoe beter, want hoe nauwkeuriger je scanner de beelden opslaat.

Draagbare computer: Zie 'Laptop'.

Drive: Algemene benaming voor een cd-station, dvd-station, enzovoort.

Driver: Programmaatje dat je op je computer kunt zetten zodat een extra apparaat (bijvoorbeeld een printer of digitale camera) werkt op jouw computer.

Dual layer: Benaming gebruikt bij dvd's. Als een dvd een dual layer is, dan bestaat deze uit twee lagen. Het voordeel is dat je dubbel zoveel informatie kunt opslaan op eenzelfde schijfje.

Dubbelklikken: Twee keer snel achter elkaar drukken op de linkerknop van je computermuis, zonder deze intussen te bewegen of te verschuiven. Dit wordt gedaan om een programma, document, bestand of foto te openen.

Dvd: Opvolger van de cd. Er kan veel meer informatie op. Met de dvd kun je een hele film opslaan, vele gegevens of foto's opslaan, enzovoort.

Dvd-r: Lege dvd waarop je zelf informatie kunt plaatsen ('branden'). Heb je er eenmaal informatie op geplaatst, dan is dit definitief en kun je die niet meer verwijderen.

Dvd-ram: Speciaal soort van dvd-rw die speciale mogelijkheden biedt. Ze worden vooral gebruikt bij films waardoor je én een film kunt opnemen, én tegelijk iets anders op diezelfde dvd-ram kunt bekijken. Het zijn vrij dure schijfjes, maar ze kunnen meerdere duizenden keren opnieuw worden gebruikt.

Dvd-rw: Herschrijfbare dvd. Wordt deze term gebruikt voor een toestel, dan wil dit zeggen dat het toestel dvd's kan herschrijven. Staat de term op een dvd, dan wil dit zeggen dat je hem in zo'n speciaal dvd-rw-toestel kunt gebruiken. Je kunt de gegevens op zo'n dvd schrijven en indien gewenst weer wissen en vervangen door andere informatie.

E-mail: De elektronische vorm van de brief. Veel sneller (komt aan na een seconde), gratis, meer mogelijkheden, eenvoudig.

Effect: Speciale bewerking op geluid, film of foto's. Je kunt bijvoorbeeld aan een geluid een echo toevoegen.

EIDE: 'Enhanced IDE', een betere versie van IDE. Het slaat op de soort van harde schijf. Dit is een techniek om informatie uit te wisselen tussen je harde schijf en de rest van je computer. Het is een licht verouderde techniek. Betere methodes zijn SATA of ATA, die veel sneller werken, zodat je computer sneller zal zijn.

Emoticon: Klein figuurtje, meestal een gezichtje, dat wordt gebruikt in een e-mail of in documenten om het humeur van de schrijver op dat ogenblik aan te geven.

Enter: Een grote toets op je toetsenbord. Met deze toets ga je naar de volgende regel in een tekst of bevestig je een commando. Je kunt de toets meestal langs de rechterkant van je toetsenbord vinden.

Ergonomie: Een goede en gezonde houding tijdens het werken aan de computer. Het gaat daarbij om de zithouding, de kijkhoek naar het scherm, het vasthouden van de computermuis, de houding van de handen tijdens het typen, enzovoort.

Ethernet: Technisch gezien is dit de techniek waarmee een netwerk wordt gevormd en hoe de communicatie technisch wordt gedaan tussen verschillende computers. In de praktijk wordt ethernet in reclame en omschrijvingen van computers echter als synoniem gebruikt voor de netwerkkaart. Verwar dit NIET met internet!

Extensie: De letters achter de laatste punt van een bestandsnaam. Een document heeft bijvoorbeeld de extensie.doc, een foto.jpg en een tekstbestand.txt. Dit helpt de computer om te weten door welk programma een bepaald bestand kan worden gelezen.

Extern geheugen: Cd's, dvd's, diskettes, enzovoort.

Faden: Het overgaan (overvloeien) van twee liedjes. Dus: het liedje dat stopt zachter laten worden en het liedje dat begint harder laten worden. Wordt ook gebruikt bij foto's om zo twee foto's in elkaar te laten overvloeien.

Firewall: Hulpprogramma dat indringers (ook wel 'hackers' genoemd) de toegang ontzegt tot een netwerk of computer.

FireWire: Speciale methode om informatie van een toestel naar jouw computer te krijgen, en dit op een zeer snelle manier. Dit wordt vooral gebruikt bij digitale videocamera's. Een goede en snelle technologie.

Flat panel: Benaming voor een plat scherm, ook wel TFT- of LCD-scherm genoemd.

Floppydisk: Zie 'Diskette'.

Fotopapier: Speciaal papier voor je printer waarop je foto's kunt afdrukken. Speciaal hieraan is dat de foto's mooier worden afgedrukt dan op gewoon papier het geval is en dat deze meestal glanzend zijn. Daardoor zijn ze amper te onderscheiden van echte foto's.

Fragmentatie: Het geheugen van je computer is sterk gefragmenteerd wanneer de bestanden die erop staan in vele stukjes zijn geknipt en overal verspreid staan. Dit maakt de computer trager. Dit kan worden opgelost door te defragmenteren. Hoe dit moet, is uitgelegd op p. 456.

Frame: Eén beeld van een video.

Freeware: Als een programma te gebruiken is zonder dat je ervoor hoeft te betalen, wordt dit 'freeware' genoemd. Het tegenovergestelde is 'payware'. 'Shareware' is software dat je gratis enige tijd op proef kunt testen, maar waarvoor je daarna moet betalen.

Functietoets: Toets die een speciale functie oproept, afhankelijk van het programma waarmee je werkt.

Gamepad: 'Moderne' naam voor 'joystick'.

GB: Gigabyte, ofwel 1 miljard bytes. Wordt gebruikt om aan te geven hoeveel informatie er op de harde schijf geplaatst kan worden of hoeveel RAM-geheugen (werkgeheugen) je computer heeft.

Gbps: afkorting van 'gigabit per seconde', ofwel 1 miljard bits per seconde. (overeenkomende met een snelheid van 119 megabyte per seconde).

Gedimd: Als een bepaalde functie in een menulijst niet beschikbaar is, dan is die geplaatst in het grijs. Dit noemen we ook wel 'gedimd'. Functies zijn soms niet beschikbaar omdat ze op dat ogenblik niet mogelijk zijn.

Sommige functies kunnen bijvoorbeeld alleen bij foto's gebruikt worden. Heb je op dat ogenblik een document aangeduid, dan zullen de functies die specifiek zijn voor foto's onzichtbaar worden of in het grijs staan.

Geluidskaart: Kaart die ervoor zorgt dat jouw computer geluid kan produceren.

GHz: Afkorting van gigahertz. Dit is de snelheid van je computer. Gigahertz wil zeggen 1 miljard hertz. 1 hertz wil zeggen 1 berekening in 1 seconde. Als we het dus hebben over een 3 GHz-computer, dan doet deze computer 3 miljard berekeningen per seconde.

Gigabit: 1 miljard bits; zie ook 'Gbps'.

Gigabyte: Zie 'GB'.

Gigahertz: Zie 'GHz'.

GPS: Global Positioning System maakt het mogelijk om eender waar ter wereld met een speciale ontvanger je exacte locatie te kennen. Dit systeem vooral gebruikt voor (auto)navigatie.

Grafische kaart: Zie 'Videokaart'.

Gsm: Draagbare telefoon die je overal kunt gebruiken om te bellen.

Hacker: Iemand die zeer veel weet van computers en de beveiliging ervan. Een hacker is iemand die probeert fouten te vinden in programma's of die ergens probeert in te breken. De term 'hacker' is strikt genomen iemand die legaal en goed werk levert voor het opsporen en verhelpen van fouten.
Het woord wordt echter wereldwijd in de spreektaal gebruikt voor mensen die met slechte bedoelingen bezig zijn met veiligheid, die zaken willen stukmaken, schade willen veroorzaken, mensen proberen op te lichten, enzovoort. Termen als 'cracker' en 'oplichter' zijn voor dergelijke mensen betere benamingen.

Harde schijf: Het vaste geheugen van je computer. In je computer zitten één of meerdere harde schijven waarop een gigantische hoeveelheid informatie kan staan. Het voordeel van een harde schijf is dat de informatie permanent bewaard blijft door middel van magnetisme. De informatie gaat dus niet verloren bij het uitschakelen van de computer. Als je iets opslaat op de computer, is dit op de harde schijf.

Een harde schijf kan echter worden gewist (formatteren) door indringers, maar hij kan ook stukgaan door bijvoorbeeld de computer (of laptop) te laten vallen.

Hardware: De 'harde' onderdelen van je computer. Dit is de computer zelf, het toetsenbord, de printer, het scherm, de muis, de camera, de scanner, enzovoort. Al dit toebehoren voor de computer heeft als verzamelnaam 'hardware'.

HighMAT-audio: Speciale manier voor het maken van cd-bestanden. Het gaat om een internationale afspraak. Door het maken van een muziek-cd met deze indeling, heb je meer kans dat hij in alle cd-spelers werkt, bijvoorbeeld ook in je auto.

Hotmail: Website op het internet waar je een gratis elektronisch adres (e-mailadres) kunt krijgen.

Hotspot: Op een openbare plaats kunnen 'hotspots' zijn. Dit zijn plaatsen waar je draadloos op het internet kunt, meestal tegen betaling.

HT-technologie: Technologie van het bedrijf Intel om een processor (CPU) van de computer te versnellen. Deze technologie zorgt ervoor dat je computer iets sneller werkt, ook al behoudt hij dezelfde specificaties (in gigahertz (GHz) dus).

Hyperlink: Komt voor op webpagina's op het internet. Het is een verwijzing naar een andere pagina of website. Je gaat naar die andere pagina of website toe door op de hyperlink te klikken met je linkermuisknop.

Icoon: Kleine figuur of afbeelding (een logo) die meestal wordt gebruikt om een bepaald programma aan te duiden of die op knoppen staat om duidelijk te maken wat de functie van die knop is.

IDE harde schijf: Soort van harde schijf. Deze schijven zijn goed, maar iets verouderd. De nieuwere zijn ATA, SATA.

Inch: Amerikaanse eenheidsmaat die overeenkomt met 2,54 cm. Deze maat wordt onder meer gebruikt om de lengte van het scherm aan te geven. Een 15 inch-scherm is 15 inch lang, diagonaal over het scherm gemeten.

Infrarood: Methode om via infrarood licht informatie door te sturen. Wordt gebruikt om met een gsm met je computer te communiceren, met een printer...

Inkjetprinter: Printer die de inkt op je papier 'spuit'. Deze methode zorgt voor een goedkope manier van afdrukken via betaalbare printers met een zeer goede kwaliteit.

Installeren: Het plaatsen van een programma op een computer. Als we een nieuw programma hebben gekocht, dienen we dit te installeren op onze computer. Daarbij worden de programmabestanden op de computer gezet, de juiste instellingen uitgevoerd en worden eventuele bestanden vernieuwd die reeds op de computer aanwezig waren.

Intel: Naam van een bedrijf dat processors (CPU) maakt. De Intel-processors zijn de betere die verkrijgbaar zijn, maar ze zijn ook duurder. De bekendste concurrent van Intel is AMD.

Intern geheugen: Het geheugen van je computer, dat ook wel RAM-geheugen wordt genoemd en niet zomaar uit de computer kan worden verwijderd.

Internet: Algemene benaming voor het wereldwijde netwerk van miljarden computers waardoor je toegang krijgt tot alles wat iemand maar kan dromen.

Internetprovider: Bedrijf dat ervoor zorgt dat je op het internet kunt. Net zoals bij de telefoonmaatschappij neem je bij hen een abonnement. Zij zorgen er dan voor dat je op het internet kunt.

Invoegcursor: Het knipperende, verticale streepje dat de plaats aangeeft waar de letters worden ingevoegd als je een knop indrukt op je toetsenbord. Deze wordt ook wel kortweg 'cursor' genoemd.

Inzoomen: Vergroten. Als je ergens op inzoomt, ga je dat groter maken op je scherm. Zo kun je een stuk van een foto vele keren uitvergroten om zo een detail te zien.

IRL: afkorting van 'in real life'. Dit wordt gebruikt om te zeggen 'in het werkelijke leven'. Internetgebruikers verwijzen zo naar hun leven buiten de computer en internet. Sommigen zijn bijvoorbeeld opener via internet dan in het dagelijkse leven. Dan kan men zeggen: 'IRL ben ik niet zo open'. In dat geval zegt de gebruiker 'IRL ben ik niet zo open.' Er zijn mensen die zonder problemen ook op internet hun naam in het werkelijke leven doorgeven; anderen daarentegen gebruiken liever een schuilnaam (valse naam).

IRL wordt wel eens verward met 'URL', wat het (internet)adres is van een website.

ISDN: Methode om op het internet te gaan, deze is echter in onbruik geraakt dankzij het goedkopere en snellere ADSL en kabelinternet.

ISP: 'Internet Service Provider', zie 'Internetprovider'.

Joystick: Extra toestel dat je aan je computer kunt hangen voor spelletjes. Het wordt ook wel 'gamepad' genoemd. Het geeft je de mogelijkheid om via speciale knopjes en een knuppel spelletjes te spelen. Soms kun je ook joysticks vinden met een stuur, om zo beter racespelletjes te spelen).

Kaartlezer: Toestel dat kaarten kan inlezen. Dit kunnen bijvoorbeeld geheugenkaartjes zijn voor je digitale camera: Flash, MemoryStick, SD...

Kabel: Gewoon de benaming voor een 'draad'. Het woord 'kabel' wordt echter ook gebruikt voor 'kabelinternet', de technologie die het mogelijk maakt te surfen op het internet via de kabel waar ook de televisiesignalen mee worden doorgestuurd.

Kabelmodem: Toestel dat je nodig hebt om gebruik te kunnen maken van het snelle kabelinternet.

KB: Afkorting van 'kilobyte'.

Kbps: Kilobit per seconde (1000 bits per seconde).

Keyboard: Zie 'Toetsenbord'.

KHz: 'KiloHertz'.

Kilobit: 1000 bit (of 125 bytes).

Kilobyte: 1000 byte.

Kit: Term die gebruikt wordt voor een gecombineerd pakket waar alles in zit wat je nodig hebt. Een 'kit' voor een netwerk bijvoorbeeld bevat én het toestel voor het netwerk, én de kabel, én de elektriciteitsvoorziening… Een kit is dus een samengesteld pakket waarin alles bij elkaar zit, meestal goedkoper dan het kopen van alle onderdelen apart.

Klavier: Zie 'Toetsenbord'.

Kleurkwaliteit: Kwaliteit van de kleuren op je computer of printer. Hoe hoger de kwaliteit, hoe meer kleuren er kunnen worden weergegeven en hoe realistischer het eruitziet op je scherm of op papier.

Klikken: Eenmalig klikken met de linkermuisknop van je computermuis.

Kloksnelheid: Snelheid van je processor (CPU). Die wordt gemeten in hertz en meestal uitgedrukt in MHz of GHz.

LAN: 'Local Area Network'. Een LAN is een lokaal netwerk van twee of meer computers. Als je thuis twee of meer computers hebt, dan kun je deze aan elkaar koppelen door middel van een LAN. Zo kun je de computers met elkaar laten communiceren en bijvoorbeeld samen één printer laten gebruiken.
Een LAN wordt ook gebruikt bij onder meer bedrijven, scholen en universiteiten om alle computers samen te hangen aan een netwerk.

Laptop: Draagbare computer. Dit is een kleine computer waarin ook een scherm, toetsenbord en een soort van muis zijn ingebouwd, waardoor je alleen dat toestel nodig hebt. Een draagbare computer is handig om overal mee naartoe te nemen of om gewoon gemakkelijk thuis met de computer te kunnen werken.

Laserprinter: Technologie die printen mogelijk maakt voor de gewone gebruiker. De laserprinter werkt volgens hetzelfde principe als de kopieermachine. Het voordeel is dat hij sneller is dan een inkjetprinter, maar het toestel is duurder in aanschaf. De meeste toestellen hebben ook de typische geur van een kopieermachine, omdat het op dezelfde technologie berust.

LCD: Benaming voor de technologie van de 'dunne' schermen. LCD staat voor 'Liquid Cristal Display'.

Licentieovereenkomst: Voorwaarden voor het gebruiken van een computerprogramma.

Linux: Benaming voor een hele reeks van besturingssystemen die door middel van 'open source' worden gemaakt. Linux concurreert met het besturingssysteem van Microsoft Windows en is meestal veel goedkoper of zelfs gratis te verkrijgen. Namen van Linux-besturingssystemen zijn onder meer Ubuntu, Mandriva, Fedora, SUSE, Debian, Gentoo, Slackware en Knoppix.

Lithium-ionbatterij: Benaming voor een speciale batterij. Deze batterijen worden gebruikt voor draagbare computers. Het zijn vrij dure batterijen die echter niet het 'geheugeneffect' hebben van de oude batterijen, waardoor je ze op eender welk ogenblik mag opladen. Verder zijn de voordelen dat ze lichter zijn en sneller opladen.

Macintosh: Tegenhanger van de 'klassieke' IBM-compatibele computer. Dit is een minder succesvolle variant en vrijwel alle verkochte computers zijn geen Macintosh-computers. Deze computers worden vooral door professionele grafici gebruikt voor grafische toepassingen met foto's, figuren en driedimensionale tekeningen.

MB: 'Megabyte'.

Mbps: Megabit per seconde.

Megabit: 1 miljoen bits (ofwel 122 kilobytes).

Megabyte: 1 miljoen bytes.

Megahertz: 1 miljoen hertz, ofwel 1 miljoen bewerkingen per seconde. Dit wordt gebruikt om de snelheid van de processor (CPU) aan te geven.

Memorystick: Geheugenkaart. Op dit stukje plastic kan informatie worden geplaatst, bijvoorbeeld foto's. Een memorystick wordt hoofdzakelijk gebruikt voor het opslaan van foto's bij digitale camera's.

Messenger: Programma om via het internet te kunnen praten met iemand anders door middel van het ingeven van berichtjes.

MHz: Zie 'MegaHertz'.

Microsoft: Bedrijf dat wereldwijd marktleider is voor verschillende computerprogramma' en voor besturingssystemen. De bekendste en meest gebruikte programma's van Microsoft zijn de Windows-versies (Windows Vista, Windows XP, Windows 2003, Windows Me, Windows 98, enzovoort) en Microsoft Office (Office XP, Office 2000, enzovoort).

MSN Explorer: Computerprogramma dat ervoor zorgt dat je kunt surfen op internet (ook browser genoemd).

Modem: Dit staat voor 'modulator-demodulator'. Een modem wordt gebruikt om op het internet te gaan via de analoge telefoonlijn. Een modem zet alle informatie die we willen ontvangen op het internet om in geluidsignalen. Ontvangen signalen worden omgezet in 'digitale signalen' die verstaanbaar zijn voor onze computer, zodat deze ze kan tonen op het computerscherm. Moderne versies van de modem zijn de ADSL-modems, om gebruik te kunnen maken van ADSL, en de kabelmodem, om te kunnen surfen via de kabel.

Moederbord: Het centrale element waar je computer mee is opgebouwd. Op dit 'bord' (printplaat) zijn alle onderdelen van je computer aangebracht, zoals het RAM-geheugen en de CPU (processor).

Monitor: Zie 'Computerscherm'.

Ms: Afkorting van 'milliseconde', een duizendste van een seconde. MS, in hoofdletters, wordt wel als afkorting gebruikt voor het computerbedrijf Microsoft.

Muis: Zie 'Computermuis'.

Muisaanwijzer: Geeft aan op welke plaats je iets kunt aanwijzen of aanduiden op het computerscherm door gebruik te maken van je computermuis. De muisaanwijzer is meestal een pijltje, al kan hij soms ook andere vormen hebben.

Muiscursor: Zie 'Muisaanwijzer'.

Multimedia: Benaming voor de 'nieuwere' computers, om aan te geven dat ze met alle mogelijke media overweg kunnen, zoals geluid, beeld en printer. Alle computers van de laatste jaren zijn per definitie multimediacomputers.

Netwerk: Aaneenkoppeling van verschillende computers, zodat deze met elkaar kunnen communiceren.

Netwerkkaart: Onderdeel waarmee je een netwerk kunt starten tussen meerdere computers, zodat computers met elkaar kunnen communiceren. Dit wordt ook gebruikt om op het internet te gaan.

Nickname: Schuilnaam, ook wel een bijnaam genoemd. Mensen gebruiken zo'n schuilnaam meestal omdat ze hun echte naam niet willen gebruiken om zo anoniem te blijven.

Notebook: Benaming voor een draagbare computer.

Num Lock: De toets die rechtboven op je toetsenbord zit boven het cijfer 7 van het numerieke toetsenbord of soms midden bovenaan is te vinden. Op de knop staat 'Num Lock', 'Num' of 'Num Lck' of een 1 in een vierkantje. Met deze toets kun je de cijfers activeren op het numerieke toetsenbord. Ook kun je Num Lock weer uitzetten om de andere functies van dat stuk van het toetsenbord (de extra pijltjes, extra Home-toets, enzovoort) te kunnen gebruiken. De meeste gebruikers laten 'Num Lock' altijd geactiveerd en doen hier nooit iets mee.

Numeriek deel: Deel van het toetsenbord met de cijfers (rechts van het toetsenbord).

Offline: Letterlijk 'van de lijn'. Als je computer op dit ogenblik niet verbonden is met het internet, dan ben je 'offline'.

Online: Letterlijk 'op de lijn'. Als je computer op dit ogenblik verbonden is met het internet, dan ben je 'online'.

Online afdrukken: Betaalde dienst waarmee je je foto's kunt laten afdrukken door een extern laboratorium, dat je de afgedrukte foto's vervolgens toestuurt.

Operatingsysteem: Zie 'Besturingssysteem'.

Optische muis: Een muis die de bewegingen ziet via een (rode) lichtstraal. Het voordeel is dat deze lichter zijn, nauwkeuriger, niet vuil worden, geen onderhoud vragen en bovendien niet haperen.

Outlook (Express): Computerprogramma voor de verwerking van e-mails. In Windows 7 is de naam van Outlook Express uit Windows XP of Windows Mail uit Windows Vista genoemd naar Windows Live Mail.

Parallel: Oude technologie om een toestel aan te sluiten op je computer, bijvoorbeeld oude printers.

Password: Codewoord, om duidelijk te maken dat jij het bent en niet iemand anders.

Payware: Programma's waarvoor je moet betalen om ze te kunnen gebruiken. Programma's die gratis zijn, worden 'freeware' genoemd.

Pc: 'Personal computer', ofwel gewoon de thuiscomputer.

Pda: Kleine computer die in je handpalm past en iets groter is dan een gsm. Een pda wordt ook wel 'handheld pc' of 'palm pc' genoemd. Deze kunnen worden gebruikt als agenda, maar ook om overal te kunnen surfen op internet, op alle plaatsen te kunnen werken, enzovoort. Ze kunnen ook voorzien worden van spelletjes en andere zaken. Zeer veel worden ze gebruikt voor gps-navigatie (bijvoorbeeld in de auto).

Pentium: Benaming voor wereldwijd de bekendste en meest verkochte processor (CPU), gemaakt door het bedrijf Intel. Dit zijn de betere processors, die weliswaar iets duurder zijn dan die van de concurrentie, maar over het algemeen ook beter.

Pictogram: Kleine afbeelding of figuur waarmee een programma, opdracht of map wordt aangeduid. Wordt ook wel een 'icoon' of 'icon' genoemd.

Pixel: Klein elementje waaruit een computerscherm is opgebouwd. Het is een klein puntje. Hoe meer pixels je computerscherm heeft, of hoe meer pixels je digitale camera ondersteunt, hoe nauwkeuriger het scherm.

Plug and play: Commerciële term om aan te geven dat je een toestel maar in de computer hoeft te steken om er onmiddellijk mee te kunnen starten, zonder moeilijke installatieprocedures en dergelijke.

Poort: Er zijn twee betekenissen. Ofwel is het een plaats in je computer waar je een kabel kunt insteken, bijvoorbeeld van je toetsenbord of muis. Ofwel is het een virtuele 'opening' in een computer die wordt gebruikt om gegevens te versturen en te ontvangen. Wanneer een computer een verbinding maakt met internet, opent deze verschillende poorten. Elke poort vervult hierbij een specifieke functie, bijvoorbeeld webpagina's of e-mailberichten versturen en ontvangen.

Portable: Zie 'Laptop'.

Postvak IN: De map waarin alle e-mailberichten samenkomen.

PPM: 'Pagina's per minuut', wordt gebruikt om de snelheid van de printer aan te duiden.

Processor: Zie 'CPU'.

Programma: Iets dat op je computer staat en dat opdrachten voor je kan uitvoeren. Als je ergens op klikt, iets intypt of iets anders doet, zorgt een computerprogramma ervoor dat alles goed verloopt. Je hebt bijvoorbeeld computerprogramma's speciaal voor teksten (zoals Microsoft Word), voor figuren (zoals Photoshop) en voor internet (zoals Internet Explorer of Firefox). Programma's kunnen in sommige gevallen ook kwaadaardig zijn. Ze kunnen bijvoorbeeld een virus zijn.

Provider: Zie 'Internetprovider'.

Prullenbak: Zie 'Verwijderde items'.

PS/2: Oude methode om iets aan te sluiten op je computer. Wordt gebruikt om de (oudere) muis en het toetsenbord op aan te sluiten. Het is een ronde aansluiting.

QuickTime: Computerprogramma om animaties te kunnen zien op je computer. Het is ontworpen door Apple en is gratis verkrijgbaar.

Qwerty: Zie 'Azerty'.

RAM: 'Random Access Memory'. Dit is het werkgeheugen van de computer, dat hij gebruikt om iets te kunnen onthouden op korte termijn. Hoe meer RAM-geheugen hoe meer opdrachten je computer tegelijk kan uitvoeren.

Randapparaat: Apart toestel dat je aansluit op je computer. Dus bijvoorbeeld de printer, muis, scanner, toetsenbord, beeldscherm, camera, webcam.

Rechts klikken: Eén keer drukken op de rechterknop van je computermuis. Deze handeling wordt bijna altijd gebruikt om een extra lijst met commando's zichtbaar te maken waarmee iets speciaals kan worden uitgevoerd.

Recordable cd: Zie 'cd-r'.

Recupel: Extra belasting die je dient te betalen bij het kopen van een elektronisch apparaat.

Refresh rate: Snelheid waarmee het scherm wordt vernieuwd. Hoe hoger dit aantal is, hoe sneller het scherm dus wordt vernieuwd. Dit is alleen belangrijk voor mensen die zeer geavanceerde spelletjes spelen. Bij de oude CRT-computerschermen is dit belangrijk: hoe hoger de 'rate', hoe minder kans op flikkeringen. Bij de nieuwe, dunne LCD-schermen is dit niet meer zo van belang.

Registratie: Nadat je een bepaald programma op je computer hebt geplaatst, wordt je soms gevraagd het te registreren. Daarmee bevestig je de aanschaf en installatie van een programma op je computer. Registratie is nuttig voor het ontvangen van hulp bij problemen of om op de hoogte te worden gehouden van nieuwe versies van het programma (en dus ook reclame).

Resolutie: Term om de kwaliteit van het beeld uit te drukken. De resolutie geeft het aantal pixels (puntjes) op een scherm weer. Hoe hoger, hoe beter het scherm. De term wordt ook gebruikt bij printers bijvoorbeeld.

Responstijd: Reactietijd van je computerscherm. Hoe lager die ligt, hoe sneller een beeld op je computerscherm zal verschijnen. Bij de meeste mensen levert dit geen enkel probleem op, alleen mensen die zeer geavanceerde spelletjes willen spelen, kunnen dit cijfer beter zo laag mogelijk houden. Het wordt meestal in 'ms' aangeduid: milliseconde (een duizendste van een seconde).

Rewritable cd/dvd: Zie 'cd-rw' of 'dvd-rw'.

Rippen: Omzetten van muziek van een originele muziek-cd naar een bestand op je computer.

Rpm: 'Round per Minute'. Aantal toeren per minuut (tpm), meestal gebruikt voor een harde schijf. Hoe hoger dit aantal, hoe sneller de harde schijf in werkelijkheid is. 5400 is vrij traag, 7200 is de huidige goed betaalbare harde schijf, maar er bestaan ook (duurdere) snellere.

ROM: Klein stukje geheugen in onze computer, waar we zelf niets aan kunnen veranderen. Het gaat om de kern van de computer. Zonder ROM-geheugen kan de computer niet functioneren.

SATA-harde schijf: De nieuwere harde schijven met een nieuwe technologie, waardoor ze enorme snelheden kunnen halen. Kies, indien mogelijk, een ATA- of SATA-harde schijf, in plaats van de oudere IDE-schijf.

Scanner: Toestel dat ervoor zorgt dat je al wat je op het glas legt, vervolgens op je computer te zien krijgt. Een soort kopieermachine naar je computer toe, waarna je het gescande bijvoorbeeld kunt bewerken.

Scarlet: Bedrijf dat naast telefonie ook internet aanbiedt tegen betaling.

Scherm: Benaming voor een 'computerscherm'.

Schermbeveiliging: Zie 'screensaver'.

Schermtoetsenbord: Programma dat op je computerscherm een toetsenbord laat zien. Door met je linkermuisknop op de letter op het scherm te klikken, bereik je hetzelfde als met het drukken met je vinger op het echte toetsenbord.

Schijfletter: De letter die wordt gebruikt om een harde schijf aan te duiden. Voorbeeld: C:\ of D:\.

Screensaver: Bij de klassieke CRT-schermen, net zoals bij de klassieke televisie, kan het beeld inbranden. Dat kan gebeuren als eenzelfde beeld uren aan een stuk wordt afgebeeld op je computerscherm. Een screensaver is een programmaatje dat bewegende beelden op je scherm tovert, zodat er niets kan inbranden en je scherm dus niet stukgaat. De nieuwere, platte schermen ('flatscreens') hebben hier vrijwel geen last van.

Scrollen: Door een pagina of een lijst gaan door middel van de schuifbalken op het scherm (zowel horizontaal als verticaal) of via het rolletje met de computermuis. Zo kun je informatie te zien krijgen die niet past op het scherm.

SCSI-controller: Snelle methode om intern in je computer meerdere toestellen te verbinden zoals de cd-drive en de harde schijf. Dit is een vrij dure maar snelle methode. Door de prijs wordt ze minder gebruikt door de 'gemiddelde' gebruiker.

SDRAM: Zeer snel RAM-geheugen, van goede kwaliteit en met een hoge snelheid.

Selecteren: Iets op het computerscherm aanklikken met de linkermuisknop of markeren op het scherm.

Sempron: Naam van een processor van het bedrijf AMD. Het is de goedkope versie van dit bedrijf. Het is een tragere en minder goede processor dan de Intel Pentium, maar goedkoper.

Serieel: Vrij oude methode om apparaten op je computer aan te sluiten. Sommige oudere toestellen kun je hiermee nog aansluiten.

Set-up: Programma dat ervoor zorgt dat een ander programma correct wordt geplaatst (geïnstalleerd) op je computer.

Shareware: Benaming voor computerprogramma's waarvoor je moet betalen om ze te gebruiken. Je krijgt echter bij sharewareprogramma's een proefperiode van bijvoorbeeld 14, 30 of 50 dagen, waarbij je het programma gratis mag uitproberen voordat je het koopt (of niet indien je niet tevreden bent).

Shift: De knop die je linksonder op je toetsenbord kunt vinden waarop ofwel 'Shift', ofwel een pijltje omhoog staat. Door het indrukken van deze toets in combinatie met een letter, kun je een hoofdletter intypen. Door deze toets te combineren met een van de toetsen waarop twee tekens boven elkaar staan, kun je het bovenste teken op je scherm brengen.

Slepen: Iets aanklikken met je linkermuisknop, de knop ingedrukt houden en vervolgens bewegen naar een andere plaats en daar de linkermuisknop weer loslaten.

Snel starten: Speciale werkbalk, vlak naast de knop 'start' linksonder op je computerscherm. Zo kun je snel programma's starten.

Snelkoppeling: Pictogram (icoon) dat meestal op je bureaublad staat en waarmee je snel en handig een programma of document kunt openen, ook al staat dit programma ergens anders op je computer.

Sneltoets: Combinatie van twee of meerdere toetsen die ervoor zorgt dat je een commando kunt geven aan je computer. We noemen het 'snel' omdat het indrukken van enkele toetsen meestal sneller is dan het aanduiden met de computermuis van hetzelfde commando. Voor vaak terugkerende commando's is het handig enkele sneltoetsen uit het hoofd te kennen, om zo sneller te werken. Het is echter niet nodig, Je kunt perfect werken zonder sneltoetsen.

Software: De programma's die op een computer kunnen worden uitgevoerd. Bijvoorbeeld Word is software voor tekstverwerking en Windows is een besturingssysteem, om je computer mee te besturen.

SoundBlaster: Merk van geluidskaarten. Ze zijn zo bekend dat 'soundblaster' inmiddels synoniem is geworden van 'geluidskaart'.

Speakers: Luidsprekers, zodat je kunt horen wat je computer aan geluiden wil produceren.

Spindle: Meestal gebruikt bij cd's of dvd's. Spindle cd's zijn bijvoorbeeld 25, 50 of 100 cd's samen in één pakje, zonder doosjes, maar in een 'torentje'.

Standaard: dit is wat 'normaal' is. Zo heb je standaardinstellingen: dit zijn instellingen van een programma of toestel die normaal zijn. Indien je iets niet specifiek wijzigt, dan worden de 'standaardinstellingen' of dus de 'normale' instellingen gebruikt.

Standaardprinter: Als je iets afdrukt, zonder iets specifieks aan te geven, zal het op de 'standaardprinter' (de eerste printer) worden afgedrukt.

Streaming/streamen: Het beluisteren van geluid of het bekijken van videobeelden rechtstreeks via internet, zonder dat het hele geluidsbestand of beeldbestand op je computer hoeft te staan. Het werkt dus veel sneller dan zonder streaming. In dat geval zou je immers eerst moeten wachten totdat alles op je computer staat, voordat je kunt luisteren of kijken.

Stuurprogramma: Klein programma dat ervoor zorgt dat je computer goed kan samenwerken met een extern toestel. Zo'n stuurprogramma zorgt er dus voor dat je computer correct kan afdrukken naar je printer, de foto's van je digitale camera goed op je computer verschijnen, enzovoort. Wordt ook wel 'driver' (dit is de Engelse vertaling) genoemd.

Support: 'Hulp'. Als je problemen hebt met je computer of een computerprogramma, dan kun je via de 'support' hulp verkrijgen. Meestal is dit per telefoon, maar het kan ook via internet zijn of iemand die bij je thuis langskomt.

Surfen: Term gebruikt voor het werken op het internet. Als je van de ene website naar de andere website gaat, heet dit 'surfen'.

Systeemvereisten: Lijst met eisen waaraan je computer moet voldoen om een bepaald programma of toestel op je computer te laten werken.

S-Video: Methode om videobeelden te transporteren, via een betere kwaliteit dan de kwaliteit die we van de klassieke methodes gewend zijn. Deze worden ondersteund door de meeste televisietoestellen en ook door computers.

Taakbeheer: Venster waarin je een lijst ziet van alle programma's die op dat moment op je computer actief zijn.

Tab: Knop op je toetsenbord. Op een Azerty-toetsenbord is deze te vinden links naast de A, op een Qwerty-toetsenbord links naast de Q. Het indrukken van deze toets zorgt ervoor dat je in een tekst een grote witruimte krijgt (zo kun je eenvoudig tabellen maken). Ben je in een programma, dan kun je hiermee verspringen tussen verschillende tekstvelden, instellingen of opties.

Teken: Benaming voor een letter, cijfer, leesteken of ander speciaal 'teken', zoals §, $ en %.

Tekengrootte: Grootte van de letters/cijfers. Hoe groter dit getal, hoe groter de letters en cijfers zijn op je scherm en op je blad als je ze afdrukt.

Telenet: Bedrijf dat onder andere breedbandinternet aanbiedt via de kabel, maar ook telefonie.

Terabit: 1000 gigabit.

Terabyte: 1024 gigabyte.

TFT: Technologie die gebruikt wordt voor 'platte schermen', ook wel 'flatscreens' genoemd. TFT en LCD worden gebruikt om hetzelfde aan te duiden.

Tpm: Aantal toeren per minuut, meestal gebruikt voor een harde schijf. Hoe hoger dit aantal, hoe sneller de harde schijf in werkelijkheid is. 5400 is vrij traag, 7200 is de huidige goed betaalbare harde schijf, maar er bestaan ook (duurdere) snellere.

Toetsenbord: Onderdeel van je computer om informatie in te geven door op toetsen te drukken waarop letters, cijfers of tekens staan.

Touchpad: Alternatief voor de computermuis bij een draagbare computer (laptop). Het is een rechthoekig vlak. Je kunt er het pijltje van de muis mee bewegen door met je vinger het rechthoekje aan te raken en die dan te verschuiven. Dit wordt over het algemeen ervaren als 'moeilijker' dan het werken met de computermuis.

Uitlijnen: Wordt gebruikt bij teksten. Je kunt een tekst links uitlijnen, rechts uitlijnen, centreren of uitvullen. Links uitlijnen wil zeggen dat de tekst begint vanaf links. Rechts uitlijnen wil zeggen dat de tekst rechts begint. Centreren wil zeggen dat de tekst exact in het midden van het blad wordt geplaatst (in de breedte). Uitvullen wil zeggen dat alle regels zodanig worden uitgetrokken dat één volledig blok tekst ontstaat dat zowel links als rechts de kantlijn exact raakt.

Uitvullen: zie 'uitlijnen'.

Unix: Stabiel, snel en tamelijk ingewikkeld besturingssysteem. Het wordt gebruikt als basis voor Linux en Mac OS X.

Update: Nieuwe versie van een programma of een stuk van een programma. Updates zijn meestal gratis en lossen fouten op of voegen enkele extra mogelijkheden toe. Meestal wordt het versienummer veranderd, bijvoorbeeld van 3.6 naar 3.7.

Upgrade: Vrij ingrijpende, gewijzigde versie van een programma of een stuk van een programma. Meestal moet je betalen voor een upgrade. Deze zorgt doorgaans voor veel nieuwe mogelijkheden, is vaak gebruiksvriendelijker en heeft soms een ander uiterlijk. Het versienummer verandert meestal sterk, bijvoorbeeld van 3.6 naar 4.0.

UPS: Benaming gebruikt voor een soort van batterij die je computer van elektriciteit blijft voorzien als de elektriciteit wegvalt.

URL: Internetadres van een website. Zie ook 'domeinnaam'. Niet te verwarren met 'IRL' (zie IRL voor meer uitleg).

USB: Technologie om op een zeer eenvoudige wijze extra toestellen te koppelen aan je computer. Deze technologie is zeer betrouwbaar. Probeer om USB 2.0 te gebruiken in plaats van het oudere USB 1.1.

USB-stick: Klein plastic 'stokje' waarop informatie kan worden geplaatst, net zoals een cd of cassette, maar dan in een andere vorm en met een andere technologie.

Vaste schijf: Andere naam voor de 'harde schijf', zie dus 'harde schijf'.

Vastgelopen computer: Een computer is vastgelopen als deze niet meer reageert op je commando's. Dit zou eigenlijk niet mogen voorkomen. Toch gebeurt het nog weleens, omdat de computer intern zeer complex is en foutjes niet helemaal zijn uit te sluiten. Oplossing: de spanning van je computer afzetten en de computer opnieuw aanzetten.

Veilige modus: Speciale manier om je computer op te starten. Wordt gebruikt als je computer niet meer via de normale manier kan opstarten. Deze speciale modus kan worden gebruikt om uit te zoeken wat er met de computer is en hem alsnog te redden.

Verkenner: Zie 'Windows Verkenner'.

Verwijderde items: Alle bestanden die zijn verwijderd op je computer. Als je iets verwijdert, kun je dit nog ongedaan maken. Pas als je ook de 'prullenbak', waar de verwijderde items in zitten, hebt leeggemaakt, kun je de verwijderde bestanden níét meer tevoorschijn halen.

VGA: Klassieke methode om videobeelden te laten zien op je computer of bijvoorbeeld op een televisie. Nieuwere methoden zijn S-VGA (Super VGA).

Videokaart: Onderdeel van je computer dat ervoor zorgt dat je computer beelden kan tonen op het computerscherm.

Virus: Computerprogramma dat gemaakt is om je computer stuk te maken. Uitgebreide informatie hierover kun je lezen in het boek *Veilig op het internet*, geschreven door Pascal Vyncke.

Wachtwoord: Zie 'password'.

Webcam: Kleine camera die je kunt gebruiken om beelden te versturen via het internet, om zo met iemand anders te communiceren met geluid én beeld.

Website: Plaats waarop informatie staat op het internet.

Werkbalk: Rechthoekige balk met knoppen. Door op het gewenste commando te klikken, zal de computer dit uitvoeren.

Werkgeheugen: RAM-geheugen.

Wifi: Technologie om draadloos te communiceren, vooral gebruikt voor internet en netwerken. Ook gebruikt bij zogenaamde 'hotspots', waar je op openbare plaatsen internet kunt gebruiken.

Windows: Naam van het besturingssysteem van het bedrijf Microsoft. De meeste mensen gebruiken dit systeem. Het staat standaard op vrijwel elke computer die je kunt kopen.

Windows-toets: De knop onderaan op je toetsenbord waarop een vlaggetje staat. Deze toets laat enkele functies toe, zoals het snel oproepen van de zoekfunctie.

Windows Verkenner: Programma op je computer dat ervoor zorgt dat je in je bestanden en mappen kunt bladeren, dus dat je de inhoud van het vaste geheugen kunt zien.

Windows XP: Besturingssysteem van de computer, gemaakt door het bedrijf Microsoft.

Wireless: 'Draadloos', bijvoorbeeld gebruikt bij een draadloos netwerk of draadloos internet.

Word: Betaald programma waarmee je brieven en documenten kunt maken.

WordPad: Eenvoudige versie van 'Word', gratis meegeleverd op je computer.

World wide web: Andere benaming voor het 'internet'.

WWW: Zie 'world wide web'.

Zip-drive: Met behulp van een zip-drive kun je informatie opslaan. Het is eigenlijk hetzelfde als een cd of dvd, maar dan met een andere technologie in een andere vorm. Wordt gebruikt voor reservekopieën.

Zippen: Het kleiner maken van bestanden op je computer.

Zoekresultaten: Lijst met resultaten nadat je een zoekopdracht hebt gegeven aan je computer.

REGISTER